D1414764

TOUS LES FLEUVES
VONT À LA MER

ELIE WIESEL

TOUS LES FLEUVES
VONT À LA MER

Mémoires

ÉDITIONS DU SEUIL
27, rue Jacob, Paris VI

© Elirion Associates, Inc., 1994

ISBN 2-02-021598-5

© Septembre 1994, Éditions du Seuil, pour l'édition française

Que reste-t-il de la peine que l'homme se donne sous le soleil ? Une génération s'en va, une autre arrive, et la terre ne bouge pas. Le soleil se lève, le soleil se couche ; il cherche son point de départ pour se lever à nouveau. Le vent va vers le sud, tourne vers le nord, tourne et retourne sur lui-même toujours. Tous les fleuves vont à la mer, et la mer n'est pas remplie. Le lieu vers lequel ils se dirigent, c'est là qu'ils veulent aller. Elles sont dures, les choses de la vie. Aucune parole ne peut les décrire, l'œil ne se rassasie pas de voir, ni l'oreille d'écouter.

L'Ecclésiaste

ENFANCE

Hier soir, j'ai vu mon père en rêve. Son visage mal rasé restait pareil à lui-même, figé dans la même expression, mais à chaque instant il changeait d'habit. Tantôt il portait son costume de Shabbat, tantôt il était revêtu des loques rayées des êtres maudits et laminés. D'où venait-il, cette nuit ? De quel paysage s'était-il échappé ? De qui était-il l'émissaire ? Le lui ai-je demandé ? Je ne me le rappelle plus. Je me souviens seulement de son air triste, résigné. Il voulait me confier quelque chose, c'était clair à la façon dont ses lèvres remuaient. Mais aucun son n'en sortit. Soudain, dans mon sommeil — ou était-ce dans le sien ? — je me surpris à douter de mes sens : était-ce mon père ? Je n'en étais plus sûr.

Certes ce visage lui ressemblait, mais cela ne signifiait pas grand-chose. En rêve, toutes les certitudes, à peine ébauchées, finissent par se brouiller et s'estompent. Aube et crépuscule, réalité et fantasmes se confondent. Et pourtant. C'est bien mon père qui apparut devant moi hier soir. Porteur d'un message ?

D'un avertissement peut-être ? Le cœur battant, je me suis réveillé en sueur. Une idée folle et angoissante me traversa l'esprit : il est venu me chercher.

Mon père, je ne le connaissais pas. Pas vraiment. Cela me fait mal de l'admettre, mais je lui ferais encore plus mal si je m'entêtais à vouloir me leurrer. L'homme que j'aimais le plus au monde, qui me bouleversait d'un simple regard, en vérité je savais peu de chose de lui, du secret de sa vie intérieure. A quoi songeait-il quand il fixait silencieusement un point lointain, invisible dans l'espace ? Quelles étaient ses joies intimes, ses ambitions d'homme, de père ? Ses préoccupations, ses soucis, ses déceptions, il me les cachait. Étais-je trop jeune ou pas assez digne de les comprendre ?

Je me demande si d'autres fils se heurtent au même problème.

Connaissent-ils leurs pères ? Je veux dire : les connaissent-ils autrement que sous les traits familiers du géniteur autoritaire et omniscient qui s'en va le matin et revient le soir, apportant le pain et le vin sur la table ? Un père, pour son fils, n'incarne-t-il pas le mystère à jamais impénétrable de l'ascendance et des origines de l'espèce ?

Enfant, et même adolescent, je le voyais rarement. Toute la semaine, mal habillé, soucieux mais rarement taciturne, il passait son temps entre l'épicerie — où il aimait bavarder avec les clients autant que leur vendre sa marchandise — et les bureaux de la communauté où il s'évertuait à inventer des stratagèmes pour sauver les prisonniers ou les réfugiés menacés d'expulsion.

Sighet : *shtetl* typique, village et cité d'accueil pour les Juifs depuis... depuis 1640, prétendent les historiens. Après les pogroms et les persécutions en Ukraine, sous le règne de Bogdan Khmelnitski, de nombreux réfugiés vinrent s'y installer. En 1690, la populace exigea que les autorités refoulent tous les habitants juifs de la région. Sans doute y avait-il déjà en ce temps des hommes comme mon père pour protéger notre communauté.

Mon père, je le côtoyais seulement pendant le Shabbat. Chez nous, il commençait dès le vendredi après-midi. Les magasins fermaient bien avant le coucher du soleil : récalcitrants et retardataires se faisaient admonester par les émissaires et les inspecteurs rabbiniques qui criaient : « Vite, plus vite, baissez les stores, fermez les volets, il est tard, le Shabbat arrive ! » Malheur à qui désobéissait. Lavés rituellement et habillés pour l'occasion, nous nous rendions à l'office. Parfois, en passant devant la gendarmerie toute proche ou la prison centrale qui donnait sur la grande place, mon père me prenait la main, comme pour me protéger. J'aimais cela, et j'aime m'en souvenir. J'étais rassuré, heureux. Soudé à moi, il m'appartenait, nous formions un bloc. Mais il suffisait qu'un fidèle nous rejoigne pour que ma main, désormais inutile, me soit rendue. Mon père devinait-il la peine que j'en éprouvais ? Je me sentais relégué, abandonné, même rejeté. Après, ce n'était plus pareil. Renfrogné, je parlais peu, et moins encore durant l'office de Kaballat-Shabbat. J'aurais tellement souhaité avoir une conversation, une vraie conversation avec mon père. En tête à tête. Lui parler à cœur ouvert de choses graves ou futiles. Futiles ? A cet âge, on prend tout au sérieux. J'aurais souhaité lui parler de mes angoisses nocturnes, des morts qui, je le savais, à minuit, quittent leurs tombes et viennent prier dans la grande synagogue : malheur au passant qui se fait sourd à leur invitation à venir réciter les bénédictions d'usage avant la lecture de la Torah. De mes camarades pauvres : leur faim me culpabilisait. Je me croyais riche et sans mérite. Naïvement, je parais la pauvreté de toutes les vertus : au fond de moi, j'étais jaloux des pauvres. Pour paraphraser le grand humoriste yiddish Sholem-Aleikhem, j'aurais tout donné pour un petit goût de misère. Eh oui, j'aurais tellement voulu en discuter avec mon père. Parfois il m'arrivait d'envier Isaac : il était seul avec le sien lorsqu'ils gravirent le mont Moriah. Dieu seul pouvait prévoir qu'un jour nous nous dirigerions ensemble vers une solitude et un autel d'une autre dimension, d'un autre genre. Et que, contrairement à ce qui se passe dans le récit biblique, le fils reviendrait de l'épreuve, laissant son père seul avec les ombres.

Je l'admirais, je le craignais, je l'aimais, car un fils doit aimer son père. Mais lui, il favorisait les fils des autres. Les faibles, les nécessiteux. Les fous, il aimait les fous ; l'air grave, absorbé, il aimait les écouter rire, chanter et pleurer en parlant aux oiseaux invisibles. Les mendiants, il les attirait, il se les attachait. Il les invitait à partager nos repas de Shabbat. L'un d'entre eux lui dit un jour : « Le Talmud cherche à nous convaincre que la pauvreté sied aux Juifs, comment est-ce possible ? Elle est laide, la pauvreté ; elle accentue la laideur... » Et mon père hocha la tête comme pour dire : tu es pauvre, tu connais mieux que le Talmud ce qu'est la pauvreté...

En rêve, je rêve.
J'aimerais vivre la sagesse de mon père, la sérénité de ma mère, la grâce naïve et pure de ma petite sœur, j'aimerais vivre la colère du résistant, la souffrance du rêveur mystique, la solitude de l'orphelin dans un wagon plombé, la mort de chacun et de tous, j'aimerais pouvoir sortir de moi-même pour me fondre en eux.
J'aimerais maintenir ma mémoire ouverte, la repousser au-delà de l'horizon, la garder vivante même après ma mort.
Je sais que ce n'est pas possible. Et après ? En rêve l'impossible n'est pas juif.

Mon père jouissait d'une renommée considérable dans la communauté. Encore aujourd'hui, il arrive qu'un vieillard m'aborde à Brooklyn, rue des Rosiers ou à Bnei Brak : « Ah, tu es le fils de Reb Shloïme Wiesel ? » Et je suis fier, heureux d'être ainsi connu ou reconnu : je ne viens pas de nulle part, je ne suis qu'un rameau, mais l'arbre est grand, sa cime remue les nuages.

On vantait l'intelligence de mon père, on louait sa perspicacité, son humanisme. On venait le sonder, le consulter. Patient, tolérant, il recevait n'importe qui pour n'importe quelle raison. D'un même air attentif, il écoutait riches et pauvres, amis et inconnus. Ses avis, on en tenait compte. Ses conseils, on les suivait. Pas étonnant qu'il fût tellement sollicité. Mais, au fond de mon être, je ne comprenais pas : il avait le temps pour tout le monde, sauf pour moi. Pourquoi m'écoutait-il distraitement ? Pourquoi ses réponses étaient-elles si brèves ? J'aurais aimé qu'il me raconte son enfance à lui, ses études, ses expériences. Comment se comportait-il au Héder ? Était-il un enfant sage ou téméraire ? Qui étaient ses copains, à quoi jouaient-ils ? Son père, dont je porte le nom, ma grand-mère, elle, m'en parlait souvent, toujours en souriant, mais ce n'était pas pareil.

Grand-mère Nissel, je la revois encore, visage maigre et pâle, presque blanc, évanescent, rétréci par son éternel fichu noir. Ses yeux, je me souviens de ses yeux. En les posant sur moi, c'est un autre Eliézer qu'elle devait voir. Elle lui souriait en me souriant.

Notre heure privilégiée, c'était le vendredi. Je rentrais du Héder et m'arrêtais chez elle. De la fenêtre où elle se tenait, elle m'appelait : « Eliézer... Viens, mon enfant, je t'attendais. » Elle m'offrait un petit pain tressé encore tout chaud, juste sorti du four et, assise là devant moi, les mains nouées, heureuse et apaisée, elle me contemplait d'un air recueilli, tandis que je me lavais et récitais la prière appropriée. Une petite lueur dansait dans ses yeux gris-bleu. Elle voulait parler, demander quelque chose, mais n'y arrivait pas. Sans doute est-ce ainsi qu'elle se tenait devant son mari, humble, respectueuse, prête à recevoir ses paroles en guise d'offrande. Bizarrement, son silence ne me troublait pas. Je la regardais en mangeant. Je l'observais. Finalement, au bout d'un quart d'heure, je me levais : « Je dois rentrer me préparer. Le Shabbat, grand-mère, le Shabbat risque de nous surprendre. » J'étais déjà à la porte quand elle me rappelait : « Raconte-moi ce que tu as appris cette semaine. » Cela faisait partie du rite : je lui répétais une histoire biblique et, plus tard, une trouvaille midrashique. Une fois, je m'en souviens, je l'ai fait rire. Encore tout petit, je venais d'apprendre que Moïse s'était enfui d'Égypte : « Grand-mère, m'étais-je écrié, j'ai une nouvelle importante pour toi... Moïse est vivant... Le méchant Pharaon n'a pas réussi à le tuer... Il va se marier, notre Maître Moïse... Tu sais avec qui ? Avec Tsiporah, la fille d'un prêtre, Yétro qu'il s'appelle... »

Grand-mère Nissel vivait seule dans sa maison de veuve, à quelques pas de la nôtre, alors qu'elle aurait sûrement pu habiter avec nous. Nous l'adorions, et elle le savait. Elle était notre unique grand-mère. Maman était orpheline.

Les jours de marché, grand-mère Nissel venait au magasin donner un coup de main ; je la vois encore assise, derrière la caisse, immobile et lèvres closes, rendant la monnaie aux paysannes vêtues de gilets et de jupes striées de couleurs criardes. Le soir, elle rentrait chez elle. Elle ne voulait pas déranger. Peut-être tenait-elle à ne privilégier aucun de ses enfants. Certes, mon père était l'aîné, mais elle était tout aussi proche de mon oncle Mendel dont la modeste épicerie se trouvait à l'autre bout de la ville. Quant à mes tantes, deux habitaient en Tchécoslovaquie : tante Idiss à Solotvino, et tante Giza, qui nous paraissait la plus belle parce qu'elle nous apportait des cadeaux, à Ungvar ou Uzhgorod. Tante Giza a survécu à la déportation et je l'ai rencontrée en Israël. J'anticipe, je sens que je le dois. Je lui ai rendu visite en 1950. Elle pleurait de bonheur, elle pleurait de malheur. Elle avait perdu son mari et ses enfants. Mais, après la libération, elle avait retrouvé un ami d'enfance qu'elle aimait et qui l'aimait. Lui aussi avait perdu ses enfants et leur mère à Birkenau. Sourire ou ricanement du destin ? A l'époque, leurs familles s'étaient opposées au mariage. A présent, il n'y avait plus d'opposition ; il n'y avait plus de familles. Enfin mariés, ils me paraissaient heureux. D'un bonheur pur et entier, comme on dit ? Comment l'aurait-il été ? Ils devaient se sentir un peu coupables. Quant à moi, lorsque je pense à eux, je ne puis me libérer d'un sentiment de remords : ils m'avaient confié une somme d'argent pour que je leur rapporte je ne sais plus quoi de Paris. Je ne les ai jamais revus. Ils sont morts avant que j'aie pu leur remettre ce qu'ils m'avaient demandé ou leur rembourser ma dette.

Les deux autres filles de ma grand-mère Nissel vivaient à Sighet. La plus jeune, Zlati, souffrait parce que, dans son dos, on la traitait de vieille fille : elle s'est mariée tard, à l'âge de vingt et un ans. Son mari, Nahman-Elye, je m'en souviens comme d'un homme distant, hautain, ne prêtant pas attention à plus petit que lui. Ils avaient deux petites filles.

« Grand-mère, pourrais-tu me rendre un très grand service ? » lui demandai-je lors de l'une de nos rencontres hebdomadaires.

C'était un vendredi de juin, entre Pessah et Shavouot, entre Pâque et Pentecôte. Zeide le Mélamed nous avait libérés plus tôt que d'habitude. J'avais du temps devant moi.

« Demande-moi la forêt et ses secrets, je te les procurerai. Demande-moi le monde et ses richesses, je te les donnerai », dit ma grand-mère, de sa voix douce et tendre.

Je ne l'avais jamais entendue prononcer tant de mots à la fois. Que lui arrivait-il ? Elle aimait les fêtes, tout simplement.

« Non, non, répondis-je, embarrassé. Tout ce que je veux, c'est que tu me parles de grand-père. »

Son visage s'assombrit : « Pourquoi veux-tu savoir ?

— Parce que. Et puis, je porte son nom… »

Elle se tut un long moment. Priait-elle ? Son regard errait dans le lointain. Peut-être se revoyait-elle jeune et belle ? Moi, je la trouvais toujours belle.

« Ton grand-père, mon petit, ton grand-père… Comment t'en parler ?… Il aimait Dieu et sa Torah. Jamais il n'a vécu loin ou hors de Dieu, loin ou hors de la sainte Torah. Du matin au soir, même au magasin, il avait la tête enfouie dans les livres sacrés. Parfois, je me demande même s'il me voyait, moi. »

Nul regret dans sa voix. Nulle plainte. Au contraire, elle semblait heureuse et fière d'avoir eu pour mari un homme si pieux, si dévot, entièrement consacré à Dieu.

« Et toi, grand-mère ? Tu le regardais, toi ? Tu le voyais ?

— Tout le temps. Je l'observais. Pour voir s'il n'était pas souffrant, s'il ne manquait de rien. Si sa chemise n'était pas déchirée. Si son caftan n'avait pas besoin d'être réparé, et une chaussette raccommodée. Quand il souriait, sa lumière éclairait mes ténèbres. Quand il chantait, la terre tout entière lui répondait. Le Shabbat, avec lui, c'était le paradis. Les anges, je les entendais chanter avec nous, en son honneur. La maison et le jardin baignaient dans une pureté céleste que jamais je ne saurai décrire… Peut-être ne suis-je pas assez méritante… Je me sentais élevée, oui, élevée jusqu'au trône divin… »

Je savais que grand-père Eliézer était tombé pas loin de notre ville, au cours de combats sauvages, meurtriers. Brancardier, il voulait secourir un blessé quand il s'effondra. Mort pour la patrie, mort pour la gloire de Sa Majesté l'empereur Francois-Joseph.

« Quand je l'ai appris, continua ma grand-mère, j'ai compris ce que signifiait le malheur ; j'ai su que j'entrais dans un deuil qui ne se terminera jamais. J'ai senti que je me noyais dans mes propres larmes. »

Et, sans bouger, sans dénouer ses mains, elle se mit à pleurer silencieusement. Ses larmes coulaient sur ses joues et allaient se perdre dans le nœud de son fichu. Je me sentis bête. Et maladroit. Que dire pour qu'elle s'arrête ? Changer de sujet ? Comment m'y prendre ? Comme hypnotisé, je la contemplais. Où se trouvait-elle ?

« Souviens-toi, mon petit, dit-elle finalement d'une voix presque inaudible, souviens-toi du nom que tu portes. Tâche de ne pas lui faire honte. »

Des années, tant d'années plus tard, de retour dans ma ville, je me rendis au cimetière à la recherche de la tombe de mon grand-père. La pierre était enfouie sous l'herbe sauvage. Droite, elle dominait ses voisines. Avec difficulté, je réussis à y déchiffrer l'inscription. Une émotion inconnue s'empara de moi. Je revis ma grand-mère Nissel, ses paroles résonnèrent dans ma mémoire. Je récitai un psaume et me mis à parler à l'homme dont la présence avait purifié une parcelle de l'univers : « C'est moi, Eliézer ben Shlomo ben Eliézer, ton petit-fils. Je voudrais réciter le kaddish pour le salut de ton âme, mais il n'y a pas de *minyan*. Je suis seul. Écoute-moi. J'aimerais te raconter l'homme qui porte ton nom. A toi de juger s'il en est digne. Et puisque te voilà réuni avec grand-mère Nissel, dis-lui bonjour de ma part. Dis-lui que je me souviens de mes visites chez elle les vendredis, je me souviens de ses petits pains tressés, je me souviens de ses sourires et de ses silences... »

Et je me mis à pleurer, comme elle, jadis, ou comme un enfant qui souffre et qui a faim, qui aura toujours faim. Des larmes muettes coulèrent sur mon visage, sur mon menton, puis sur mon cou et sur ma poitrine ; je ne fis rien pour les arrêter.

Au bout d'un moment, je poursuivis : « Si grand-mère avait une tombe, j'irais jusqu'au bout du monde pour la visiter. Mais elle n'en a pas, tu le sais bien. Et sais-tu qu'elle s'y attendait ? Sais-tu, grand-père, que grand-mère Nissel est la seule de notre famille, presque la seule de notre communauté à avoir tout deviné ? Elle avait compris qu'elle ne reviendrait pas à la maison. Avant de quitter cette ville maudite, elle avait mis sa robe funéraire ; eh oui, elle portait son linceul sous sa robe noire. Elle seule était prête. Dans le train, elle seule fut silencieuse, du début à la fin. Suis-je digne de son silence, grand-père ? »

L'enfant en moi refuse de se détacher de ses grands-parents, comme l'homme que je suis refuse de se séparer de son père. Il ne me quitte pas, me sert de compagnon, de juge ou simplement de guide. Dans les moments de doute, c'est vers lui que je me tourne. Redoutant son verdict, je sollicite son approbation. Ses encouragements me sont nécessaires, ses reproches me font mal. Combien de fois ai-je changé de direction, uniquement pour ne pas trop le décevoir ?

Je n'étais pas un enfant modèle. Il m'arrivait de faire de la peine à mes parents. Boudeur, têtu, égoïste. Pas assez obéissant. Pas assez appliqué. Pas suffisamment brillant, je me concentrais mal, trop peu, je me plaignais pour un rien. Je passais trop de temps avec des camarades à rêvasser au lieu d'étudier. Je ne mangeais pas assez, je ne m'amusais pas. Je ne chassais pas les pigeons, je ne grimpais pas aux arbres. Pauvres parents : j'étais un garçon normal, mais ils l'ignoraient. Ma maigreur figurait constamment à l'ordre du jour. Et ma pâleur, mes migraines : ils dépensaient des sommes folles à me traîner d'un médecin à l'autre, d'une ville à l'autre. C'est grâce à mes maux que je pus découvrir Satu Mare et Budapest. Si mes parents avaient été plus riches, j'aurais fait le tour du monde.

En général, je n'étais pas trop mauvais élève. Mes tuteurs m'aimaient bien : j'apprenais mes leçons, je faisais mes devoirs. Peut-être me considéraient-ils comme un enfant gâté. A cause de mes maladies, je restais des journées entières à la maison. Mais, pour mes maîtres, ce n'était pas un motif valable. Quand le corps est malade, en quoi cela empêcherait-il l'esprit de poursuivre sa quête pour s'approcher de Dieu ?

Honnêtement, ce n'était pas parce que j'avais mal quelque part que je restais au lit. Sûrement pas au début. C'était parce que je n'avais pas envie de quitter ma chambre et ses murs familiers, mes fenêtres d'où je pouvais suivre le mouvement de la rue, contempler notre jardin, et surtout ma mère. Cela vous fait sourire, docteur Freud ? J'étais attaché à ma mère. Trop ? Il suffisait qu'elle me quitte, qu'elle aille aider mon père au magasin, pour que je me mette à trembler sous ma couverture. Loin d'elle, ne fût-ce que le temps d'une brève absence, je me sentais rejeté, exilé. En danger. Fouillant dans ma mémoire, à la recherche de mon premier souvenir, c'est un tout petit garçon que je vois, assis sur son lit (ou par terre ?), appelant sa maman. Même mon père me manquait moins qu'elle. Au Héder, parmi mes camarades (nous avions trois, quatre, cinq ans ?), je me sentais malheureux et brimé ; je comptais les minutes (je comptais jusqu'à dix, puis je recommençais) qui me séparaient de ma mère. Je ne comprenais pas pourquoi elle ne pouvait pas passer ses matinées entières avec moi. Et ses après-midi. Elle présente, j'aurais appris l'aleph-beth et le Pentateuque en moins que rien, j'aurais vaincu tous les ennemis d'Israël. Mon rêve, c'était de ne jamais la quitter. Je m'accrochais à sa jupe même quand elle se rendait aux bains rituels. Assis sur les escaliers, je l'attendais en retenant ma respiration. « Pourquoi n'ai-je pas le droit d'entrer avec toi ? lui demandai-je. — C'est défendu, répondit-elle. — Pourquoi est-ce défendu ? » Elle expliqua : « C'est écrit dans la Torah. » Je me tus. La Torah imposait le silence. Et le respect, une sorte de respect sacré. Tout ce qui était interdit venait de la Torah.

Pourtant, avec le temps, l'étude devenait pour moi une véritable aventure. Mon premier instituteur, le Batizer rebbe, un vieillard doux dont la barbe, blanche comme la neige, dévorait le visage, nous désignait les vingt-deux lettres divines de l'aleph-beth et disait : « Voici, mes enfants, le commencement et la fin de toutes choses. Mille et mille ouvrages ont été écrits, ou seront écrits avec ces lettres. Regardez-les donc, étudiez-les avec amour : elles seront vos liens avec la vie. Et avec l'éternité. »

En lisant à voix haute le premier mot, *Bréshit* (au commencement), je me sentis transporté dans un univers lointain, envoûté. En comprenant le sens du premier verset, j'éprouvai un bonheur intense et nouveau. « C'est avec les vingt-deux lettres de l'*aleph-beth* que Dieu créa le monde », nous disait le vieux tuteur qui, réflexion faite, n'était pas si vieux. « Prenez-en soin et elles prendront soin de vous. Elles vous accompagneront partout. Elles vous feront rire et pleurer. Mieux : elles pleureront quand vous pleurerez, elles riront quand vous rirez ; et puis, si vous le méritez, elles vous permettront de pénétrer des sanctuaires cachés où tout devient... » Cette phrase restait toujours inachevée. Où tout devient... quoi ? Poussière ? Vérité ? Vie ?

Il y avait, dans la lecture des textes à la fois anciens et primitifs, quelque chose qui m'effrayait, qui me fascinait et m'émerveillait. Sans bouger, je vadrouillais à travers des mondes visibles et invisibles. J'étais en deux lieux, en mille lieux en même temps, faisant mille choses à la fois. J'étais avec Adam, au commencement, à peine éveillé à un monde ruisselant de lumière. Avec Moïse, au Sinaï, sous un ciel en flammes. J'enfourchais une phrase, une parole, et les distances ne comptaient plus.

Cependant, la lecture m'isolait. Du coup, mes camarades n'étaient plus à mes côtés. Je ne les apercevais plus, je ne les entendais plus : j'étais ailleurs. Loin. Dans des royaumes où seule régnait la parole. Ma mère elle-même restait en arrière, comme derrière un voile ou de l'autre côté d'un fleuve. La retrouver à la maison était toujours une fête, mais comment dissiper la sensation d'arrachement qui précédait mon retour ? Je trouvai une solution : emmener ma mère avec moi. Question de volonté et d'imagination. Je partais chez Adam ? Ève avait le visage bouleversant de ma mère. Je suivais Moïse dans le désert ? Sa sœur Myriam n'était pas Myriam, mais ma mère. Plus rien ne pouvait nous séparer. Même au Héder. Pour la voir, il me suffisait d'ouvrir un livre. C'est seulement quand, pendant les pauses, je n'avais pas de livre devant moi que je me sentais solitaire, abandonné.

Une fois, pourtant, je la fis souffrir. Et elle me fit souffrir. Non, la souffrance ne vint ni d'elle ni de moi mais du Rabbi Israël de Wizhnitz lorsqu'il vint en visite à Sighet.

J'ai huit ans. Selon son habitude, ma mère m'emmène auprès de lui pour recevoir sa bénédiction : santé pour les siens, succès et respect pour le chef de la famille, bons maris pour ses filles, crainte de Dieu pour son fils. Une foule nombreuse se bouscule dans l'antichambre, dans le couloir et dehors dans la rue. Étant la fille de Reb Dodye, ma mère est dispensée de faire la queue. La requête, c'est elle et non le secrétaire qui la rédige. Souriant, le Rabbi s'entretient avec elle de mille détails concernant la famille. Ma main dans celle de ma mère, je ne comprends pas tout, préoccupé que je suis par le visage doux et rayonnant du Rabbi dont l'*Ahavat-Israël* (l'amour pour Israël, donc pour chaque être en Israël) est légendaire. Ses yeux, ses sourcils, sa barbe : je ne puis en détacher mon regard. Soudain, le Rabbi me dit d'approcher. Il me prend sur ses genoux et, plein de tendresse, m'interroge sur mes études. Questions faciles. Je réponds comme je peux, je balbutie des phrases hachées, sans doute incohérentes. Là-dessus, le Rabbi prie ma mère de nous laisser seuls. Elle sort et referme la porte derrière elle. « Bon, me dit le Rabbi. Maintenant nous pouvons parler tranquillement. » De quoi ? De tout. La Sidra de la semaine, le commentaire de Rachi, le chapitre du Traité talmudique que je suis en train d'étudier... Combien de temps sommes-nous restés seuls ? Quelques minutes ou deux heures. A un certain moment, il dépose un baiser sur mon front et me dit : « Va, attends dehors ; et dis à ta mère de revenir. » Ma mère entre et quand elle réapparaît, un siècle plus tard, je suis paralysé. Je veux courir vers elle, mais mes jambes ne me portent pas. C'est qu'elle n'est plus elle-même : des sanglots violents la secouent. Étonnés, les gens lui lancent des regards de commisération : le Rabbi a dû lui dire des choses graves, terribles... Moi aussi, je le pense. Elle a dû entendre des choses effroyables, douloureuses... à mon sujet. Sans doute lui ai-je fait honte en me comportant mal, en répondant mal aux questions du Rabbi. De retour à la maison, je l'interroge : « Pourquoi pleures-tu ? » Elle refuse de me répondre. Je répète ma question deux fois, cinq fois ; en vain. Le lendemain, je recommence ; et le surlendemain. Je me heurte au même refus de ma mère ; et aux mêmes larmes. Têtu, je l'agace, je l'importune : je tiens à savoir quel mal j'ai pu faire pour susciter pareil chagrin. Cela durera des semaines. A la fin, lassé, je ne demande plus rien. D'ailleurs, elle s'arrête de pleurer.

Vingt-cinq ans plus tard, je reçois un appel urgent du docteur Oscar Sreter, un lointain parent : mon cousin Reb Anshel Feig est gravement malade ; il faut l'opérer, mais il refuse de subir l'intervention avant de m'avoir vu. Redoutant le pire, je saute dans un taxi. Beaucoup plus âgé que moi, Anshel ne m'a jamais traité en gamin. Pas même à la maison. Modeste et heureux, la kippa sur sa tête, il parlait à Manhattan comme autrefois à Sighet : en chantonnant. Il tenait une poissonnerie sur Amsterdam Avenue près de la 86e Rue, à côté de chez moi. J'aimais bavarder avec lui. Que peut-il vouloir de moi ? Oscar Sreter m'accueille à l'entrée de l'hôpital et me conduit auprès d'Anshel.

« Merci d'être venu, me dit mon cousin Je t'attendais. J'ai besoin de toi. J'ai besoin de ta bénédiction.

— Tu es devenu fou ou quoi ? lui dis-je en essayant de prendre un ton badin. Tu veux sérieusement que je te bénisse ? Moi ? Ta position là-haut est plus forte que la mienne... »

C'est qu'Anshel a gardé la même ferveur hassidique qu'avant sa déportation, soucieux d'observer tous les commandements de la Torah, se rendant matin et soir à la synagogue, tandis que moi... Mais il insiste, Anshel. Et mon parent médecin de me chuchoter à l'oreille : « Hé, dépêche-toi, il y va de sa vie... » Bon, je prends la main du malade, je lui donne ma bénédiction, la même que je recevais, enfant, quand je me sentais mal : tout ira bien, Dieu l'aidera et lui enverra une guérison prompte et entière...

Après quelques jours, je viens rendre visite à Anshel. Grâce au chirurgien, l'opération a réussi, le patient se porte mieux. A présent, je peux lui parler librement : pourquoi tenait-il tant à recevoir ma bénédiction ? Ma question ne le surprend pas.

« Te souviens-tu, me répond-il, de la dernière visite du Rabbi de Wizhnitz à Sighet ?

— Et comment, m'écrié-je. Comme si c'était hier... »

Brusquement, les images anciennes refont surface et m'aveuglent. Les larmes de ma mère, je les revois ; je les sens, brûlantes ; elles coulaient, coulaient, et il me semblait que c'était à cause de moi qu'elles coulaient, et qu'elles couleraient jusqu'à la fin de sa vie et de la mienne... Je dis à Anshel : « C'est bizarre, mais je n'ai jamais su pourquoi elle pleurait en sortant de chez le Rabbi... »

Anshel esquisse un sourire : « Moi je sais. »

Je sursaute : « Qu'est-ce que tu racontes ? Tu sais pourquoi ma mère pleurait ? » J'ai envie de le secouer, quitte à le renvoyer en salle d'opération. « Tu le sais et tu ne m'as rien dit ? Il a fallu que tu tombes malade pour que je l'apprenne ? »

Un nuage voile ses yeux.

« J'étais parmi les gens qui attendaient dans l'antichambre avant d'être admis auprès du Rabbi, explique Anshel d'un air songeur. Quand j'ai vu ta mère, quand je l'ai vue pleurer, j'ai quitté ma place pour la raccompagner chez vous. En chemin, elle m'a confié sous le sceau du secret ce que le Rabbi Israël de Wizhnitz, que sa mémoire nous protège, lui avait dit. Il lui avait dit ceci : " Sarah, sache que ton fils deviendra un *gadol b'Israël*, un grand homme en Israël ; mais ni moi ni toi ne serons là pour le voir ; c'est pourquoi je te le dis maintenant... " Et voilà pourquoi, ajoute Anshel, ta mère ne pouvait contenir ses larmes. »

Pétrifié, je le regarde. Je ne dis rien, lui non plus. « Et voilà pourquoi, reprend Anshel après un long soupir, je tenais à ta bénédiction. Si le Rabbi de Wizhnitz avait une telle foi en toi, ta bénédiction doit compter au ciel... »

Pour moi, seule comptait celle de ma mère. C'est simple : loin d'elle, je m'égarais, je me perdais. Entouré d'ennemis, menacé par des maraudeurs. Toutes les forces du mal s'unissaient pour me détruire. Dans mon imagination enfantine, le Batizer Rabbi me méprisait. Pour l'amadouer, il me fallait m'appliquer mieux, infiniment mieux. Et puis, il y avait un autre Mélamed, vêtu d'une pelisse lourde, été comme hiver. Son air froid et indifférent me troublait ; dans l'espoir de le dérider, je redoublais d'efforts pour expliquer une page du Talmud. Quant à mes camarades, j'étais persuadé qu'ils me détestaient... Pour me les concilier, je décidai de les acheter. Au début, je partageais avec eux mon pain beurré, mes fruits et mes friandises ; ensuite, je les laissais se les partager entre eux. A l'écart, je les observais, humilié, vaincu. Ils dévoraient mes goûters en riant, sans même me remercier ; ils s'amusaient, ils étaient heureux comme si je n'existais pas. J'aurais dû m'enhardir, inventer d'autres moyens pour m'affirmer, mais je n'osais pas. Cela dura des années. Jusqu'à ma Bar-mitzvah. Tout ce que je recevais, j'en faisais cadeau à mes camarades : il m'arriva même, j'ai honte de me le rappeler, de puiser dans la caisse du magasin. Excès de générosité ? Plutôt un sentiment d'insécurité exacerbé. Je craignais l'exclusion, l'isolement. A force de vouloir faire partie de la bande, être comme les autres, avec les autres, je restais toujours à l'écart. Ma mère seule était mon soutien, mon alliée. Elle seule me comprenait. Pourtant, je ne lui offrais jamais de cadeau.

A l'époque, nous avions un sous-locataire. J'ai tout oublié de lui, sauf qu'il nous divertissait le soir avec ses tours de prestidigitation. Il prétendait avoir des dons d'hypnotiseur et de voyant. Quand je cachais un objet, il le trouvait aussitôt. Je me promis : quand je serai grand, je serai comme lui ; je posséderai ses pouvoirs. Lui parti, nul ne lui succéda. Mais la maison ne désemplissait pas. Chaque jour, un étudiant de la *yeshiva* venait prendre ses repas chez nous. Pour le Shabbat, il y avait toujours un invité à table, d'habitude un étranger, parfois un mendiant. Le plus souvent, c'était Moshe l'ivrogne. Dans mes récits, je l'appelle Moshe le fou. Il n'était fou que l'été. Le reste de l'année, il se comportait normalement, je veux dire : comme se comporte un fou normal. Il passait son temps à la maison d'étude, aidant le bedeau à balayer, à entretenir le poêle. Il étudiait, mais seulement quand il n'y avait personne. Chez nous, pour faire plaisir à mon père, il chantait les Zémirot de Shabbat. Je me souviens de sa belle voix mettant en valeur chaque mot, chaque syllabe. Les yeux fermés, il semblait en extase. L'été aussi il chantait, mais plus vite.

Un soir, il me surprit au puits en train de faire remonter le seau pour la cuisine. J'eus un sursaut de frayeur. « Je te fais peur ? » me demanda-t-il. Je lui dis que non, c'était le puits qui me faisait peur : on disait qu'une femme s'y était noyée ; chaque fois que je tournais la manivelle, je craignais de ramener son cadavre. Je m'attendais à ce qu'il se mette à rire. Il resta silencieux un long moment et se pencha pour regarder vers le fond : « Ne t'en fais pas, me dit-il d'une voix rauque. Si la bonne femme est là, je le saurai ; et je m'en occuperai. Désormais, tu peux venir ici sans crainte. »

J'étais convaincu que nous ne manquions pas de moyens. Sinon, comment aurions-nous pu accueillir tant de visiteurs et nourrir tant de mendiants ? Et comment aurais-je pu me montrer si généreux envers mes camarades ?

Aujourd'hui je m'en rends compte : nous étions loin d'être riches. Aisés, peut-être, et encore. Lorsqu'on achetait des cerises, chacun en recevait dix. Le maïs, c'était un épi par personne. Trois abricots, un morceau de pastèque ou de melon, les soirs d'été, constituaient un luxe rare. En y songeant maintenant, il m'arrive d'être envahi d'un lourd sentiment de contrition. Mes parents travaillaient dur pour gagner leur pain — ce pain qu'avec une désinvolture scandaleuse, pour être accepté, j'offrais à mes condisciples du Héder. En avais-je le droit ?

Des années après avoir quitté ma ville, j'y suis retourné pour un jour et une nuit. En revoyant notre maison et les demeures juives de ma rue et des rues adjacentes, j'ai soudain compris l'erreur dans laquelle j'avais vécu : même les Juifs dits aisés avaient frôlé la pauvreté. Soudain, je me rappelai les interminables conciliabules de mes parents, pendant les nuits d'automne : fallait-il acheter un nouveau poêle pour la salle à manger, un manteau d'hiver pour Tsipouka, ma petite sœur ? Pourrions-nous, l'été prochain, nous permettre des vacances à la montagne, alors qu'il restait tant de dettes à rembourser ?

Cela ne les empêchait jamais de nourrir quiconque avait faim ni de m'offrir les services du meilleur tuteur de la région. « Il ne faut jamais regretter d'avoir trop donné aux nécessiteux ni d'avoir trop étudié », disait mon père. Un jour par semaine, je crois que c'était le mercredi, jour de foire, notre « vieille » domestique — elle s'appelait Maria, nous la considérions comme un membre de la famille, et elle n'était pas si vieille — mettait dans la cour un immense pot de soupe de haricots pour les mendiants qui allaient d'un village à l'autre. « Comment reconnaître ceux qui ont vraiment faim ? » demandait Maria. « Ne cherche pas, répondait mon père. Je préfère me tromper en nourrissant quelqu'un qui a les poches pleines plutôt que de laisser partir quelqu'un le ventre vide. » Maria ne pouvait pas savoir, et moi non plus, que mon père devait fréquemment emprunter de l'argent pour finir le mois. Mais ma mère ne lui en fit jamais le reproche.

J'essaie de me rappeler : leur arrivait-il de se disputer, de se chamailler ? Y avait-il des tensions entre eux, des éclats ? Si oui, je n'en ai gardé aucun souvenir. Mais je crois, je veux croire que non. Je crois qu'ils s'aimaient. Et qu'aucun nuage n'avait traversé leur amour. Trop idéalisé, ce souvenir ? C'est possible, mais cela ne m'empêche pas de m'y accrocher. D'ailleurs, un vieux hassid — Reb Itzikl Fuchs — me racontera plus tard, à New York, que leur mariage avait fait du bruit parce que mon père était tombé amoureux de ma mère. Cela ne se faisait pas chez nous. D'ordinaire, dans les bonnes familles juives, les parents avaient recours au marieur de la communauté. Mais mon père, ayant aperçu un jour une jeune fille très belle dans un fiacre, en fut tellement frappé qu'il courut derrière elle. Il lui cria : « Qui êtes-vous ? » Elle ne daigna pas lui répondre. Ce fut le cocher qui, le soir même, le renseigna : c'était la fille cadette de Reb Dodye Feig, du village nommé Bitchkev. Ils se marièrent l'année suivante et eurent quatre enfants : trois filles et un garçon. J'étais le troisième. Hilda et Béa étaient plus âgées que moi, Tsiporah plus jeune. Sur son acte de naissance, elle figurait sous le nom de Judith (les autorités roumaines n'acceptaient pas certains noms juifs), mais nous l'appelions affectueusement Tsipouka. Il m'arrivait de me quereller avec mes aînées, mais jamais avec elle. Nous l'aimions tous. A la folie. Mon père lui témoignait une tendresse que nous ne lui connaissions pas. Pour elle, il avait toujours du temps. Il jouait avec elle, la faisait rire. Il l'emmenait au jardin, au magasin, la prenait sur ses genoux pour lui raconter une histoire, lui mettre un bonbon dans la bouche. Il la choyait, la gâtait. Et nous aussi, nous

25

la gâtions. Peut-être sentions-nous qu'il fallait nous dépêcher, et lui offrir tout l'amour, toutes les joies, toutes les récompenses dont elle serait bientôt privée.

« Des Mémoires. Pourquoi cette hâte ? Tu devrais attendre un peu... » Voilà ce que les gens me disent. J'avoue ne pas comprendre. Attendre quoi ? Et jusqu'à quand ? Ils sont étranges, les gens. On n'a pas idée de lier l'âge à la mémoire. J'ai soixante-cinq ans. J'appartiens à une génération obsédée par le souci de tout retenir, de tout transmettre. Pour aucune autre le commandement « Zachor, souviens-toi » n'a eu autant d'importance ni autant de signification. Pourquoi donc ne me souviendrais-je pas à voix haute ? D'ailleurs, y a-t-il un âge pour attendre et un autre pour parler ?

« Tu as le temps », me dit-on. Le temps — combien de temps ? Et pour faire quoi d'ici là ? Laisser l'oubli effacer les dernières traces des victimes ? Explorer la planète en assistant à sa dégradation ? Me divertir en observant les jeux puérils de pantins gonflés de gloire ? Attendre peut-être que je tombe malade ? Ou que j'oublie ?

« Rédiger ses Mémoires, c'est déclarer qu'on tire un trait sur un fragment de sa vie sinon sur sa vie tout entière. » Voilà ce qu'on me répète. Suis-je prêt à tirer ce trait ? A dresser un inventaire définitif ? « Ne te presse donc pas », me conseille-t-on. Cela ne sert à rien de courir trop vite, alors qu'on peut avancer pas à pas, lentement, selon un rythme sûr et régulier. La mémoire ne risque-t-elle pas de se montrer vorace et envahissante, et pire : réconfortante ? Se souvenir, c'est quoi ? C'est faire revivre un passé, éclairer visages et événements d'une lumière noire et blanche, c'est dire non au sable qui recouvre les mots, dire non à l'oubli, à la mort. N'est-ce pas trop ambitieux ?

Je ne suis plus jeune, cela fait des années que je ne le suis plus. Mais j'aimerais reconnaître, retrouver sinon l'angoisse et l'exaltation qui, autrefois, emplissaient mon être, au moins le chemin qui y conduit. Comme tout le monde, j'ai cherché, trouvant parfois et, parfois, ne trouvant rien ; comme tout le monde, j'ai aimé et cessé d'aimer ; j'ai fait du mal et du bien, ri à voix haute et pleuré en silence ; comme tant d'autres, j'ai laissé ma pensée s'égarer pour me ramener un brin de chagrin ou de plaisir.

On me conseille la prudence, on insiste sur la nécessité de prendre du recul. Soit, je ne dirai pas tout, tout de suite, d'un seul tenant. Je m'arrêterai au milieu. A Jérusalem, au moment où... Bon, attendons.

Dans un prochain volume, si Dieu me prête vie, je raconterai d'autres événements et d'autres rencontres : brouilles et alliances, activités politiques et humanitaires, mes débuts d'universitaire, la guerre du Kippour, Ronald Reagan et son malheureux voyage à Bitburg, les colères du chasseur de nazis Simon Wiesenthal, l'amitié avec François Mitterrand et avec le cardinal Jean-Marie Lustiger, le prix Nobel et ses conséquences bonnes et désagréables, les dépositions aux procès Lubavitch et Safra, l'affaire Attali à propos de *Verbatim*, le musée de l'Holocauste à Washington, les voyages en Afrique du Sud et en ex-Yougoslavie, les missions en Pologne, à la frontière cambodgienne, en URSS, la guerre du Golfe. Dans mon journal, les pages sont noircies, il suffit de les arracher.

Mais on me dit : écrire ses Mémoires, c'est prendre un engagement, conclure un pacte spécial avec le lecteur. Cela implique une promesse, la volonté de tout lui révéler, de ne rien omettre ni dissimuler. En es-tu capable, dis ? Tu crois vraiment, dis, que tu seras en mesure de tout raconter, de tout déballer ? Les femmes que tu as aimées un an ou une nuit ? Les gens qui t'ont aidé, ceux qui t'ont dénigré ? Les projets grandioses et les intrigues mesquines ? Les amitiés vraies et celles qui ont éclaté comme des bulles de savon ? Les aventures fécondes et les déceptions ? Les enfants morts de faim, les vieillards aveugles de douleur ? N'as-tu pas toi-même écrit qu'il existe des expériences incommunicables ; que certains événements, aucun mot ne peut les rapporter ; qu'il arrive de ne pas avoir les mots pour dire ce qu'on n'a pas le droit de taire ? Alors, comment vas-tu t'accommoder de cette contradiction, dis ? Et Wittgenstein, tu l'as mis de côté ? Il ne faut pas tenter d'exprimer l'indicible. Dis-nous donc : comment espères-tu, en écrivant dans une langue encore inconnue, révéler des secrets qui, par définition, ne peuvent que rester impénétrables ? Comment espères-tu transmettre des vérités qui, selon tes propres paroles, se situent toujours, et se situeront à tout jamais, au-delà de l'entendement humain ? Du Rabbi Mendel de Kotzk on disait que, même en parlant, il demeurait silencieux. Existe-t-il un langage qui contienne un silence autre, un silence façonné et approfondi par la parole ?

Et pourtant. Ce sont mes deux mots préférés. Ils s'appliquent à toutes les situations, heureuses ou funestes. Le soleil se lève ? Et pourtant, il se couchera. La nuit est annonciatrice de détresse ? Et pourtant, elle aussi passera ; et ne reviendra plus jamais. Ce qui importe, c'est de ne pas se résigner. Ne pas se vautrer dans un fatalisme stérile. Grand pessimiste, le roi Salomon l'a bien formulé : « Des jours viennent, des jours s'en vont ; une génération s'en va, une autre vient, une autre encore revient, et la terre subsiste toujours ; le soleil se lève, le soleil se couche... ce qui a été sera... » Faudrait-il donc arrêter le temps ? Et le soleil ? Il faut essayer, parfois. Même si c'est pour rien ? Justement : il nous incombe parfois d'essayer parce que c'est pour rien. Parce que la mort nous attend au bout du chemin, il nous faut vivre pleinement. Parce qu'un événement paraît dépourvu de sens, il faut lui en conférer un. Parce que l'avenir nous échappe, il faut le créer.

Bon, laissons ces conclusions moralisatrices à d'autres, ou à plus tard. Nous en sommes encore au début du projet. En ai-je dégagé la portée ? Il s'agit de raconter l'histoire non de ma vie, mais de mes histoires. A travers elles, vous comprendrez peut-être un peu mieux le reste. Certains voient dans leur œuvre un commentaire de leur vie ; pour d'autres, c'est l'inverse. Je me range parmi les autres. Considérez donc ce récit comme une sorte de commentaire. Un témoignage modeste, au second degré.

Autrement dit : ne cherchez pas ce qui n'y est pas. Mieux : ne trouvez pas ce que je n'y ai pas mis. La vérité ? C'est un grand mot. La vérité, toute la vérité, rien que la vérité : quel joli serment. Je ne le prête pas. Ne pas mentir, dit le Rabbi Mendel de Kotzk, ne signifie pas encore dire la vérité. Or, la vérité n'est pas à ma portée.

De plus, je tiens à vous prévenir, j'ai l'intention d'omettre certains événements : ceux qui traitent de ma vie privée et de celle d'autrui, et ceux qui risquent d'embarrasser amis ou connaissances et, en général, ceux dont la révélation pourrait nuire au peuple juif. Prudence ou lâcheté mal placées ? Appelez cela comme vous voulez : d'une part, j'abhorre l'exhibitionnisme et, de l'autre, je ne tiens pas, à quelques exceptions près, à jouer au procureur, à procéder à un règlement de comptes général, à humilier qui que ce soit. Tout cela peut attendre, tout cela attendra. D'ailleurs, aucun homme ne connaît toute l'histoire. Aucun témoin n'est capable de la raconter de bout en bout. Dieu seul le peut. C'est que Dieu seul se rappelle tout.

Nous, pauvres mortels, ne ramassons que des miettes. Nous sommes tous des amateurs, disait ce bon vieux Charles Chaplin, en clignant de l'œil.

J'espère, pour paraphraser une parole talmudique, j'espère que la dernière page m'apportera plus de certitude que la première, et que j'en émergerai aussi pur — au sens simple, pur de toute bassesse — que je crois l'avoir été en y entrant.

Est-ce qu'on écrit parce qu'on est content ou parce qu'on ne l'est pas ? Une légende midrashique raconte que le roi Salomon portait une bague qui avait le pouvoir de le rendre heureux quand il était triste, et triste quand il était heureux. Question : pourquoi aurait-il souhaité être triste lorsqu'il avait la chance de connaître le bonheur ? Salomon était juif et écrivain, c'est-à-dire jamais content. Doit-on en rire ou en pleurer ? Pleurer c'est semer, disait le Maharal de Prague ; rire c'est récolter.

Écrire, c'est tout à la fois semer et récolter.

Eh oui, hier soir j'ai vu mon père en rêve. Le paysage changeait, mais lui non. Il me regardait curieusement, j'ignore depuis quand et pourquoi. S'attendait-il à ce que je lui adresse la parole ? Pour lui dire que j'étais heureux de le revoir ? Je ne l'étais pas. Étais-je malheureux ? Non plus. J'étais, j'étais : je ne sais pas ce que j'étais. Je ne sais pas ce que j'éprouvais. Je sais que je le regardais et qu'il me regardait. Et que nos regards n'arrivaient pas à se rencontrer. Le sien était éteint, le mien non. Non ? Oui, peut-être.
Me faisait-il un signe ? Voulait-il me conduire quelque part ? Là où seule la mémoire est encore vivante ? Dans notre ville morte peut-être ?

D'apparence calme, sereine, quand je la revois dans mon esprit, mon enfance fut quand même traversée de turbulences. Personnelles d'abord. Comme tous les enfants, j'eus ma part de malheurs, de déceptions et de révoltes. Contre tel instituteur, tel tuteur, tel camarade. Contre mes parents aussi. Parfois je me disais qu'ils ne me comprenaient pas. Qu'ils me jugeaient mal. Qu'ils étaient injustes. Un regard trop sévère, un mot trop dur et je souhaitais

29

mourir. Ou, du moins, m'en aller au loin, de l'autre côté des fleuves et des vallées, de préférence chez mon grand-père. Ou m'enfuir en Terre sainte. Ne riez pas : je pensais que c'était possible. Il suffisait de grimper la montagne et d'y trouver la porte secrète du couloir spécial qui, disait-on, débouchait sur la Galilée. Là-bas, loin des miens, toutes mes colères seraient vite apaisées. Mais j'étais trop petit. C'était plus facile de souffrir et de bouder en silence. Heureusement que ces orages ne duraient pas longtemps.

Les grands événements mondiaux, à l'époque, j'en ressentais moins les effets. D'abord, j'étais loin d'être mûr : la découverte de la pénicilline par Alexander Fleming en Grande-Bretagne, la fin de la prohibition aux États-Unis, l'introduction du plan quinquennal en Union soviétique, l'avènement de Chang Kaï-Chek comme président de la Chine, l'exil de Léon Trotski, la conquête fasciste du Parlement italien, les émeutes sanglantes en Palestine, tout cela se déroulait alors que j'étais encore au berceau ou que j'apprenais à me tenir debout. Même ceux qui suivirent, j'en recevais des échos affaiblis, vite dissipés. L'accession de Franklin Delano Roosevelt à la présidence des États-Unis, l'incendie du Reichstag, l'attentat contre le roi Alexandre à Marseille, l'assassinat de Kirov et les premières purges staliniennes, les convulsions sociales et politiques en Espagne, la guerre d'Éthiopie, l'agonie de la Société des nations : on en parlait à la synagogue, mon père en discutait autour de la table, la nuit venue, avec ses visiteurs, mais je ne me sentais pas concerné. En revanche, la situation locale me faisait peur. Chaque fois que la « Garde de Fer » antisémite relevait la tête, nous baissions la nôtre. Des inscriptions apparaissaient sur les murs : « Zsidans (Juifs) en Palestine ! » Des voyous, la face défigurée par la haine, se jetaient sur les Juifs dans la rue, leur arrachant la barbe et leurs *péyot* (papillotes). Les « kuzistes », c'est ainsi qu'ils se nommaient, étaient des nazis version roumaine. Sauvages, assoiffés de sang juif, un rien leur suffisait pour improviser un pogrom en règle. Je me souviens : « Ne va pas au Héder aujourd'hui, me disait alors mon père, l'air soucieux. C'est dangereux. » Mes sœurs ne se rendaient pas à l'école. Le magasin restait fermé, verrouillé. Les clients fidèles, on les faisait entrer par le salon. A la moindre alerte, nous nous précipitions à la cave. Pourquoi la cave ? Les voyous craignaient-ils l'obscurité ? Plus rien n'était logique, et nous ne pouvions même pas compter sur la police : elle ne nous protégeait pas contre les salauds, elle en faisait partie. On vivait dans la terreur. On ne pouvait jamais savoir : les ennemis étaient capables de tout. Même de nous imputer des meurtres rituels.

Je me souviens d'un chant triste que ma mère me chantait : celui de Tiszaeszlàr. Un Juif y raconte sa peine : accusé d'avoir égorgé un enfant chrétien pour des raisons rituelles, il s'écrie : « Maudits soient nos ennemis qui prétendent que les Juifs ont besoin de sang pour pratiquer leur religion ! »

D'ordinaire, j'acceptais les soubresauts de haine antijuive comme faisant partie de notre exil. On nous battait le soir de Noël ? On nous menaçait le jour de Pâque ? Cela passait vite. Des ivrognes nous insultaient ? On nous maudissait pour avoir « profané l'hostie », « empoisonné les puits » ou « tué leur Seigneur » ? Bon, c'était naturel, normal. J'accueillais ces épreuves sans étonnement, presque sans chagrin. Je n'étais pas loin de me dire : c'est leur problème, pas le nôtre.

Mais, durant les périodes les plus sombres, lorsque la menace pesait trop longtemps sur la communauté, je me posais des questions simples sinon simplistes, naïves, enfantines :

Pourquoi nous hait-on ? Pourquoi nous pourchasse-t-on ? Pourquoi nous fait-on subir tortures et tourments ? Pourquoi tant de persécutions, tant d'oppression ? Qu'avons-nous donc fait aux hommes pour qu'ils nous veuillent tant de mal ? Je m'en ouvrais à mes Maîtres, et plus encore à mes amis. Nous essayions de comprendre.

Pour toute réponse, mes Maîtres nous faisaient lire et relire la Bible, les prophètes, la littérature martyrologique. Noyée dans la souffrance mais ancrée dans le défi, l'histoire juive décrit un conflit permanent entre nous et les autres. Depuis Abraham, nous sommes d'un côté et le monde entier de l'autre. D'où l'animosité que nous nous attirons. « Abraham, le premier des patriarches, était meilleur juif que toi, me disait le Selishter Rabbi, homme agité et tendu dont les yeux s'enflammaient de colère. Il était mille fois meilleur que nous tous ; lui, dit le Midrash, on l'a jeté dans un fourneau brûlant, et toi tu voudrais passer ton existence sans une égratignure ? Daniel était plus sage que toi, plus pieux ; on l'a condamné à mourir dans une fosse aux lions, et toi tu rêves de vivre ta vie sans souffrir ? Les enfants de Jérusalem se firent massacrer par les soldats du général Nevuzzradan, et toi tu te plains ? » Plus tard, mon Maître kabbaliste, Kalman, celui qui avait la barbe jaunie, me faisait réciter à voix haute les litanies et chroniques relatant les afflictions des communautés juives dispersées pendant les Croisades et les pogroms : celle de Blois et de Mayence, de York et de Reims ; toutes périrent par l'épée et le feu pour avoir refusé de renier leur foi. Et il concluait en citant le Talmud : « Mieux vaut être parmi les victimes que parmi les tueurs. »

Ces histoires, je les aimais. Je m'en imprégnais. J'étais fier de ces Juifs dont la fidélité à l'Alliance les rendait à la fois vulnérables et immortels. Je me sentais attiré par les prisonniers de l'Inquisition. Chacun d'eux me rappelait Isaac, bien qu'aucun ange ne fût venu éteindre le feu qui allait les consumer. Leur supplice, lent et inéluctable, me hantait : aurais-je eu la force de résister ? Je songeais à Rabbi Hanina ben Tradyon, ce Sage talmudique que les Romains avaient condamné à mourir lentement sur le bûcher, parce qu'il avait enseigné la Loi sur la place publique. Comment avaient-ils fait, lui et ses disciples proches et lointains, pour ne pas fléchir ? Je songeais à mon ancêtre Rabbi Yom-Tov Lipman-Heller, l'auteur des « Tossafot Yom-Tov », qui, durant la guerre de Trente Ans, fut emprisonné à Prague et à Vienne : saurais-je à mon tour rester juif sous les coups des geôliers ? J'aimais invoquer également le souvenir d'un autre ancêtre, le Sh'la Hakadosh : à l'heure suprême, viendrait-il m'aider à le suivre sans crainte ni honte ?

Aujourd'hui, un demi-siècle plus tard, ces questions demeurent ouvertes, et je me sens toujours incapable d'y répondre. La survie de mon peuple continue à me rendre perplexe, de même que la pérennité de la haine à son égard continue à m'intriguer.

Guidé par mes Maîtres, j'espérais trouver la réponse dans les livres. Aussi les lisais-je assidûment. Trop peut-être. D'où mon dédain — c'est sûrement une lacune — pour les sports : football, ski, tennis ; ce n'était pas pour moi. Certains jeunes Juifs riches des familles dites assimilées les pratiquaient. Moi, je ne savais même pas nager. Pour me détendre, je jouais aux échecs et, parfois, la veille de Noël, aux cartes (à vrai dire mal, très mal) : les Juifs ultra-orthodoxes eux-mêmes en faisaient autant ; ce soir-là, il valait mieux ne pas se rendre à la synagogue, ne pas se montrer dans la rue. Les autres soirs, je les passais avec des amis chez les hassidim qui trouvaient toujours une occasion de célébration. Les samedis après-midi de printemps, il m'arrivait d'aller me promener au

Malompark (le parc du moulin) ou sur les berges des deux fleuves, la Tissa et l'Iza, qui entouraient notre ville. Un soir d'été, je suivis la foule sur la grande place ; je restai des heures à observer un funambule marchant sur d'énormes échasses : sa tête touchait les toits. Une autre fois, je vis un acrobate essayant de garder l'équilibre en dansant sur une corde raide : il tomba et j'entends encore le cri d'effroi de la foule. « Voilà bien l'existence humaine, remarqua quelqu'un. Une corde raide. » Une troupe juive — de Wilno ? — vint donner quelques représentations. Quelles pièces ? Je ne m'en souviens plus. Ma mère m'emmena une fois au cinéma : on y donnait un film en yiddish. Sur les colonies juives en Palestine ? En Birobidjan peut-être ? Des jeunes, garçons et filles, travaillaient aux champs en riant, labouraient la terre en chantant. Une autre fois, on présenta un film hongrois : *Az északa lánya*, la fille de la nuit. Je me rappelle le nom et le visage de la vedette — la belle Karády Katalyn — mais pas le film. C'est bien simple : je ne l'ai pas vu. Un étudiant religieux n'allait tout de même pas perdre son temps — et son âme — à regarder des femmes qui faisaient Dieu sait quoi.

Naturellement, du point de vue pédagogique, mes parents et mes Maîtres se trompaient. Si je n'avais pas vu le film, j'avais bien vu l'actrice. Elle occupa mes pensées, et il me fallut faire un effort considérable pour l'en chasser, surtout la nuit, avant de m'endormir. Elle ne fut pas la seule. Malgré les interdits (ou bien à cause d'eux ?), il m'arrivait de regarder où il ne fallait pas : du côté d'une jeune voisine ou d'une belle inconnue qui traversait le quartier. Mon regard intérieur la suivait. Elle me conduisait vers des lieux périlleux ; je me troublais, je me punissais. Satan m'égarait, m'envoûtait. Il voulait faire de moi son esclave, sa proie, il essayait d'accaparer mon âme, de l'avilir. Que faire pour me sauver ? Comment me défendre ? Je me souviens de la fille d'un juge — belle blonde hautaine : cheveux longs et soyeux, démarche mesurée — qui passait devant notre maison, je ne savais pourquoi, elle me donnait des battements de cœur. Ma respiration s'accélérait, mon corps me jouait des tours, il m'encombrait. En imagination, je me débattais pour échapper à l'enfer et ses flammes. Pour purifier mon esprit, j'eus recours à la prière. Méthode courante et parfois efficace. De plus, elle occupe. Des psaumes le matin, des psaumes l'après-midi, des psaumes le soir. A l'époque de ma Bar-mitzvah, je me rendais tous les matins aux bains rituels avant d'aller à l'office. Treize immersions : le chiffre correspond à la valeur numérique d'Ehad, Dieu est un. Vingt-six immersions car le tétragramme c'est le chiffre vingt-six. Je priais avec ferveur. J'étais convaincu qu'avec un peu de *kavanah*, de concentration, je vaincrais les tentations du mal, et le mal lui-même ; un peu plus de discipline intérieure, et mes prières monteraient jusqu'au septième ciel, laissant derrière moi la fille du juge et toutes les autres.

Il m'arrivait d'envier tel ou tel ami non parce qu'il était mieux habillé que moi, ou que nos Maîtres le félicitaient plus souvent, mais parce qu'il priait avec une concentration plus pure, plus entière.

Ah, si seulement je pouvais aujourd'hui ouvrir mon âme à la prière, si je pouvais aspirer à la pureté comme je le faisais en ce temps-là...

Je vois, je rêve que je vois mon père. Parfois je ne vois que lui ; il paraît soucieux, sombre. Qui cherche-t-il ? Un petit garçon juif comme tant d'autres, dans une petite ville juive parmi tant d'autres, un adolescent juif en quête de rédemption ? C'est moi : Eliézer fils de Shlomo. Notre magasin se trouve au coin de la rue des Serpents et de la rue Dràgos Voda. Le Rabbi de Borshe, Rabbi Pinhas Hager, habite en face. A côté, c'est le Slotfener Rabbi qui reçoit ses fidèles exaltés. A gauche : la maison de Reb Shloïmele Heller, le juge rabbinique, connu pour sa pondération.

Je sais, vous souriez : ma petite ville compte un grand nombre de rabbins et chacun attire un plus grand nombre d'adeptes. On pourrait croire que Sighet n'est qu'une immense synagogue, et que seul le service de Dieu nous préoccupe. Que les considérations d'ordre matériel nous laissent indifférents. Détrompez-vous. Nous avons nos voleurs, nos délateurs, nos détraqués. On les connaît. On dit : « Yankel le voleur de chevaux » ou « Berl le mouchard ». Nous ne sommes pas une communauté de cinglés ou de fous de Dieu Les voisins qui se chamaillent, les femmes qui se jalousent, les concurrents qui se détestent, on les trouve partout, chez nous aussi. Tous ces Juifs ont des métiers, des obligations, des loisirs : il faut bien la vivre, cette vie que le Seigneur nous donne, il faut bien la façonner et la conduire de notre mieux. Car ne nous demande-t-il pas de l'aider un peu ? Alors on essaie. Chacun essaie. Les uns implorent leur Rabbi, d'autres se tournent vers la contrebande, la méditation ou les Psaumes ; d'autres encore préfèrent travailler comme cordonniers, tailleurs, bûcherons ou portefaix, aider les pauvres, réconforter les veuves mélancoliques, chanter, hurler comme des fous le droit à la liberté et à l'extase, le droit au rêve et au réveil : à la fin tout s'arrangera, vous verrez. Un peu de patience. Le Messie n'est pas loin. Optimistes, les habitants de ma ville ? Ils n'ont pas le choix. Que serait le Juif s'il se laissait aller au pessimisme ? D'ailleurs, à la fin de toutes choses, il y a tout de même le Messie, pas vrai ? Imagine-t-on un Messie pessimiste ?

Le Messie, ah le Messie : ma pauvre mère ne cessait de réclamer, d'espérer sa venue ; il ne quittait jamais son esprit. Le soir, en me berçant, elle me chantait sa conviction profonde de mère juive : rien de mal n'arrivera à son enfant, car le Messie se manifestera toujours à temps pour le protéger. Les antisémites ? Condamnés d'avance, réduits à l'impuissance, les salauds. Un battement de paupières lui suffira pour les mettre en fuite. Le service militaire ? « Ne crains rien, mon enfant. Il n'y aura plus d'armée ; où irais-tu trouver un uniforme ? » Eh oui, ma mère, comme toutes les mères juives, y croyait de toute son âme. Bientôt délivré, le peuple juif n'enverrait plus ses fils se faire tuer pour les empereurs et les rois européens. Je ne sais pas si, dans ma région, on attendait le Rédempteur avec autant de ferveur et d'amour qu'à Sighet. Mais je sais que, partout, n'importe quel enfant juif vivait le même espoir. C'est drôle comme tous ces enfants juifs se ressemblent. Et ces bourgs, et ces hameaux...

Et pourtant, ils sont si différents. Chacun a son caractère, sa mentalité, sa couleur, son tempérament, je dirais même sa personnalité. Voyez les villages autour de ma ville. Un étranger s'y perdrait : les mêmes huttes partout, la même auberge, les mêmes bûcherons. Mais moi, au premier coup d'œil, je sais distinguer entre Kretchenev où habite mon oncle Israël, l'épicier, et Bitchkev, où grand-père Dodye possède sa petite ferme.

Mais, restons encore un moment à Sighet — d'abord parce que c'est le chef-lieu de la région. Et parce que j'y suis né. Et parce que ma ville est d'humeur plutôt changeante : le temps d'éternuer et elle risque de vous échapper. C'est qu'elle a la manie de changer de nom, de nationalité et donc d'allégeance, la ville qui m'a vu naître et partir.

Quand mon père y est né, elle faisait fièrement partie de l'empire austro-hongrois et s'appelait Màrmarossziget. Quand j'y vins au monde, elle portait orgueilleusement le nom de Sighetul

Marmatiei et appartenait au royaume de la Grande Roumanie. Quand je l'ai quittée, elle était redevenue Màrmarossziget, ville hongroise au patriotisme bruyant. Aujourd'hui ? Elle reçoit ses ordres de Bucarest, mais Budapest réclame son retour au nom de... Bon, ne nous mêlons pas de ces querelles ethniques ancestrales.

Je n'oublierai jamais les difficultés que j'eus à apprendre du jour au lendemain l'hymne national hongrois. L'hymne royal roumain ? Rejeté, comme une chaussette sale. Désormais, nous chantions « Que Dieu sauvegarde le Hongrois » — avec le même enthousiasme que nous avions chanté « Longue vie au roi ».

Chez nous, à la maison, le yiddish dominait, bien sûr. Mais l'on y parlait également l'allemand, le roumain et le hongrois — selon l'époque. Au magasin, on entendait aussi le ruthène, l'ukrainien, le russe... Pour comprendre les paysans et se faire comprendre d'eux, il fallait être polyglotte. Difficile ? Tout s'apprend. D'ailleurs, quelques mots suffisaient. Bonjour, oui, non. Généralement, on avait affaire à des clients qui se débrouillaient en yiddish. Maria, notre servante, le possédait à fond, le parlait presque sans accent et sûrement avec beaucoup de conviction. Étonnant ? Elle connaissait nos coutumes, nos mœurs, nos lois. Sighet n'était-elle pas une ville quasi juive ? Tous nos voisins chrétiens savaient qu'un Juif ne pouvait allumer le feu le jour du Shabbat, manger du pain pendant la fête de Pâque, toucher une viande impure. La réciproque n'était pas vraie : j'ignorais tout de la religion chrétienne. Elle ne m'inspirait aucune curiosité ; de la crainte seulement. Crainte diffuse, indicible, mais présente, pesante. Quand je me rendais à la synagogue ou à la maison d'étude, je changeais de trottoir pour ne pas passer devant l'église. Qu'y avait-il là pour me faire peur ? L'encens, les processions liturgiques, les icônes, la foule que j'imaginais haineuse à l'égard du peuple d'Israël ? Peut-être, dans mon subconscient, me rappelais-je des histoires traumatisantes où des enfants juifs se faisaient enlever par des moines qui les convertissaient de force. Pourtant, j'avais des camarades chrétiens. Camarades ? Non : condisciples. Je les vois encore jouer dans la cour de l'école, toujours entre eux. Certains venaient au magasin acheter un kilo de sucre ou de farine. Alors, ils me souriaient. Mais à l'école, ils faisaient semblant de ne pas me connaître. La veille de Noël, masqués en diablotins, avec cornes et fouets, ils participaient à la chasse au Juif. Tous ? Non, pas tous. Je me rappelle un garçon pâle et timide, excellent élève de surcroît : lorsque ses copains nous faisaient sentir leur haine, Pishta (Petru ?) me lançait des clins d'œil complices comme pour m'encourager à tenir bon. C'est lui qui, plus tard, lors de la création du ghetto, m'aida à porter notre poste de TSF chez un ami de mon père.

Hors du Héder, étais-je bon élève ? Très longtemps, les examens furent ma terreur, mais à la communale j'avais de bonnes notes. Parce que je faisais mes devoirs de mathématiques et apprenais par cœur les leçons d'histoire et de géographie ? Peut-être aussi parce que mes professeurs, dont un certain Muresan, homme bourru et sévère, tenaient à plaire à mes parents : ils étaient nos clients... privilégiés. En échange, en classe, j'étais leur élève préféré. Pleins de bonne volonté, ils fermaient les yeux quand je m'absentais, ce qui m'arrivait fréquemment. C'est que les études laïques m'intéressaient moins que les livres sacrés : les tueries patriotiques roumaines et hongroises ne me concernaient pas plus que les légendes entourant la naissance de Romulus et les faits d'armes d'Attila. Pour passer les examens, pas de problème : je m'y préparais un mois à l'avance. Mais, alors, je ne faisais rien d'autre. Je négligeais le Talmud, tout en lui demandant pardon : je m'engageais à le retrouver aussitôt les examens terminés et je tenais ma promesse. Au bout d'une semaine, j'avais oublié tous mes cours : je redevenais nul en mathématiques et en géographie. Restait le violon. C'est un officier de gendarmerie qui me l'enseignait. Deux fois par semaine, j'allais chez lui, une bouteille de *tzuika* sous le bras. Il buvait et je jouais. Lorsque la bouteille était vide, je m'arrêtais.

Au lycée, rien ne changea : j'apprenais pour oublier. Mes parents m'inscrivirent comme externe aux lycées juifs de Debrecen et de Nagyvárad. Le rêve de ma mère ? Que son fils devienne *doktor rabbiner*, rabbin avec un doctorat en poche. Des tuteurs privés en latin, algèbre et physique me prenaient en charge un mois avant que j'aille affronter les professeurs des grandes cités. Ma sœur Béa m'accompagnait alors. Je la vois encore avec son béret, m'attendant devant la porte, souriante, confiante, comme disant : tu vois ? tu as gagné, et je suis là. Image qui resurgit des années plus tard dans une chambre d'hôpital à Montréal : dévorée par le cancer, elle savait, et je savais, qu'elle allait mourir ; je lui tenais la main en souriant, comme pour lui dire : je suis là, tu vas gagner.

Hilda et Béa fréquentaient le lycée pour jeunes filles à Sighet même. Leurs problèmes : comment faire pour ne pas être obligées d'écrire le jour du Shabbat ? En général, mon père s'arrangeait en utilisant une méthode éprouvée : il soudoyait la directrice. Ma petite sœur Tsipouka, elle, était trop jeune pour aller à l'école : elle apprenait toute seule à la maison. J'aimais la voir penchée sur un livre ou un cahier. Sérieuse, appliquée, belle comme un ange aux cheveux d'or. Je retenais mon souffle pour ne pas la déranger. Ce que je ressentais pour elle, je ne l'éprouverai jamais pour personne.

Je me souviens de sa naissance : une nuit, mon père m'envoya chercher d'urgence le docteur Fisch qui resta seul avec ma mère, tandis que Maria et grand-mère Nissel allaient et venaient, portant des baquets d'eau bouillante. A un certain moment, ma grand-mère me dit d'aller frapper à la fenêtre du Rabbi de Borshe, en face. « Mais il dort, grand-mère, protestai-je. — Réveille-le, dit ma grand-mère. Demande-lui d'intercéder là-haut en faveur de ta mère. » J'obéis, naturellement. Le Rabbi ne dormait pas. Sa fenêtre était ouverte, il y avait de la lumière, il semblait m'attendre. « Viens, me dit-il, entre. » Et puis : « Allons en bas, au Béit Hamidrash. » Là, il ouvrit l'arche sainte et, devant les rouleaux sacrés, il me dit : « Récitons un psaume ensemble. Impossible qu'un enfant comme toi et un vieillard comme moi ne soient pas entendus au ciel. » Verset après verset, nous récitâmes un chant de circonstance. « Encore un », dit le Rabbi, fronçant les sourcils. J'obéis. Après le troisième psaume, il se tut. Je retournai chez moi. A travers la porte close, j'entendis ma grand-mère qui suppliait ma mère : « Ne te retiens pas, crie ! Hurle ! Il faut crier quand on a mal — et tu as mal, je sais que tu as mal. » Alors, je retournai chez le Rabbi : « Ça ne va pas, lui dis-je. Ma mère refuse de crier. — Bon, répondit-il, ouvrons le Livre de prières. » Il trouva celle qui correspondait au cas de ma mère. Il dit un verset que je répétai après lui. Soudain, nous entendîmes un hurlement puissant venant de chez moi. Le Rabbi déposa un baiser sur le livre et dit : « Tu vois ? Notre peuple vient de s'enrichir d'un nouvel enfant ; que Dieu le bénisse. »

Ma petite sœur était une bénédiction. Mais... Non, pas de mais. Pas encore. Chaque chose en son temps. Ma petite sœur connut quelques années de bonheur. Et moi aussi.

Quelques années plus tard, ce fut ma mère qui courut chez le Rabbi de Borshe : une appendicite me faisait tordre de douleur et le médecin prétendait qu'il me fallait subir, de toute urgence, une intervention chirurgicale. A son avis, nous ferions mieux de partir le jour même à Satu Mare : l'hôpital juif y accomplissait des miracles. « Mais c'est Shabbat ! » s'écrièrent mes parents. Le docteur haussa les épaules : « Vous n'avez pas le choix. » Voilà pourquoi ma mère, désespérée, avait traversé la rue en courant pour consulter le Rabbi de Borshe. Bien sûr, celui-ci lui dit que la Loi autorise la violation du septième jour, lorsqu'il s'agit de sauver une vie.

De mon séjour à l'hôpital, je me rappelle l'éther que je dus inhaler : s'il y a une odeur qui symbolise l'enfer, ce n'est pas le soufre, mais celle-là. Et l'infirmière, d'elle aussi je me souviens : je sais bien que s'il existe là-haut un ange qui s'occupe des malades c'est Raphaël, mais je sais aussi que, dans mon cas, c'était une jeune femme merveilleuse de beauté et de bonté. J'étais jeune, très jeune, mais j'aurais facilement pu m'éprendre d'elle. Son visage fin, ses yeux sombres, ses doigts caressants : elle me souriait et cela suffisait pour atténuer ma douleur. J'aimais surtout sa manière de me redresser pour me faire boire. Penchée sur moi, sa poitrine frôlant ma tête, elle suscitait dans mon corps d'étranges frémissements.

C'est avec honte que je me l'avouai : je souffris de devoir quitter l'hôpital après seulement une semaine.

1938, je l'apprendrai plus tard, c'est Munich. Daladier et Chamberlain. Le « lâche soulagement » de Léon Blum. La colère prophétique de Churchill. Les premiers réfugiés arrivant de Tchécoslovaquie, ce petit pays chaleureux, épris de démocratie, qu'enviait toute l'Europe centrale et orientale. Masaryk et Benes. Tolérance et liberté.

Soldats désabusés. Civils résignés, trahis par leurs alliés franco-britanniques aux promesses grandiloquentes. Vers quelles contrées se dirigeaient ces exilés ? Ils parlaient peu, ne demandaient rien. Je ne sais même pas s'ils passèrent la nuit à Sighet. Je m'en souviendrai en 1968, année de la deuxième trahison de l'Occident à l'égard de la Tchécoslovaquie. Et si, en 1989-1990, Vaclav Havel suscita une telle adhésion à travers le monde, c'est peut-être parce que le monde dit civilisé se sentait coupable envers sa nation.

La tragédie se préparait et la vie s'écoulait en moi, hors de moi ; j'y prêtais peu d'attention. Je grandissais, je mûrissais, j'apprenais des textes plus difficiles, plus obscurs. Hitler ? Ses aboiements ne pénétraient pas ma conscience. Les lois de Nuremberg, les Jeux olympiques, l'assassinat de von Rath, la nuit de Cristal : Hadrien et l'Inquisition avaient fait pis. Pourvu que le Troisième Reich s'écroule de lui-même, que les grandes puissances européennes ne s'amollissent pas, que Hitler et ses acolytes crèvent, pourvu qu'il n'y ait pas de guerre...

Il y eut la guerre. Elle éclata un vendredi. Je me souviens : c'était le mois d'Ellul et chacun se préparait pour les Grandes Fêtes. Le matin, on sonnait le *shofar* pour inciter les âmes pécheresses au repentir. Ce mois-là, dit-on, les poissons eux-mêmes tremblent dans l'eau. Dans un coin du Béit Hamidrash, vêtus de leurs châles de prière et ceints de leurs phylactères, mon père et ses amis commentaient les dernières nouvelles. Excités, ils parlaient trop fort, si bien qu'ils se firent réprimander par leurs aînés : « Shshsh... On prie ! » Ce « shshsh », je crois encore l'entendre et pouvoir le traduire : quelle idée de palabrer, de s'agiter, alors que des Juifs s'adressent au Roi de l'univers... quelle idée pour les peuples et leurs armées de s'entretuer pour quelques lopins de terre ou quelques phrases, alors que Dieu est à l'écoute de ses fidèles...

La discussion s'interrompit. L'office reprit et s'acheva comme d'habitude par le kaddish. Au loin, les canons tonnaient déjà, la Mort sévissait et les premiers orphelins apprenaient à porter le deuil. Mon existence à moi n'en fut pas perturbée pour autant. Ce vendredi-là, je reçus mon petit pain tressé habituel des mains de ma grand-mère ; je me rendis aux bains rituels pour me purifier à l'approche de la Reine du Shabbat ; je mis une chemise blanche, mon beau costume, et m'ouvris à la paix du septième jour de la création qu'en principe la passion des hommes ne peut ni ne doit perturber.

Rien d'exceptionnel ne se déroula ce Shabbat-là. A l'office du matin, j'appris qu'un prédicateur célèbre était de passage et qu'il prononcerait un sermon l'après-midi. De taille menue, il fallait presque écarquiller les yeux pour le voir. Comment ce petit bonhomme faisait-il pour avoir une voix aussi grave et pleine ? Je m'attendais à l'entendre évoquer l'actualité, mais il avait d'autres priorités. Il décrivit en chantonnant le châtiment féroce et implacable qui attendait les impies, coupables de transgressions et de dépravations sexuelles que j'étais trop jeune pour comprendre. On le disait myope, presque aveugle, mais il semblait s'orienter dans l'enfer comme s'il y avait vécu dès sa naissance, sinon avant.

Les semaines suivantes, notre ville accueillit des réfugiés polonais, porteurs de mauvaises nouvelles : l'armée hitlérienne était invincible et sa fureur impitoyable.

Nous étions en guerre, mais je ne me sentais pas menacé. Ma vie continuait comme avant. Au seuil du Nouvel An juif, je devais me préparer, et ce n'était pas facile. Le salut exige de la sincérité : impossible de tricher. Les jours du Jugement, c'est un tribunal céleste et incorruptible qui décidera qui vivra, qui mourra, qui périra par le glaive, qui par le feu et qui par la soif.

Mon grand-père vint passer les Grandes Fêtes avec nous. Je lui cédai mon lit et dormis sur un banc, content de gagner sur deux tableaux : l'inconfort m'aidait à expier mes péchés en même temps qu'il me permettait de faire plaisir à mon grand-père.

Je me souviens : il pleura beaucoup pendant l'office éprouvant et captivant de Rosh-Hashana, surtout durant le Moussaf ; il pleura plus que d'habitude. Sans doute pressentait-il ce que moi, trop jeune, j'étais incapable d'imaginer : qu'une fois déclenchée, la guerre ne s'arrêterait pas avant d'avoir emporté dans son torrent mille et mille destins de mille et mille communautés.

Que savions-nous de ce qui se passait de l'autre côté des frontières ? Les journaux hongrois et yiddish donnaient des informations plus ou moins vagues. On savait que les choses allaient mal. Dans les territoires occupés par les Allemands, les communautés juives vivaient des heures éprouvantes. Il fallait s'y attendre : Hitler l'avait annoncé plus d'une fois, et de plus d'une manière. Il n'avait jamais caché ses intentions criminelles à l'égard de notre peuple. Et nous savions bien que, lorsque la haine est soutenue par le pouvoir, c'est toujours pour nous signe de catastrophe. Or sa haine du Juif était d'une telle ampleur et son pouvoir si absolu, qu'il fallait s'attendre au pire. Mais nous ne pouvions imaginer l'étendue de ce mot. Dans nos cauchemars les plus ténébreux, peut-être évoquions-nous arrestations arbitraires, humiliations systématiques, persécutions collectives, pogroms et massacres, comme durant les tourments, les Croisades, la rouelle, les exclusions, que notre peuple avait si souvent subis au cours de son exil. Mais pas plus. Ni autre chose.

C'est que, malgré tout ce que nous savions déjà de l'Allemagne nazie, nous faisions bizarrement confiance à sa culture sinon à son humanisme. Secrètement, l'on se répétait : c'est un peuple civilisé et civilisateur, il ne faut pas croire toutes les rumeurs forcément exagérées que la propagande répand sur son armée. En guerre, on raconte tant de choses...

Eh oui, c'était ce que de nombreux Juifs pensaient chez nous, y compris ma mère. La raison en est simple. Nous sommes tous tombés dans un piège que l'Histoire nous avait tendu. Durant la Première Guerre mondiale, l'armée allemande vint au secours des Juifs qui, sous l'occupation russe, étaient battus, bafoués, opprimés par les cosaques sauvages dont la mentalité et les traditions religieuses se nourrissaient d'antisémitisme. Après leur départ, notre région connut une période d'accalmie. Les officiers allemands étaient courtois, serviables, cultivés. Pas comme les cosaques. Par conséquent, bercés sinon endormis par le souvenir qu'ils conservaient des Allemands d'alors, les Juifs refusèrent de croire à l'inhumanité de leurs fils. Les Juifs seulement ? Neville Chamberlain avait réagi comme eux. A Munich, il avait fait confiance à Hitler. Eh oui, à Hitler. Qui venait de le ridiculiser.

Conséquence de la guerre ou de la « drôle de guerre » : l'Armée rouge envahit la petite Finlande dont la résistance courageuse suscita l'admiration, même chez les Juifs. Par ailleurs, Staline et Hitler procédèrent à des modifications territoriales en Pologne, en Hongrie et en Roumanie. L'Union soviétique se rapprocha de Sighet et, profitant de l'occasion, une douzaine de nos jeunes Juifs passèrent la frontière clandestinement pour construire ensemble le paradis communiste. Leurs « frères » communistes les mirent aussitôt en prison et les envoyèrent vers l'empire de l'oppression qu'on connaîtra sous le nom de goulag. Leizer Bash et sa jeune fiancée, tous deux parents éloignés de mon père, y passèrent plus de dix ans. Leur expérience, je l'apprendrai en 1954, au Canada. A peine avaient-ils foulé le sol soviétique qu'ils furent arrêtés. Accusés d'espionnage au profit des fascistes hongrois. Condamnés. Trimbalés de prison en prison, d'un camp à l'autre, jusqu'en Sibérie. Souffrances sans nom, aventures sans fin. Leizer se découvrira une vocation d'écrivain yiddish. Il mérite d'être traduit. Le lecteur y trouvera un témoignage vécu du goulag, précédant de dix ans celui d'Alexandre Soljenitsyne.

Deuxième conséquence : l'invasion des Pays-Bas, de la Belgique et du Luxembourg. Ce vendredi matin, les Juifs étaient optimistes. Le début de la vraie guerre signifiait pour nous la fin de l'Allemagne hitlérienne.

Troisième conséquence : Sighet redevint Màrmarossziget. La population accueillit dans l'allégresse les premières unités « motorisées » (c'est-à-dire roulant à bicyclette) de l'armée hongroise. Ma mère était contente, elle aussi, de notre changement de nationalité. Pour elle, c'était une sorte de retour à son enfance et nous devions en remercier Dieu.

Pourtant, les mauvais présages ne manquaient pas. Certes, on ne parlait ni de liquidation ni d'extermination, mais on évoquait déjà des massacres en Pologne. Et cela aurait dû suffire. Plus de mille Juifs « étrangers » — c'est-à-dire qui ne pouvaient fournir de documents attestant leur citoyenneté hongroise — furent refoulés en 1941 du territoire hongrois vers la Galicie. Je me revois à la gare, leur disant adieu. Toute la communauté était là. Nous pensions les retrouver un jour mais ils ne sont jamais revenus. Un seul réussit à s'échapper : Moshe, le bedeau. Hébété, le regard fou, il raconta des histoires à faire se dresser les cheveux sur la tête : les refoulés (à l'époque on ne les appelait pas encore déportés) avaient tous été massacrés et enterrés nus dans des fossés antichars près de Kolomey, Stanislav et Kamenetz-Podolsk. Il racontait, racontait la brutalité des tueurs, l'agonie des enfants, la mort des vieillards. On refusa de le croire. On disait : les Allemands sont des êtres humains, même si les nazis ne le sont pas. Plus Moshe le bedeau essayait de convaincre, moins on le prenait au sérieux. On s'apitoyait sur son sort, on disait : le pauvre, il a souffert, trop souffert ; il ne sait plus ce qu'il dit. Alors, il s'énervait : « Mais, écoutez-moi donc, je dis la vérité, je vous le jure ! Je le jure sur ma vie ! Et sur la vôtre ! Si je mens, expliquez-moi ma solitude ! Ma femme, où a-t-elle disparu ? Où sont nos enfants ? Pourquoi ne sont-ils pas revenus avec moi ? Et mes compagnons, vos voisins d'hier, où sont-ils ? On les a tous tués vous dis-je ! Si vous ne me croyez pas, c'est vous qui avez perdu la raison ! » Le pauvre, disait-on, il délire. Et lui d'enrager : « Mais vous êtes des irresponsables, ma parole ! Ce qui nous est arrivé là-bas vous arrivera un jour ici ! Et vous détournez le regard ? Mais, si je mens, pourquoi est-ce que je récite le kaddish matin et soir, hein ? Et pourquoi répondez-vous amen, hein ? » C'était vrai, il récitait la Prière des morts matin et soir, dix fois le matin, dix fois le soir, assistant à tous les offices, courant d'une synagogue à l'autre à la recherche d'un *minyan* pour pouvoir dire encore un kaddish, et encore un... Mais les gens demeurèrent sourds à ses plaintes. Moi-même qui l'aimais bien et lui tenais souvent compagnie, j'hésitais à le croire. Je l'écoutais, ça oui, je contemplais son visage enflammé pendant qu'il évoquait ses tourments, mais ma raison lui résistait. Je me disais : la Galicie n'est pas à l'autre bout du monde mais à quelques heures d'ici ; si ce qu'il raconte était vrai, on le saurait...

D'ailleurs, ma mère n'avait pas entièrement tort. Son optimisme était compréhensible. Depuis que le régent Miklós Horthy avait pris le pouvoir en Hongrie, les Juifs y connaissaient une existence relativement calme. Il comptait des amis juifs influents : certains s'étaient convertis, mais pas tous. Les brimades collectives les plus choquantes s'étaient arrêtées, comme les refoulements vers la Galicie. Alliée de l'Allemagne, la Hongrie s'occupait de ses Juifs comme bon lui semblait. A part le *numerus clausus* dans les universités et les grandes écoles, les Juifs n'avaient pas à se plaindre. Loin du pouvoir, les Nyilas fascistes et leurs vociférations nous inquiétaient, mais sans plus. Dispensés du service militaire, les jeunes Juifs furent mobilisés pour le Munkaszolgàlat, sorte d'armée auxiliaire qui accompagnait les troupes, assurait l'intendance, creusait des tranchées antichars l'été et coupait du bois l'hiver. Ils ne se plaignaient pas outre mesure et leurs familles non plus. Les synagogues étaient bondées, les écoles et lycées juifs aussi, les Yeshivot s'épanouissaient, le commerce juif florissait. Clubs sportifs, centres culturels et organisations sionistes menaient leurs activités ouvertement, légalement : excursions, séminaires, débats, tout était permis. Tout ? J'exagère. Miklós Horthy était tout sauf démocrate. Il ne tolérait aucune opposition. Sa police pourchassait et torturait les communistes — notamment les Juifs communistes — et terrorisait leurs familles : on en parlait dans les maisons d'étude. A l'époque, je l'ignorais, je l'ai appris longtemps après la guerre, en me documentant pour *Le Testament d'un poète juif assassiné*. C'est que le phénomène du Juif religieux optant pour le communisme continue de me fasciner. Comment un Juif imbu de Moïse et d'Isaïe pouvait-il épouser les théories — ou la foi — de Karl Marx et Joseph Staline ? Au cours de ma recherche, je découvris avec stupeur qu'il y en avait jusque dans ma petite ville. On me cita des noms prestigieux et d'autres moins célèbres. Eh oui, ces étudiants talmudistes se réunissaient la nuit dans un obscur Béit Midrash et y analysaient Lénine et Engels avec la même ferveur religieuse qu'ils manifestaient pendant la journée en étudiant l'enseignement de Maïmonide.

Je crois que même ma mère, pourtant si pieuse, subit l'attrait de l'idéal communiste. Je me rappelle un homme moustachu et rieur qui, aux heures creuses, venait lui rendre visite au magasin. Ils bavardaient à voix basse. Je l'apprendrai après la guerre : c'était un militant communiste clandestin. Peut-être est-ce sous son influence qu'à un certain moment elle abandonna les émissions de Radio-Londres pour celles de Radio-Moscou.

La chute de Paris, les victoires allemandes en Afrique du Nord, le bombardement japonais de Pearl Harbor : on en parlait, bien sûr, on répétait des noms jusqu'alors inconnus : Tobrouk, El Alamein, Voronej, Stalingrad. Pourtant la guerre semblait loin, irréelle, quasi mythique, se rapprochant seulement lorsque des troupes italiennes traversaient la ville pour aller au front (en jouant de la mandoline), ou pour en revenir (soldats silencieux, la tête basse). Elle s'imposait à nous par à-coups, quand Sighet voyait arriver des réfugiés polonais. Chargé par la communauté de s'en occuper, mon père recueillait-il leurs témoignages ? Chaque fois qu'il en rencontrait un, il remuait ciel et terre pour lui procurer faux papiers et subsides et empêcher la gendarmerie de le refouler.

Un souvenir : on était venu dire à mon père qu'on avait vu une jeune femme entre deux gendarmes. Un instant, il sembla hésiter : se lever au milieu du repas du Shabbat ? Nous récitâmes en hâte les bénédictions d'usage et mon père nous quitta. Il revint quelques heures après. « C'est grave, dit-il d'un air sombre. C'est plus grave que d'habitude. A l'officier qui l'interrogeait, elle a tout raconté. Sa fuite d'un ghetto en Galicie. Le massacre de ses parents. Elle aurait mieux fait de se taire. »

Les officiers, Dieu merci, se laissaient acheter avec de l'argent et plusieurs bouteilles de *pàlinka*, et leurs subordonnés, Dieu doublement merci, avec une seule bouteille et quelques sous. Lorsque les lois se firent plus sévères et leur application plus rigide, mon père eut une nouvelle idée : ayant appris que toute personne appréhendée en possession de devises étrangères devait être immédiatement transférée au Bureau du contre-espionnage à Budapest, il s'arrangea pour fournir aux réfugiés quelques dollars américains, des francs suisses ou des livres sterling, leur évitant ainsi d'être renvoyés en Pologne. A Budapest, un réseau clandestin les prenait en charge. Presque tous survécurent. Cependant, pris dans une rafle, l'un d'eux fut conduit au commissariat. Torturé, il passa aux aveux et donna le nom de mon père, dont je n'oublierai jamais l'arrestation ni le regard, après sa libération : tout ce qu'il ne m'avait jamais dit, je pouvais le lire dans ses yeux. Il passa des semaines interminables en prison, d'abord à Sighet même, puis à Debrecen. Il fut libéré grâce à ses amis de Budapest qui trouvèrent le moyen d'acheter le procureur ou le juge lui-même. Béa — la plus débrouillarde de la famille — prit le train pour aller le chercher. Il semblait avoir vieilli. Nous voyant tous à la gare, il esquissa un sourire triste, désabusé, que je ne lui connaissais pas. Jour après jour, je ne cessais de l'observer : l'avait-on battu, soumis à la question ? Que lui avait-on fait pour que son visage prenne cette couleur grise, ces marques d'épuisement, de résignation ? Je n'osais pas l'interroger. Pourtant je brûlais de savoir. Des années plus tard, Béa me dira : « Moi je sais. » Je l'implorai de partager son secret avec moi. Elle refusa, se contentant de répéter : « Oui, je sais, je sais. » Elle était déjà gravement malade et je n'insistai pas. Dans le camp, j'aurais pu poser la question à mon père ; nous étions ensemble, nous partagions nos peines et nos craintes. Par pudeur, je ne fis aucune allusion à son emprisonnement. Je me disais que ce n'était ni le moment ni le lieu. J'ai eu tort. Jamais je ne connaîtrai ce qui fut sans doute une terreur, une expérience uniques dans la vie de mon père.

La prison l'avait-elle changé ? Si oui, il ne le montra pas. Et puis, comme toujours, la vie reprit le dessus.

Comment expliquer l'attrait que ma ville exerce encore sur moi ? Est-ce parce que, dans ma mémoire, elle se confond avec mon enfance ? Dans chacun de mes romans, elle me sert de cadre, de paysage, de repère. Serait-ce que l'imaginaire m'aide à la retrouver vivante et entière ?

Ma petite ville, si proche et si différente des autres, souvent je la recrée. Histoire de faire comme si elle n'avait pas changé. Je m'y promène aux côtés de mes personnages qui me servent d'éclaireurs, de guides et aussi d'anges gardiens : grâce à eux, le mal restera caché et le temps suspendu. J'ai écrit *La Ville de la chance* en 1961, avant mon retour à Sighet. Je l'ai écrit parce qu'en ce temps-là c'était pour moi la seule façon de la ressusciter.

Certes, les événements que j'évoque dans mes romans sont divers, mais le lieu où ils se situent ne change pas. Tous mes héros en sont prisonniers : impossible de les libérer. Même quand je reviens aux récits bibliques, talmudiques ou hassidiques, c'est de ma ville qu'ils s'envolent. C'est dans les jardins de Sighet que les Sages composent et rédigent le Talmud ; c'est à la lumière de ses bougies clignotantes qu'ils tissent des légendes pour le Midrash ; c'est au bord de ses rivières que les exilés suspendent leurs harpes et se lamentent en se souvenant de Sion ; c'est dans l'obscurité de ses forêts que le Rabbi Itzhak Lurie et ses disciples rêvent de la rédemption ultime. Eh oui, je n'y peux rien : j'ai quitté Sighet, mais Sighet refuse de me quitter.

Mais alors, pourquoi me suis-je depuis si longtemps acharné à rechercher ma petite ville ? Plus je m'en approche, plus je m'en éloigne. Mieux je la connais, plus je m'évertue à la découvrir. C'est que je ne la connais pas bien. Je croyais la connaître à fond ; je me suis trompé. Elle avait une vie secrète que je ne soupçonnais pas. Par exemple : j'ignorais que des membres respectés de la communauté pratiquaient la contrebande et le trafic de devises ; j'ignorais aussi qu'il y avait chez nous... une maison close. Après la guerre, des Sighetois m'ont raconté mille et une histoires... A les croire, certaines filles parlaient un yiddish fort littéraire ; l'une d'elles adorait discuter religion avec ses clients... Je l'admets volontiers aujourd'hui : beaucoup de choses m'ont échappé. Pourtant, j'aimais regarder, écouter. Tout m'intéressait. Une querelle hassidique ? Je tenais à en apprendre les mobiles, les ramifications et l'enjeu. Une jeune fille juive s'était convertie pour épouser un officier hongrois ? La tragédie de ses parents accablés de honte me préoccupait. Un mendiant qui pouvait être un Juste déguisé ; une femme délaissée parcourant la province à la recherche de cent signatures rabbiniques qui lui permettraient de se remarier ; un riche commerçant mis en faillite ; un romancier dont le livre décrivait le ciel en effervescence, car l'Ange de la Mort avait décidé de se mettre en grève ; un renégat que la communauté avait excommunié : tous excitaient mon imagination. Les êtres humains seulement ? Les arbres aussi. Les oiseaux. Les nuages. Et surtout les exaltés. Moshe le fou dont le rire hante mes rêves, Kalman le kabbaliste dont le regard voilé obscurcit le mien, Shmukler le prince, mon ami Itzu avec qui j'étudiais le Siddur de Rabbi Yaakov Emdin, mon camarade Yerahmiel — ensemble, nous apprenions l'hébreu moderne : bien sûr, je m'en souviens. Comme je me souviens du mendiant silencieux qui, le doigt sur les lèvres, me signifiait combien il se méfiait de la parole. Et de cette famille de cinq ou sept nains qu'on venait voir et applaudir de partout : tous ont survécu aux sélections et aux tortures de Mengele à Birkenau. Et de la vieille folle qui, les jours de foire, soulevait sa jupe pour effrayer les adolescents ; ils la poursuivaient en lui jetant des cailloux. Pourtant elle ne leur avait rien fait. Qui cherchait-elle à provoquer ? Elle ne s'aventurait jamais dans les lieux où des Juifs s'adonnaient au service du Seigneur. Son domaine, c'était la foire.

Ma Bar-mitzvah, c'est en face de notre maison, chez le Rabbi de Borshe, que je l'ai célébrée. Appelé devant la Torah, j'ai récité les bénédictions appropriées et lu en silence un passage des Prophètes. Après l'office, les fidèles ont été invités à un kiddoush. C'était tout. Je me revois le lundi suivant : le Rabbi Haïm-Meir'l, successeur du vieux Rabbi Pinhas, m'aide pour la première fois à poser les phylactères sur mon bras gauche et sur mon front, comme la Bible nous l'ordonne. Me voilà considéré comme un adulte. Responsable. Membre à part entière de la communauté d'Israël.

J'entre dans une nouvelle vie : obsédé de Dieu, j'en viens à oublier sa Création. Est-ce Renan qui l'a écrit ? Aux Grecs la raison, aux Romains la force, aux Juifs le sens de Dieu. Je cherche Dieu, je le traque partout, et surtout dans les lieux sacrés, comme s'Il s'y cachait. Giordano Bruno aurait-il raison de dire que la lumière est l'ombre de Dieu ? Je le cherche, je le cherche partout pour mieux l'aimer, pour bénéficier de ses dons, partager sa souffrance à l'intérieur de notre exil : dans l'oratoire des tailleurs et des cordonniers comme dans la grande synagogue des riches et les maisons d'étude où se retrouvent les pauvres.

Chez nous, on disait que les athées avaient aussi leur synagogue. Nous, les jeunes, avions créé la tiféret bachurim : une pièce plutôt sombre dans l'immeuble du « Talmud Torah ». Pourquoi m'a-t-on élu gabbaï ou « président » ? Peut-être parce que mon père nous procurait du bois pour alimenter le poêle tout l'hiver. Pour nous, les étudiants, c'était agréable de disposer de notre propre local pour célébrer les fêtes, réciter les psaumes, étudier les textes sacrés, prier et discuter entre nous. Pareils aux adultes, nous suivions maintenant les développements inquiétants de la guerre. Yiddele Feldman, petit-fils du juge rabbinique, était le spécialiste du front russe. Il avait dissimulé dans un in-folio talmudique une carte géographique couverte de flèches en couleurs : penchés sur ses épaules, nous écoutions avidement ses exposés sur les victoires allemandes en Ukraine et en Russie blanche. Avec un crayon dont, pour réfléchir, il suçait le bout, il nous décrivait la situation : tanks, blindés, infanterie, appui aérien, mouvements de troupes. En Yiddele se cachait un général. « L'avance allemande est fulgurante, disait-il. Tactique redoutable, irrésistible. L'Armée rouge ne saura freiner l'envahisseur. Pas encore. Plus tard, oui. Mais ce sera trop tard. A mon avis, il faudrait envisager d'autres moyens pour échapper à la catastrophe. » Mais lesquels ? Partir en Palestine ? Kalman le kabbaliste répondit à ses proches disciples : il faut méditer, prier dans un recueillement plus profond ; la réponse divine est dans la quête humaine du mystère.

Dans l'occulte ? Pourquoi pas. Ce n'était pas l'idée de Kalman, il était plutôt opposé à ce qu'on nomme la « pratique de la Kabbale » ; lui, seule l'illumination messianique le préoccupait. Mais cela ne m'empêcha pas d'essayer. Je me mis à lire en hébreu, en araméen et en hongrois des ouvrages traitant de l'irrationnel dans toute sa diversité. L'astrologie, les différentes magies orientales, la *ho'hmat hapartzuf* ou la morphologie, l'hypnotisme, la graphologie, la parapsychologie, l'alchimie, bref : je me laissai accaparer par l'autre côté du réel. Avec un peu de chance, pensais-je, il me sera donné de transformer la poussière en or, le péril en sécurité, des gestes anodins en actes de guerre contre la guerre... Eh oui, les expériences mystiques ou prétendues telles dont parlent les livres jaunis par les siècles me passionnaient. Mélanger à du vinaigre le sang d'un coq rituellement égorgé en prononçant des formules magiques afin de chasser Satan par-delà les montagnes, était-ce possible ? Répéter certains « noms » à des heures précises pour dominer les forces du mal, abattre les avions, repousser les tanks, vaincre et humilier les chevaliers de la Mort ? Cinquante ans plus tard, je peux vous révéler la vérité : cela ne marche pas. Je parle d'expérience. Combien de fois ai-je essayé de piéger Hitler, et de lui expédier mille maux et maladies ?

Et je peux avouer un autre échec — qui ne surprendra personne — dans un domaine où, aujourd'hui encore, je ne suis guère compétent : les placements financiers.

J'avais lu quelque part, dans un ouvrage sur les sciences occultes, que l'on pouvait faire fructifier ses économies en les enterrant après avoir invoqué la protection d'un esprit céleste expert en la matière. Je décidai donc de risquer quinze pengös. Tous les matins, je déterrais mon investissement. Pour voir. Puis il disparut. Apparemment, mon agent de change privé était occupé ailleurs. Déçu, je mis fin à ces pratiques occultes si peu rentables.

Pour faire plaisir à mon père, j'acceptai de chanter dans le chœur de la grande synagogue, où il avait sa place, sous la direction d'Akiva Cohen. Si, plus tard, en France, j'ai pu diriger une chorale dans une maison d'enfants de l'OSE[1], c'est grâce à ce qu'il m'a enseigné. Un soir, lors d'une conférence dans une université du Connecticut, je mentionnai mes débuts musicaux et citai le nom de mon premier chef de chœur, rendant hommage à ses qualités de pédagogue. Quelqu'un dans la salle poussa un cri : « C'est moi ! » Il était chantre dans une synagogue locale.

Akiva Cohen, je ne le voyais que rarement, pour les leçons de solfège, avant les Grandes Fêtes, tandis que je retrouvais mon Maître mystique tous les soirs. Nous étions trois adolescents à nous aventurer, sous son œil vigilant, sur la voie du *Pardès*, le Verger de la connaissance interdite. Dans cette quête mystique de l'absolu, nous commençâmes par jeûner le lundi et le jeudi. Nous restions à la maison d'étude jusqu'à minuit pour nous pencher sur le « Séfer yetzira » que l'ange Raziel aurait communiqué à Adam et sur les écrits de Rabbi Haïm Vital, le disciple préféré du fondateur du mysticisme lurianique. Pris par les théories éblouissantes de la Création, j'étais insatiable. La brisure des vases, les émanations de la lumière première, les étincelles dispersées. Comment retrouver la pureté du commencement ? Comment libérer le Seigneur qui est prisonnier de lui-même et de nos actions ? Comment joindre le premier souffle au dernier, maîtriser la source et ce qui la déborde ? Pour un adolescent avide de savoir et de rêve, la Kabbale offre ce qu'il y a de plus stimulant, de plus romantique, de plus attirant. A l'intérieur de ses portes, plus hautes que le ciel, la prière et la réflexion, poussées jusqu'à leurs limites, permettent d'appréhen-

---

1. Œuvre de secours aux enfants.

der le mystère du pouvoir humain tel qu'il se manifeste dans le Bien autant que dans le Mal. Assis par terre, nous récitions les litanies dites de Rachel et de Léa. Prudemment, le Maître nous guidait vers le moment propice où, prononçant quelques formules mystérieuses, il est donné à l'homme de précipiter les événements et de hâter la venue du Messie. « C'est le seul moyen, disait notre Maître. Pour sauver notre peuple, nous devons sauver l'humanité tout entière. » Certes, c'était dangereux. Nous connaissions l'histoire tragique de Rabbi Yoseph di-la Reina, le disciple de l'Ari Hakadosh et ami d'un vieillard mystérieux, Natala Natali de Safed, et d'un « Italien fou ». Ce jeune rêveur pauvre et audacieux avait entrepris de réaliser le rêve le plus sublime des hommes. Ayant triomphé de mille dangers en mer et sur terre, il faillit réussir. Désarmé, Satan. Réduit à l'impuissance, pieds et poings liés. Inoffensif. Humble et humilié. Un instant encore et l'humanité entrerait dans la lumière et dans la joie de la vérité. Mais, à la dernière minute, le Rabbi commit une erreur : il se laissa émouvoir par Satan. Qui brisa ses chaînes. L'édifice s'effondra. Éteinte, une fois de plus, l'espérance des hommes. Si Rabbi Yoseph di-la Reina avait échoué, comment devions-nous nous y prendre ? Saurions-nous éviter les pièges et la malchance ? Nous nous disions : si nous échouons à notre tour, nous recommencerons. Puni pour avoir tenté la même expérience (il fut privé de ses dons, de son savoir, et même de sa mémoire), le Besht ne se laissa pas décourager pour autant. Or n'étions-nous pas tous ses disciples ?

Ayant entendu parler de notre aventure, puérile à plus d'un titre, mon père me prit à part un samedi après-midi et m'interrogea. Je répondis d'un hochement de tête mais sans ouvrir la bouche : oui, les rumeurs étaient vraies. « N'es-tu pas trop jeune pour explorer — ou pis : pour pratiquer — la Kabbale ? » Je secouai la tête : non, je n'étais pas trop jeune ; n'avais-je pas passé ma Bar-mitzvah ? N'avais-je pas fait la preuve de ma maturité ? Il voulut en savoir davantage sur mes activités extra-scolaires, mais je ne pus satisfaire sa curiosité pour la simple raison que mes deux camarades et moi avions fait le vœu de garder le silence pendant toute la durée du Shabbat. Mon père s'énerva : « Je t'ordonne, *bigzérat ha'av*, en ma qualité de père, de me répondre. » Là, je n'avais plus le choix : je lui dévoilai notre projet. Rationaliste invétéré, il me proposa un marché : « Tu peux faire tout ce que tu veux avec la Kabbale tant que ça ne t'empêche pas d'étudier ce qui compte vraiment : le Talmud et ses commentaires d'une part, et l'hébreu moderne de l'autre. » L'hébreu moderne ? protestai-je. Pour quoi faire ? Mon père s'obstina : l'hébreu moderne, la littérature hébraïque moderne. Il me montra quelques poèmes et contes de David Frishman, Chaïm Nahman Bialik, Saul Tchernikowski et Zalman Shnéour. Certains me firent rougir, tant l'inspiration érotique y était manifeste. Et mon père voulait que je les étudie ? Oui, il y tenait. Mais ces auteurs n'étaient-ils pas des impies, des hérétiques ? A ses yeux, l'ignorance était pire que l'hérésie.

En ville, on regardait de travers notre trio. Des parents mettaient en garde leurs enfants : « Voyez ces inconscients : ils courent à leur perte. Écartez-vous d'eux. » C'est que le mysticisme est dangereux, tout le monde sait cela. Dangereux pour quiconque n'est pas en état ou digne de recevoir son enseignement. L'eschatologie reste un champ clos. Miné. Défense d'approcher. On ne joue pas impunément avec les mystères fondamentaux de la Création ou du dénouement. Comme les Sages qui pénétrèrent le *Pardès*, le Verger légendaire, on risque la folie, l'hérésie ou la mort. C'est compréhensible. Le cerveau humain est incapable d'absorber une lumière trop puissante. Comme le cœur est incapable d'éprouver une émotion trop profonde. Il existe des limites que l'on ne peut pas franchir. Comment un être faible, vulnérable et mortel pourrait-il songer à forcer la main de Dieu ? D'innombrables légendes circulent depuis des siècles sur les pièges et les périls qui menacent quiconque s'y essaie. « Oui, mes enfants, remarquait pourtant notre Maître, le danger existe : loin d'être désarmé, Satan essaiera de saboter notre entreprise. Mais l'enjeu en vaut la peine. »

Au bout de six mois, nous subîmes notre première défaite : l'un d'entre nous — l'aîné — tomba malade. Il perdit l'usage de la parole et le goût de vivre. Étendu sur son lit du matin au soir, il fixait le vide, hors d'atteinte, léthargique. On courut auprès des rabbins, on récita des psaumes, on alla s'étendre sur les tombes des Justes. Des prières spéciales furent dites durant l'office du Shabbat. On consulta les médecins de notre petite ville, puis ceux des grandes villes de la région. Mon ami resta muet et son état ne s'améliora pas. Grâce à diverses recommandations, on réussit à faire venir de Budapest un psychiatre renommé qui passa toute une journée au chevet du jeune malade. Le lendemain, il visita écoles et synagogues, interrogea parents, voisins et amis. Dont moi.

Ayant juré de garder le secret, je ne dis rien qui pût nuire à notre projet. Non, je n'avais rien observé de suspect chez mon ami, rien de bizarre. Non, il n'était pas sujet à des accès de démence. Non, il ne souffrait d'aucun trouble. Mais alors, comment expliquer ce qui lui arrivait ? Le psychiatre interrogea mon autre ami, le deuxième du trio, et n'en fut pas plus éclairé. Dans sa perplexité, il décida de faire appel à son professeur suédois, le célèbre docteur Olivecrona. Et, un beau jour, notre petite ville transylvanienne perdue reçut la visite du grand homme suédois. L'air recueilli, le regard mobile, fureteur, dévisageant quiconque croisait son chemin, il flâna dans les rues avant de se faire conduire auprès du malade. Et le jeu recommença. Olivecrona l'examina, mesura ses réflexes, questionna ses parents, convoqua ses amis... et partit déçu.

Mon père me parla de nouveau le Shabbat suivant :

« J'espère que tu as retenu la leçon.

— Laquelle, père ?

— Arrête cette histoire insensée.

— Je ne peux pas, père.

— Et pourquoi ?

— Nous ne faisons rien de mal. Nous approfondissons un enseignement qui fait partie de notre héritage : où est le péché là-dedans ? »

Le visage de mon père se rembrunit :

« Je comprends, mais sois raisonnable. Promets-moi de faire attention. »

Je respirai : nous l'avions échappé belle. Mon second ami et moi, toujours guidés par notre Maître, reprîmes nos travaux. Exercices ascétiques, litanies brûlantes et incantatoires, descente dans les affres de l'abîme avec l'espoir de remonter vers des sommets vertigineux. La nuit, par-delà les hurlements des chiens, nous entendions les pas tantôt légers, tantôt pesants du Messie qui approchait. Encore un effort, et le salut sera là, à notre portée. Un dernier sursaut d'énergie spirituelle, d'imagination audacieuse, et l'ennemi de notre peuple, l'ennemi de tous les peuples, sera à genoux.

Mais, cette fois encore, Satan veillait. Et fit échouer notre entreprise. Mon second ami tomba malade. Comme le premier. Symptômes similaires. Aujourd'hui, je connais les termes techniques : aphasie, ataxie. Une fois de plus, notre ville s'émut. Une collecte de fonds fut organisée. Médecins des villes voisines, psychiatres de Kolozsvàr, neurologues de Budapest, cela coûtait cher. Olivecrona se dérangea une fois de plus. Il resta une semaine à enquêter, analyser, fouiller dans les arcanes des cerveaux déréglés de mes amis. Cette fois encore, il repartit bredouille.

Quarante ans plus tard, je dînais avec Marion chez un psychiatre new-yorkais qui nous présenta une Suédoise, amie ou épouse d'un de ses collègues : c'était la fille d'Olivecrona. Je lui demandai si le nom de Sighet lui disait quelque chose. « Sighet, Sighet... Oui, ce nom me revient... Mon père s'y était rendu pendant la guerre, je ne sais plus pourquoi. » Je lui racontai notre aventure puérile et elle se mit à sourire : « Ah oui, mon père était revenu tout confus... Et dire que vous auriez pu lui éviter pas mal de nuits d'insomnie... »

Après le départ d'Olivecrona, mon père ne me cacha plus son inquiétude : « Il faut te rendre à l'évidence, mon fils. Tes deux camarades sont frappés par une maladie qui ressemble à une malédiction. Arrête avant qu'il ne soit trop tard. » J'essayai de discuter : « Aie confiance en moi, père. Je suis prudent, je le serai sept fois davantage. » Ma mère était-elle au courant ? Jusqu'alors elle ne m'avait rien dit. Mais, ce soir-là, elle me dévisagea d'un air grave, douloureux, et me dit : « Tu me parais pâle. Je crains que tu ne tombes malade. » Je la rassurai : Dieu m'était témoin, je me portais bien.

Je me porte bien, lui disais-je chaque fois que je percevais son anxiété. Fais-moi confiance... Elle avait tort de se soucier à mon sujet. La « maladie » de mes amis ? Sans doute la couvaient-ils depuis longtemps. Moi non... Me croyait-elle ? Délicate, elle n'insista pas. Elle aussi me supplia d'être prudent.

Je le lui promis tout en sachant, au fond de mon être, que je ne tiendrais pas ma promesse. Au contraire, j'étais prêt à affronter des périls autrement graves. C'est que la maladie de mes deux amis m'avait persuadé de la justesse, de la validité et de l'efficacité de notre conspiration. Si Satan nous frappait aussi durement, c'est que nous lui faisions obstacle. Par conséquent, il fallait persévérer, aller jusqu'au bout.

Ce matin, en racontant cet épisode de mon adolescence, je me rends compte de ma naïveté d'alors. Je croyais vraiment qu'il était possible, avec quelques prières et quelques formules kabbalistiques, d'arrêter le bourreau et de sauver ses victimes. Mes camarades le croyaient aussi. Est-ce parce qu'ils comprirent leur erreur qu'ils basculèrent dans la folie ?

Resté seul avec mon Maître, je le trouvai confiant et plein d'ardeur. « Le Rédempteur viendra, me dit-il. Tu verras, Eliézer, il finira par arriver. Il suffit qu'un seul être le veuille, le veuille sincèrement, totalement, pour que l'univers soit délivré. » Et, le soir même, nous nous remîmes à la tâche.

Avril 1943. Nous sommes en pleine période de Pâque. Affairée dans la cuisine, ma mère commente une nouvelle qu'elle vient de lire dans un journal quelconque. Le ghetto de Varsovie s'est soulevé. L'armée allemande exerce des représailles. Le ghetto brûle. « Pourquoi nos jeunes Juifs ont-ils fait cela ? remarque ma mère. Ils auraient pu attendre calmement (oui, elle a dit : calmement) la fin de la guerre... »

Ma pauvre mère.

Des années plus tard, j'apprendrai la vérité sur la révolte, l'une des plus nobles et des plus admirables de l'Histoire juive, la première insurrection civile en Europe occupée. Elle dura aussi longtemps que les opérations militaires de la France contre l'invasion allemande en 1940. Les combattants juifs savaient qu'ils n'avaient aucune chance de vaincre ni même de survivre ; leur combat était perdu d'avance. Mais leur souci principal était de sauver ce qu'ils appelaient l'honneur juif. La première nuit de la révolte, devant les premiers cadavres des soldats allemands, des insurgés se félicitèrent en s'embrassant : les bourreaux étaient donc mortels. Mordehaï Anielewicz, le commandant en chef de la Résistance juive, écrit : « Le ghetto se bat... C'est le plus beau jour de ma vie. » Son adjoint, Antek Zuckerman, envoyé dans la zone aryenne pour se procurer des armes, se heurte à un mur d'incompréhension. Le ghetto brûle et, de l'autre côté, les amoureux viennent contempler le spectacle. Czestav Milosz s'en est inspiré dans son poème bouleversant *Campo di fiori*. « On nous a trahis », écrit Mordehaï avant de se suicider dans les abris souterrains de Mila 18. A Londres, Artur Zygelbaum, leader du Bund, député au Parlement polonais en exil, se donne la mort pour secouer la conscience de l'humanité. Le pauvre : qui donc a remarqué son « geste » ?

Chez nous, dans ma petite ville, les jours s'écoulent très vite. On se prépare déjà pour la fête suivante, celle de Shavouot, commémorant la révélation, au Sinaï. En ce temps-là, le Seigneur ordonna à l'homme : « Tu ne tueras point. »

Les hommes seraient-ils des tueurs ? Les tueurs, eux, sont des hommes, et je ne tarderai pas à le découvrir.

Cette année-là — c'était en 1943 —, nous ne partîmes pas en vacances. D'habitude, nous allions nous reposer à Fantana, un village de montagne, près de Borshe, où mon père venait nous rejoindre pour le Shabbat. J'aimais ces quatre semaines de « changement d'air ». Il m'arrivait de jouer aux échecs avec des amis de mon père. Souvent, je perdais. Mais le fait de jouer avec des adultes — donc d'être pris au sérieux — me plaisait. L'après-midi, je me promenais seul. Un jour, m'éloignant du village, j'eus le sentiment que je n'étais pas seul. Involontairement, tout en pensant à autre chose, j'aperçus un homme et une femme étendus sur l'herbe ; ils riaient. Je les reconnus et détournai les yeux. Une parole du Besht me revint alors à l'esprit : « Si tu vois quelqu'un commettre un péché en secret, c'est mauvais signe pour toi aussi ; il ne fallait pas te trouver là, il ne fallait pas voir. »

Donc, mes parents décidèrent que 1943 ne se prêtait pas à des vacances. Est-ce parce qu'ils avaient des problèmes d'argent ? Ou que les nouvelles se faisaient plus inquiétantes ? Tout le monde savait déjà que le ghetto de Varsovie n'existait plus, mais on ignorait tout de la « Solution finale ». D'autres familles partirent en villégiature mais, moi, j'étais content de rester à la maison. Mon Maître avait besoin de moi. L'Histoire juive avait besoin de nos rêves, de nos rêves d'enfants devenus fous. Le soir du Tisha b'Av, après l'office au cours duquel on récite les Lamentations de Jérémie, je m'attardai chez mon Maître et nous veillâmes toute la nuit. A force de répéter des vers enflammés, chargés de mystère, je sentis qu'une force terrible m'attirait, me faisait tomber dans un précipice, puis dans un autre. Vers quatre heures, je crus voir un être au visage couvert enchaîné à un arbre immense et desséché. Comme dans le récit de Rabbi Yoseph di-la Reina, mille chiens aboyaient et crachaient des flammes. Lui demeurait immobile, sa tête soutenant les cieux. « C'est lui, m'écriai-je. Maître, regardez ! C'est lui, libérons-le ! — Attention, me répondit-il. Attention car... » Je me réveillai en sueur, hors d'haleine. Je délirais, je ne savais plus quand je rêvais ou quand j'étais lucide ; je ne savais même plus qui ni où j'étais. Assis par terre, cognant sa tête contre un mur, mon Maître me sembla désespéré : des sanglots secouaient tout son corps. Je sentis alors que la folie nous guettait tous les deux. Mais j'étais déterminé à poursuivre notre quête. Coûte que coûte. Et je reste aujourd'hui convaincu que, si les Allemands n'étaient pas entrés à Sighet le printemps suivant, j'aurais connu le sort de mes deux malheureux camarades et me serais réveillé au fond de l'abîme. Quelle ironie : ce sont les tueurs qui m'ont « sauvé », comme on dit. C'est à eux, malheur à moi, que, en quelque sorte, je dois d'avoir été épargné. Olivecrona ne s'est pas dérangé une troisième fois, et le Messie n'est pas venu.

Je feuillette le livre de mon enfance, et je m'arrête sur un point que j'ai déjà effleuré plus haut : il ne faut surtout pas croire qu'elle se déroula seulement dans les maisons d'étude. En plus de ma manie de vouloir agacer le ciel avec mes rêves insensés, j'étais tout sauf sage. Manies, phobies, accès de colère et de jalousie, envies frivoles, révoltes puériles : je connaissais. Quand deux camarades semblaient trop proches, je ne dormais pas la nuit. Quand, à la maison d'étude, un fidèle me regardait de travers, j'avais envie de m'enterrer vivant. Trop susceptible ? Trop obstiné aussi. Cela se voyait, cela se savait. Je feignais mal. Sauf... Sauf pour tout ce qui concernait ma puberté. Le démon de l'érotisme me visitait trop souvent ; je me dégoûtais. Hilda et Béa avaient des amies qui venaient à la maison ; certaines étaient attrayantes au point que je répondais à leurs questions en bégayant. Et puis, il y avait la fille du juge, encore elle ; blonde, jolie, impudique, les cheveux longs lui tombant sur la nuque, elle pouvait aussi bien avoir seize ans que trente-six. L'aimais-je en secret ? Je ne savais pas ce que signifiait aimer une femme. Mais les joues rouges, le souffle haletant, j'attendais son passage au milieu de l'après-midi, et me sentais coupable, en faute... Une nuit, je la vis tout près de moi ; souriante, elle m'indiquait d'un geste un désir — le sien ? le mien ? — que je n'arrivais pas encore à nommer ; je me suis réveillé en enfer. Je pouvais fouetter mon esprit mille fois par nuit, mon corps exigeait sa part d'attention. Dans mes rêves, les anges que je côtoyais n'étaient pas célestes.

Un après-midi de foire, dans la cour, j'aperçus un couple aux mouvements bizarres. Des paysans. Un homme et une femme.

Elle, la jupe retroussée, était appuyée contre le mur, tandis que l'homme semblait la pousser devant lui...

Cette nuit-là... A l'aube, je me levai trempé de sueur.

Bon, il est temps de faire un dernier détour par les villages voisins de Sighet. En fait, un seul suffira : ne se ressemblent-ils pas tous ? Arrêtons-nous à Bitchkev (en yiddish), Bocskô (en hongrois) et Botchkoï (en roumain). Mon grand-père maternel, Reb Dovid (Dodye) Feig y résida jusqu'à... Non, pas si vite. Ne parlons pas encore de sa mort. J'ai besoin de le savoir vivant.

Eh oui, comme il était vivant, mon grand-père, et magnifique. Oh, je sais : presque tous les petits-enfants adorent leur grand-père. Mais le mien était vraiment spécial. Vous souriez ? Fort bien : c'est en souriant que j'évoque mon grand-père ; oui, comme autrefois. Il me permet, il me force à aimer la vie, à l'assumer en tant que Juif, à la célébrer pour le peuple juif. Adepte dévoué du Rabbi de Wizhnitz, il incarne la force créatrice et la ferveur hassidiques. Son père, Getzl, qui aimait aller dans la forêt, le soir, et jouer du violon sous un arbre avec Dieu comme seul auditeur, vécut jusqu'à l'âge de quatre-vingt-quatorze ans. Mon grand-père aurait sûrement atteint le même âge, si seulement...

Forte carrure, épaules larges et puissantes, Reb Dodye Feig savait labourer la terre, imposer le respect aux ivrognes de la taverne, maîtriser un cheval récalcitrant, ce qui était naturel : les villageois juifs se défendaient comme ils le pouvaient. Mais Reb Dodye Feig était aussi un homme au savoir étendu, respecté dans le village et les bourgs qui l'entouraient. C'était un notable. Lorsqu'un Rabbi de la dynastie de Wizhnitz arrivait, c'est chez lui qu'il descendait.

Cultivé et érudit, lecteur avide de la Bible et des commentaires de Rachi et du Ramban, et plus encore de l'œuvre de Rabbi Haïm Ben Atar, passionné du Midrash, des ouvrages du Moussar et de la littérature hassidique, mon grand-père conciliait pleinement sa quête du sacré avec les exigences de la vie quotidienne. C'était un être entier.

Une visite chez lui était une fête. Pour les sens et pour le cœur. Je m'y préparais physiquement et mentalement jusqu'à en perdre le sommeil. Auprès de lui, je me sentais élevé, purifié. Et en sécurité. Là, nul ne me regardait de travers, nul ne me jugeait. J'étais libre et apaisé. Tout m'appartenait, tout me revenait. Le soleil dont les rayons jouaient dans les branches des arbres fruitiers, le vent qui faisait frémir la montagne, le fleuve qui emportait mes secrets vers le prochain village, le ciel, ce tapis bleu-gris-pourpre de l'autre côté de l'horizon : la nature n'existait que pour que mon grand-père m'en raconte la beauté primitive et éternelle.

Et puis, il chantait merveilleusement bien. Voix chaleureuse, mélodieuse, capable d'évoquer des mondes proches et lointains, pittoresques et ésotériques. Il connaissait les airs de la cour de Wizhnitz : ceux qu'on chante la veille du Shabbat et ceux qu'on murmure le lendemain, à l'heure de son départ, au crépuscule. Il connaissait aussi les chants romantiques et mystiques que le Rabbi de Kalev chantait en hongrois. Et les mélodies nostalgiques des bergers roumains, les *doïnas* lentes et fulgurantes qui deviennent appels au rêve glorieux et à l'amour des cœurs brisés. Dès qu'il s'arrêtait pour respirer, je l'implorais : encore, encore. Et, avec un sourire de plus en plus rayonnant, il se rappelait un nouveau chant qu'on attribuait à tel ou tel Tzaddik. Une fois, il s'interrompit au milieu d'un *nigoun*. Les yeux fermés, il semblait endormi. De peur de le réveiller, je ne bougeai pas. Mais il ne dormait pas : « Je rêve, me dit-il. Je n'ai jamais autant chanté. Grâce à toi, je pense pouvoir monter jusqu'au *Héikhal haneguina*, ce sanctuaire céleste où les mots se transforment en chant. »

Et puis, il racontait, il racontait. Des histoires de faiseurs de miracles, de Justes déguisés, de princes malheureux. Tout ce que j'écris en matière de littérature hassidique, c'est de lui que je le tiens. Les contes enchanteurs de Rabbi Nahman de Bratzlav, les paraboles du Rabbi de Kotzk, les paroles du Rizhiner, les reparties du Ropshitzer : il les connaissait tous. Et il me les faisait connaître. Il m'apprenait à les savourer, à les assimiler. Du coup, je me trouvais sur le bateau qui emmenait Rabbi Nahman en Terre sainte. Je suivais le Rizhiner en exil. J'attendais devant la porte du Kotzker afin de l'apercevoir dans son troublant isolement. Je les voyais tous, je me voyais devant eux. Je me sentais exalté, inspiré, enrichi de minute en minute, d'un récit à l'autre. « Ces histoires, lui disais-je, jamais je ne les oublierai. » Et lui répondait : « C'est pour cela que je te les transmets. Pour qu'elles ne soient pas oubliées. »

Lors des Grandes Fêtes, il descendait en ville assister à l'office du Rabbi Pinhas, le Rabbi de Borshe, et habitait chez nous. Comme mon père priait dans la grande synagogue, j'accompagnais mon grand-père en face au Béit-Midrash hassidique. Privilégié, il se tenait près du Rabbi. Et moi aussi. Parfois, je ne savais pas à qui m'attacher : à lui ou au Rabbi. Pour les prières spéciales qu'on récite avec crainte et tremblement, il m'attirait sous son *talit* pour me protéger et me réconforter. Je sentais sa main lourde sur ma tête et je suivais les mots qui s'envolaient jusqu'aux sphères les plus hautes pour intercéder en ma faveur et en celle d'Israël.

Les jours de Rosh-Hashana, nous avions coutume de garder la maison ouverte. Après la lecture de la Torah, avant de commencer l'office particulièrement solennel et lourd de sens du Moussaf, les fidèles du Borsher Rabbi étaient invités à venir prendre un verre de thé dans notre cour. Les enfants faisaient le service et c'était pour mon grand-père un moment de fierté : il nous surveillait et ses yeux nous bénissaient. Puis nous l'accompagnions pour la seconde moitié de l'office.

Ensuite, vêtu de son caftan et de son *shtreimel*, le Makhzor jauni sous le bras, prince parmi les princes, confident des puissants, il traversait la rue en chantant pour rentrer chez nous. « Bonne année », nous souhaitait-il d'un ton joyeux. Et il y avait dans sa personne tant de confiance, tant de grâce et tant d'amour, que je le savais : l'année serait bonne.

Même en 1943 ? Oui, même alors.

Et pourtant.

Ce fut son dernier Rosh-Hashana.

En avril 1944, mes parents l'invitèrent à venir, lui et son épouse, habiter chez nous. « Restons ensemble », proposaient-ils. On parlait déjà d'un ghetto à Sighet : « Entrons dans le ghetto ensemble. » Il refusa. Il préférait rester avec ses trois fils, Israël, Chaïm-Mordehaï et Ezra, et leurs enfants. J'ignore donc comment il vécut les dernières semaines de son existence, ce que furent ses derniers instants. On m'a dit que toute sa famille dut rejoindre le ghetto d'une ville voisine. Leur transport fut rattaché au troisième convoi de Sighet.

J'essaie de l'imaginer dans le ghetto, de m'imaginer à ses côtés. Comment disait-il la joie, la joie hassidique qu'il puisait dans la Création et auprès de son Créateur ? J'essaie de l'imaginer dans le wagon scellé : comment disait-il ses prières ? A qui confia-t-il son testament ? J'essaie de l'imaginer avançant, avec les malades et les vieillards, vers le lieu enflammé d'où nul ne revenait, et... Non, je ne veux pas l'imaginer là. Je ne peux pas. Ce serait indécent. La rencontre d'un homme avec la mort doit demeurer secrète. La discrétion s'impose. Je préfère détourner les yeux, les fermer. Ainsi, je le retrouve plein d'entrain, extasié, se préparant à entonner les chants des jours du Jugement. Je lui demande : « Alors, grand-père, c'est comment le Sanctuaire du chant ? » Et il me répond : « Ce Sanctuaire brûle et illumine ; sa flamme réchauffe les cœurs les plus glacés. »

J'avais quatre oncles du côté maternel : Chaïm-Mordehaï était le plus dynamique et le plus débrouillard, Ezra le plus timide, Israël le plus autoritaire et Moshe-Itzik le plus romantique.

Chaïm-Mordehaï, élancé, grand, rouquin aux yeux vifs, voix mélodieuse, me charmait avec les fables moralisatrices du Maguid de Dubno qu'il racontait en chantonnant, à la manière des prédicateurs lituaniens. En voici une : une femme vient de mourir. Elle a laissé un mari et un petit garçon, tellement petit qu'il ne comprend pas son sort tragique. Il ne sait pas qu'il est devenu orphelin. Pendant les obsèques, il ne pleure pas et se met même à jouer avec le drap noir qui recouvre le cercueil de sa mère... « N'est-ce pas ce que font tant de Juifs actuellement ? demanda mon oncle. Ils devraient se lamenter, mais ils s'amusent. »

Ezra, pauvre Ezra. Le plus démuni, il était toujours réservé, en retrait, un sourire triste effleurant ses lèvres, murmurant des mots inaudibles. Sans doute priait-il. Peut-être demandait-il pardon de déranger, lui qui ne dérangeait jamais.

Israël, l'aîné, ne venait que rarement à Sighet. Pour le voir, il nous fallait aller chez lui, dans son village de Kretchenev. Il possédait une épicerie minuscule. Vêtu de son caftan rapiécé, il s'occupait de ses clients, des paysans qui habitaient les bourgades voisines, en gardant toujours un psautier à portée de main...

Moshe-Itzik était tuberculeux. En parlant de lui, on soupirait : que le bon Dieu le prenne en pitié. Moi, je l'admirais. Sa démarche était nerveuse, rapide. A peine arrivé, déjà il repartait. Il voyageait sans cesse, à la recherche de qui, de quoi ? Quand on l'interrogeait, il haussait les épaules. J'aimais le voir sourire. Le sourire de celui qui n'a pas peur des distances, qui n'a pas peur de la mort. Mais nous avions peur. Pour lui. On craignait le pire, toujours. Et pourtant, il survécut à ses frères et sœurs. Peut-être était-il protégé par la Mort, sa mort bien à lui, si bien que l'ennemi n'eut pas d'emprise sur lui. Je le retrouvai en Israël, au début des années cinquante. Agile, rayonnant, il avait recommencé à voyager à travers l'Europe. Un jour, je reçus une lettre d'un avocat de Berlin : mon oncle venait d'y mourir et me laissait en héritage environ cent dollars. Je le revois : toujours entre deux soupirs, deux quintes de toux, deux absences. J'aurais voulu mieux connaître son histoire.

Celles de mes cousins, je parle de ceux, peu nombreux, qui ont survécu, ressemblent plus ou moins à la mienne.

Du côté paternel : Leizer, Yanku, Velvel, Reshka, Bassi, Aigyu... Du côté maternel : Voïcsi, Dvora, Silka, Leibi, Shiku, Sruli, Eli... Pourquoi nos trajectoires ont-elles bifurqué ?

Certains vivent en Belgique, d'autres en Californie, une cousine s'est établie à Buenos Aires, une autre à São Paulo, la plupart ont quitté la diaspora pour la terre d'Israël.

Comment expliquer le choix des uns et des autres ? Les explications sont souvent incomplètes, fausses. De multiples facteurs ont dû intervenir dans les décisions.

A quoi attribuer la diversité de nos occupations et professions ? Parmi mes cousins et leurs enfants vous trouverez des médecins, des rabbins, des diamantaires, des enseignants, des commerçants, des scribes...

C'est par l'entremise de ma sœur Hilda que j'ai de leurs nouvelles. Le mari d'une cousine est mort après avoir été amputé des deux jambes en Argentine. Celui d'une autre cousine a perdu la raison pendant la guerre du Golfe.

Souvent je songe à ceux qui n'ont pas survécu. Les plus jeunes. Les petits. Je me souviens de leurs visites chez nous, des miennes chez eux. Pendant les fêtes, sous les arbres, ils me faisaient des confidences, depuis longtemps oubliées.

Plus souvent encore, je songe à mes amis d'alors. Itzu Junger, Haïmi Kahan, Itzu Goldblatt, Moshe Sharf, Hershi Farkas... Pour moi, l'amitié a toujours été une nécessité et une obsession. Plus tard, j'aimerai Épicure parce que, de tous les philosophes grecs, c'est lui qui propose l'amitié comme éthique.

L'amitié ou la mort. C'est dans le Talmud. Sans amis, l'existence est vide, stérile, superflue. Sans amis, la vie manque de chaleur, de sève, de soleil. Plus que l'amour lui-même, l'amitié compte dans la vie d'un homme. Elle est plus stable que l'amour. Plus désintéressée aussi. Il arrive que l'on tue par amour, mais pas par amitié. Caïn tua Abel parce qu'Abel n'était que son frère, alors qu'il aurait dû être aussi son ami. David rayonne dans l'histoire non seulement grâce à ses conquêtes territoriales, mais aussi en raison de l'amitié vraie, fine et indestructible qui le liait à Jonathan : un homme capable d'une telle amitié ne pouvait qu'être exceptionnel.

Le succès du mouvement hassidique tient à ce qu'il insiste sur l'amitié entre les adeptes autant que sur leur fidélité au Maître. Amitié indispensable, féconde, créatrice. Le hassid vient à la cour du Rabbi non seulement pour le voir, l'entendre et passer un Shabbat sous son toit, mais aussi pour retrouver des amis venus pour les mêmes raisons ; il se sent attaché à chacun d'eux par ce que la littérature hassidique appelle « la racine de l'âme ». Ensemble, ils forment une communauté agissante dont tous les membres sont égaux devant Dieu comme devant le Rabbi. Certes, il y a parmi eux moins de riches que de pauvres, des malheureux plus que des comblés. Mais justement : il appartient aux riches d'aider les nécessiteux comme il appartient aux pauvres de ne pas en vouloir aux plus chanceux. A Brooklyn comme à Paris, la solidarité hassidique est réelle. Quiconque est dans le besoin, ses amis se portent à son secours. Un réfugié surgit de nulle part, on l'entoure aussitôt, on lui procure logement, nourriture, argent, relations.

Pour faire l'éloge de Dieu, le célèbre Rabbi Pinhas de Koretz disait : Dieu n'est pas seulement le père de notre peuple, le roi de l'univers, le juge de tous les hommes ; il est aussi leur ami.

La pire des malédictions ? Pour un père, l'absence d'enfants. Pour un enfant, l'absence de foyer. Pour un croyant, l'absence de justice. Pour un chercheur, l'absence de vérité. Pour un prisonnier, l'absence d'espérance. Pour tout être humain, l'absence d'amis. Sans amis, la liberté n'a ni sens ni portée. Qui n'a pas d'amis n'est qu'un prisonnier hors de prison.

Enfant, j'avais besoin d'amitié plus que de tendresse pour progresser, réfléchir, rêver, partager, respirer. Après la moindre dispute avec un ami, je ne fermais pas l'œil de la nuit, me demandant, angoissé, si je connaîtrais encore l'excitation des promenades nocturnes, des discussions sans fin sur le bonheur, l'avenir de l'humanité et le sens de la vie. Une désillusion dans ce domaine me faisait plus mal qu'un échec scolaire.

Un peu avant ma douzième année, je me sentis plus sûr de moi. Mes amis, je ne cherchai plus à les « acheter ». Nos liens se renforcèrent au gré de nos fantaisies et de nos projets communs : mille souvenirs me rattachent à eux.

J'aurais tant voulu mériter l'amitié du jeune Dovid'l, le petit-fils du légendaire Reb Shayé Weiss. Talmudiste précoce, on lui prédisait un avenir éblouissant. Mais il était trop occupé, plus studieux que moi : impossible de l'arracher à ses livres. C'était l'enfant prodige de la communauté. Nous nous sommes liés d'amitié beaucoup plus tard, alors qu'il était professeur de Talmud au séminaire théologique juif de New York (avant d'occuper une chaire à Columbia University) et moi professeur d'études juives à l'université de la ville de New York (avant d'aller à celle de Boston).

Fils d'un marchand de pastèques, Yerahmiel Mermelstein avait tout pour faire carrière. Sioniste exalté, il essayait inlassablement de nous « convertir » aux idées de Théodore Herzl. Le samedi après-midi, alors que nous devions être à la synagogue, pour écouter quelque prédicateur de passage, il insistait pour nous faire des exposés économiques ou sociologiques compliqués sur la Palestine. Il s'était mis en tête d'apprendre l'hébreu moderne et estimait que nous devions tous l'imiter. Le pauvre, il échoua sur toute la ligne. Aucun de mes amis ne fut tenté, et moi non plus : nous avions d'autres priorités. Mais mon père, je l'ai noté, partageait son engouement. Il me fallut donc apprendre l'hébreu. Avec Yerahmiel. Mon père nous trouva un professeur, et Yerahmiel dénicha un livre de grammaire qu'il me prêta. Ne pouvant l'acheter, je l'appris par cœur, comme si c'était un chapitre du traité du Sanhédrin.

... Lorsque je me rendis pour la première fois en Israël, en 1949, c'est à mon père et à Yerahmiel qu'allèrent mes pensées. Grâce à leur obsession de l'hébreu moderne, j'obtins le poste de correspondant parisien d'un journal israélien. En quoi avais-je mérité plus que Yerahmiel de connaître le pays et de parler la langue pour lesquels il avait combattu avec tant d'ardeur dans notre petite ville lointaine ?

Itzu Junger, je le revois. A la fois sérieux et souriant. Maigre et agile. Ses parents étaient riches, du moins je le supposais. Ils habitaient une grande maison d'apparence luxueuse, avec beaucoup de chambres, près de la grande synagogue. J'allais souvent dans leur jardin. Généreux, il souffrait probablement de la même insécurité que moi : il voulait s'attacher des amis. Pendant une année nous eûmes le même tuteur. Nous étions une dizaine à étudier ensemble, dans une pièce spécialement aménagée pour nous. Parfois, nous travaillions jusque tard dans la soirée ; alors, nous y passions la nuit. J'en étais enchanté ; je détestais la routine.

Un changement de tuteur mit fin à ces séances, mais nous continuâmes à nous rencontrer. A l'office. Le Shabbat après-midi. A l'occasion des fêtes. Vint la tempête qui nous sépara pour de bon. Avait-il survécu ? Nous nous retrouvâmes par hasard en Israël : il me prêta sa « chambre », une cellule monacale sans fenêtre, dans un faubourg de Tel-Aviv. Au bout de quelques nuits, je la lui rendis. Je craignais d'y étouffer. Je le revis à Brooklyn, au début des années cinquante, lors de ma première visite aux États-Unis. Lien renoué qui me plaisait. Longues promenades dans le quartier de Williamsburg. Échange de souvenirs, de projets. Suivit une correspondance régulière. Il devait être déjà malade, mais il ne le savait pas. En tout cas, il n'en faisait jamais mention dans ses lettres. Un cancer du foie l'emporta mais personne ne m'en informa. Il ne répondait pas à mes lettres ? Bah, il devait être trop occupé. Moi, je continuais à lui écrire. Comme il ne répondait toujours pas, j'arrêtai. Deux ou trois ans plus tard, installé à New York, j'essayai de le joindre. Il n'y avait plus d'abonné à son numéro. Je téléphonai à sa sœur qui habitait Brooklyn. Elle éclata en sanglots : j'avais écrit à un mort.

Haïmi, lui, succomba à une crise cardiaque. Terrassé un après-midi de Shabbat en 1989, dans sa maison, au milieu des siens, à Monsey, dans l'État de New York.

Nous nous étions retrouvés en 1949, en Israël. Je donnais des cours dans un village d'enfants. Un ouvrier de la compagnie d'électricité vint y faire des travaux. Il me sembla familier. « Électricien, toi ? » Pourquoi pas. Il avait appris le métier au camp. Je n'en fus pas surpris. A Sighet, il nous émerveillait déjà par sa dextérité. C'était l'ami à tout faire de notre cercle. Réparer une plume qui coulait, une serrure cassée, une panne d'électricité, une ceinture déchirée : Haïmi ne disait jamais non. Et puis son père, Reb Nokhum-Hersh, était le précepteur du grand rabbin ; devant un passage obscur d'un traité quelconque, c'est lui que nous venions consulter.

Haïmi était doué d'une force physique peu commune. Lorsque nous sortions la nuit, sa présence nous offrait une protection salutaire : les voyous le redoutaient. Pourtant, je ne l'ai jamais vu se battre. Ce n'était pas un violent. Au contraire : sa bonhomie lui donnait un air plutôt flegmatique. Je me souviens de son frère aîné, Leibi. Petit, trapu, doué d'une force herculéenne, il eut droit à une mort individuelle. Haïmi l'a vu mourir au camp, écrasé sous un arbre, quelques semaines après leur arrivée.

La trajectoire de mon ami ? Camp pour personnes déplacées en Allemagne occupée, immigration clandestine en Palestine, camp de détention à Chypre, service militaire dans l'armée israélienne. « Toujours aussi pieux, Haïmi ? » A Sighet, il l'avait été. Il le devint infiniment plus en Amérique où il se laissa pousser une barbe imposante. Il travaillait comme joaillier, dans la 47ᵉ Rue, la rue des diamantaires. Le Shabbat, il portait un *shtreimel*, comme son père jadis. Proche du Rabbi de Sighet, suivant ainsi la tradition de son père, il tomba probablement sous l'influence de Satmàr. Or les adeptes de Satmàr sont connus pour leur extrême hostilité envers Israël, le sionisme et tout Juif qui est moins pieux qu'eux. A leurs yeux, j'étais donc considéré comme un hérétique, premièrement en raison de mon amour d'Israël et ensuite à cause de mon libéralisme en matière d'observance religieuse. Appartenant à deux mondes différents sinon opposés, Haïmi et moi cessâmes de nous voir.

Quelques jours avant sa mort, il avait demandé à Itzu Goldblatt — orfèvre, comme lui — s'il pouvait lui procurer une cassette de mon discours du Reichstag. Pourquoi ce discours plutôt qu'un autre ? Pourquoi pas un livre ? Avait-il seulement lu ce que j'écrivais ? Je n'en sais rien. Peut-être parce que, pour des raisons symboliques, j'avais commencé ce discours-là en yiddish. Naturellement, j'ai remis à Itzu une cassette à l'intention de Haïmi. Trop tard : Haïmi n'était plus de ce monde.

Jadis, Itzu Goldblatt et moi étions des rivaux en tout, même... en timidité. Égaux en classe, nous essayions de nous surpasser l'un l'autre en piété, en dévotion et, ne riez pas, même en modestie. Chacun voulait être plus proche du ciel que l'autre. Qui verrait le premier le prophète Élie dans son rêve ? Je lui racontais les miens et lui me communiquait les siens. Ensemble, nous consultions le manuel approprié pour les déchiffrer. Comment s'y prend-on pour mériter l'ascension de notre âme ? Si Itzu récitait la prière de Shmoné Esré en dix minutes, moi j'en mettais trente. S'il passait une heure à assimiler un passage d'Etz-Hahaïm, l'arbre de la vie, moi, il m'en fallait trois. Si je me plongeais vingt-six fois dans le bain rituel avant l'office du matin, lui n'était pas satisfait avant la quarante-septième fois. Cela valait également pour les études profanes. J'apprenais le latin et l'hébreu moderne ? Il découvrit l'anglais. Si bien que mes premières leçons d'anglais, c'est lui qui me les a données. Son anglais lui sera utile comme l'hébreu moderne le deviendra pour moi. Interné dans un camp de Chypre avec des milliers d'immigrés clandestins que les Britanniques avaient refoulés de Palestine, il y occupa un poste de confiance dans l'administration. Il aurait probablement pu faire carrière dans le monde universitaire. Mais, moi, maladroit comme si j'avais deux mains gauches, je n'aurais jamais réussi comme orfèvre.

Et Moishe-Haïm, le fils du chantre. Et Hershi Farkas : sa sœur s'est noyée dans l'Iza quelques jours avant le Tisha b'Av. Et Moishi Scharf qui avait un sens inné du commerce. Et Chaïm-Hersh : yeux espiègles, belle voix de baryton. Les deux fils du Selishter rebbe : je me souviens de leur air résigné, abattu. Tristes comme leur père, mais silencieux. J'aurais dû leur témoigner plus de chaleur...

J'insiste sur le rôle que l'amitié joue dans ma vie. Je ne le répéterai jamais assez. Composante essentielle de tout ce que j'entreprends, j'y investis tout ce que je possède, et beaucoup plus. C'est bien simple : je ne peux travailler que dans une ambiance de confiance et de compréhension, autrement dit : d'amitié. Journaliste, je jouissais de l'amitié de mes patrons. Enseignant, je recherchais celle de mes collègues aussi bien que de mes supérieurs. Un regard soupçonneux, et je m'enfonçais dans une nuit blanche. Un mot froid, et je disparaissais. Excès de susceptibilité ? Sans doute. Trop vulnérable, écorché, peu sûr de mes droits et de mes possibilités. Je me sentais souvent inférieur aux autres et toujours à l'image que j'avais, ou qu'ils avaient, de moi-même. Il fallait donc me racheter. Enfant, j'offrais des sucreries. Adulte, j'étais toujours prêt à rendre service. Traductions, conseils, recommandations, interventions, préfaces, articles : j'avais besoin non de plaire, mais de me sentir utile et aimé. Aussi m'arrivait-il de faire des promesses que je me savais incapable de tenir. Je sais, je n'aurais pas dû promettre. Mais, sur le moment, j'en éprouvais le désir : savoir que quelqu'un attendait quelque chose de moi, que je participais à son avenir, que j'étais l'instrument de son bonheur du moment diminuait ma solitude.

On me reprochera plus tard d'être souvent injuste, dans mes romans, avec mes personnages féminins, de ne pas leur accorder assez de présence, de densité. Peut-être est-ce vrai. Mes personnages masculins sont mieux campés, plus épanouis. Est-ce parce que mes rapports avec eux relèvent du domaine de l'amitié ? J'ai sans doute eu tort de ne concevoir l'amitié qu'entre hommes. J'ai écrit plusieurs romans — dont *La Ville de la chance* — uniquement pour célébrer l'amitié. J'aime le personnage de Pedro parce qu'il évolue dans un monde illuminé par l'amitié

Dans *Les Portes de la forêt*, j'écrirai :

> Qu'est-ce qu'un ami ? Plus qu'un frère, plus qu'un père, c'est autre chose : un compagnon de route ; avec lui on reconstruit cette route et on tente de conquérir l'impossible quitte à le sacrifier plus tard. L'expérience de l'amitié marque une vie aussi profondément — plus profondément — que celle de l'amour. L'amour risque de dégénérer en obsession, l'amitié ne signifie jamais autre chose que partage. L'éveil du désir, la naissance d'une vision, d'une terreur, c'est à l'ami qu'on en fait part ; les premières angoisses devant la fuite du soleil, devant l'absence d'ordre et de justice, c'est à l'ami qu'on les communique : l'âme est-elle immortelle et, si oui, pourquoi cette peur qui nous mine ? Si Dieu existe, comment prétendre à la liberté puisqu'il en est l'origine et l'aboutissement ? La mort, c'est quoi au juste ? Simple fermeture de parenthèses ? Et la vie ? Dans la bouche du philosophe, ces questions rendent souvent un son faux, mais posées lors de l'adolescence, de l'amitié, elles provoquent un changement d'être : le regard se met à brûler, le geste quotidien tend vers son propre dépassement. Ce que c'est qu'un ami ? C'est celui qui, pour la première fois, te rend conscient de ta solitude et de la sienne, et t'aide à t'en sortir pour que, à ton tour, tu l'aides à s'en sortir. Grâce à lui tu peux te taire sans honte, tu t'ouvres sans te diminuer.

Au camp, je songeais à mes amis d'enfance, comme je songeais à tous ceux qui faisaient partie de mon paysage intérieur. Dommage que nous ne soyons pas restés ensemble : ils partirent avec les premiers transports, et moi, une semaine plus tard, avec le dernier. Au camp, je n'avais pas d'amis pour me rappeler mon enfance. Au camp, je n'avais plus d'enfance. Je n'avais que mon père Mon meilleur ami. Le seul.

TÉNÈBRES

Vint la rupture. Pas la guerre, mais pire que la guerre : l'anéantissement.

19 mars 1944. Jérémie et Job diraient : Ce jour-là, maudit soit-il. Jour de malédiction, de châtiment et de deuil, pourquoi est-il né ? Qui l'a engendré ? Pourquoi a-t-il été marqué par une étoile de cendre ? Désormais le destin ennemi, ses ombres, son fracas et ses flammes rythmeront notre existence. Pour employer le langage biblique : le soir, on attendra l'aube, le matin, on priera pour que vienne la nuit. A partir de ce jour-là, pareil à l'homme qui se sent devenir aveugle, je regarderai, je regarderai pour tout retenir.

Je m'en souviens : je suis à l'office. C'est dimanche. Nous venons de célébrer la fête de Pourim dans l'allégresse. A la maison d'étude, on parle encore de la comédie que des étudiants, comme de coutume, ont montée chez le Rabbi de Borshe, sans prêter attention au vagabond, près de la porte, qui refusait de rire. Le Rabbi de Kretchenev, lui, a joué du violon plus longtemps et sur un ton plus déchirant que d'habitude : pourquoi des larmes ruisselaient-elles dans sa barbe touffue ?

Soudain un homme arrive, essoufflé, et interrompt l'office : « Vous avez entendu les nouvelles ? Non ? Vous n'avez rien entendu ? » Ses yeux ténébreux sont traversés d'éclairs : « Seriez-vous sourds ? Stupides ? Inconscients ? Vous ne savez donc pas ce qui se passe ? Vous priez, vous priez, alors que... » On lui demande : « Alors que quoi ? » Il respire profondément et s'écrie : « Alors que l'Ange de la Mort est aux portes de la ville ! » Comme le bouffon de Kierkegaard, il crie « au feu » et l'assistance croit qu'il plaisante ou qu'il délire. Des mains se lèvent en signe d'irritation : qu'il déguerpisse et nous laisse continuer nos prières en paix ! Mais une voix derrière lui se fait entendre : « Il a raison. La radio vient de l'annoncer : les Allemands ont franchi la frontière. Ils occupent le pays. » Du coup, un silence lourd pèse sur les fidèles. Ils s'entre-regardent : « Qu'est-ce que ça signifie ? » demandent les uns. Et d'autres répondent : « Rien de spécial. Le front approche, voilà ce que ça signifie. » Les optimistes ajoutent : « Et la guerre sera bientôt finie. » Le fou ne dit plus rien. Moshe promène son regard sur ceux qui ont parlé, hausse les épaules et recule vers la sortie. Là, il s'arrête. Pendant un long moment il semble hésiter puis, les mains dans les poches, s'en va d'un air dégoûté. Quelqu'un nous rappelle à l'ordre : « Et l'Aléynou, la prière finale, c'est pour demain ? » Et oui, on a oublié cette prière sans laquelle les orphelins ne peuvent réciter le kaddish. Nous la récitons et écoutons le kaddish d'une oreille distraite.

De retour à la maison, je trouve toute la famille devant le poste de TSF. Je veux annoncer la nouvelle, raconter les éclats de Moshe, mais on me fait taire. « Shshsh », fait ma petite sœur, le doigt sur la bouche, grave, inhabituellement grave. La table est mise pour le petit déjeuner, mais je vois que personne n'a mangé. « Les Allemands... » me chuchote Béa. « Je sais », lui dis-je. Mon père a le front plissé ; il se concentre, essayant de prévoir l'avenir, de déjouer le destin. Ont-ils peur ? Si oui, ils ne le montrent pas. Moi, je n'ai pas peur. J'ignore ce que je ressens, mais ce n'est pas la peur. La curiosité peut-être ? Je sens que nous vivons un moment important, capital. L'Histoire se manifeste. Elle bouge. Bientôt nous entendrons le vacarme qu'elle produit en changeant l'homme. Enfin le monstre lointain montrera sa gueule sauvage, vociférante, sanglante. Enfin nous cesserons de vivre en marge des événements. Nous ne serons plus des spectateurs, mais des acteurs, et n'aurons plus besoin d'émissaires pour nous informer : nous serons aux premières loges, comme on dit. « Tout cela n'est pas de bon augure », dit mon père en éteignant le poste. « Oh, on en a vu d'autres », répond ma mère. Et elle ajoute : « Allons, le petit déjeuner vous attend et les clients ne vont pas tarder. » Le magasin reste fermé le dimanche, mais nos voisins savent qu'ils peuvent entrer par la cuisine et qu'ils seront servis. J'avale rapidement un café chaud et du pain beurré, puis je vais prévenir ma grand-mère : « Les Allemands, oui, les Allemands... Ils arrivent... Ils vont bientôt être ici. » Le visage de ma grand-mère se casse en mille morceaux : « Seigneur, aie pitié de mes enfants », murmure-t-elle, tandis qu'elle noue et dénoue ses mains fines, tendues vers moi : « Je pense... je pense que je devrais aller au cimetière... me recueillir sur la tombe de ton grand-père... » Je la quitte et je cours à la maison d'étude. Mes amis y sont déjà. Nous discutons. Tout le monde est d'accord : l'occupation allemande sera néfaste pour les Juifs, mais notre imagination s'arrête là ; rien de précis n'est formulé. Après tout, l'Armée rouge est si proche, de l'autre côté de la montagne. Sioniste avant tout, Yerahmiel suggère d'un air tout à fait sérieux : « Partons... partons vite en Palestine... Profitons du fait que les Allemands sont encore loin. » Quelqu'un lui répond : « Tu oublies que nous sommes en guerre. » Il dit : « Justement. » Mais comment s'y prendra-t-il pour passer les frontières ? « Nous y arriverons ; il suffit de vouloir. » Tous sont sceptiques, sauf moi. Moi, je suis secrètement convaincu que nous nous retrouverons sous peu en Terre sainte. Et que c'est le Messie lui-même qui nous y conduira. La guerre ? C'est celle qui, au temps des temps, sera livrée entre Gog et Magog. Cela s'appelle « les affres de la délivrance ». L'ennemi qui s'apprête à nous envahir sera vaincu. Sa défaite signifiera le triomphe du Sauveur. « Toi et tes chimères mystiques », me disent mes amis.

Je m'éclipse et vais rendre visite à mes deux camarades malades. Ils s'obstinent à ne pas me reconnaître. Craignent-ils des regards indiscrets ? Une réapparition du professeur Olivecrona ? Ils refusent de trahir notre secret, c'est tout. Mais pourquoi se cachent-ils devant moi ? Pourquoi font-ils semblant de ne pas me voir, ou de voir en moi un inconnu ? Je suis seul dans la pénombre avec chacun d'eux, je leur dis tout bas que notre aventure aboutira bientôt, que des bouleversements eschatologiques sont imminents : encore quelques jours, quelques semaines, et l'Ange de la Mort sera égorgé par Dieu lui-même. M'entendent-ils ? Me sourient-ils ou n'est-ce qu'une illusion ? Il se peut qu'ils m'en veuillent de ne pas les avoir suivis dans la folie.

La journée est fiévreuse, mais pas trop. Chacun vaque à ses occupations. Une cliente vient acheter du sel, une autre du sucre. Ma mère et mes deux sœurs aînées travaillent sans arrêt. Tsipouka joue au cerceau dans la cour avec une copine. Mon père, lui, est allé aux nouvelles. Les dirigeants de la communauté n'en savent pas plus que nous. Leurs amis chrétiens ne répondent pas aux appels. Mon père court de l'un à l'autre : ils ne sont pas chez eux. Moi, je me replonge dans le Midrash et la contemplation.

Nul ne se doute encore à Sighet que notre destin commun est déjà scellé. A Berlin, nous sommes déjà condamnés, mais nous l'ignorons. Nous ignorons qu'un dénommé Adolf Eichmann se trouve déjà à Budapest à la tête d'un Commando restreint (trente-cinq SS) mais efficace, tissant sa toile d'araignée noire, préparant l'opération qui constituera le couronnement de sa carrière. Et qu'en un lieu nommé Birkenau le nécessaire est déjà fait pour nous « traiter ».

> Dans mes songes, mon père me regarde toujours d'un air distant et, chaque fois, j'ignore s'il me voit. Me parle-t-il ? Je ne l'entends pas.
> Je l'interroge sur sa vie et sur sa mort. Je l'interroge sur les âmes errantes que la sienne envoie sur mon chemin pour l'éclairer de leur lumière évanescente.
> Pourquoi ne dit-il rien ? Que souhaite-t-il m'enseigner par son silence ?
> Brusquement, des ombres surgissent et l'entourent. Je les implore de ne pas me séparer de mon père. Loin de lui, même mort, je ne pourrai vivre.
> Ne pas se séparer, ne pas se séparer, disait ma mère, avant notre séparation.
> Ne plus nous séparer, ne plus nous séparer, dis-je à mon père qui n'est même plus dans son regard. Que faut-il faire pour que les morts consentent enfin à parler dans mes songes ?

Au loin, le destin de l'Allemagne hitlérienne a déjà basculé. Les Allemands eux-mêmes en sont conscients. Hitler ne vient-il pas de lancer un nouvel ordre de mobilisation qui concerne les gamins et les vieillards ? Le siège de Leningrad est levé depuis janvier. Les Alliés ont débarqué sur les plages d'Anzio. L'Armée rouge avance, elle est toute proche. Bientôt ce sera le débarquement en Normandie. Berlin aura besoin de chaque soldat, de chaque train. Mais la déportation des Juifs hongrois a priorité sur les convois militaires. La promesse faite à son peuple, Hitler est déterminé à la tenir : jusqu'au dernier jour, avec ses dernières armes, inexorablement, il frappera les derniers survivants juifs de son empire. Cela, Washington le sait, et Londres aussi, et Stockholm, et Berne, et le Vatican.

Mais nous, dans notre petite ville, nous ne le savons pas.

Le lendemain, mon père reçoit la visite d'un réfugié juif polonais pour lequel il avait obtenu un permis de séjour, deux ou trois ans plus tôt.

C'était un intellectuel dit assimilé qui vivait en marge de la communauté. Ingénieur à Cracovie ou avocat à Varsovie, il ne manquait pas de moyens et avait loué un appartement luxueux donnant sur la grande place. Il avait une femme très blonde au corps épanoui, assez belle (à cette époque, toutes les femmes me paraissaient belles), qui devait se dire que l'air ennuyé lui allait bien ; elle ne s'exprimait qu'en polonais, daignant parfois laisser tomber quelques mots d'un allemand raffiné. Leur fils unique avait mon âge. A la demande de ma mère, j'allais de temps en temps lui tenir compagnie : il ne connaissait personne avec qui partager ses lectures et ses jeux. Je me souviens de lui : visage bouffi, jouisseur, regard fuyant. Comment communiquer avec lui ? Il s'agitait en parlant le polonais, essayant en vain de se faire comprendre. Heureusement, il aimait les échecs. Bon, deux fois par semaine, je faisais ma bonne action en jouant avec lui dans sa chambre. Je gagnais ou perdais en silence. Avec le temps, au vif déplaisir de sa mère, je lui enseignai quelques phrases en yiddish. Est-ce la raison pour laquelle je dus mettre fin à mes visites ?

Étrange : ses parents ne s'étaient pas intégrés à la communauté. Ils ne fréquentaient pas la synagogue, même pour les Grandes Fêtes. Étaient-ils acceptés dans les cercles non juifs ? Je ne le pense pas. En fait, je cessai de penser à eux. J'avais d'autres soucis.

Or, voilà le bonhomme chez nous. Que peut-il vouloir ? Mon père nous l'expliquera plus tard : l'ingénieur ou l'avocat est venu lui confier son angoisse ; si (si ?) les Allemands arrivent, lui et sa famille seront parmi les premiers à être appréhendés. Que faire ? Où se procurer un abri ? Partir à Budapest ? Les Allemands y sont déjà. Se convertir peut-être ? De toute façon, il n'est pas croyant...

Il est le premier, sinon le seul, à se poser ce genre de question. En général, nos Juifs préfèrent voir venir.

Des rumeurs nous parviennent des grandes villes aussi bien que des villages : les Nyilas profitent de la présence allemande pour se défouler sur les Juifs, leur proie favorite. Barbes arrachées, étudiants jetés des trains en marche, femmes humiliées, enfants pourchassés : ils se permettent tout, les salauds. Bah, dit mon père, cela passera ; tout passe ; même la soif du sang juif. Les Nyilas locaux font du zèle ? Ils affichent leur « patriotisme » ? Eh bien, ça leur passera aussi ; ils finiront par se calmer, par se fatiguer. D'ailleurs, nos Nyilas, nous les connaissons ; ce sont nos concitoyens, nos voisins, nos clients. Ils aboient plus qu'ils ne mordent. Mais les vitres cassées, les livres profanés ? Les vieillards fouettés dans la rue ? Bon, il va falloir redoubler de prudence, prier à voix plus basse, sortir moins souvent. Alors, on sort moins. On voyage moins. D'ailleurs, la loi nous y contraint bientôt : le gouvernement de Budapest vient de publier des décrets visant à limiter la présence et l'activité des Juifs dans le pays. Fermeture des magasins, interdiction de quitter la maison sauf à certaines heures. Licenciement des fonctionnaires juifs. Un Juif n'a plus le droit de traverser les parcs municipaux. Ni d'aller au cinéma. Ni de prendre le bus, le tram ou le train. Mais, Dieu merci, il peut encore respirer l'air des montagnes et se réchauffer au soleil du printemps. Alors on vit en sourdine. En veilleuse. L'important, c'est que même la vie anormale reste normale. L'important, c'est qu'il n'y ait pas de pogroms. Les synagogues sont encore ouvertes. Un peu partout, on prépare la fête de Pessah. Nous nous retrouvons à plusieurs chez notre voisin, le Rabbi de Slotfeno : le four spécial où sera cuit le pain azyme, la *matza*, est prêt. J'aime quand le Rabbi, barbe flottante, yeux fermés, en extase, s'écrie : « Une *matza* au four ! Une autre *matza* au four ! » Il est toujours en extase, le Rabbi de Slotfeno. Qu'il prie, qu'il étudie, qu'il mange, qu'il se rende au bain rituel : son âme danse et chante son amour du Seigneur. Tout ce qui rapproche le Juif du ciel le sanctifie. La *matza* elle-même, le Rabbi de Slotfeno l'appelle sainte. Soudain quelqu'un arrive en courant : « Ils sont là, ils sont là ! » Tenant la pâte de *matza* à la main, le Rabbi se fige. Le messager est reparti, quelques hommes le suivent. Je reste seul avec le Rabbi immobile. A la fin, je cède à la curiosité et me précipite dans la rue. Oui, ils sont là, les Allemands. Dans leurs blindés, leurs voitures décapotables, leurs motocyclettes. Ils sont vêtus d'uniformes noirs, noirs à faire peur, avançant droit devant eux sans regarder à droite ni à gauche. Combien de temps suis-je resté dehors ? Quelques minutes ? Quelques secondes seulement car, lorsque je rebrousse chemin, je retrouve le Rabbi dans la position où je l'ai laissé. « Rabbi, lui dis-je, pardonnez-moi. Je n'aurais pas dû... » Il se secoue, pousse la pâte dans le four et lance à nouveau son cri de bataille : « Une *matza*, une sainte *matza* pour le saint Pessah. » Il transpire : « Où sont les autres ? » me demande-t-il. « Dehors. Ils sont allés voir. Les Allemands sont là ! » Il baisse la tête, la redresse : « Les Allemands sont là, dis-tu ? Tu le dis parce que tu les vois ? Et moi, je te dis : le Créateur, béni soit-Il, est-ce que tu Le vois ? Tu ne Le vois pas, mais Il est là, Lui, alors qu'eux disparaîtront ! Que croient-ils donc ? Qu'ils peuvent venir déranger notre travail comme ça, impunément ? Qu'ils peuvent offenser le Créateur en nous empêchant d'accomplir Sa loi ? Dans quelques jours, nous accueillerons Pessah, cela seul importe ! Aurais-tu oublié la signification de Pessah ? Les ennemis sombrent, le peuple d'Israël survit. » Il prépare encore une *matza*, et je l'aide. Puis, quand les autres reviennent, je rentre à la maison. Mes parents, mes sœurs et quelques visiteurs se tiennent devant les fenêtres et regardent les véhicules qui viennent de Bitchkev et se dirigent vers la grande place et les rues adjacentes.

Une page est tournée. Maintenant, nous sentons physiquement l'occupation allemande de la Hongrie. Seulement elle n'est pas pesante. A la surprise générale, les officiers du Troisième Reich se comportent plutôt correctement. On ne peut rien leur reprocher. Dans les appartements réquisitionnés, ceux des Juifs comme les autres, les femmes de ménage découvrent que les officiers font leurs propres lits. Courtois, ils s'inclinent devant la maîtresse de maison, offrent bonbons et friandises aux enfants. C'est à ne plus rien comprendre. Mais les rumeurs sur les atrocités ? Et le nazisme sauvage ? Et l'antisémitisme hitlérien ? Exagérations. Propagande. « C'est comme lors de la Première Guerre, disent les anciens. On nous a bourré le crâne... Le peuple de Goethe et de Schiller ne peut pas s'abandonner à la barbarie. » Personne ne nous révélera que les sourires et les baisemains des officiers allemands nous allons les payer cher. Personne ne nous avertira que la courtoisie allemande fait partie du plan conçu par Eichmann et ses spécialistes. Son action psychologique contre notre peuple se révèle efficace. Son but : endormir notre vigilance, nous inciter à l'optimisme. Et nous aveugler. Son arme : la confiance et la crédulité. Quant à nous, habitués à la résignation, nous nous disons : puisque l'ennemi est souriant, puisqu'il est poli, pourquoi s'en faire ?

Eh bien, on ne s'en fait pas. En outre, Pessah est là : c'est la fête de la mémoire et de l'espérance. La veille, un décret a ordonné la fermeture des synagogues. Mes amis et moi nous séparons tristement de la nôtre, celle des jeunes. Je contemple les murs une dernière fois : je leur confie les rouleaux sacrés, les volumes du

Talmud. Les retrouverons-nous ? Quelle question ! Nous les retrouverons après... Sinon, conformément à la tradition, nous devrions les enterrer au cimetière. En fait, j'ai envie de m'y rendre. Pour supplier les morts d'intercéder en notre faveur. Je n'y vais pas, je ne me souviens plus pourquoi. Peut-être parce que nous avons des tâches plus urgentes. Par exemple : où allons-nous prier durant la fête ? Tant pis, on se réunit dans des maisons privées. Mon père et moi assistons à l'office du Rabbi de Borshe. Nous récitons le Hallél, chant de gratitude, suite de psaumes, de louanges à Dieu pour le remercier de sa bonté envers son peuple. On a le cœur lourd mais on chante quand même, bien qu'à voix basse. On se quitte en se serrant les mains, en se souhaitant mutuellement : « Bonne fête, joyeuse fête ! » A la maison, la table est mise. Nappe blanche, six bougies, argenterie brillante. Ma grand-mère, habillée pour la fête, est encore plus recueillie que d'habitude. La petite Tsipouka aussi. Mon père ne cache pas sa détresse : « C'est la première fois depuis longtemps que nous n'avons pas d'invité à notre table ! » D'ordinaire, les invités, nous les trouvions dans les maisons de prière et d'étude, mais elles ont été fermées. Pourtant, mon père ne renonce pas : il nous lance un « Attendez-moi » et disparaît. Une bonne heure s'écoule. Nous envisageons déjà le pire quand la porte s'ouvre. Mon père nous présente notre invité : c'est le petit Moïshele, Moshe le bedeau, les yeux étrangement brillants et douloureux. Voilà des semaines que je ne l'ai pas vu. Depuis le 19 mars. Où se cachait-il ? Mon père, heureux, lui montre sa place, à ma droite. Pendant la première partie de la cérémonie, l'invité n'ouvre pas la bouche. Lit-il la Haggadah ? Est-il attentif au récit ? Mon père prend Tsipouka sur ses genoux et déclame : « Voici le pain de notre misère et de notre affliction... Nos ancêtres l'ont mangé au pays d'Égypte... » Pourquoi l'invité semble-t-il sourire d'un air mi-ironique mi-désespéré ? Je pose la première des quatre questions rituelles. « Pourquoi cette nuit est-elle différente de toutes les autres ? » Là encore, l'invité affiche un air sardonique, mêlé d'exaspération. Père répond : « ... Car nous étions en esclavage jadis, sous le Pharaon en Égypte... » Je jette un coup d'œil vers mon voisin ; pas de doute : il s'amuse, le bonhomme. Mais sans joie, cela se voit. Une idée me traverse l'esprit : et si c'était lui le prophète Élie, déguisé en bedeau ? N'est-il pas censé visiter ce soir tous les foyers juifs où l'on se souvient et où l'on boit quatre coupes de vin en l'honneur de la délivrance ? Au milieu du repas, Moïshele se met à parler d'une voix douce et fiévreuse : « Reb Shloïme, je vous remercie de m'avoir invité. Tout le monde m'a oublié. Je fais peur. Vous seul n'avez pas peur. Eh bien, voici un cadeau · j'aimerais vous raconter ce qui vous attend. Je vous le dois. »

Autour de la table, les regards sont suspendus à ·es lèvres desséchées. Belle et douce, belle et grave à me briser le cœur, ma petite sœur, assise sagement sur les genoux de mon père, pose sa main sur ses yeux, comme pour chasser une image pénible. Mon père la rassure en lui caressant les cheveux. « Pas maintenant, dit-il à Moïshele le bedeau. Vos histoires sont tristes et la Loi nous interdit d'être tristes le soir de Pessah. » Moshe insiste : « C'est important, très important. Vous ne savez pas ce qui vous attend, moi je sais. Pourquoi ne voulez-vous pas m'écouter, Reb Shloïme ? Il y va de votre avenir à tous. » Mon père répète : « Pas maintenant, Reb Moshe, pas maintenant. Une autre fois. » Nous achevons le repas la tête baissée, en silence. Nous récitons la bénédiction appropriée. Au moment où nous nous levons pour ouvrir la porte et, coupe à la main, accueillir le prophète Élie, notre invité disparaît.

Ce sera mon dernier Pessah — et ma dernière fête — à la maison. Sa tristesse pèsera sur toutes les fêtes à venir.

Restons encore un instant avec Moshe le bedeau. Pourquoi joue-t-il un rôle si central dans mon univers romanesque ? Parce qu'il y représente le premier survivant ? Parfois on le confond — je le confonds ? — avec Moshe l'ivrogne ou Moshe le fou. Mais le cas de Moshe le bedeau est différent. Avant nous tous, il a vécu notre destin. Messager des morts, il témoignait en hurlant, ou en se taisant, mais on refusait de l'entendre. On lui tournait le dos pour ne pas voir ses yeux. Comme si l'on redoutait d'y affronter une vérité incontournable : celle qui renfermait dans un même poing d'acier son passé et notre futur. On le forçait — en vain — à douter de sa raison, de sa mémoire. Et à se dire qu'il avait survécu pour rien. Et à regretter d'avoir survécu.

Le septième jour de Pâque qui symbolise le miraculeux passage de la mer Rouge par nos ancêtres est pour nous marqué par une série de décrets néfastes. Désormais les événements se précipitent. Le crieur municipal, un petit bossu muni d'un tambour grotesque trop grand pour lui, les annonce d'un air imperturbable. Ordre du commandement militaire : fermeture des magasins et bureaux appartenant à des Juifs. Interdiction de sortir, sauf en fin d'après-midi pour se procurer des victuailles. Frénésie d'achats. Nous n'avons plus le droit de vendre mais, dans la boutique, les étagères se vident. Que les clients paient ou non, peu importe : mon père leur fait confiance. Avec mes sœurs, j'aide à les servir. Même la petite Tsipouka, cheveux soigneusement coiffés, se rend utile. Et si la police nous attrape ? Dieu ne nous abandonnera pas. Qui sait de quoi demain sera fait ? S'ensuivent trois jours de couvre-feu. Heureusement, tout le monde s'est approvisionné. On n'a plus rien à craindre. L'étoile jaune ? Bah, elle ne me dérange guère. Elle me permet même de me sentir plus intimement lié aux Juifs du Moyen Age qui, dans les ghettos d'Italie, portaient la rouelle. Je suis en train de vivre — non pas d'apprendre, mais de vivre — un chapitre incandescent de l'histoire qu'étudieront plus tard des générations de collégiens. Peur ? Non, l'étoile jaune ne me fait pas peur. Dans toutes les familles juives on découpe des bouts de tissu jaune. Un marché misérable et bête s'organise. Des étoiles, il y en a pour tous les prix. Celles des riches sont éclatantes ; et pâles, celles des pauvres. Bizarre, mais je porte la mienne avec une fierté inconnue. Dans la rue, les passants me dévisagent d'un air moqueur. D'autres détournent la tête ? C'est leur affaire. Par contre, les affiches sur les murs, nous les lisons le cœur serré, en silence ; elles portent la signature du gouverneur militaire allemand, et leur message est clair : quiconque s'oppose aux ordres sera fusillé. Fusillé ? Je n'y crois pas, je ne peux pas y croire, mais d'où vient ce tremblement dans mes jambes ? Des unités spéciales de l'armée et de la gendarmerie font irruption dans les demeures juives. Inspection, perquisition, menaces : il faut leur remettre bijoux, argenterie, devises étrangères, pierres précieuses, objets de valeur. Mon père essaie de nous faire sourire : « Ils vont être déçus... Chez la plupart de nos Juifs ils ne trouveront que la misère... J'espère qu'ils l'emporteront aussi. » Mais même les familles pauvres possèdent bougeoirs ou coupes de kiddoush en argent pour le Shabbat. Vite, soyons prêts. On sort les objets les moins précieux, on cache les autres au grenier, dans la cave. Il paraît que les soldats frappent les récalcitrants. Pas chez nous. Un lieutenant et deux gendarmes dressent l'inventaire. Ils parcourent l'appartement, le magasin. Ils fouillent les armoires, ouvrent les tiroirs, jettent des livres par terre. Ma pauvre mère est malgré tout impressionnée : « Vous avez vu ? Le lieutenant nous a salués en arrivant et en partant. » Peut-être fait-elle de l'humour. De toute façon, les gendarmes ont obtenu ce qu'ils voulaient : les pauvres Juifs de ma ville sont devenus plus pauvres encore.

Les gendarmes hongrois : on n'en dira jamais assez de mal. Chargés d'exécuter le plan d'Eichmann, ils le font avec une brutalité et un zèle qui resteront le déshonneur de l'armée et de la nation hongroises. Sont-ils tous antisémites ou membres du parti fasciste Nyilas ? Comment expliquer leur cruauté, leur sadisme ? Ils frappent femmes et enfants, piétinent vieillards et malades. Si bien que l'annonce de la création d'un ghetto arrive presque comme un soulagement : nous y serons entre Juifs. En famille. Et puis, là encore, j'ai le sentiment de rouvrir une page de l'histoire juive médiévale. Nous allons vivre comme nos ancêtres ont vécu en Italie et en Espagne d'abord, en Allemagne et en Pologne ensuite. Nous ne serons pas seuls ; leur présence nous protégera. Je me vois déjà à l'intérieur des murailles de Francfort et de Venise, de Lublin et de Carpentras ; j'écoute les Maîtres d'outre-tombe m'expliquant que les petites ruelles sombres mènent vers la lumière des découvertes. Aussi, pourquoi céder au pessimisme ? Pour plus de certitude, je me précipite vers l'étagère où ma mère garde ses livres allemands. Je consulte l'encyclopédie juive, sa fierté. Voyons le mot ghetto. Surprise : j'apprends que, dans l'Antiquité, les quartiers juifs furent créés par les Juifs eux-mêmes qui redoutaient les influences étrangères. Ce fut le cas des communautés de Rome, Antioche et Alexandrie. Ce n'est que plus tard que le ghetto leur fut imposé sous des noms différents. Judaria en Espagne et au Portugal. Rue des Juifs en France... En 1288, le roi Alfonse III ordonna aux Juifs de Saragosse de vivre séparés des Chrétiens. En 1480, Ferdinand et Isabelle les Rois Catholiques lancèrent un ordre similaire. En 1555, le pape Paul IV chassa les Juifs de ses cités, sauf ceux des ghettos. A Mayence, en 1662, le Grand Électeur Jean-Philippe refusa aux Juifs le droit d'habiter ailleurs que derrière les murailles de leur quartier. Mais le ghetto, matériellement néfaste, pouvait être spirituellement salutaire : il aidait à préserver la culture et la tradition qui constituent l'héritage juif. Mon aïeul, Rabbi Yom-Tov Lipman-Heller ne s'est-il pas réjoui en 1652 d'avoir participé à la construction des murailles autour du quartier juif de Leopoldstadt ?

En vérité, certains Juifs de Sighet pourraient ne pas entrer dans le ghetto. Le printemps est doux, ils n'auraient qu'à s'évader vers les montagnes et y attendre la fin de l'épreuve. En ce qui concerne notre famille, il y a Maria, notre vieille domestique, la merveilleuse Maria qui travaille chez nous depuis ma naissance. Elle nous supplie de la suivre chez elle : elle nous cédera sa cabane dans un hameau perdu ; il y aura de la place pour tout le monde, nous six et grand-mère Nissel. Sept personnes dans une cabane ? Oui, dit Maria, sept personnes, elle nous le jure, elle prend le Christ à témoin. Elle s'occupera de nous, elle fera tout. Pourquoi lui opposons-nous un refus poli mais définitif ? C'est simple : nous ne savons pas ce qui nous attend. Incroyable ? Vrai pourtant. En avril 1944, quelques semaines avant le débarquement des armées alliées en Normandie, les Juifs de Sighet ne sont toujours pas informés des ramifications de la Solution finale. Le monde libre, les dirigeants juifs américains et palestiniens sont au courant depuis 1942. Nous, nous ne savons rien. Pourquoi ne nous ont-ils pas prévenus ? Sans vouloir atténuer la culpabilité des tueurs et de leurs complices, on ne peut pas ne pas s'indigner devant la passivité de nos frères et sœurs, en Amérique comme en Suisse, en Suède comme en Palestine. Si Roosevelt, Churchill, Ben Gourion, Weizmann et les grandes figures juives mondiales avaient lancé des appels à la radio : « Juifs hongrois, ne vous laissez pas enfermer dans les ghettos ; ne montez pas dans les wagons à bestiaux scellés ; fuyez, cachez-vous dans les cavernes, abritez-vous dans les bois ! », combien auraient échappé à l'ennemi ? Si l'on nous avait dit que le chemin du ghetto conduisait à la gare et que la destination des trains était Auschwitz, si on nous avait révélé la signification d'Auschwitz, beaucoup de Juifs de Sighet auraient choisi la clandestinité. Et la survie.

Depuis la guerre, je suis hanté par cette question : comment comprendre le comportement des Juifs du monde libre à notre égard ? Notre peuple n'a-t-il pas, de siècle en siècle, survécu aux persécutions et à l'exil grâce à la solidarité qui l'animait ? Chassés de leur pays, après la défaite de Judée, les Juifs trouvèrent secours auprès de leurs frères établis à Rome ou à Chypre. Expulsés d'Espagne, ils furent accueillis par leurs coreligionnaires en Turquie ou aux Pays-Bas. Quand une communauté souffrait, toutes les autres, à travers la diaspora, la soutenaient. Pourquoi était-ce différent maintenant ?

Dans mon premier essai consacré au procès Eichmann — publié dans *Commentary* et *L'Arche* — voici ce que j'ai suggéré : « Avant de condamner les criminels et leurs complices, avouons nos propres lacunes, nos propres carences. Nous, Juifs, n'avons pas tout mis en œuvre pour sauver les Juifs européens... Le Palmach aurait pu envoyer des émissaires en Pologne et en Hongrie pour y préparer les Juifs au combat ou, du moins, pour les informer... Il ne l'a pas fait... »

Ce texte m'attira le courroux de Golda Meir, à l'époque ministre des Affaires étrangères d'Israël. « Tu oublies que le monde était en guerre... Que la Palestine était sous mandat britannique... Comment nos garçons auraient-ils pu se rendre en Europe occupée ? » D'habitude, je n'osais pas discuter avec elle : je la respectais et je me gardais de l'irriter. Cette fois, je choisis de répondre : « Chaque garçon ou fille qui, en Pologne, mettait sa vie en péril en allant d'un ghetto à l'autre, d'une communauté à l'autre, pour maintenir les liens entre les Juifs pourchassés, chacun d'eux courait un risque plus gros que vos émissaires. Et pourtant ils l'ont accepté. Tandis que vos gars, sur vos ordres, sont restés en Palestine.

— Tu oublies les parachutistes. Dès que l'armée britannique nous donna son accord, les parachutistes étaient prêts.

— En effet, répondis-je. Il y a eu les parachutistes... Leur bravoure et leur héroïsme sont louables... Mais quand ils sont arrivés à Budapest il n'y avait presque plus de Juifs à sauver dans les provinces ! »

Et ce constat vaut également pour le grand Raoul Wallenberg. Certes, nous avons pour lui une reconnaissance éternelle. C'est au péril de sa liberté et de sa vie qu'il abandonna la sécurité de son foyer suédois et se rendit dans la capitale hongroise où il sauva des milliers de Juifs. Mais, pour les Juifs des provinces, il arriva trop tard.

Pour nous, de tous les points de vue, il était trop tard. Sacrifiés, trahis, livrés à l'envahisseur, restés seuls face à lui, nous ne comptions pour personne sauf pour l'ennemi. Lui seul s'occupait de nous. Et puisqu'il nous poussait dans le ghetto, eh bien, nous y sommes allés. Comme les autres, avec les autres.

Images d'exode, de déracinement évoquant un passé enfoui dans la mémoire. Visages défaits, hébétés, désorientés. Du jour au lendemain, rien n'est plus comme avant. Il suffit de quelques mots prononcés par un homme en uniforme pour que l'ordre de la Création s'effondre. C'est du délire : fonctions, positions, repères, tout se désagrège. Les contacts sont rompus, les mots vidés de leur substance. Le foyer n'est plus à sa place, ma maison n'est plus mienne. Tout ce qu'une famille a réussi à accumuler au cours de son existence, il faut le laisser derrière soi. Ustensiles, vêtements, livres, meubles : trop lourds, trop encombrants pour les emporter dans la petite pièce ou dans la cave qui lui sera allouée au ghetto. Scènes déchirantes, bouleversantes : un vieux hassid, Reb Feivish, pousse une voiture d'enfant devant lui. Il est seul. Il pleure. Un jeune garçon lui offre de l'aider. Reb Feivish veut le remercier, mais ses sanglots l'étouffent. Le grand rabbin et sa famille déménagent aussi. Et le Borsher Rabbi. Et le juge rabbinique Reb Shloïmele Heller. Et les chefs de la communauté. C'est l'exil à l'intérieur de l'exil. Va-et-vient incessant. On dirait que la ville est devenue un carrousel : tout tourne. Et la tête aussi tourne. Je veux être partout à la fois, tout voir, tout absorber, donner à tout le monde un coup de main. C'est que nous sommes parmi les chanceux : notre maison se trouve à l'intérieur du ghetto. Donc, pas besoin de bouger. Mais il faut réaménager les chambres. Nous gardons la plus grande et cédons les autres aux parents proches. Nous accueillons les Reich ; ils se sentent chez eux et je donne des leçons d'hébreu moderne à leurs filles. Et mon Maître kabbaliste ? Je le cherche en vain. On me dit qu'il est dans le petit ghetto, à l'autre bout de la ville. Je veux croire qu'il se cache quelque part. Peut-être a-t-il décidé de se servir de ses formules et de ses amulettes pour se rendre invisible. M'entend-il ? Pourquoi ne faites-vous rien pour désarmer l'ennemi ? Vous qui connaissez les mystères célestes, pourquoi ne faites-vous pas appel à leur Créateur ? Repousser le Mal, n'est-ce pas votre devoir ? Les habitants du ghetto, eux, ils accomplissent bien le leur.

C'est qu'on est généreux dans le ghetto. On s'entraide. Pas de vol, pas de querelles, pas de récrimination. Pas de jalousies mesquines. La solidarité juive, ici elle existe.

Avec des anciens camarades d'école, nous continuons sporadiquement nos études des textes sacrés. Le plus souvent, nous nous rencontrons dans le jardin d'Ezra Malek. Assis sur l'herbe, sous un arbre, nous approfondissons les problèmes complexes concernant le jeûne ou les fêtes. Les analyses des positions de Rav et de son adversaire Shmuel nous font-elles oublier le péril ? Celui-ci se fait de plus en plus pressant.

Les Allemands exigent que le ghetto leur fournisse quotidiennement un bataillon de travailleurs juifs. Des listes sont établies. Peu se dérobent. Non par crainte, mais par compassion : si je n'y vais pas, moi, quelqu'un d'autre ira à ma place ; et cela est immoral ; cela n'est pas juif.

Plus tard, je lirai beaucoup de commentaires arrogants ou extravagants sur le Judenrat et la police juive des ghettos. Furent-ils coupables d'avoir voulu survivre à tout prix tout en s'efforçant de sauver autant de vies que possible ? Collaborateurs ou martyrs ? En général, je prendrai la défense des prisonniers de cette ambiguïté juive. Ainsi d'Adam Czerniakov, à Varsovie, qui se suicida le jour où les Allemands lui réclamèrent un quota quotidien de dix mille Juifs pour Treblinka. Mais Chaïm Rumkowski est-il lui aussi défendable ? « Roi » du ghetto de Lodz, il y vécut dans trop de confort, sinon de luxe, pour que je me fasse son avocat. Pourtant, je vois en lui aussi une victime. Victime de l'oppression, de l'ordre meurtrier, déshumanisant que les bourreaux imposèrent au peuple juif tout entier. Donc, les kapos juifs aussi étaient des victimes ? Oui, eux aussi — à quelques exceptions près. En ce temps-là, tous les Juifs étaient des victimes, même si toutes les victimes n'étaient pas juives.

Certains commentateurs comparent les « Anciens du Judenrat » à Pétain, prêtant aux uns et à l'autre les mêmes bonnes intentions — s'interposer entre vainqueurs et vaincus — et les mêmes lacunes, le même dérapage : on ne côtoie pas l'ennemi sans être affecté par sa logique. Mais, moi, je n'aime pas les analogies. Aucun « Ancien » juif n'a disposé des pouvoirs ou des moyens d'un Pétain ou d'un Laval. Le Judenrat n'était pas à la tête d'un État, mais d'une prison. Et puis, répétons-le, les « Anciens » eux-mêmes étaient condamnés à mort parce que juifs. Jouissaient-ils de privilèges spéciaux ? Oui. Mangeaient-ils à leur faim ? Oui encore. Disposaient-ils du droit de vie ou de mort sur leurs coreligionnaires ? Là, il nous faut déclarer : non, pas vraiment. Ce droit, les tueurs et leurs complices le gardèrent pour eux-mêmes. Certes, les différents responsables juifs pouvaient choisir, nommer des assistants, attribuer des cartes de travail, de rationnement ou de logement à des parents et des amis auxquels ils apportaient ainsi un moment de répit, jusqu'à la prochaine « action ». Mais c'est tout. A la fin, tous les ghettos furent liquidés. Avec leurs chefs.

Dans notre ghetto, ces questions éthiques ne se posent pas. Nos dirigeants ne sont confrontés à aucun dilemme. D'ailleurs, nous y restons trop peu de temps pour qu'une nouvelle organisation sociale s'y établisse et entraîne des risques de conflit. Un mois ou à peine plus : cela ne suffit pas pour que nos règles et nos coutumes s'effacent. Bien sûr, les Allemands ont nommé un ingénieur assimilé au poste de « Judenältester » ou Ancien des Juifs, mais c'est toujours le président de la communauté que l'on interroge et que l'on respecte. C'est le grand rabbin et non la police qu'on écoute. Je n'ai pas entendu parler d'un seul cas où quelqu'un ait été battu ou humilié par la police ou le Judenrat. Malgré la promiscuité et un rationnement rigoureux, il n'y a pas de manifestation de haine, de rancune ou de dépravation. Les riches ne se pavanent pas en public (où pourraient-ils exhiber leur goût du luxe ?) et les pauvres ne leur en veulent pas d'avoir naguère vécu dans le confort. Est-ce parce que tous sentent que leur avenir limité est le même ?

Avec le recul, je me rends compte que c'est dans le ghetto que je me mis à vraiment aimer les Juifs de ma ville. Éprouvés, ils conservaient leur dignité d'homme et de Juif. Reclus, réduits à l'état de sous-hommes, ils se montraient encore capables de grandeur d'âme. Face à l'ennemi, ils se sont dressés tous ensemble, affirmant leur foi en leur foi. Oh, je sais bien : on ne peut pas juger une communauté sur son comportement durant quelques semaines. Mais il ne s'agit pas de juger ; il s'agit d'aimer.

Et les Juifs de ma ville, les Juifs du ghetto, je les aime. Voilà pourquoi je les glorifie dans mes écrits — et je ne m'en cache pas. Contrairement à certains confrères, je refuse de m'appesantir sur la laideur et l'abjection qui frappent toute société (la société juive comme les autres) en proie au malheur et à la déréliction. Mes personnages ne sont pas des maniaques sexuels, des avares maladifs, des êtres veules et indignes ; souvent le sacré les séduit ; la pureté les subjugue. Tous n'ont pas été des rêveurs messianiques, des poètes de l'attente ? Et après ! L'ennemi a dit assez de mal de ces Juifs, pour que j'en rajoute. Il les jetait dans la boue et leur reprochait d'être sales. Il les affamait et se moquait de leur faiblesse. Il dénaturait leurs traits puis ridiculisait leur apparence. Il les torturait, les rendant malades de solitude et de chagrin, et les traitait comme des déréglés, des neurasthéniques.

Eh bien, pour moi, ils ne sont ni laids ni repoussants, les Juifs de Sighet. Dépouillés, ensanglantés, courbés, écrasés, mutilés, ils incarnent à mes yeux la noblesse d'Israël et l'éternité de Dieu, alors que leur ennemi — qui est aussi le vôtre — incarne ce qu'il y a de plus bas en l'homme. Je ne serai pas leur détracteur, mais leur *mélitz yosher*, leur intercesseur — pardon, je me corrige : qui suis-je, moi, quel mérite particulier me permettrait d'intercéder en leur faveur? Ils n'en ont plus besoin. Au contraire, puissent-ils être, pour moi et les miens, nos intercesseurs là-haut; et puissé-je en être digne.

Vint le samedi noir de mai. Je l'ai raconté, je le raconterai encore, je ne cesserai de l'évoquer, dans l'espoir d'y découvrir quelque vérité obscure, un vague espoir de salut.

Tout va de plus en plus vite : en imposant son rythme, l'ennemi devient maître du temps. Et le temps lui-même devient notre ennemi. Arrivée de deux officiers supérieurs de la Gestapo — plus tard, on nous dira que l'un d'eux était Eichmann lui-même et c'est pourquoi je croirai le reconnaître lors de son procès à Jérusalem. Réunion d'urgence du conseil des Anciens. Attente angoissée du retour de mon père, parti aux nouvelles. Rassemblement des voisins. Rumeur qui se répand comme le feu : des transports, il y aura des transports.

Le premier convoi doit partir le lendemain matin mais nous n'en ferons pas partie. Nous passons la nuit à aider amis et voisins à se préparer pour la route. « Vous avez besoin de farine, de biscuits secs, d'œufs? De vêtements? » Scènes inoubliables de résignation, d'arrachement, de tendresse aussi. Je frappe aux portes des voisins, je murmure des mots inaudibles, je serre des mains, je prends congé de Yerahmiel, je sollicite la bénédiction du Slotfener Rabbi, je dépose un baiser respectueux sur la main du Borsher Rabbi, je m'en vais, je reviens. Partout les fours sont allumés. Partout l'on se prépare au long voyage, partout l'on essaie de se réconforter : on ne s'en va pas pour longtemps, on se retrouvera après la guerre. A l'aube, les hommes récitent les prières du matin avant de glisser les objets rituels dans leurs sacs à dos. Il fait beau. Journée ensoleillée. Chaleur inhabituelle. La rue est pleine d'hommes et de femmes égarés, perdus; ils ont soif. Mais les gendarmes les empêchent de retourner, ne fût-ce qu'un instant, dans ce qui fut leur dernier abri. Mes sœurs et moi courons de l'un à l'autre avec des casseroles et des bouteilles remplies d'eau. Je n'ai jamais vu la petite Tsipouka si petite, ni si grande. Elle donne à boire à un malade plus âgé qu'elle, puis à un autre, à un autre encore. Finalement, le convoi se met en marche. En silence. Dans une sorte de recueillement religieux. Le grand rabbin, sans barbe, sac à dos : le voir ainsi m'est insupportable, je détourne mon regard. Et mes Maîtres ! Et mes camarades ! Chacun d'eux m'arrache une part de mon être. J'ai mal, je n'ai jamais eu si mal. J'ai envie de crier, de hurler. Comme un fou. J'ai envie de devenir fou. Comme mes deux amis, les fous de Dieu, qui ont perdu la raison sur un champ de bataille jonché de rêves et de rêveurs mystiques : mes amis, qu'en est-il maintenant du Messie ? Les voilà, d'ailleurs. Ils sont trop affaiblis pour marcher, on les porte sur des brancards. Je leur dis au revoir, je leur crie de tenir bon. Bientôt ce sera notre tour. Pour l'instant, nous suivons le convoi jusqu'à la sortie du ghetto. Nous avons un peu honte de rester en arrière. Hébétés, lourds d'angoisse, nous revenons nous asseoir dans la cuisine. Comme en deuil. Le convoi n'a pas encore quitté la ville. On nous informe qu'il doit passer la nuit à la synagogue, loin de nous, déjà si loin. Un calme bizarre plane sur les maisons. Dans le ghetto principal, ceux qui sont restés vont d'une demeure à l'autre uniquement pour se serrer la main, entamer un brin de conversation décousue, se sentir moins accablés, s'assurer qu'ils sont encore en vie.

Le soir, nous restons dans la cour, écoutant l'artillerie soviétique dont les déflagrations éclairent les cimes des montagnes. La distance ? Peut-être une vingtaine de kilomètres. Avec un peu de chance, l'Armée rouge arrivera avant les wagons. Une attaque, un déplacement du front et nous serons sauvés. Ce serait trop beau. Trop miraculeux. Or le temps que nous vivons n'est pas celui des miracles. Dieu les garde. Pour qui ? Pour quand ?

Et pourtant. Des miracles humains existent, ou plutôt : pourraient exister. Pendant la nuit de samedi, quelqu'un vint frapper à la fenêtre clouée donnant sur la rue qui marque la limite du ghetto. Le souffle coupé, nous nous sommes regardés. Qui cela pouvait-il être ? Un policier nous ordonnant d'éteindre la lumière ? Un ami de mon père cherchant à l'avertir, comme il l'avait promis, d'une catastrophe imminente ? Le temps d'ouvrir une fente, l'inconnu avait disparu.

Et puis, il y a Maria. Encore elle, toujours elle. Je l'ai déjà évoquée, je la retiens. Brave, courageuse, fidèle, croyante, toujours satisfaite de son sort. Ai-je assez dit qu'elle faisait partie de la famille ? Lorsque nous partions en vacances, elle nous accompagnait. Nos fêtes et nos deuils, elle y participait. Elle nous quitta seulement lorsque le gouvernement interdit aux non-Juifs de travailler pour les Juifs. Ce jour-là, elle pleura à chaudes larmes et jura de revenir dès que « tout ça serait fini ». Au ghetto, elle se faufilait souvent à travers les barrières et les barbelés, nous apportant fromages et œufs, légumes et fruits. Cette nuit encore, la nuit du dimanche, elle fait son apparition. Comment a-t-elle réussi à se glisser à travers le cordon de sécurité renforcée que les gendarmes ont établi autour du ghetto à moitié vide ? « Oh, ce n'est pas sorcier, dit-elle en hoquetant. On peut entrer et sortir. Je connais un endroit sûr... J'ai tenu à vous dire... A vous supplier... La cabane dans la montagne... Elle est prête... Venez... rien à craindre chez moi... Vous serez tranquilles... Chez nous, il n'y a pas d'Allemands. Ni de salauds qui leur courent après. Venez... » Brave Maria. Si d'autres chrétiens avaient agi comme elle, les trains roulant vers l'inconnu auraient été moins bondés. Si curés et pasteurs avaient élevé la voix, si le Vatican était sorti de son mutisme, l'ennemi n'aurait pas eu les mains aussi libres... Mais la plupart de nos concitoyens ne pensaient qu'à eux-mêmes. Dès qu'une maison juive se vidait de ses locataires, ils accouraient et se jetaient comme des vautours sur les objets abandonnés. Ils forçaient placards et tiroirs, triaient draps de lit et vêtements, démolissaient, volaient, pillaient : c'était pour eux une fête, une véritable chasse au trésor. Non, ils n'étaient pas comme notre admirable Maria.

Assis autour de la table, à la cuisine, nous tenons une dernière réunion de famille. Suivre Maria ou rester ? Là encore, si nous avions su que « destination inconnue » signifiait Birkenau — ou simplement qu'on allait nous déporter hors du pays — nous aurions sûrement accepté son offre. Mais nous ne le savons pas. Nous ne savons que ce qu'on nous a dit : que les convois se dirigent vers l'intérieur du pays. Des personnalités juives soi-disant bien informées de Budapest nous ont donné sur ce point des assurances claires. Donc ? Dire non à Maria ? C'est l'avis général. « Pourquoi ? » implore-t-elle de sa voix cassée. « Parce que, lui répond mon père. Parce qu'un Juif ne doit jamais se séparer de sa communauté : ce qui arrivera aux autres nous arrivera aussi. » Ma mère se demande à voix haute s'il ne vaudrait pas mieux « envoyer les enfants avec Maria ». C'est-à-dire : nous trois, les aînés. Tsipouka et les parents resteraient. Et grand-mère aussi... Nous protestons : « Nous sommes jeunes et forts, nous ne risquons pas grand-chose à partir en transport... Si quelqu'un doit suivre Maria, c'est vous... » Après une brève discussion, nous remercions Maria de sa générosité, mais...

Mon père a raison : restons ensemble. Comme tout le monde. La sauvegarde de l'unité familiale fait partie de nos traditions ancestrales. Et l'ennemi le sait bien. Aujourd'hui, il s'en est servi en faisant répandre dans le ghetto le bruit que la population juive serait transférée dans un camp de travail hongrois où, c'était l'essentiel, les familles resteraient ensemble... Et nous l'avons cru. Ainsi, ce qui contribua pendant des siècles à la survie de notre peuple — la solidité du lien familial — devint instrument entre les mains de son exterminateur.

Et nous repoussâmes le miracle de Maria. Souvent je songe à elle avec affection et reconnaissance. Avec perplexité aussi. Cette femme simple, totalement dépourvue de culture, s'éleva moralement bien au-dessus des intellectuels de la ville, des notables et du clergé. Mon père avait beaucoup de relations et même d'amis dans la communauté chrétienne, mais pas un ne sut montrer la force d'âme de cette paysanne au cœur blessé. Que valait donc leur foi, que pesaient leur éducation, leur position sociale, si elles n'éveillaient en eux ni conscience ni compassion ?

En ce temps-là, c'est une chrétienne naïve et dévote, sans prétention ni grandiloquence, qui sauva l'âme de notre ville.

Mardi 16 mai. C'est notre tour. « Tous les Juifs, dehors ! » hurlent les gendarmes. Nous voilà dans la rue. Nouvelle vague de chaleur. Ma petite sœur a soif. Ma grand-mère aussi. Elles ne se plaignent pas. Moi oui. Pas ouvertement, mais c'est pareil. Je me sens mal ; je suis malade. Je souffre, j'ignore de quoi. Une tristesse indicible me submerge. Comme dans une chambre mortuaire, je n'ose élever la voix. Voilà à quoi mon enfance a abouti. Et mon adolescence. Et mes prières, mes études, mes jeûnes. Désormais, ces heures resteront ancrées en moi, ineffaçables : images que ne recouvrira aucune de toutes celles qui se déverseront en moi au cours de mes futures pérégrinations. Où que mes pas me portent, une part de moi est restée dans la rue, face à ma maison béante, attendant l'ordre du départ.

Je regarde, je regarde ma petite sœur avec son sac à dos, si encombrant, si lourd. Je la regarde et une immense tendresse m'envahit. Jamais en mon âme son sourire mélancolique et innocent ne s'éteindra. Jamais son regard ne cessera de fouiller en moi. Je veux l'aider ; elle proteste. Jamais sa voix ne se taira dans mon cœur. Elle a soif, ma petite sœur. Elle garde les lèvres entrouvertes, Tsipouka. La sueur perle sur son front dégagé. Je lui tends un peu d'eau. Elle dit en souriant : « Je peux encore tenir. » Elle veut être courageuse, ma petite sœur. Et j'ai envie de mourir à sa place.

J'en parle peu dans mes récits, je n'ose pas. Elle est mon secret, ma petite sœur aux cheveux d'or ensoleillés. Je ne l'ai pas racontée à Marion ni à Elisha. Je ne veux pas parler d'elle au passé. J'ai peur. Mais elle est présente. Sa présence m'est plus réelle que la mienne. Ma petite sœur Tsiporah, mon petit ange frappé par un soleil noir, je ne peux t'imaginer otage de la mort. Tu resteras dans notre rue, sur le pavé, face à notre maison, une larme sous un ciel incandescent.

La maison, je la contemple, nous la contemplons tous avec un déchirement qui se lit sur nos visages. C'est ici que nous avons connu et vécu une vie familiale juive qui ne se renouvellera plus. Les éclats de rire, les complaintes. La paix du Shabbat, la prière « Dieu d'Abraham » murmurée par ma mère et ma grand-mère, la fête des Cabanes, les chants de Rosh-Hashana, les repas de Pâque, les conciliabules communautaires, les visites de mon grand-père... Les histoires de mendiants vagabonds... Les récits des réfugiés... Les émissions interdites de Radio-Londres et de Radio-Moscou que, rideaux baissés et volets clos, on captait la nuit... Je me revois, assis sous un acacia, un livre à la main, parlant aux nuages. Tsipouka joue au cerceau. « Viens jouer avec moi », me dit-elle. Je n'ai pas envie. Et maintenant, tandis que ma main écrit ces mots, je sens mon cœur se déchirer : j'aurais dû interrompre ma rêverie, fermer mon livre, tout abandonner pour jouer avec ma petite sœur... D'autres images surgissent : le traîneau, l'hiver ; le fiacre, l'été ; les funérailles d'une cousine : une voyante aurait prédit sa mort. Béa, malade du typhus : elle occupe une chambre pour elle toute seule. Fiévreuse, contagieuse, elle oscille entre la vie et la mort. Ma grand-mère me demande de l'accompagner à la synagogue ; c'est la nuit ; elle ouvre l'arche sainte et s'écrie en sanglotant : « Sainte Torah, intercède en faveur de Batya fille de

Sarah. Elle est jeune. Elle peut encore accomplir beaucoup de bonnes actions pour Ta gloire. Dis au Seigneur béni soit-Il de la laisser en vie. Elle Lui sera plus utile que moi... » Elle referme l'arche et recule jusqu'à la porte. Là, elle s'arrête et dit : « Si j'ai encore des années à vivre, Seigneur, donne-les-lui. J'échange mon avenir contre le sien. Ce sera mon cadeau. » Les premiers pas de Béa... Et moi, je regarde ma grand-mère à la dérobée : puisqu'elle a offert ses années, que va-t-elle devenir ? Je contemple notre maison et j'y vois Hilda, l'aînée des enfants, dont la beauté rayonnante fait courir tous les marieurs de la région... Et les gens qui, jour et nuit, entraient par cette porte pour consulter mon père... Maintenant, courbé sous le poids de son sac à dos, mon père ne sait pas à qui demander conseil... Et ma mère, gracieuse et intelligente, qui a peur de nous regarder, qui a peur de voir la maison, peur d'éclater en sanglots, de ne plus pouvoir s'arrêter. Alors, c'est le ciel qu'elle regarde, le ciel impitoyable qui nous accable d'une chaleur précocement lourde et étouffante... Et le sol ? Gardera-t-il son secret ? Hier soir, jusque très tard, fossoyeurs improvisés, nous avons creusé une dizaine de trous, sous les arbres, et y avons déposé ce qui restait de nos bijoux, objets de valeur et argent. Moi, j'ai enterré la montre en or que j'avais reçue comme cadeau de Bar-mitzvah... La terre nous restera-t-elle fidèle ?

Pendant des années je n'ai cessé de penser au retour dans la ville qui m'a vu naître. J'en étais obsédé. Il m'a fallu attendre vingt ans et, maintenant, ce retour fait aussi partie de mes obsessions. C'était la nuit. La ville dormait. La maison dormait. Elle n'avait pas changé : même portail, même jardin, même puits. La peur m'étouffait. Je me croyais pris dans un tourbillon d'hallucinations. Et si ce n'était qu'un rêve ? Et si nos voisins juifs étaient toujours là ? Et mes parents ? Et mes sœurs ? Une vague d'angoisse m'emporta et me ramena, je m'attendais à ce qu'une fenêtre s'ouvre et qu'un garçon ressemblant à celui que j'avais été m'interpelle : hé, monsieur l'étranger, que faites-vous donc dans mon rêve ?

J'anticipe : des inconnus habitent ma maison. Ils n'ont jamais entendu mon nom. A l'intérieur, rien n'a été transformé. Ce sont les mêmes meubles, le même poêle en faïence que mon père put acheter grâce à un emprunt. Les lits, les tables, les chaises : ce sont les nôtres, au même endroit. Mes yeux fiévreux se promènent à droite, à gauche, en haut, en bas : est-il possible qu'il n'y ait plus ici une seule trace de notre passé ? Si, il en reste une, une seule. Sur le mur, au-dessus de mon lit, il y avait la photo de mon vieux Maître adoré, Rabbi Israël de Wizhnitz. Je me souviens : je l'avais accrochée le jour de son décès, le deuxième jour du mois de Sivan. Je me revois encore : avec un marteau très lourd, j'enfonce un clou et y suspends le cadre. En écrivant ces mots, je me rends soudain compte que ma mère mourut exactement à la même date, et ma petite sœur, et grand-mère Nissel, mais huit ans plus tard. C'est en pleurant la mort du Rabbi que j'avais placé sa photo au-dessus de mon lit. Le clou y est toujours. Une grosse croix y est suspendue.

« Bon, en avant. Restons ensemble », dit ma mère.

Mardi après-midi. Encore en ville. Notre convoi partira quelques jours plus tard. Pour l'instant, nous sommes transférés dans le petit ghetto dont les habitants viennent d'être chassés.

Nous nous installons dans la maison de Mendel, mon oncle paternel. Ma mère fait la cuisine. Elle prépare des *latkes*, notre plat préféré. Cette fois-ci, pas de restriction, pas de rationnement. On en mange autant qu'on veut.

Image de Mendel, présence d'un oncle silencieux. Il avait épousé Golde, la fille de mon oncle maternel Israël. Je me rappelle sa piété, sa timidité. Ils avaient trois enfants, j'ai oublié leur âge. J'ai leur photo devant mes yeux. Je les regarde, je les interroge.

Des ouvrages sacrés traînent par terre. Quelqu'un a dû les sortir de son sac à la dernière minute. La table est mise, il y a de la nourriture dans les assiettes : les locataires ont sans doute été emmenés au milieu du repas. Voilà ce qui reste d'une famille.

Après la guerre, j'interrogeais tous les survivants du deuxième transport que je rencontrais : pouvaient-ils me renseigner sur le sort de mon oncle Mendel ? La réponse, je crus la recevoir en 1988, à Miami. Traversant le hall d'un hôtel, je suis interpellé par un homme âgé : il est d'origine roumaine-hongroise comme moi, il vient d'un petit village des environs de Sighet. D'ailleurs, dit-il, il est resté dans le petit ghetto jusqu'à son évacuation. Mieux : il était avec mon oncle dans le même camp. « Vraiment ? m'écrié-je, excité. Vous avez connu mon oncle ? — Connu ? Pendant des années je l'ai vu jusque dans mon sommeil... » Et il me raconte : Mendel et son fils aîné ont été d'abord épargnés, comme mon père et moi, et envoyés dans un camp où les conditions étaient relativement supportables ; mais ils n'étaient pas dans le même block et ne se retrouvaient qu'au travail, dans la journée. Un soir, ils n'eurent pas la force de se séparer. Vint l'appel. Le Blockführer SS compta et recompta les prisonniers et ordonna : « Que le détenu qui n'appartient pas à ce block sorte des rangs. » Le fils de Mendel fit quelques pas en avant. « Plus près », hurla le SS. Mon jeune cousin obéit. Face au SS, il s'arrêta. Lentement, le SS sortit son revolver et, à bout portant, lui tira une balle dans la tête. Là-dessus, mon oncle toujours si doux et si timide s'élança et vint s'allonger sur le corps de son fils comme pour le protéger dans la mort. Le SS le regarda un long moment puis lui tira aussi une balle dans la tête. « Depuis, dit le témoin, je ne cesse de voir Mendel et son fils dans mes rêves. »

Et, moi, je me rappelle une loi biblique qui, par pitié pour les animaux, interdit à l'homme d'égorger le bœuf et son petit le même jour. Les Allemands, eux, n'hésitèrent pas à tuer le père et le fils ensemble, sans ciller, comme on écrase deux insectes.

Plus tard, mes cousins d'Anvers, Fishel et Voïcsi, m'offrent une autre version de leur mort.

Je ne sais plus que penser. Ce qui est sûr, c'est que l'ennemi a anéanti la lignée de mon oncle Mendel. Je décide, je ne sais plus ce que je décide.

Ainsi ma tante Zlati, la jeune sœur de mon père, qu'est-elle devenue ? Je la cherche dans mes souvenirs du ghetto ; elle n'y est pas.

Elle était mariée à Nahman-Elye. Je ne me souviens pas de leurs deux petits enfants, pas plus que de leur présence durant les semaines précédant les transports. Il paraît que Nahman-Elye fut parmi ceux que l'armée hongroise fit libérer du Munkaszolgàlat pour les enfermer dans le ghetto. Et qu'il fut déporté avec le premier transport. Et que, succombant aux pressions ou aux séductions des lois du camp, il devint kapo. Kapo cruel. Meurtrier. Et que des anciens déportés le jugèrent, le condamnèrent à mort et l'exécutèrent. Il paraît, il paraît. Je ne veux pas le croire. Mon oncle, au service de l'ennemi ? Kapo ? Mon oncle, tortionnaire de ses frères malheureux parce que plus faibles, plus humains que lui ?

Eh oui, c'était comme ça.

Nous voilà à la gare. Les wagons à bestiaux nous attendent. Ces trains nocturnes qui traversent le continent dévasté, depuis *La Nuit* je ne cesse de les évoquer, de les poursuivre : leur ombre hante tous mes écrits. Ils symbolisent la solitude, la détresse, la progression inexorable vers l'agonie et la mort des multitudes juives. Chaque fois que j'entends un train siffler, quelque chose en moi se fige.

Pourquoi les a-t-on laissés rouler imperturbablement vers la Pologne ? Pourquoi n'a-t-on pas bombardé les lignes de chemin de fer conduisant à Birkenau ? Ces questions, je les ai posées à des présidents et à des généraux des États-Unis aussi bien qu'à des officiers supérieurs soviétiques. Puisque Moscou et Washington étaient informées de ce que les tueurs faisaient dans les camps de la mort, pourquoi rien n'a-t-il été entrepris pour au moins ralentir leur « production » ? Que pas un avion militaire n'ait essayé de détruire les voies ferrées autour d'Auschwitz demeure pour moi une énigme scandaleuse. En ce temps-là, Birkenau « traitait » dix mille Juifs par jour. Le retard d'un convoi l'espace d'une nuit, d'une nuit seulement, de quelques heures même, aurait prolongé la vie de combien d'enfants ? Il aurait au moins constitué un avertissement pour les Allemands : « Attention ! La vie des Juifs compte pour nous ! » Mais que les Juifs vivent ou meurent, qu'ils disparaissent aujourd'hui ou demain, le monde libre s'en moquait.

Et les trains plombés continuèrent à rompre le silence des paysages en fleurs à travers l'Europe.

Et le rétrécissement de notre univers se poursuivit. Pour nous, le pays se réduisit à une ville, la ville à une rue, la rue à une maison, la maison à une chambre, la chambre à un wagon scellé, le wagon à une cave bétonnée et là-dedans...

Arrêtons. Question de pudeur. Et de coutume. Je l'ai dit plus haut en évoquant mon grand-père. Dans la tradition juive, la mort d'un être n'appartient qu'à lui. Les chambres à gaz, il vaut mieux qu'elles restent fermées au regard indiscret. Et à l'imagination. On ne saura jamais ce qui s'est passé derrière les portes d'acier. On a dit que, pour une bouffée d'air, pour une seconde de vie, les victimes se battaient entre elles, qu'elles grimpaient sur les épaules des plus faibles : il s'agirait du fameux *Todeskampf*, ce combat des mourants contre la mort, si cher à certains penseurs ; on a dit tant de choses qu'il aurait mieux valu taire. Que les morts parlent, s'ils en ont envie. Mais comme nul ne sait s'ils le souhaitent, eh bien, qu'on les laisse tranquilles.

D'ailleurs, on n'en est pas encore là.

C'est fou comme on s'habitue vite à tout. Y pensant aujourd'hui, j'ai du mal à l'admettre. Quelques heures après avoir respiré l'air nauséabond et suffocant du wagon, voilà que nous nous sentons chez nous. « Chez nous », c'est le bout de plancher sur lequel je suis assis. Je songe aux exilés juifs de l'Antiquité et du Moyen Age ; je suis leur frère. En moi, plus de curiosité que de peur. Tristesse et excitation entremêlées : nous vivons un événement, une aventure historiques. Le principal, c'est que nous soyons entre nous. Si l'on nous avait dit que ce voyage durerait des semaines ou même des années, nous aurions tous répondu : plaise à Dieu qu'il en soit ainsi. Car rien n'est pire que l'inconnu. Pourtant, notre destination est inconnue. On nous l'a assez répété. Je m'accroche à la notion que, pour Dieu, rien n'est inconnu, tandis que pour l'homme rien n'est connu.

Dans le train, j'entends une rumeur : les médecins juifs et leurs familles, autorisés jusqu'alors à résider en dehors du ghetto, avaient reçu l'ordre la veille de le réintégrer et de se joindre à nous ce matin à la gare. Or on ne les a pas vus. On dit qu'ils se seraient réunis chez l'un d'eux hier soir et auraient tous décidé de se donner la mort. Rumeur apparemment fausse : à Birkenau, je retrouverai notre médecin de famille, le docteur Fisch, celui qui aida ma mère à accoucher de Tsipouka. Pourtant elle était fondée, la rumeur, comme je l'appris trente ans plus tard. Je visite une grande université près de Boston où je fais un cours sur un sujet biblique. Soudain, un jeune professeur de physique m'aborde : « Vous êtes de Sighet ? Moi aussi. » Il se présente. Son nom me fait sursauter : c'est le fils d'un chirurgien célèbre. A Sighet, nous appartenions à des milieux différents, mais c'est le même convoi qui nous emmena à Auschwitz. Nous évoquons longuement notre petite ville. A un certain moment, je lui rappelle la rumeur. Il la confirme : eh oui, les médecins avaient bel et bien conclu un pacte de suicide collectif. Je ne comprends pas : « Mais pourquoi ? Puisqu'on ne savait pas... » Il se trouve que son père savait : il avait opéré un officier allemand qui lui avait tout révélé... C'est lui qui décida de réunir ses confrères pour discuter de l'attitude à adopter. La majorité se prononça contre le départ : mieux valait mourir chez soi. Certains ratèrent leur suicide : on les amena sur des brancards jusqu'aux wagons...

Mon ami mourut un soir de juin 1991. Suicide ? La rumeur le prétendait. Je fis un calcul mental : il mourut le deuxième jour du mois de Sivan, quarante-sept ans exactement après avoir manqué son rendez-vous avec la Mort à Birkenau.

Ce voyage dans le train, mon tout premier témoignage le décrit, mais un point demande clarification — et il est délicat : il s'agit de l'atmosphère érotique qui se serait installée dans le wagon. Dans la version française, je dis : « Libérés de toute censure sociale les jeunes se laissaient aller ouvertement à leurs instincts et à la faveur de la nuit, s'accouplaient au milieu de nous, sans se préoccuper de qui que ce fût, seuls dans le monde. Les autres faisaient semblant de ne rien voir. » Le mot « s'accouplaient » suscita un froncement de sourcils chez des lecteurs puritains, ce qui n'est pas trop grave, et chez d'anciens compagnons du même voyage, ce qui l'est davantage. Alors, je repris la version originale en yiddish. Là, le passage se lit différemment : « En raison de la promiscuité, beaucoup d'instincts s'éveillèrent. Instincts érotiques. Des jeunes garçons et filles ont, sous le couvert de la nuit, succombé à leurs sens excités... » En fait, il s'agissait de contacts timides, d'attouchements hésitants qui ne dépassèrent jamais les limites de la décence. Comment ai-je pu traduire cela en « accouplement » ? Je ne sais pas. Si, je le sais. Honte mal placée ? Je parlais peut-être de moi-même. Je parlais de mes propres désirs, jusqu'alors refoulés. J'étais allongé près d'une femme. Je sentais la chaleur de son corps. Pour la première fois de ma vie je pouvais toucher une femme. Quelques frôlements des bras ou des genoux, sans qu'elle s'en rendît compte. Le reste est du domaine des fantasmes.

Je m'en souviens.

La vie dans les wagons. La mort de mon adolescence. Comme je vieillis vite : enfant, j'aimais l'imprévu. Un visiteur venu de loin. Un événement inattendu. Un mariage, une tempête, une catastrophe. N'importe quoi plutôt que la routine. Maintenant, c'est le contraire. N'importe quoi plutôt que le changement. Accrochés au présent, nous redoutons l'avenir.

La faim, la soif, la chaleur, l'odeur fétide, les hurlements hystériques d'une femme devenue folle : nous sommes prêts à tout supporter, à tout subir.

D'autant que, très vite, une vie sociale « normale » et structurée s'est installée dans le wagon. Les familles restent unies : solidaires, généreuses, elles partagent œufs durs, gâteaux secs et fruits ; respectent les règles strictement fixées pour boire l'eau, permettre à chacun de s'approcher des lucarnes ou du seau hygiénique protégé par des couvertures. Les passagers se sont adaptés avec une rapidité déconcertante. Matin et soir, nous disons nos prières en commun. J'ai emporté des livres précieux dans mon sac : un commentaire de Rabbi Haïm David Azoulaï (le Hida), le K'dushat Levi du Berditchever. Je les ouvre et m'efforce de me concentrer. Une phrase du Zohar me hante : lorsque le peuple d'Israël partit en exil, Dieu l'y accompagna. Et maintenant ? me demandé-je. Jusqu'où Dieu nous suivra-t-il ?

Le dernier jour, lorsque le train s'arrête près de la gare d'Auschwitz, nos prémonitions resurgissent. Quelques « voisins » avalent plus que leurs rations, comme s'ils sentaient que le temps leur était compté. Ma mère ne cesse de nous rappeler son souhait : rester ensemble. A tout prix. Je ne sais plus qui demande : « Et si c'est impossible ? Et si l'on nous sépare ? — Nous nous retrouverons à la maison aussitôt la guerre finie », dit ma mère.

Certaines images de ces jours et de ces nuits passés dans le train envahissent constamment mes rêves. L'anticipation du danger, la peur de l'obscurité. Les cris de la malheureuse Mme Schechter qui, dans son délire, voyait des flammes au loin. Les efforts pour la faire taire. Les yeux terrorisés de son petit garçon. Je me rappelle chaque heure, chaque seconde. Comment les oublier ? Ce sont les dernières que j'ai vécues avec les miens. Les prières murmurées de ma grand-mère dont le regard n'est déjà plus de ce monde, les gestes de ma mère qui n'ont jamais été si tendres, le visage inquiet de ma petite sœur qui refuse de montrer sa peur : oui, ma mémoire a tout recueilli, tout retenu.

La trépidation soudaine qui s'est emparée de nous lorsque le train, après un arrêt de plusieurs heures, s'est remis en marche vers minuit. Le sifflement, je l'entends encore. Il suscite en moi un sentiment d'arrachement, d'écartèlement. La suite, je l'ai racontée, ou plutôt : j'ai tenté de la raconter ailleurs. C'est comme si c'était hier. Comme si c'était maintenant. Par la lucarne, j'aperçois des barbelés s'étendant à l'infini. Une pensée me traverse : c'est vrai, la Kabbale a raison ; l'infini existe.

Je me vois assis, ombre parmi des ombres, désorienté, hagard. J'entends la respiration saccadée de ma petite sœur. Je m'efforce de fixer les traits de ma mère, ceux de mon père. J'ai besoin que quelqu'un me rassure. Mon cœur bat à se rompre. Coups assourdissants. Puis c'est le silence. Pesant. Total. Un événement va se produire, on le sent. Le destin va enfin nous révéler une vérité qui nous est exclusivement réservée. Une vérité première, un postulat ultime qui anéantira ou dominera toutes les idées reçues. Un bruit éclate et la nuit se déchire en mille morceaux. Je me sens bousculé, soulevé. Je me vois debout. Poussé vers la porte. Vers des êtres bizarres qui hurlent. Et des chiens qui aboient. Et la foule qui grossit : elle envahit la terre entière.

Dans *La Nuit* je raconte la colère des « anciens ». « Pourquoi êtes-vous venus, fils de chiens ! Hein, pourquoi ? » juraient-ils. Je ne comprenais pas : pensaient-ils que c'était volontairement, par pure curiosité, que nous étions venus dans cet enfer ? Ce n'est que des années après que je compris. Deux de leurs compagnons, Rudolf Vrba et Alfred Wetzler, avaient réussi à s'évader de Birkenau en 1944 pour avertir les Juifs hongrois que les Allemands préparaient déjà leur « traitement ». Voilà la raison de leur emportement : selon eux, nous aurions dû savoir. Certains vont jusqu'à nous frapper.

Où allons-nous ? Qu'importe, c'est partout pareil. Tous les chemins mènent à l'ennemi ; c'est lui qui ouvrira cette porte noire, invisible, et qui n'attend que nous. « Restons ensemble », dit ma mère. Pour une minute encore, nous sommes ensemble. Nous nous tenons fermement par les bras. Rien au monde ne pourra nous séparer. L'armée allemande tout entière ne pourra m'éloigner de ma petite sœur. Un ordre bref est lancé : d'un côté les hommes, les femmes de l'autre. Eh oui, il a suffi d'un ordre. Et déjà nous sommes séparés. Tout mon être se fait regard. Je ne veux pas perdre de vue ma mère, ni ma petite sœur aux cheveux d'or et de soleil, ni ma grand-mère, ni mes sœurs aînées. Je les vois toujours, car je les cherche encore. Je les cherche pour les étreindre une dernière fois. Nous nous sommes quittés sans que j'aie pu prendre congé de ma mère, sans même lui embrasser la main, sans lui demander pardon pour les fautes que j'ai sans doute commises à son égard. Sans que j'aie pu serrer Tsipouka, ma petite sœur, sur mon cœur. Ce qui me reste de cette nuit à nulle autre pareille ? Une sensation irrémédiable de perte, de rupture. Ma mère et ma petite sœur sont parties et je ne leur ai pas dit adieu. Sensation d'irréel. C'est un rêve, me dis-je, tout en marchant accroché au bras de mon père. C'est en rêve qu'on m'a arraché à celles que j'aimais. C'est en rêve qu'on frappe des gens à mort. C'est en rêve que Birkenau existe, qu'il abrite un gigantesque autel où des démons de feu dévorent notre peuple. C'est en rêve, un mauvais rêve de Dieu, que des êtres humains lancent des enfants juifs vivants dans les flammes des fosses béantes.

Je relis ce que je viens d'écrire, et ma main tremble, tout mon être tremble. Je pleure, moi qui pleure rarement. Je revois les flammes, et les enfants, et je me répète qu'il ne suffit pas de pleurer.

Il m'a fallu du temps pour me convaincre que je ne m'étais pas trompé. J'ai vérifié auprès de compagnons arrivés la même nuit que moi, j'ai consulté les documents des Sonderkommandos : oui, mille fois oui. Incapables de « traiter » un si grand nombre de Juifs hongrois dans les crématoires, les tueurs ne se contentèrent pas d'incinérer les cadavres des enfants ; dans leur folie barbare, ils jetèrent des enfants juifs encore vivants dans des brasiers spéciale- ment entretenus.

Et si je porte en moi une détresse et une désillusion sans nom, un désespoir sans fond, c'est parce que, en cette nuit-là, j'ai vu des enfants juifs sages et recueillis, porteurs de paroles et de rêves muets, se diriger vers les ténèbres avant de se consumer dans les flammes. Je les revois, et comment ne maudirais-je pas les tueurs, leurs complices, les spectateurs indifférents qui savaient et se taisaient, et la Création, cette Création-là, et ceux qui l'ont pervertie, dénaturée ? J'ai envie de crier, de hurler, comme un fou, pour que le monde, ce monde-là, celui des assassins, sache que jamais il ne lui sera pardonné.

Aujourd'hui encore, chaque fois que mon regard se pose sur un enfant, je suis bouleversé : derrière lui, j'aperçois d'autres enfants. Affamés, terrorisés, exsangues, ils marchent vers la Vérité et la Mort — peut-être est-ce la même chose — sans un regard en arrière : ils ne se lamentent pas, ne protestent pas, n'implorent la pitié de personne. On dirait qu'ils en ont assez de vivre sur une terre cruelle, pourrie et haineuse où leur innocence même les condamne à mort. Ne niez pas cela, je vous l'interdis, et apprenez que le monde qui a permis au tueur d'anéantir un million et demi d'enfants juifs porte en lui-même sa culpabilité.

Tous ces enfants, comment parler de leur innocence sans évoquer leur capacité de joie assombrie par une tristesse implaca- ble ? Créés à l'image de Dieu, eux aussi ? D'un Dieu imparfait ?

Comment deviner le monde qui les habitait, les démons qui les guettaient ? Comment capter leurs appels au secours ? Leur sourire, qui le dessinera ? Leur bonheur fugace, par quel moyen le prolonger ?

Toujours sensible à ce qui leur fait du bien, à ce qui leur fait mal, comment leur faire savoir qu'ils me demeurent présents ?

Maintenant je sais qu'une société est jugée selon son attitude envers les faibles, les éternelles victimes de la vie et des hommes, c'est-à-dire les enfants malheureux, les enfants massacrés.

Mais, cette nuit-là, tout cela n'est pas encore clair dans mon esprit. Le choc est trop brutal. Le principe du refus a joué. Refus d'admettre la réalité du malheur. Impossible, me dit quelqu'un en moi, mon autre moi. Impossible que ces atrocités puissent se commettre en plein milieu du XXe siècle et que le monde se taise ! On n'est plus au Moyen Age... Le dernier ressort brisé, comme un somnambule sourd et muet, je me laisse manipuler, guider, piétiner. Je vois tout, j'entends tout, je saisis tout, j'enregistre tout, mais c'est plus tard seulement que je tenterai d'ordonner ces sensations, ces souvenirs. Ma stupéfaction, par exemple, de découvrir, en dehors du temps, un autre temps, à côté de l'univers un univers parallèle, une création à l'intérieur de la création, avec ses lois, ses coutumes, ses mœurs, ses structures et son langage. Dans cet univers, des hommes n'existent que pour tuer et d'autres pour mourir. Et le système fonctionne avec une efficacité exemplaire. Les tourmenteurs tourmentent et broient leur proie, les tortionnaires torturent des êtres humains qu'ils rencontrent pour la première fois, les égorgeurs égorgent leurs victimes sans même les regarder, des flammes montent au ciel, et rien ne vient enrayer le mécanisme : on dirait que tout cela se déroule selon un programme établi depuis l'origine des temps.

Et l'idéal humain là-dedans ? Et ce qu'on nomme la beauté de l'innocence ? Et le poids de la justice ? Et Dieu là-dedans ?

Je ne comprenais pas, or je voulais comprendre. Interrogez chaque survivant, il vous le confirmera : avant tout, et plus que tout, nous voulions comprendre. Pourquoi tous ces morts ? A quoi cette usine de mort rimait-elle ? Comment expliquer le cerveau dément qui avait inventé ce trou noir de l'Histoire nommé Birkenau ?

Peut-être n'y avait-il rien à comprendre.

Soudain, dans mon cerveau fiévreux, je me revois devant Kalman, mon vieux Maître kabbaliste à la barbe jaunie. Plongés dans nos textes anciens, nous essayons de saisir les signes avant-coureurs des temps messianiques et le plus spectaculaire d'entre eux : le rassemblement des exilés. De partout, de tous les rivages, des lieux les plus éloignés, des Juifs arrivent pour rencontrer le Sauveur. Jeunes et vieux, employeurs et employés, heureux et malheureux, en caftans déchirés ou costumes élégants, ils traversent les fleuves et franchissent les montagnes pour se donner la main et accueillir le jour béni de la Rédemption. Et voici que le Troisième Temple descend du ciel dans un embrasement qui illumine leurs routes. Alors, j'ai envie de tirer le bras de mon père, de lui chuchoter : « Regarde ! Père, regarde : Kalman et ses disciples ont tout de même réussi dans leur projet dément ! Regarde, il est accompli ! » J'ai envie de me tourner vers nos compagnons, de les inciter à la joie et à l'espérance : « Voyez, le Messie est là, nous l'avons forcé à hâter sa venue ! Remerciez-le donc, allons vers lui avec un chant de gratitude sur nos lèvres ! » Mais je ne dis rien. Tout au fond de mon être, je sais, je sens que ce lieu aucun kabbaliste n'a pu le prévoir.

Mon propos n'est pas de répéter ce que j'ai rapporté dans *La Nuit*, mais de revoir ce témoignage avec mes yeux d'aujourd'hui. Ai-je été assez explicite ? L'essentiel m'a-t-il échappé ? Ai-je servi ou desservi la mémoire ? Si je devais recommencer, je ne changerais rien à ma déposition.

Comment ai-je survécu ? Logiquement, je n'aurais pas dû. Maladif, timide, peureux, manquant d'initiative, je n'ai jamais rien fait pour rester en vie. Je ne me suis jamais porté volontaire ni poussé en avant, je n'ai jamais bousculé personne pour recevoir une gamelle de soupe supplémentaire : lâchement, je préférais manger moins ou laisser la faim me dévorer plutôt que de m'exposer aux coups. C'était ainsi : la mort me faisait moins peur que la souffrance physique, c'est-à-dire la peur de la mort.

Vivant en marge, le front bas, je ne me suis pas intéressé à la vie courante ou clandestine du camp, ni à ses soubresauts. Le débarquement de Normandie, l'attentat du 20 juillet contre Hitler, le suicide de Rommel, la libération de Paris : distraitement, je n'en percevais que les échos affaiblis comme à travers un rêve. A quoi bon ? me disais-je. De toute façon, je ne vivrai pas la fin du cauchemar. Je ne sortirai plus d'ici. Je mourrai avant la libération. Ce n'est pas que je désirais mourir, mais je ne souhaitais pas vivre.

Est-ce la volonté de témoigner — donc la nécessité de survivre — qui m'a aidé à tenir ? Aurais-je survécu pour combattre l'oubli ? En ce temps-là, pourquoi ne pas l'avouer, je ne me posais pas ces questions et ne me sentais investi d'aucune mission. Au contraire, j'étais persuadé que mon tour viendrait aussi et que mes souvenirs s'éteindraient avec moi. Parfois, quand j'écoutais des codétenus faire des plans pour « après », je pensais que cela ne me concernait pas. Je le répète : ce n'est pas que je souhaitais mourir, mais je savais que je ne survivrais pas. D'abord, parce que j'étais convaincu que les Allemands tiendraient leur promesse et, une heure avant leur défaite, extermineraient jusqu'au dernier Juif. Et ensuite parce que je me savais incapable de supporter la faim et la douleur au-delà d'un certain délai.

Si j'étais motivé, c'était essentiellement par la présence de mon père. Au camp, nous étions proches, plus proches que jamais. Parce que nous étions peut-être les derniers survivants de notre famille ? Il y avait autre chose : nous étions plus unis parce que, mon père, je l'avais enfin pour moi tout seul. A la maison, dois-je le rappeler, il s'absentait trop souvent. Au camp, je le voyais du matin au soir, du crépuscule à l'aube ; je ne voyais que lui. Nous dépendions l'un de l'autre : il avait besoin de moi comme j'avais besoin de lui. A cause de lui, je voulais vivre ; à cause de moi, il essayait de ne pas mourir. Tant que j'étais en vie, il se savait utile, peut-être même indispensable. Face à moi, il était l'homme, le père d'autrefois, responsable d'un être, d'une vie. Moi parti, il aurait perdu son rôle, son autorité, bref : son identité. Et inversement : sans lui, ma vie n'aurait plus eu ni sens ni but.

C'est en cela que les Allemands et leurs méthodes psychologiques échouèrent en partie. Ils essayèrent de convaincre les détenus de ne penser qu'à eux-mêmes, d'oublier parents et amis, et de ne s'occuper que de leurs propres besoins, s'ils ne voulaient pas devenir des « Musulmans ». Eh bien, c'est le contraire qui se produisit. Quiconque s'enfermait dans un univers réduit à son seul corps avait moins de chances de s'en sortir. En revanche, vivre pour un frère, un ami, un idéal, vous aidait à tenir plus longtemps.

Moi, j'ai tenu grâce à mon père. Sans lui, je me serais effondré. Il me suffisait de le voir, se traînant d'un pas lourd, à la recherche d'un sourire, pour que je le lui offre. Il était mon point d'appui, mon ballon d'oxygène, comme j'étais le sien.

Et pourtant. L'ai-je vraiment aidé ? N'ai-je pas aggravé son propre chagrin ? Car existe-t-il pour un père malheur et malédiction plus dévastateurs que de ne pas pouvoir venir au secours de son enfant, de ne pas pouvoir le soustraire au châtiment de la faim et de la peur ? De ne pas être capable de lui dire ce qu'il faut faire ou ne pas faire ? Pour lui prouver que son autorité sur son fils est restée intacte, que ma confiance en son jugement n'est nullement entamée, je lui pose d'innombrables questions : devrais-je essayer de changer de kommando ? de block peut-être ? Échanger ma portion de margarine contre un bout de pain ? Ramasser une ficelle trouvée sur le chantier et la vendre malgré le risque de recevoir vingt-cinq coups de fouet ? Il ne sait quels conseils me donner, mais mes questions lui font du bien.

Un jour, je le vois au bord des larmes. Je sais pourquoi : il s'est aperçu que je maigrissais et craint de ne pouvoir me sauver de la prochaine sélection. Il pleure en lui-même et je sens le poids de son désespoir. J'aimerais le consoler, le rassurer, et je ne sais pas comment m'y prendre sans lui faire plus mal encore. Je sais seulement ceci : pour un être humain, aucune peine n'est plus aiguë, aucun remords plus accablant que de voir son père verser des larmes d'impuissance.

Plus proche de lui, je l'aime plus qu'avant, plus que jamais. Parfois, je lui offre une gorgée de soupe, disant : « Je n'ai plus faim. » Et lui de même. Il me tend un bout de pain, disant : « J'ai mal au ventre, je ne peux rien avaler. » De tout mon cœur je désire faire quelque chose pour lui rendre son sourire, sa vigueur, sa sagesse et sa dignité d'autrefois. Le soir, étendus côte à côte, nous nous rappelons le passé. Un mariage rabbinique auquel nous avons assisté. L'incendie de la caserne : qui étaient les saboteurs ? La disparition du fils d'un riche négociant. Avait-il fui en Russie soviétique ? C'est ce qu'on racontait. S'était-il installé à Budapest sous une fausse identité en se faisant passer pour un chrétien ? On le disait aussi. Nous évoquons les problèmes que me pose ma timidité, spécialement ici. Les racines de l'antisémitisme. Les vertus de l'émancipation. Les mérites du sionisme : le Rabbi de Satmàr a-t-il raison de le combattre ? L'attrait de toute quête mystique. Je lui parle de la mienne, il me raconte la sienne qui n'est pas ésotérique, mais humaine. Aider autrui, c'était sa devise, sa loi, son idéal. Un Juif se définit par ses actes plus que par ses intentions ; ce sont ses actes qui le lient à sa communauté et, à travers elle, à la grande communauté des hommes.

Tient-il encore à ses principes, à son humanisme ? Étrangement, il se rapproche du hassidisme. « Il nous faut un miracle, murmure-t-il souvent. Nous le méritons. Mais est-ce que notre époque le mérite aussi ? Voilà la question. »

Autrefois, à Sighet, c'est moi qui croyais aux miracles. Lui, esprit rationnel, y attachait moins de valeur. Ici, c'est le contraire. Le temps des miracles me paraît révolu. Je sais que le monde s'est condamné lui-même : il ne connaîtra pas la rédemption. Dans mes rêveries, je joue avec d'autres possibilités. Pourquoi n'ai-je pas demandé à Kalman, mon Maître kabbaliste à la barbe jaunie, de m'initier à l'art de me rendre invisible ? Je ferais en sorte que mon père bénéficie de mes pouvoirs. Je nous imagine passant par la porte devant les SS aveugles. Nous montons dans un train de marchandises. Nous traversons villes et vallées, et partout nous secouons les habitants endormis : n'avez-vous pas honte de dormir ? On tue notre peuple, et vous dormez ? Eh oui, j'aurais dû apprendre cet art, cette science occulte...

En ce temps-là, comme tout le monde, je rêvais beaucoup. Cela m'aidait.

Et puis, j'ai eu la « chance » — qu'on me pardonne l'expression — d'avoir comme coéquipier un ancien *rosh-yeshiva* d'origine galicienne. Je le revois, je nous revois. Nous portons des sacs de ciment ou de grosses pierres, poussons une brouette remplie de sable ou de terre battue, tout en étudiant une loi de la Mishna ou une page du Talmud. Il connaît tout par cœur, mon coéquipier. Grâce à lui, nous nous évadons. Nous retrouvons Rabbi Hanina ben Dossa et l'implorons de prier pour nous. Nous accostons Resh-Lakish : usera-t-il de sa force herculéenne pour nous libérer ? Nous flânons dans les ruelles de Pumbedita, sur les collines de Galilée. J'entends les Sages se disputer sur la question de savoir s'il faut réciter le Sh'ma Israël debout ou couché.

Le matin, mon père et moi nous levons avant le réveil. Nous nous rendons dans un block voisin où quelqu'un a réussi, contre une dizaine de portions de pain, à se procurer une paire de phylactères (les téphilines). Nous les enroulons sur le bras gauche et les mettons sur le front, récitons rapidement la bénédiction rituelle et déjà nous les remettons à celui qui attend derrière nous. Quelques dizaines de détenus sacrifient ainsi leur repos et parfois leurs rations de pain ou de café pour accomplir la « Mitzva » ou le commandement du port des téphilines. Je vous entends déjà ricaner : « La pratique religieuse dans un camp de la mort ? Quand même... » Eh oui, la religion, je la pratique là-bas, là-bas aussi. Je dis mes prières tous les jours. Le samedi, tout en travaillant, je fredonne les cantiques du Shabbat. Est-ce pour plaire à mon père ? Pour lui démontrer que je suis déterminé à rester juif même dans le royaume maudit où les Juifs sont condamnés à disparaître ? Mes doutes et ma révolte m'empoigneront plus tard.

Pourquoi si tard ? me demandera mon camarade et futur ami Primo Levi. Et comment les ai-je surmontés, ces doutes et cette révolte ? Il refuse de comprendre comment son ancien compagnon de Buna peut continuer à se définir comme croyant. C'est que lui, Primo, ne l'est pas. Il ne veut pas l'être. Il a vu trop de souffrances humaines pour ne pas s'insurger contre la religion qui prétend leur imposer son sens et sa loi. Je le comprends. Et lui demande de me comprendre aussi : j'ai vu trop de souffrances humaines (les mêmes) pour rompre avec le passé et refuser l'héritage de ceux qui les ont subies. (Autre désaccord entre nous : il est trop sévère à l'égard des survivants ; j'y reviendrai.) Nous passons des heures et des heures à confronter nos arguments. Rien à faire. Sur ce point-là, nous sommes aussi inébranlables l'un que l'autre. C'est que je viens d'un milieu différent du sien. Et puis, même à Buna, nous menions des existences différentes. Il était chimiste, et moi rien du tout. Le système avait besoin de lui, de moi non. Il avait des amis influents, à des postes importants, qui l'aidaient et le protégeaient ; moi je n'avais que mon père. J'avais besoin de Dieu, Primo non.

Là-bas, dans le camp, je n'ai ni la force ni le temps de me plonger dans des méditations théologiques ou des élucubrations métaphysiques sur les attributs du Maître de l'univers. La ration quotidienne de pain — sera-t-elle d'un centimètre plus épaisse ou plus mince ? Distribuera-t-on de la margarine ou de la marmelade ? — est au centre de nos préoccupations. La peur des coups est plus grande que celle du ciel. Sur ce plan-là, l'ennemi a remporté un triomphe : c'est le SS et non Dieu qui gouverne notre univers, c'est son ombre qui nous recouvre. Le SS veut que sa victime reconnaisse en lui non pas un homme supérieur, mais un dieu. C'est en dieu souverain et tout-puissant qu'il se comporte. Il y a lui et nous. Lui a tous les droits, nous aucun. Lui voit tout, nous rien. Lui nous condamne ou nous nourrit d'un simple geste de la main. Nous n'avons pas le droit de le regarder. Quiconque regarde Dieu en face meurt. Mais la foi, celle qui me rattache au Dieu d'Israël et de mes ancêtres? Elle n'a rien à voir. Pas encore. Elle demeure enfouie. Et presque intacte.

Pour Primo Levi, le problème de la foi après Auschwitz se pose en termes simples : ou bien Dieu est Dieu, donc tout-puissant, donc coupable d'avoir laissé faire les assassins ; ou bien sa puissance est limitée, et alors il n'est pas Dieu.

Autrement dit : si Dieu est Dieu, sa présence s'impose toujours. Mais s'il refuse de se manifester, il devient immoral et inhumain, c'est-à-dire allié ou complice de l'ennemi. Plus tard, le philosophe et historien Gershon Cohen me montrera ce passage bouleversant et effrayant d'un de nos livres martyrologiques : pendant les Croisades, les Juifs de Mayence se cachèrent dans un abri souterrain. Une nuit, leurs chefs spirituels, Rabbi Baroukh et son gendre Rabbi Yehuda, perçurent des bruits venant de la synagogue. Ils s'y rendirent, mais le lieu était vide. Pourtant, dans le noir, ils entendirent des voix. Les deux Sages tombèrent à genoux et s'écrièrent : « Est-ce Toi, Seigneur, qui veux notre mort ? Aurais-Tu changé de côté ? Serait-ce l'ennemi que Tu as décidé d'élire comme ton peuple privilégié ? » Piège cruel et hermétiquement clos ; impossible d'en sortir indemne. La souffrance et la mort des enfants innocents ne peuvent que mettre en question la volonté divine. Et susciter la colère et la révolte des hommes. Mais si Dieu, justement, attendait des hommes qu'ils Lui disent leur peine et leur déception ?

Serait-ce la voie menant à une solution ? Je préfère suggérer qu'il n'existe pas de solution.

Un passage de *La Nuit* — la pendaison du petit garçon juif — a prêté à une interprétation quasi blasphématoire. Les théoriciens de « la mort de Dieu » ont fait abusivement référence à mes propos pour justifier leur refus de la foi. Or, si Nietzsche pouvait crier au vieillard de la forêt que « Dieu est mort », le Juif en moi ne le peut pas. Je n'ai jamais renié ma foi en Dieu. Je me suis élevé contre Sa justice, j'ai protesté contre Son silence, parfois contre Son absence, mais ma colère s'élevait à l'intérieur de la foi, non au-dehors. Position peu originale, je l'avoue : elle fait partie de la tradition juive ; mais je n'ai jamais cherché à être « original » en cette matière-là. Au contraire, j'ai toujours aspiré à suivre les traces de mes pères et de leurs précurseurs. D'ailleurs, les textes évoquent de nombreuses occasions où prophètes et sages se sont révoltés, en période de persécutions, contre la non-intervention divine dans les affaires des hommes. Abraham et Moïse, Jérémie et Rabbi Levi-Yitzhak de Berditchev nous apprennent qu'il est permis à l'homme d'intenter un procès à Dieu, à condition que ce soit au nom de la foi en Dieu. Cela fait mal ? Tant pis. Parfois il faut accepter la douleur de la foi pour ne pas la perdre. La tragédie du croyant est plus dévastatrice que celle de l'incroyant ? Tant pis. Proclamer sa foi dans l'enceinte d'Auschwitz représente à la limite une tragédie double : celle du croyant et celle de son créateur. Si l'une est blessée, l'autre est blessante.

Comment peut-on, dans cette enceinte maudite, louer l'Éternel pour l'amour qu'Il est censé dispenser à Son peuple ? Comment peut-on, sans mentir, dire à Auschwitz « *Ashrenu, ma tov khelkenu* », ah que nous sommes heureux de porter en nous notre héritage ? Comment et de quel droit peut-on parler de bonheur à Auschwitz ? Je l'ai écrit ailleurs : Auschwitz n'est concevable ni avec Dieu ni sans Dieu. Peut-être comprendrai-je un jour le rôle de l'homme dans le mystère que représente Auschwitz ; mais celui de Dieu, je ne le comprendrai jamais.

Me suis-je réconcilié avec Lui par la suite ? Disons que je me suis réconcilié avec certains de Ses interprètes. Et avec certaines de mes prières. Si des hommes ont tué d'autres hommes, s'ils ont massacré des Juifs, en quoi les prières juives seraient-elles coupables ? Elles ne coïncident pas toujours avec la réalité et sûrement pas avec la vérité ? Et après ! Il nous appartient de modifier la réalité et de rendre vraies les prières. Comme l'affirmait le Rabbi de Kotzk : « *Avinu malkenu*, notre roi, notre père — je continuerai à t'appeler père jusqu'à ce que tu Le deviennes. »

En fin de compte, je ne cesserai jamais de m'insurger contre ceux qui ont fait ou permis Auschwitz. Et contre Dieu aussi ? Contre Lui aussi. Les questions que je m'étais autrefois posées à propos du silence de Dieu, elles demeurent ouvertes. S'il y a une réponse, je ne la connais pas. Bien plus : je refuse de la connaître. Mais je maintiens que la mort de six millions d'êtres humains pose une question à laquelle aucune réponse ne sera jamais apportée.

Un jour, à Brooklyn, j'ai demandé au célèbre Rabbi Menahem-

Mendel Schneersohn de Lubavitch : « Comment peut-on croire en Dieu après Auschwitz ? » Et lui de me répondre : « Après Auschwitz, comment peut-on ne pas croire en Dieu ? » Au premier abord, la remarque m'a paru fondée : puisque tout le reste a échoué — civilisation, culture, éducation, humanisme — comment ne pas se tourner vers le ciel ? Et puis je me suis ressaisi : « Si vos paroles constituent une question, je l'accepte volontiers ; si elles se veulent réponse, je la récuse. »

Des années plus tard, mon Maître talmudiste Harav Saul Lieberman m'indiquera une autre perspective : on peut — et on doit — aimer Dieu, on peut L'interroger, et même Lui en vouloir, mais on peut également Le plaindre. « Sais-tu, me dira-t-il, lequel de tous les personnages bibliques est le plus tragique ? C'est Dieu, béni soit-Il, Dieu que ses créatures déçoivent et accablent si souvent. » Il me montra un passage midrashique qui traite de la première guerre civile de l'Histoire juive, provoquée par une banale querelle de ménage : et Dieu là-haut pleure ; il pleure sur son peuple et il pleure sur sa création, comme pour dire : qu'avez-vous donc fait de mon œuvre ?

Alors, au temps de Treblinka, de Majdanek et d'Auschwitz, les larmes de Dieu ont peut-être redoublé — et l'on peut donc L'invoquer non seulement avec indignation, mais aussi avec tristesse et compassion. Pour Lui.

Ce qui me déchire et me révolte le plus dans l'environnement physique et moral (ou immoral) du camp, c'est la puissance du mal et sa contagion. Ici, la brutalité existe à l'état pur. Pourquoi des êtres humains en viennent-ils à se comporter comme des loups sauvages ? Comment expliquer leur sadisme envers leurs compagnons d'infortune ? Je « comprends » la sauvagerie des Allemands : c'est leur « vocation », leur politique, leur idéologie, leur éducation, j'allais dire leur religion. Mais les autres ? Ces Ukrainiens qui nous frappent, ces Russes qui nous exècrent, ces Polonais qui nous blessent, ces Tziganes qui nous giflent, ces kapos juifs qui nous matraquent, pourquoi ? Pour montrer aux bourreaux qu'ils peuvent leur ressembler ?

On a tenté d'expliquer leur comportement par l'influence

néfaste qu'exerce le tueur sur sa victime, le désir refoulé chez l'agressé de ressembler à l'agresseur, l'irrésistible instinct de survie, le respect de la force, la métamorphose qu'engendrent les situations extrêmes : tout cela est sans doute exact, et le contraire aussi. Pour chaque exemple cité, je pourrais en citer dix à l'appui de la thèse opposée.

Je crois que c'est Jean Améry qui l'a constaté : les premiers qui cédèrent devant le système oppresseur et en adoptèrent les doctrines et les méthodes furent les intellectuels.

Tous ? Pas les rabbins ni les prêtres qui, après tout, étaient aussi des intellectuels. A une seule exception près, aucun rabbin n'accepta les fonctions de kapo. Tous refusèrent d'acheter leur survie d'une semaine ou d'un mois en se faisant l'instrument du bourreau. Tous préféraient mourir plutôt que de servir la Mort. Les leçons reçues des prophètes et des Sages furent pour eux à la fois des entraves et des boucliers.

En revanche, combien d'humanistes et d'intellectuels laïcs renoncèrent à leur système de valeurs dès qu'ils en comprirent la fragilité et l'inutilité. Dégrisés, désorientés, sans illusion, certains se laissèrent séduire par l'idéologie de la cruauté. Pas tous, bien sûr. Mais leur nombre n'en est pas moins significatif.

Les communistes ? Ils s'entraidaient de manière exemplaire et leur action clandestine force l'admiration. Dès que l'un des leurs figurait sur une mauvaise liste, ses camarades privilégiés — qui travaillaient en sécurité pour l'administration du camp — faisaient leur possible pour le remplacer par un détenu anonyme. Du point de vue du communiste secouru, l'intervention de ses camarades politiques fut donc magnifiquement louable. Mais du point de vue de celui qui se retrouvait à sa place sur la mauvaise liste ? Qui donc donna aux communistes le droit de décider du sort de nos camarades ?

Sans doute, nul ne peut ni ne doit les juger, et surtout pas ceux qui n'ont pas connu Auschwitz ou Buchenwald. Les Sages de notre tradition le déclarent simplement : « Ne juge pas ton camarade avant de te trouver à sa place. » Autrement dit : dans la même situation, peut-être aurais-je agi comme lui. Parfois, un doute me saisit : et si j'avais passé non pas onze mois mais onze ans dans un camp de concentration, suis-je certain que j'aurais gardé les mains propres ? Non, je n'en suis pas sûr, et nul ne peut l'être. Cela dit, puisque je n'ai pas mal agi, pourquoi devrais-je me sentir virtuellement coupable ? Certes, j'ai d'autres problèmes, d'autres souvenirs qui me culpabilisent, mais pas celui-là. Seuls les coupables doivent être jugés ou du moins dénoncés : la culpabilité hypothétique n'a pas sa place ici. Ceux qui *auraient pu* se compromettre, mais ne l'ont pas fait, sont par définition — et par la grâce de Dieu — innocents.

Si j'insiste sur ce point c'est parce qu'il m'arrive d'entendre et de lire des propos désobligeants sur mon peuple. On dit : Auschwitz est un phénomène universel ; ce qu'ont fait les Allemands, leurs collaborateurs et leurs complices, les Juifs auraient pu le faire aussi. Eh bien, non. Tant que les Juifs ne l'ont pas fait, j'interdis qu'on leur impute des crimes théoriques, virtuels. Tant qu'un individu n'a pas tué, on n'a pas le droit de voir en lui un tueur potentiel. Et cet interdit s'impose avec encore plus de force lorsque c'est un peuple qu'on met en cause.

Précisons : tous les « privilégiés » n'étaient pas mauvais. Le Stubendienst grec de mon block, Jacob Fardo, n'était pas méchant : demandez à notre ami commun, Jackie Hendeli de Salonique, il vous le confirmera. Fardo n'a jamais frappé un détenu. Parmi les Blockälteste et même les kapos, comme parmi les policiers juifs des grands ghettos, il y avait des hommes charitables. Mais alors comment expliquer que certains Juifs — très peu nombreux, il est vrai — aient été attirés par la puissance des bourreaux ? Comment expliquer le fils du grand leader sioniste polonais Yitzhak Grinbaum qui, kapo à Auschwitz, s'acharnait à torturer, humilier et abattre ses codétenus juifs, surtout s'ils étaient religieux, et plus encore s'ils étaient sionistes ? Était-ce pour « punir » son père et se venger sur ceux qui avaient cru en lui ? Je ne sais pas. Comment expliquer mon oncle Nahman-Elye ? Je ne me l'explique pas. Je sais seulement que je prononce son nom avec gêne. Je sais aussi ceci : en ce temps-là, le Juif était essentiellement victime de tueurs et non tueur de victimes.

Les exceptions existent cependant ; elles sont déroutantes et même accablantes.

Anticipons...

Deux jeunes avocats de Brooklyn frappent un jour à la porte de mon bureau, à l'université de Boston, pour m'entretenir d'un problème qu'ils considèrent comme urgent : ils connaissent un hassid respecté qui, autrefois, dans le camp, battit leur père, le laissant à demi mort. S'ils sont devenus avocats, c'est pour le traquer et le châtier.

De qui s'agit-il? « Vous le connaissez, me disent-ils. Vous fréquentez parfois la même synagogue. Il vous arrive de bavarder avec lui. » En pensée, je revois les fidèles. Je me secoue : pas question de jouer ce jeu-là, de prêter attention à de telles accusations. En général, je refuse d'assumer le rôle de procureur des miens. Un problème demeure pourtant : que faire des kapos ? Faut-il les poursuivre ? Jusqu'à quand ? Jusqu'où ? Pour les traduire devant quelle cour ? Imaginons qu'il s'agisse de mon oncle Nahman-Elye, qui le jugera, selon quelle juridiction ? Je n'ai jamais été d'accord avec Karamazov selon qui « nous serions tous coupables, de tout et de tous, et moi plus que les autres ». Coupables, les Juifs ? Tous les Juifs ? Impossible, impensable. Donc, innocents tous ? La tradition juive nie la culpabilité collective. Mais, inversement, existerait-il une innocence collective ? Comme leurs pairs, les kapos juifs n'étaient pas innocents. Mais je m'interdis de les juger.

J'insiste là-dessus : je préfère mettre l'accent sur la bonté, la compassion, la pureté d'âme chez mes frères d'infortune. On les rencontrait même dans le royaume de la nuit la plus ténébreuse. Je peux en témoigner. Je le dois. Ne souriez pas quand je parle de l'âme juive. Elle représentait un objectif pour l'ennemi. Il tenait à la corrompre, de même qu'il voulait nous détruire physiquement Mais, malgré son pouvoir destructeur, en dépit de sa puissance corruptrice, l'âme juive resta hors de son atteinte.

Je me souviens d'un Hollandais qui partagea son pain avec un camarade plus malade que lui ; pourtant ils ne se connaissaient pas. « Je préfère avoir faim plutôt que du remords », dit-il.

Je me souviens d'un *maggid* lituanien qui, tous les vendredis soir, allait et venait parmi nous, accostant chacun, avec une ébauche de sourire : « Frère juif, n'oublie pas que c'est Shabbes (shabbat). » Pour lui, il importait de nous rappeler que, nonobstant la fumée et la puanteur, le Shabbat continuait de régner sur le temps et le monde.

Je me souviens d'un rabbin polonais qui, à la fin du Kippour, essaya de consoler ceux qui n'avaient pas jeûné : « La Loi juive n'ordonne pas de jeûner au péril de sa vie, leur dit-il. Manger aujourd'hui est, aux yeux du Créateur, béni soit-Il, plus agréable que de se mortifier. » Il avait jeûné, lui. Affaibli, il fut « sélectionné » peu après. Il implora ses camarades de block de réciter le kaddish pour son âme. Le block tout entier le récita.

Je me souviens d'un jeune Juif hongrois aux épaules voûtées de vieillard qui s'accusa d'un délit quelconque pour encaisser les coups à la place de son oncle : « Je suis jeune, dit-il, je suis plus fort que lui. » Il était jeune, mais pas moins faible. Il ne se releva pas.

Je me souviens, je me souviens. Inconsciemment j'ai tout noté. Tout ? Pas tout. Pas les bourreaux. Je ne saurais décrire les Blockführer SS qui nous comptaient à l'appel, ni le Lagerführer qui assistait aux pendaisons. Bizarrement, les bourreaux ne m'intéressaient pas. Les victimes, oui. Les victimes seulement. C'est pourquoi, après la guerre, je n'ai jamais éprouvé le besoin de devenir chasseur de nazis. Je respecte ceux qui s'en firent un devoir — comme les Klarsfeld à Paris et Neal Sher à Washington — mais mon obsession fut tout autre. Naturellement, la liberté et le bonheur dont jouissaient ces assassins me choquaient : j'y voyais une insulte à la mémoire collective des victimes et un scandale judiciaire. Mais, par tempérament et par nature, je me savais incapable de consacrer les années qui me restent à les traquer. Les victimes seules sollicitaient mes efforts et mon dévouement. Ma mémoire n'avait d'espace que pour la leur. Et aujourd'hui encore, en évoquant le passé, c'est le leur que je m'efforce de communiquer : c'est pour eux que je témoigne, non pour moi.

Revenons aux deux avocats de Brooklyn... Ils portent la kippa. Pour eux, la loi de la Torah prime tout. Comment l'appliquer au hassid qu'ils accusent ?

Ils racontent : là-bas, dans les camps, leur père avait osé s'insurger contre ce kapo juif qui, en distribuant la soupe, cognait trop durement sur trop de têtes : « Tu n'as pas honte ? Tu as oublié ta judéité ? » Le soir, alors que l'obscurité régnait dans la baraque, le kapo et ses acolytes vinrent châtier l'impudent. Ils l'enveloppèrent dans une couverture et se mirent à le frapper de la tête aux pieds. Il ne survécut que par miracle. Et se souvint du kapo. A Brooklyn, il l'aperçut un jour et reconnut sa voix. Et c'est par amour et par respect pour leur père que ses fils se jurèrent de le venger.

Je leur pose des questions précises, douloureuses. Un véritable interrogatoire. Il faisait nuit là-bas, non ? Alors, comment leur père pouvait-il, sous la couverture, identifier une voix et un visage ? Et si sa mémoire lui faisait défaut, c'est possible, non ? De toutes mes forces, j'essaie de les amener à douter. Pendant qu'ils répondent tour à tour, ma pensée rebelle fait un saut jusqu'à la synagogue pour y examiner les noms, les traits. Un kapo parmi eux ? Si oui, quel âge aurait-il ? De quel pays serait-il originaire ? Une fois encore, je me ressaisis. Je demande aux deux jeunes avocats pieux : « Croyez-vous sincèrement que l'on puisse juger et châtier un homme quarante ans après, au risque de ruiner la vie d'un innocent ? » Ils discutent et s'apprêtent à me dévoiler le nom de l'accusé. Je le leur interdis. Ils m'informent alors de leur intention de le dénoncer à la police américaine, aux autorités israéliennes. Comment les en dissuader ? Je leur raconte ma rencontre avec un Blockälteste, dans un autobus allant de Jérusalem à Tel-Aviv, pendant le procès Eichmann. Ils la connaissent, l'ayant lue dans *Le Chant des morts*. J'ajoute : « Vous savez donc comment j'ai agi, moi, dans des circonstances presque similaires... Je l'ai laissé filer... » Les avocats ne sont pas d'accord : « Votre bonhomme n'a pas tué votre père, le kapo en question, lui, a presque tué le nôtre. » Je dis : « Presque... Vous n'êtes pas sûrs, vous ne pouvez pas l'être... » Ils s'obstinent et, en un sens, je les comprends : il s'agit de leur père après tout. Je réussis à les convaincre de ne pas agir à la hâte...

Pourquoi ai-je refusé de connaître l'identité du kapo ?

Seules les victimes m'intéressent.

Serions-nous les victimes les uns des autres ?

En vérité, je pourrais jusqu'à la fin de mes jours raconter les semaines, les mois et les éternités escamotées que j'ai vécus à Auschwitz, à l'exclusion de tout autre sujet, ne consacrer ma vie, ma survie qu'à déposer pour tous ceux que la tempête de cendre a emportés. Mais l'étudiant mystique en moi ne cesse de me prévenir : « Attention ! Il ne faut pas trop dire ! Le secret de la vérité est dans le silence ! » Voilà donc le dilemme : se taire est impossible, parler est interdit. Aussi ai-je choisi d'attendre. Et de parler d'autre chose, de tant d'autres choses, plutôt que de mon expérience d'Auschwitz. Le Talmud, la Bible, le mysticisme, le hassidisme, des romans sur Jérusalem et Moscou et *La Ville de la chance*. Cependant, tout en imaginant des histoires anciennes ou récentes, peuplées de personnages aux destins divers, le conteur vit encore à l'ombre des flammes qui l'ont jadis illuminé et aveuglé. Il les voit, il les verra toujours. Il s'est juré de ne jamais les laisser s'éteindre. Même là-haut, dans ce monde qu'on dit de vérité, il se présentera devant le trône céleste et dira : regarde, mais regarde-les donc, les flammes qui brûlent et brûlent, écoute donc les cris muets de Tes enfants en train de devenir cendre et poussière.

Le conteur sera-t-il entendu là-haut ?

Et ici-bas ?

J'ai rapporté avec précision la pendaison de trois prisonniers. J'ai décrit l'agonie du plus jeune. Quarante ans plus tard, un critique littéraire juif américain dira que, s'il apprenait que cette scène était inventée, il ne serait pas surpris. Scepticisme malsain ? Raisonnement perturbé ? Négationnisme contagieux ? Ce critique doit vivre bien bas pour m'attribuer sa bassesse.

Janvier 1945. Chaque janvier me ramène à celui-là. Je me vois malade. Mon genou est enflé. J'ai mal. Je me déplace en boitant. C'est l'hiver. Ils sont sévères, impitoyables, les hivers silésiens. La neige nous ensevelit. Le corps est à moitié gelé. Difficile de marcher en traînant un corps qui vous abrutit. Impossible de sortir en kommando avec la fièvre qui me secoue et m'assomme. Je suis à bout. Je sens que ce qui me reste encore de force me désertera bientôt. Comment le dissimuler ? Mon père le devine, mais il se tait. Il devine tout, mon père. Il sait tout, mais il ne peut rien. Je finis par l'interroger : que faire ? Je suis malade... Mon pauvre père ouvre la bouche et la referme. Comme moi, c'est à ma mère qu'il pense sans doute. Avant, c'est à elle que je venais me plaindre de mes maux. Désormais, je n'ai que lui. Son visage amaigri, émacié, est gris sombre. Ses yeux brillent-ils encore ? Il hésite à prendre une décision pour moi : aller au KB (l'infirmerie) ? Dangereux. Peu de malades en sortent, sauf pour être conduits à Birkenau. Ne rien faire, ne rien dire ? Je ne tiendrai pas longtemps. Finalement il décide : « Va au KB. On saura au moins ce que tu as. »

Le soir, entre le retour et l'appel, je me rends au KB. Mon père m'attend devant l'entrée. Il frissonne de froid et de peur. Les bras ballants, désœuvré. Seul, plus solitaire que jamais. Nous rever-rons-nous ? Et si l'on ne me laisse pas sortir ? N'osant pas me retourner, j'avance aussi vite que possible. Un Stubendienst m'arrête : « Qu'est-ce que tu as ? » Je lui montre mon genou. Il me laisse passer avec une moue écœurée. Je fais la queue. Et mon père ? Ne va-t-il pas attraper une pneumonie, se faire chasser à coups de matraque ? Finalement mon tour arrive. Un médecin jette un coup d'œil sur mon genou, le palpe, je réprime un cri : « Il faut opérer, dit le médecin. Tout de suite. » Et mon père ? Je le rejoins tant bien que mal, il n'a pas bougé. Je lui dis : « Ils vont m'opérer. » Il ne réagit pas. Je répète : « Ils vont m'opérer. » Son regard se perd dans le lointain : « Tu te souviens quand on t'a amené à Satmàr ? » L'appendicite... La bénédiction du Rabbi de Borshe... Le train en plein Shabbat... La tendresse de l'infirmière... Que cela semble loin, dans une autre vie. « Tout ira bien », dit mon père. Je m'empare de sa main droite, je l'embrasse. Un déchirement au cœur : le reverrai-je ? Chaque fois que nous nous quittons, même pour aller aux latrines, j'éprouve la même terreur : et si c'était la dernière fois ? Je retourne dans la baraque. Là, un nouveau « miracle » humain m'est réservé : l'un des médecins, grand, l'expression chaleureuse, essaie de me réconforter : « Tu n'auras pas mal, ou très peu, ne t'en fais pas, petit, tu vivras. » Il me parle avant l'opération et je l'entends encore à mon réveil. Sans doute n'a-t-il pas cessé de me parler.

Des années et des années plus tard, à l'université d'Oslo où je suis venu faire une conférence, un homme digne et élégant m'aborde : « Je crois que nous étions dans le même camp. » Du coup, j'oublie où je suis. L'auditoire est voilé d'ombre. Nous sommes seuls, le professeur Leo (Shua) Eitinger, psychiatre de renommée internationale, et moi. Pendant un long moment, nous nous regardons en silence. Puis nous nous sourions au même moment. Depuis, chaque fois que nous nous revoyons, c'est le même sourire qui apparaît sur nos visages comme pour confirmer notre complicité. Lors du dîner officiel suivant la remise du prix Nobel, il sera parmi ceux qui prendront la parole. Il parlera simplement en sa qualité de survivant. Encore un point que nous avons en commun : il a consacré sa vie à la défense des rescapés. Et, pendant qu'il parle, je nous revois là-bas, parmi les fantômes.

Une remarque, ici :
On parle beaucoup — un peu trop ? et trop à la légère ? — dans les milieux psychiatriques de la « culpabilité dite des survivants ». Comble d'ironie : les bourreaux ne souffrent pas de ce complexe. Ils ne se sentent pas coupables, eux. Lors du procès d'Auschwitz, à Francfort dans les années soixante, ils riaient en assistant aux

débats. Il n'y aurait donc que les survivants qui se sentiraient en quelque sorte accusés : « Pourquoi ai-je survécu, alors que tant d'autres ont péri ? » Ils auraient tort de se tourmenter. Je l'ai dit. Eitinger l'a affirmé. Les survivants ne sont pas coupables d'avoir échappé à la mort. Ils n'y étaient pour rien. Seul le bourreau avait le pouvoir de décider qui vivrait et qui mourrait. Les victimes, elles, on leur disait de marcher, et elles marchaient ; de s'arrêter, et elles s'arrêtaient ; on leur ordonnait de manger, et elles mangeaient ; on leur disait de se résigner et elles obéissaient.

Les rescapés ont des droits sur vous ; vous n'en avez pas sur eux. Ne les jugez pas ; ce sont eux qui vous jugent.

Aux images s'ajoutent des bruits...

18 janvier 1945 : l'Armée rouge se trouve à quelques kilomètres d'Auschwitz. Varsovie vient d'être libérée, Cracovie le sera le lendemain. Lodz aussi. Berlin décide d'évacuer les détenus vers l'intérieur de l'Allemagne. Une agitation fébrile règne dans toutes les baraques. On vide les magasins. On distribue couvertures et vêtements. Chacun reçoit un pain entier. Les privilégiés en obtiennent quatre fois plus. Mon père vient me voir à l'hôpital.

Dans le désordre général, on le laisse entrer. Je lui dis : « Les malades peuvent rester au KB, mais... — Mais quoi ? demande mon père. — Il y a que... je ne veux pas me séparer de toi. » J'ajoute : « Mais tu pourrais rester avec moi, tu sais. — Est-ce possible ? demande-t-il. — Oui, c'est possible. » Il y a de la place. Aujourd'hui, la surveillance se relâche. Dans le va-et-vient, tout est possible. Idée tentante, mais nous la repoussons. Nous avons peur. Les Allemands ne laisseront pas de témoins derrière eux ; ils les tueront. Tous. Jusqu'au dernier. C'est dans la logique de leur monstrueuse entreprise. Ils feront tout sauter pour que le monde libre n'apprenne pas la nature et l'étendue de leurs crimes. Nous décidons donc de partir avec les autres, d'autant que les médecins, pour la plupart, se font aussi évacuer.

Que serait-il advenu de nous si nous avions choisi de rester ? Tous les malades, ou presque tous, ont survécu. Libérés par les Russes neuf jours plus tard. Autrement dit, si nous avions choisi de rester à l'infirmerie, mon père ne serait pas mort de faim et de honte dix jours après, à Buchenwald... Et ma vie aurait suivi un cours différent... Je serais rentré avec lui à Sighet... Je serais resté à ses côtés... Je ne serais pas venu en France... Je n'aurais pas écrit mes livres en français... Aurais-je écrit d'autres livres ?

En 1979, au cours d'un voyage officiel à Moscou, je rencontre le général soviétique Vassily Petrenko qui, à la tête de ses troupes, libéra Auschwitz. Nous échangeons nos souvenirs. Il me décrit comment les unités placées sous son commandement s'étaient préparées à l'assaut, tandis que moi je lui raconte comment nous les attendions, lui et ses soldats. « Nous vous attendions comme un Juif religieux attend le Messie. Pourquoi n'êtes-vous pas venus quelques heures plus tôt ? Pourquoi vous êtes-vous attardés ? Une percée de quelques patrouilles aurait suffi pour sauver des milliers de vies humaines ! » Il me donna des explications vagues, d'ordre technique : stratégie, météo, logistique. Elles ne m'ont pas convaincu. Est-il vrai que Staline avait décidé de tout faire pour ne pas libérer les prisonniers de guerre soviétiques ? On le dit. Le fait est que l'armée soviétique aurait pu faire un effort ; elle ne l'a pas fait. Et l'armée américaine non plus, sur son propre front, plus tard. Tous les historiens s'accordent là-dessus : parmi les objectifs fixés par les états-majors des armées alliées, aucun ne concernait les camps de la mort ; leur libération n'a fait l'objet d'aucune directive prioritaire et a eu lieu comme par hasard.

La mort de mon père. J'en porte le deuil aujourd'hui encore. Est-ce parce que je ne l'ai pas porté le jour où je suis devenu orphelin ? Les épreuves qui l'ont précédée restent présentes en moi dans toute leur violence. Dans *La Nuit*, j'ai écrit cet épisode d'un trait. La marche de la mort à Gleiwitz, le sommeil dans la neige, le voyage debout dans les wagons ouverts aux bourrasques, les cris déments des cadavres vivants avant l'arrivée à Buchenwald : là encore, je pourrais passer ma vie à les raconter. Comment faire taire en moi les cris qui me traversent ? Est-ce moi qu'on piétinait ? Est-ce à moi qu'on portait secours ? Nous étions tous des hallucinés. Déjà morts, nous ne redoutions plus la mort. Nous étions plus forts que la mort. Je ne sais plus pourquoi, je me voyais le soir de Kol Nidré, entouré de fidèles vêtus de leurs châles rituels, vivants et morts entremêlés, prêts à monter jusqu'au ciel pour y plaider la cause d'une humanité vaincue par Satan : je criais avec les autres, je hurlais comme les autres les paroles du Sh'ma, du kaddish et d'autres incantations qui se déversaient sur la neige. Portées par le vent, elles allaient recouvrir la terre d'un bout à l'autre, et l'univers d'un bout à l'autre. Main dans la main, nos têtes enfouies dans des couvertures mouillées et lourdes, mon père et moi nous balançâmes d'avant en arrière, comme au Béit Hamidrash jadis, comme des fous dans un monde devenu fou, et...

Arrivés à Buchenwald, la douche brûlante nous fait du bien. Malheureusement, on nous chasse dehors, nus. Nous sommes dans le petit camp. Bondé, encombré. Baraques immenses. Poussées incontrôlables. « Restons ensemble, ensemble », dit mon père, faisant écho à ma mère, ma pauvre mère qui l'avait dit autrefois, dans le train. Épaves à peine humaines, nous nous accrochons l'un à l'autre pour ne pas sombrer. Mon père est fiévreux, moi aussi, mais sa fièvre est différente de la mienne. Il est déjà malade, moi non. Des vagues denses, irrésistibles, nous séparent, nous crions. Nous nous retrouvons. Près de la porte, on reçoit du café chaud. Y aller ? Non, il ne faut pas. Dans cette foule agitée, hystérique, le risque de nous séparer est trop grand. Nous nous passerons de café. Attendons la soupe. Elle va arriver, elle arrive. Il faut faire vite. J'installe mon père sur un grabat, tout en haut d'un box, et je me précipite vers la porte où se fait la distribution. Je reviens, mon père a disparu. Pris de panique, j'interroge à droite, à gauche. Personne ne l'a vu. Tant pis pour la gamelle, je pars à sa recherche, mais le voilà qui réapparaît. Il est allé aux latrines. Il se sent mal. Mon père va mal, et je suis désespéré.

Des années, des années-lumière ont passé et j'évoque avec Jorge Semprun nos souvenirs de Buchenwald : lui était hébergé dans le grand camp. Il travaillait dans la Schreibstube et n'eut pas à souffrir de la faim et du froid. Le petit camp, il le connaissait, comment dire, de loin. Pourquoi le nier ? Le sort des Juifs n'avait rien à voir avec celui des non-Juifs. Nous étions si près l'un de l'autre, et pourtant.

Et pourtant l'état de mon père empire, il va mourir. C'est le jour le plus sombre de ma vie. Le plus lourd de sens. Je suis affaibli, épuisé, malade, mais je veux l'aider, j'ignore comment. Je ferais n'importe quoi. Je lui donnerais volontiers mon sang, ma vie. Je suis prêt à souffrir, à mourir à sa place ; seulement mon heure n'est pas encore arrivée, la sienne oui.

J'implore les médecins, j'implore les Stubendienst, j'implore le Créateur : faites quelque chose pour mon père. Sans pitié, tous. Sans cœur. Plusieurs fois on nous chasse dehors pour nettoyer le block. Mon père est incapable de bouger ; je veux rester auprès de lui, on m'en empêche à coups de matraque. Alors, je me fais passer pour malade ou agonisant. Mon père me réclame et je ne veux pas le décevoir. Il me parle, mais ses propos sont incohérents. Veut-il me communiquer ses dernières volontés ? A un certain moment, il murmure quelque chose au sujet des bijoux que nous avions enterrés, de l'argent confié à des amis chrétiens. Je refuse d'écouter ; les bijoux, je m'en moque. Je me moque des richesses du monde entier. Mon père est mourant et j'ai mal. Entre deux gémissements, il prononce mon nom, je veux me lever, je veux grimper, ramper jusqu'à lui, mais les tortionnaires sont là, ils interdisent tout mouvement. J'ai envie de crier : patience, père ; tiens bon, père ; dans une minute, dans une petite minute, je serai à tes côtés, je t'écouterai, je te parlerai, je ne te laisserai pas mourir seul, je mourrai avec toi. Mon père agonise et j'éclate, tant j'ai mal. Je ne veux pas le quitter, je le quitte, j'y suis forcé. Cela me fait mal de le quitter, on me force. On me frappe, on va m'assommer. Il geint et j'attends que les tortionnaires s'en aillent. Il pleure doucement, comme un enfant, et je sens ma poitrine se déchirer. Il râle et mon corps s'écartèle. Impuissant, écrasé de remords, je « sais » que ma vie durant — ma vie ? un jour ? une semaine ? — je ne parviendrai pas à me libérer de ce sentiment oppressant de culpabilité : mon père gémit, mon père se tord de douleur, mon père se meurt et je suis près de lui, mais pas assez. Mon père m'appelle et je ne me précipite pas pour lui tenir la main. Comment faire pour qu'il ait moins mal ? Qu'il soit moins seul ? Brusquement, je revois grand-mère Nissel : je la supplie de m'accompagner à la maison d'étude ; nous ouvrirons l'arche, nous prierons la sainte Torah d'intercéder en faveur de mon père mourant. Elle me tend la main, mais c'est le vide que je touche. Je me mords les poings jusqu'à la douleur, je veux hurler, mais je ne fais que murmurer tant j'ai mal, je veux mourir tant j'ai mal.

J'ai seize ans quand mon père meurt. Mon père est mort et je n'ai plus mal. Je ne sens plus rien : quelqu'un est mort en moi, et c'est moi.

Je n'ai pas pleuré. Tout mon être sanglotait, mais je n'avais plus de larmes. J'étais absent de moi-même : les morts ne pleurent pas. En général, on ne pleurait pas dans le camp, comme si l'on avait peur de ne pouvoir s'arrêter. La liberté pour nous, ce sera d'abord de pouvoir pleurer.

L'esprit muet, en perdition, je marche en titubant. Je me vois mort parmi les morts, je cherche mon père comme pour lui dire : regarde, je suis avec toi, à tes côtés.

En vérité, je n'ai pas besoin de le lui dire ; il le sait ; il sait tout. Moi aussi, je sais tout de lui. Avant de s'éteindre, il connut un moment de terrible lucidité ; il ouvrit les yeux tout grands, l'effroi marqua son visage gris et ravagé, il poussa un petit cri, et mourut peu après. Quand exactement ? Une minute après ? Une heure ? Je l'ignore ; je ne l'ai pas vu mourir. Je l'ai vu mourant. Puis il n'était plus là. Quand et où l'a-t-on emmené ? Je ne veux pas l'apprendre. J'ai peur.

Mon père mort, je me sens curieusement libéré. Libre de couler. De me laisser glisser dans la mort.

Chaque fois que je pense à mon père, je revis son agonie et un nœud se forme dans ma poitrine. Je me sens devenir orphelin. Eh oui, on peut le devenir même à un âge avancé. Et plus d'une fois. Et, chaque fois, c'est la première fois.

Je le revois et je me dis : je ne le verrai donc pas vieillir. Je suis déjà plus vieux qu'il ne l'était à sa mort.

Et la question revient, lancinante : si nous étions restés à l'infirmerie de Buna ? Qui sait, il aurait peut-être survécu, il aurait rebâti notre maison, il m'aurait guidé dans la vie ; qui sait, j'aurais peut-être trouvé le moyen de le rendre heureux, serein et fier de son fils.

Le 10 décembre 1986, lors de la remise du prix Nobel de la paix devant le roi et le Parlement de Norvège, devant le corps diplomatique et la presse mondiale, devant Elisha et sa mère, devant Hilda, je dois prononcer mon discours de remerciement. Je n'y arrive pas. Je me sens incapable d'articuler un mot. C'est que, dans son allocution, le président du comité Nobel, Egil Aarvik, a mentionné mon père, disant à peu près ceci : « Vous étiez près de votre père lorsqu'il s'éteignit ; c'était l'heure la plus sombre de votre vie. En voici maintenant l'heure la plus glorieuse. Il n'est donc que justice que votre propre fils soit près de vous lorsque vous allez recevoir la distinction la plus haute que l'humanité peut conférer à l'un des siens. » Et ce rapprochement entre mon père et mon fils me bouleverse. La gorge nouée, je vois mon père près de mon fils : mes lèvres, je sens qu'elles remuent, mais aucun son n'en sort ; les larmes emplissent mes yeux, elles vont déborder, les larmes que je n'ai pas pu verser autrefois...

Mon père disparu, je m'enfonce dans une léthargie qui durera jusqu'à la libération, le 11 avril 1945. Je ne me sens plus vivre, je ne désire plus vivre. Je ne sais pas ce qui se passe dans le camp. Ni dans le block. Je ne sais plus rien. Je ne veux pas savoir. Pratiquement, je suis l'un de ces « Musulmans » qui évoluent au-delà de la vie, qui se laissent glisser dans la mort comme dans l'eau : ils n'ont plus faim ni soif ni sommeil ; ils n'ont même plus peur des coups ou de la mort. Ils sont morts, mais ne le savent pas. Ces quelques semaines, vidées de sens et de contenu, n'occupent que quelques pages dans *La Nuit*. Effacées de mon existence, sans laisser de trace. Ai-je attendu la distribution du pain et de la soupe ? Je n'attendais rien ni personne. Je glissais sur le temps pour plonger dans un sommeil sans rêve. Au réveil, je ne savais pas où je me trouvais. Je ne comptais plus les heures ni les jours. Tout m'était égal. Maintenant, avec le recul, je me souviens de certains camarades de Kovno et de Wilno avec qui je jouais aux échecs de façon mécanique. Je me souviens que, pendant la fête de Pessah, j'assistai aux offices célébrés dans notre block matin et soir. Mais c'est un autre que moi qui vécut ces événements.

Est-ce durant la nuit du 5 avril (le septième jour de Pessah) que les SS de la tour ordonnent à tous les Juifs de se rendre sur la place d'Appel ? Nous obéissons. En route, nous sommes interpellés par les policiers du camp, les Lagerschütz. En principe, ils devraient nous chasser vers l'Appelplatz. Or voilà qu'ils nous chuchotent de ne pas y aller, mais de retourner au block et de nous y cacher. Mot d'ordre de la Résistance : empêcher l'évacuation. Seulement, à l'époque, je suis tellement absent de la réalité que je ne sais même pas qu'il existe un mouvement clandestin dans le camp.

Des années plus tard, lors d'un dîner officiel à Jérusalem, l'ambassadeur norvégien me déclara : « Je suis heureux de vous revoir — je dis bien revoir, car nous nous sommes peut-être déjà vus à Buchenwald. » Comme la plupart des étudiants norvégiens emprisonnés dans ce camp, il appartenait aux Lagerschütz. Je lui répondis : « Depuis le 5 avril 1945, je vous cherche pour vous remercier de nous avoir sauvé la vie. »

Les jours qui précèdent la libération, je me trouve à plusieurs reprises sur la place d'Appel devant la tour, près d'être évacué. Dans l'état d'affaiblissement et d'apathie où je suis, je ne supporterais pas la marche, pas même un jour. Fatalité ou providence ? Chaque fois, des alertes aériennes nous forcent à regagner le petit camp. Ou bien le quota de détenus transférés étant atteint, le groupe dont je fais partie est renvoyé dans ses baraques. Au numéro 66, c'est Gustav qui règne. Comme d'habitude, il favorise les adolescents polonais. Normal. Certains lui en voudront plus tard. Moi je ne pense pas à plus tard. Je ne pense à rien.

Le 10 avril, revenus à la place d'Appel, prêts à quitter le camp, on nous ferme une fois de plus la porte au nez en nous avertissant : « Demain, c'est définitivement votre tour ; le dernier convoi quittera le camp demain. » Ce jour-là, j'étais resté en arrière et quelqu'un d'autre prit ma place. Depuis, je me demande souvent : qui était-ce ? qui m'a remplacé ? Ou plutôt : qui est parti parce que j'étais resté en arrière ? Ou pour que je reste en arrière ? Je ne le saurai jamais, mais je sais que je lui dois la vie. Je sais aussi qu'il pourrait être là où je suis maintenant.

11 avril 1945. Buchenwald est libéré. Pardon : le camp s'est libéré lui-même. Sortis de la clandestinité, les résistants armés ont décidé de s'insurger quelques heures avant l'apparition féerique des premières unités américaines. Dans notre « petit camp », Gustav court d'une baraque à l'autre, les poches bourrées de grenades. Vainqueurs, les détenus excités ramènent des SS en fuite. Les prisonniers de guerre soviétiques s'emparent de quelques jeeps américaines et vont châtier les habitants de Weimar, la ville de Goethe. Nous, les adolescents juifs, nous organisons un *minyan* et récitons le kaddish. A la fois glorification du Nom et protestation contre Sa création, ce kaddish résonne encore à mes oreilles. Il disait merci de nous avoir épargnés, mais demandait : « Pourquoi n'en as-Tu pas épargné tant d'autres ? »

Étrange : mes camarades et moi ne « sentons » pas la victoire. Pas d'embrassades joyeuses. Pas de cris ni de chants pour marquer notre bonheur. C'est que ce mot ne signifie rien pour nous. Nous ne sommes pas heureux. Le serons-nous un jour ?

Plus tard, j'entendrai des discours, je lirai des articles célébrant le triomphe que les Alliés avaient remporté contre l'Allemagne hitlérienne. Et nous, les Juifs ? Nuance : Hitler a perdu la guerre, mais nous ne l'avons pas gagnée. Trop de morts nous entourent pour que nous puissions parler de victoire.

Désœuvré, désarçonné, je me joins à un groupe pour aussitôt m'en détacher. Je regarde le ciel, je scrute la terre, je cherche, je cherche, je ne sais pas ce que je cherche. Quelqu'un à qui je pourrais dire : « Hé, viens, regarde-moi : je suis vivant » ? D'ailleurs, encore un mot qui ne signifie pas grand-chose. Être vivant, cela veut dire quoi ? Le saurai-je jamais ?

Je me souviens des soldats américains, de l'horreur qui se lisait sur leurs visages. Je n'oublierai jamais ce sergent noir — était-ce un sergent ? On a dû me le préciser plus tard. Était-il noir ? Je crois me le rappeler. Géant tout en muscles et plein d'humanité, il versait des larmes de colère impuissante, des larmes de honte : il avait honte pour l'espèce humaine dont nous faisions tous partie. Il proférait des malédictions et des injures qui, sur ses lèvres, devenaient des paroles sacrées. Pour lui manifester notre gratitude, nous essayâmes de le porter en triomphe, mais la force nous manquait. Nous étions trop faibles même pour l'applaudir.

Un soldat nous lança des boîtes de conserve. J'en attrapai une. Je l'ouvris. C'était du lard, mais je l'ignorais. Atrocement affamé — depuis le 5 avril je n'avais rien avalé — je contemplai un long moment la boîte et m'apprêtai à en déguster le contenu. Or à peine ma langue toucha-t-elle le lard que je perdis connaissance. Était-ce l'épuisement, ou bien mon corps se révoltait-il contre la nourriture impure ? Mon corps qui, avant moi, prenait conscience de ma liberté retrouvée.

Dans mon lit d'hôpital (l'ancien hôpital SS), je passe quelques jours dans un état de semi-somnolence. Au réveil, je me sens à bout. Je dois faire appel à toutes mes ressources mentales pour dresser le bilan : où suis-je dans le monde et dans ma vie ? Mon père : mort ; je l'ai vu mourir. Ma mère : morte sans doute ; jugée par Mengele pas assez jeune pour travailler. Ma grand-mère : trop vieille. Ma petite sœur : trop petite. Béa et Hilda ? Je les espère vivantes. Mais comment savoir ? Des listes circulent. On me les montre. Angoissé, je les étudie assidûment, les épluche. Rien. On me dit de ne pas perdre courage : d'autres listes sont en train d'être tapées. Elles arrivent, je me jette dessus. Toujours rien. Çà et là, mon regard s'arrête sur un Wiesel, mais pas de Béa ni de Hilda. Des cousins ? Feig, Deutsch, Hollender, Slomowics : Dieu merci, certains noms dansent devant mes yeux. Mais, Dieu du ciel, où sont Béa et Hilda ? Chaque liste creuse en moi un vide plus grand. Libre, je suis plus déprimé, plus dérouté qu'avant.

Remis sur pied, je demande à quitter l'hôpital. Ramené parmi mes camarades, nous tenons réunion sur réunion : que faire maintenant ? Où aller ? On ne va tout de même pas rester indéfiniment...

D'ailleurs, les autorités militaires américaines nous poussent à nous décider. Nous sommes quatre cents adolescents qui ne savent où aller. — Le plus jeune a six ou huit ans : c'est le futur grand rabbin d'Israël, Rabbi Israël Meir Lau. Le futur savant Izso Rosenman est un peu plus âgé. — Rentrer à la maison ? Quelques hommes de Sighet, venus des camps voisins, nous le conseillent. Un ancien commerçant dit : « On va nous recevoir comme des princes. » Un autre ajoute : « Tout nous sera permis. » Un troisième — communiste convaincu — déclare : « Nous représentons une force politique énorme ; utilisons-la pour bâtir une société nouvelle. » Un autre encore : « Rentrons chez nous, ne serait-ce que pour nous venger. » Quelques-uns se laissent convaincre, mais la plupart ne sont pas d'accord. Nous avons peur de revenir à notre point de départ. A quoi bon, si c'est pour retrouver des maisons vides ?

« Bon, disent les officiers américains, vous refusez de retourner chez vous ; ça, on le comprend. Mais où aimeriez-vous aller ?

— En Palestine », répondent quelques-uns.

J'approuve. C'est le seul pays dont le nom résonne en moi.

« Tu y as de la famille ?

— Oui, dit un camarade à la langue bien pendue. Nous en avons.

— Qui est-ce ?

— Josué, dit-il. Amos. Isaïe. Rabbi Yeoshua ben Levi.

— Pas Moïse ? demande l'officier en souriant.

— Non. Moïse n'est jamais entré en Terre sainte », rétorque notre porte-parole.

L'officier secoue la tête tristement : « Et toi non plus... Malheureusement, vous êtes dans la même situation juridique ou politique que Moïse. Les Anglais ne veulent pas de vous en Palestine. »

Mais alors, où irons-nous ? Un autre officier apporte une bonne nouvelle : « La Belgique est prête à vous accueillir. » Bravo, la Belgique. Hourrah ! D'ailleurs, j'y ai de la famille. Des cousins. J'en ai rencontré un à Auschwitz. Et puis, il y a sûrement Shiku et Reizi. Je me souviens d'eux : venant de Kretchenev, ils s'étaient arrêtés chez nous quelques jours, le temps de se procurer documents et billets de train pour Anvers. Shiku avec sa douceur et sa timidité. Reizi et son port de tête altier. Elle était belle, Reizi. Qu'est devenu son époux, Stein, rencontré à Auschwitz peu après notre arrivée ? De temps en temps, nous recevions d'eux des vœux de Rosh-Hashana. Bon, va pour la Belgique.

Si nous y étions finalement allés, peut-être aurais-je alors rencontré une jeune fille séduisante, rayonnante de beauté et d'intelligence, pleine de charme et d'entrain, qui, des années plus tard, deviendra la mère de mon Elisha. Elle appartenait à un mouvement sioniste auquel j'aurais pu adhérer moi aussi. Mais le sort en décida autrement.

Un beau matin, on nous annonce que nous n'irons pas en Belgique. La raison ? Le général Charles de Gaulle, informé de notre drame, nous invite en France. Va pour la France, patrie de Rabbi Yehiel et de Rachi : c'est à peu près tout ce que j'en sais. Certes, j'ai connu des Français à Auschwitz — je me souviens de Louis ou Charles ou André, le merveilleux flûtiste — mais je ne comprenais pas leur langue. Pour bavarder, nous employions le vocabulaire concentrationnaire, mélange de polonais, d'allemand, de yiddish, de russe et d'ukrainien. Vais-je donc devoir apprendre le français ? Bah, chaque chose en son temps.

Auparavant, il s'agit d'apprendre, de réapprendre à vivre.

A vivre loin de mon père. Mon père reste en arrière. Dans le cimetière invisible de Buchenwald. Je regarde le ciel : voilà sa tombe. Chaque fois que je lève les yeux vers le ciel, c'est sa tombe que je vois.

Ne m'abandonne pas, père, alors que c'est moi qui t'abandonne. Désormais, c'est en songe seulement que nous serons ensemble, unis.

Souvent je ferme les yeux, uniquement pour te voir.

Tu t'éloignes ou je m'éloigne, et pourtant. La distance entre nous ne diminue pas.

Je quitte le camp, nous quittons le camp, nous allons vers une nouvelle vie.

Et toi, là-bas, tu n'es qu'une poignée de cendre. Même pas.

LA SOUFFRANCE DE DIEU

COMMENTAIRE

Voici ce que raconte le Midrash :

Quand le Saint, béni soit-Il, viendra libérer les enfants d'Israël de leur exil, ils Lui diront : « Maître de l'univers, c'est Toi qui nous as dispersés parmi les nations en nous chassant de Ta demeure, et maintenant c'est encore Toi qui nous y ramènes ? » Alors, le Saint, béni soit-Il, leur répondra par cette parabole : « Un roi chassa son épouse de son palais et l'y fit revenir le lendemain. Étonnée, la reine lui demanda : " Pourquoi m'as-tu chassée hier si c'était pour me reprendre aujourd'hui ? " " Sache, lui répondit le roi, que je t'ai suivie hors du palais ; je ne pouvais y habiter tout seul. " » Aussi le Saint, béni soit-Il, dit-Il aux enfants d'Israël : « Vous ayant vus quitter Ma demeure, je l'ai quittée aussi pour y revenir avec vous. »

Dieu accompagnant ses enfants en exil : c'est un thème majeur de la pensée midrashique et mystique dans la tradition juive. De même que la solitude d'Israël reflète celle du Seigneur, la souffrance des hommes trouve son prolongement dans celle de leur Créateur. Même imposé par Dieu, le châtiment dépasse ceux qu'il atteint. Il implique le Juge lui-même. Et c'est Dieu qui le veut ainsi. Le père peut se manifester dans sa colère et accentuer sa rigueur, mais il ne sera jamais absent. Présent à la création, Dieu en fait partie. « *Let atar panouï mineï* » est la phrase clé du livre de la Splendeur, le Zohar : nul espace n'est vide de Dieu. Dieu est partout. Il se trouve jusque dans la souffrance et au cœur même du châtiment. La tristesse d'Israël est liée à celle de la *shekhinah* : ensemble ils attendent la délivrance. L'attente de l'un constitue la dimension secrète de l'autre. De même que la détresse de la *shekhinah* semble intolérable aux enfants d'Israël, les tourments d'Israël déchirent le cœur de la *shekhinah*.

Compassion à l'échelle divine ? Il s'agit aussi de solidarité au niveau de Dieu. Ce qui nous arrive Le touche. Ce qui Lui arrive nous concerne. Nous participons à la même aventure et partageons la même quête, souffrons pour les mêmes raisons et conférons la même valeur à notre espérance commune.

Or cette communauté de souffrance présente certaines difficultés. Sa portée est ambivalente. Son but est-il de rendre notre épreuve humaine plus lourde ou moins lourde ? L'idée que Dieu aussi souffre, qu'Il souffre avec nous, donc à cause de nous, nous aide-t-elle à subir notre peine ou, au contraire, ne fait-elle qu'en accroître le poids ? Certes, nous n'avons pas le droit de nous plaindre puisque Dieu aussi connaît la souffrance ; cependant, nous pouvons dire que la souffrance de l'un n'annule pas celle des autres mais s'y ajoute ; toutes deux s'additionnent sans s'équilibrer. Ainsi la souffrance divine serait pour nous non pas consolation mais châtiment supplémentaire. Dès lors, il nous serait permis d'interroger le ciel : « N'avons-nous pas assez de notre chagrin, pourquoi y ajoutes-tu le tien ? »

En vérité, il ne nous appartient nullement de décider pour Dieu. Lui seul est libre de Ses choix concernant Ses mille façons de joindre Ses souffrances aux nôtres. Nous ne pouvons ni les provoquer ni les récuser. Nous ne pouvons qu'essayer de nous en montrer dignes. Sans comprendre ? Oui, sans comprendre. Au niveau de Dieu, tout relève du mystère.

Nous savons que Dieu souffre parce qu'Il consent à nous en informer. Nous connaissons Son comportement d'exilé, parce qu'Il nous en donne une description imagée. Savons-nous quand Sa parole nous pénètre et quand c'est Son silence qui nous fait frémir ? Nous ignorons jusqu'à Son nom. A Moïse qui le Lui demande, Il répond : « *Ehy'eh asher eh'yeh* », je serai celui qui serait, c'est-à-dire : je ne me définis pas dans le présent, mon nom lui-même est une projection dans le futur. « Et ce jour-là, dit le prophète, Dieu sera un et son nom sera un. » Est-ce à dire que, maintenant, en exil, Dieu possède plus d'un nom ? Disons que Son Nom ineffable s'est séparé, dispersé, disséminé en plus d'un lieu, recouvrant plus d'une identité. Mais ce nom ineffable, nous ne le connaissons pas. Il nous échappe. Ce n'est pas le tétragramme, c'est autre chose. C'est le Nom que le grand prêtre prononçait jadis une fois par an, durant l'office de Yom Kippour, dans le saint des saints du Temple, à Jérusalem. Comme le Temple n'existe plus et que ses serviteurs ont été massacrés, Dieu semble avoir repris Son Nom, le faisant échapper à notre perception. Mais alors, comment faisons-nous pour Lui parler? Dieu n'a pas besoin de Nom pour être présent. Il est à la fois dans notre requête et dans son accomplissement. Il est à la fois question et réponse. Pour les mortels que nous sommes, Il est en même temps lien et rupture, douleur et guérison, blessure et paix, prière et pardon. Il est, et cela devrait nous suffire.

Or j'avoue que parfois cela ne me suffit pas. Lorsque je songe aux convulsions qui ont traversé notre siècle, rien ne me suffit. Dans ce contexte-là, la place et le rôle de Dieu m'importent. Comment Dieu a-t-Il fait pour supporter Sa souffrance ajoutée à la nôtre? Faut-il envisager l'une comme ayant été la justification de l'autre? Eh bien, non. Rien ne justifie Auschwitz. Si le Seigneur lui-même m'en fournissait une justification, je pense que je la repousserais. Treblinka a effacé toutes les justifications. Et toutes les réponses.

Le royaume des barbelés demeurera à tout jamais un immense point d'interrogation à l'échelle des hommes et de leur créateur. Face à une somme de souffrances et d'agonies sans précédent, Il aurait dû intervenir ou, du moins, s'exprimer. J'admets volontiers que, mû par Son éternelle compassion, Il se soit laissé envahir par notre douleur qu'Il amplifiait, comme Lui seul est capable de le faire. Mais de quel côté était-Il? De celui des victimes seulement? Ne se veut-Il pas père de tous les hommes? C'est dans ce rôle qu'Il brise notre carapace et nous bouleverse. Comment ne pas plaindre un père qui assiste au massacre de ses enfants par ses autres enfants? Existe-t-il souffrance plus entière, remords plus âpre?

Voilà le dilemme auquel est confronté le croyant en cette fin de siècle : en laissant faire, Dieu signifiait quelque chose aux hommes, et nous ignorons ce que c'était. Qu'Il souffrait? Il aurait pu, Il aurait dû interrompre Sa propre souffrance en mettant un terme au martyre des innocents. Pourquoi ne l'a-t-Il pas fait? Je l'ignore et je pense que je ne le saurai jamais. Sans doute ne tient-Il pas à ce qu'on le découvre.

Mais je me trouve tout aussi ignorant face aux hommes. Je ne comprendrai jamais leur déclin moral, leur chute.

Il fut un temps où tout m'incitait à la colère, et même à la révolte. Contre l'humanité complice. Plus tard, j'éprouvais surtout de la tristesse. Pour les victimes.

Commentant un verset du prophète Jérémie selon lequel Dieu

dit « Je pleurerai en secret », le Midrash remarque qu'il existe un lieu nommé « secret » ; et, lorsque Dieu est triste, Il s'y réfugie pour pleurer.

Pour nous, ce lieu secret se trouve dans la mémoire. Celle-ci possède son propre secret.

Un Midrash raconte : lorsque Dieu voit les souffrances de ses enfants dispersés parmi les nations, Il verse deux larmes dans l'océan ; en tombant, les larmes font un tel bruit qu'on l'entend d'un bout du monde à l'autre.

J'aime relire cette légende. Et je me dis : Dieu a peut-être versé plus de deux larmes pendant la récente tragédie de Son peuple. Mais, lâchement, les hommes ont refusé d'entendre.

Est-ce enfin une réponse ?

Non : c'est une question. Une question de plus.

FORMATION

En voiture, s'il vous plaît. Un train luxueux de deuxième classe — vous vous rendez compte ? finis les wagons à bestiaux — nous est réservé. Nous avons fait à pied le chemin du camp à la gare : une photo sur ma table montre une longue colonne d'enfants et d'adolescents aux visages de vieillards. Je ne me suis pas retourné. Pour voir l'invisible ? Deux aumôniers juifs de l'armée américaine nous accompagnent. Proprement vêtus, munis de copieuses rations militaires, nous quittons la gare de Buchenwald. Plusieurs garçons de Sighet et des environs sont du voyage. L'un d'eux s'installe dans mon compartiment. Il connaît quelques mots de français. Il me rassure : on vit bien en France. Je me demande s'il existe un lieu où l'on meurt bien. Je songe à mon père. Arrivés ensemble, je repars seul. Je serai seul, longtemps.

Voyage agréable, excitant. Combien de temps dure-t-il ? Deux jours ? Trois ? Je ne m'en souviens plus. Trop occupé à absorber ce qui s'offre au regard. Le train s'arrête après la frontière. On nous fait descendre. Un commissaire de police tient un discours dont nous ne saisissons pas un mot. Je vois des bras se lever. Est-ce qu'il réclame des volontaires pour quelque tâche ? Je me tiens tranquille ; au camp, j'ai toujours essayé de passer inaperçu, de me rendre invisible. Alors pourquoi changer maintenant ? Plus tard, on me dira que le commissaire avait invité tous ceux qui voulaient devenir citoyens français à lever le bras. Comme je n'ai pas réagi, on aurait inscrit dans mon dossier : « A refusé la nationalité française. » Conséquence de ma bévue : des déboires et des brimades administratives sans fin chaque fois que je devrai renouveler ma carte de séjour ou mes titres de voyage à la préfecture de Police.

Le train repart, nous applaudissons : nous sommes en France. Paysage différent, plus gai, plus humain. Les paysans portant

137

béret nous font bonne impression. On nous attend à chaque gare, on nous plaint, on nous offre des repas chauds que, redevenus conscients des rites religieux, les pratiquants parmi nous refusent. Mais nous acceptons le pain, le café au lait, les fruits, les biscuits. Mon ami a raison : on vit bien en France.

Les représentants de l'OSE nous accueillent dans un château splendide à Écouis, dans l'Eure. Sourires, promesses, projets. Dans toutes les langues, on nous dit : « Vous allez récupérer ici ; laissez-nous prendre soin de vous, c'est tout ce que nous vous demandons. » On nous fait passer des examens médicaux ; je me déshabille en rougissant devant une femme médecin. On nous loge, on nous habille, on nous offre des repas plantureux. Il fait beau. Merveilleux mois de juin où l'on fête le premier anniversaire du débarquement. Au directeur, que je vais voir timidement dans son bureau, je demande une plume et du papier ; je commence un journal intime : « Après la guerre, par la volonté de Dieu, béni soit Son nom, me voilà en France. Loin. Seul. Ce matin, pour la première fois depuis longtemps, j'ai mis mes propres téphilines. » Le groupe de jeunes croyants auquel j'appartiens réclame de la nourriture kasher. Avec Menashe Klein, fils et petit-fils de rabbins d'Ungvar, nous demandons qu'on nous procure les ouvrages essentiels : Bible, livres de prière, quelques traités du Talmud. Promis. Et une salle d'étude où dire les offices du soir et du matin. Pourquoi pas ? Promis. Le premier service de Minha : tous ensemble, les participants récitent le kaddish à voix haute. Nous le savions déjà, mais ce kaddish commun nous fournit une nouvelle preuve que nous sommes des orphelins.

Combien de temps réciterons-nous cette prière pour les morts ? D'ordinaire, la période de deuil dure un an après la mort d'un des parents. Mais que faire quand on en ignore la date ? Les interprètes de la Loi ne savent comment l'appliquer à notre situation.

Écouis, c'est le début de notre réadaptation à une existence dite normale. Pas toujours commode. Difficile de se défaire de certaines habitudes, de certaines craintes. On n'a pas encore oublié les règles du camp. On ne mange pas tout ce qui est dans l'assiette, on garde quelque chose, on cache un bout de pain ou de gâteau pour plus tard, au cas où... Les moniteurs comprennent et ne comprennent pas, mais ne disent rien. Ils ont confiance, ils ont raison. Au bout de quelques semaines, on ne trouvera plus guère de « réserves » sous les oreillers.

L'ambiance paisible de la Maison y est pour beaucoup. Le soir, on s'assied sur l'herbe et sous les arbres ; on allume des feux de camp ; on se raconte des histoires, on se rappelle des chants. Les sionistes rêvent d'aller en Palestine. Les bundistes — eh oui, il y en a parmi nous — sont contre : socialistes convaincus, ils tiennent à reconstruire une vie culturelle juive en diaspora. Un journaliste yiddish nous explique la situation internationale : l'Allemagne est vaincue, le monde libéré est en fête. Fini, le cauchemar. Une jeune femme brune d'origine alsacienne, fine, gracieuse, au sourire envoûtant, fait partie de l'équipe des moniteurs ; elle s'appelle Niny. Elle comprend notre yiddish et essaie même de le parler. Combien de garçons la voient dans leurs rêves ? Par son éducation, elle se sent proche de notre groupe religieux qui l'adopte aussitôt. Une autre, Rachel Minc, un peu plus âgée, porte sur son visage une tristesse émouvante : l'OSE l'a engagée parce qu'elle est poétesse. Le soir, elle nous déclame des vers et des contes d'Itzhak-Leibush Peretz. C'est elle qui, dans les années cinquante, me fera découvrir Nikos Kazantzakis et le secret qui les liait l'un à l'autre.

Pauvres moniteurs et monitrices. Croient-ils pouvoir nous éduquer, nous qui avons regardé la mort en face ? Nous en savons plus qu'eux et plus que leurs Maîtres sur les mystères de l'existence et de la Création, sur la fragilité de la connaissance et la fin de l'Histoire. Le plus jeune d'entre nous possède une somme d'expériences plus vaste que le plus âgé parmi eux. Comment peuvent-ils comprendre notre besoin de garder quelques restes de gâteau sous nos oreillers ? Et la méfiance que nous inspire n'importe quel inconnu ? La parole qui revient le plus fréquemment sur nos lèvres ? « Vous ne pouvez pas comprendre. » Nous sommes polis avec eux. Aimables. Nous les écoutons, nous leur obéissons, ou faisons semblant, pour ne pas leur faire de peine. C'est tout. Mais imperceptiblement, nous inversons les rôles et devenons leurs moniteurs. Nous feignons la docilité en nous soumettant à leur autorité uniquement parce que la nôtre lui est supérieure. Nous les plaignons. Les pauvres, ils ne savent pas.

Les jours s'écoulent dans un calme bienfaisant. Promenades, bains de soleil, excursions en forêt, leçons de français si l'on est amateur. La première crise est provoquée par l'apparition de Gustav. Rappelez-vous : nous l'avons laissé le 11 avril, à Buchenwald, les poches bourrées de grenades.

La trentaine, élégant, vigoureux, l'air suffisant voire triomphant, ce grand rouquin ravive en nous des souvenirs troubles et troublants. Dans ses Mémoires, Naftali Lau-Lavi racontera que Gustav dirigeait une équipe de justiciers clandestins traquant les collaborateurs qui avaient sévi dans les ghettos polonais : ils les jugeaient et les exécutaient en les étranglant ou en les pendant dans les latrines. Et le bourreau, c'était lui.

Stubendienst dans le block des jeunes au « petit camp » de Buchenwald, il n'était pas particulièrement apprécié de tout le monde. Pour la distribution des rations, il n'hésitait pas à cogner. Et si le prisonnier était hongrois il cognait plus fort. Bref, on disait qu'il favorisait outrageusement ses copains polonais. Le 11 avril, il se pavanait au milieu des libérateurs. Puis il disparut.

Or le voilà à Écouis. Son souhait : rester avec « ses » enfants buchenwaldiens. Comme grand frère. Comme moniteur. Comme porte-parole. Comme n'importe quoi. La direction n'est pas hostile à son projet. Pourquoi ne pas s'attacher quelqu'un qui nous est familier et qui saura nous discipliner sans heurter nos susceptibilités ? D'où sa stupéfaction devant le tollé que provoque sa candidature. Gustav, le surveillant cogneur ? Certains exigent qu'on l'arrête sur-le-champ, qu'on le remette entre les mains de la justice. D'autres, moins nombreux, prennent sa défense : il était brutal, se mettait en colère, cognait parfois, c'est vrai, mais pas plus que nécessaire ; il privilégiait les jeunes Juifs polonais ? Quoi de plus naturel que de s'occuper d'abord des siens ? Un collaborateur, lui ? N'était-il pas membre du mouvement de résistance ? Les deux camps crient, hurlent : la direction, huée, est incapable d'imposer le silence.

Comment calmer les esprits ? Une « guerre civile » paraît imminente. Les moniteurs se réunissent en séance urgente. Leurs diplômes de psychologie ne leur servent à rien. Rachel Minc, sans doute influencée par les théories pédagogiques de Janusz Korczak, avance une proposition originale : que les « enfants » — c'est ainsi qu'ils nous appellent — décident eux-mêmes du sort de Gustav. Autrement dit : il y aura un procès selon les règles. Avec témoins de l'accusation et de la défense. Puis, après délibération, le tribunal tranchera.

Commencé au début de l'après-midi, le « procès » dure jusque tard dans la nuit (avec interruption pour le dîner et l'office de Minha). Orgueilleux, arrogant, Gustav reste assis et répond aux accusations par des haussements d'épaules dédaigneux. Bientôt, le débat porte moins sur les faits que sur les conceptions éthiques : quel est le rôle du Juif en période de persécutions ? Faut-il, pour aider les siens, accepter des responsabilités des mains de l'ennemi ? Où donc se situe la limite que nul ne doit franchir s'il ne veut pas perdre son âme ? Si la sévérité permet d'épargner des vies, et de limiter le pouvoir de la cruauté du meurtrier, a-t-on le droit de refuser l'usage de la force qu'implique toute autorité ?

Oubliée, la colère. Oubliés, les cris : ces « enfants » qui viennent de connaître le mal et le malheur absolus s'expriment sans méchanceté. Aucun désir de vengeance ne les anime. Malgré l'expression hautaine de l'accusé, malgré les souvenirs amers qu'il réveille en eux, ils ne se vengeront pas sur lui.

Finalement, le tribunal opte pour un compromis. Gustav restera libre, mais il quittera Écouis. Même si nous refusons de le punir, nous ne l'estimons pas digne du rôle d'éducateur. Nous le regardons s'éloigner du château. Personne ne parle. Ce que j'éprouve ? Bizarrement, la solitude du bonhomme m'émeut. Et j'en retire un sentiment confus de gêne.

La reprise de mes études me fait du bien. Avec Menashe, l'animateur de notre groupe, et Kalman Kalikstein, garçon fin et brillant d'origine polonaise, je me replonge dans l'étude des ouvrages sacrés. Spontanément, sans même y réfléchir, je retrouve ma ferveur religieuse, moyen de m'aider, peut-être, à fermer la parenthèse sur le passé proche. Surtout, j'ai besoin de comprendre, autant que de me reprendre, de me retrouver, guidé par une certitude : si le monde a changé, l'univers talmudique est resté le même. Les débats entre Shammaï et Hillel, Abbayé et Rava, aucun ennemi ne les fera taire.

Entre deux séances, je joue aux échecs. Parfois on nous observe. Cela ne me dérange pas. Je sais me concentrer, m'abstraire du monde extérieur. Deux étrangers prennent des photos ? Si cela leur fait plaisir... L'un d'eux m'interroge dans un allemand approximatif ; je lui réponds en bon yiddish. Quelqu'un me dit que ce sont des journalistes ; je n'y fais pas attention. Des journalistes, je n'en ai jamais rencontré. Ils ne m'intéressent pas, en quoi pourrais-je les intéresser ?

Quelques jours plus tard, je me trouve dans le bureau du directeur à qui je viens demander si les ouvrages commandés par mon ami Menashe et moi sont arrivés. Il est au téléphone. Je ne comprends pas ce qu'il dit, mais je sais qu'il s'occupe de notre requête. Je le sais parce qu'il mentionne mon nom à plusieurs reprises. J'attends poliment qu'il raccroche, puis je lui pose ma question en mêlant l'allemand au yiddish. Il me regarde sans comprendre : « Je ne sais pas de quoi vous parlez. Qui êtes-vous ? » Je lui dis mon nom. Soudain, son visage s'éclaire : « Ah, c'est vous, Wiesel ? Vous tombez bien, je viens de recevoir un message de votre sœur pour vous. » J'en ai le souffle coupé. « Ma sœur ? m'écrié-je. Mais c'est impossible ! — Si, si, je lui ai parlé tout à l'heure au téléphone... » Me voyant pâlir, il comprend enfin mon trouble, s'empare de l'appareil et appelle frénétiquement toute une série de numéros. Quand il raccroche, il semble désolé : « On me dit que votre sœur a téléphoné d'un bureau de poste. On ne sait pas comment la joindre. » Je me sens défaillir. Ma sœur ? Laquelle ? « Mais elle m'a laissé un message pour vous, reprend le directeur. Elle vous attend demain matin à la gare... » Je passe une nuit blanche. C'est forcément une erreur, me dis-je. A supposer que l'une de mes sœurs ait survécu, qu'est-ce qu'elle viendrait faire à Paris ? A supposer qu'elle y soit arrivée, comment saurait-elle que j'ai survécu, moi ? Et à supposer qu'elle l'ait appris, je me demande bien par qui, comment saurait-elle que je me trouve à Écouis ?

Le lendemain matin, à l'aube, je prends le train pour Paris. Les questions se bousculent dans ma tête : comment vais-je me débrouiller tout seul ? Je ne connais personne et je ne parle pas un mot de français. J'en veux au directeur, j'en veux à l'OSE : on aurait dû me faire accompagner. On n'a pas idée de m'envoyer comme ça à l'aventure. Ma sœur en France ? Hilda à Paris ? Béa à la gare ? Invraisemblable, improbable, impossible. Je vais me retrouver sur le quai, je regarderai autour de moi, puis je reprendrai le prochain train pour Écouis. Heureusement que le directeur m'a donné un peu d'argent.

A l'arrivée, je crois rêver. Ma sœur tombe dans mes bras. C'est Hilda. Elle me présente Freddo. Juif algérien, il a été déporté à Dachau. Ils se sont rencontrés après la libération. Coup de foudre. Comme elle a entendu dire que je n'étais plus en vie, elle l'a suivi en France. Ils vont se marier. Mais comment a-t-elle fait pour me découvrir ? C'est très simple : elle a vu ma photo dans le journal *Défense de la France*, qui s'appellera bientôt *France-Soir*.

Hilda m'emmène chez ses futurs beaux-parents. Famille nombreuse et chaleureuse : j'ai toujours nourri une affection particulière pour les Séfarades et, avec eux, elle va s'approfondir encore. Hilda et moi passons la journée et la nuit à parler de tout, sauf de ce qui nous fait mal. Pourquoi ce besoin de nous censurer ? Nous avons peur de ne pouvoir contenir notre émotion. Mieux vaut parler d'Écouis, de l'OSE, du voyage en train, et ne pas mentionner nos parents ou la petite Tsipouka. J'ai peur d'évoquer Béa. Puisqu'elle n'est pas avec Hilda, c'est que... Non, Dieu merci, ma crainte se dissipe. Béa est en vie. Mais où est-elle ? Là encore, c'est très simple : elle est retournée à Sighet. Mais pourquoi ? Pour voir si par hasard ou par miracle j'aurais quand même survécu...

Hilda s'inquiète de mon avenir : que vais-je devenir ? Elle a une idée. Elle m'emmène au consistoire. Nous sommes reçus par le président Léon Meiss, homme affable et patient. Je ne sais pas ce qu'ils se disent (ils parlent en français : ma sœur l'a appris au lycée) mais, au bout d'une bonne demi-heure, Hilda m'annonce que, si je le souhaite, je pourrai m'inscrire au séminaire et devenir rabbin. Mais, auparavant, je devrai apprendre la langue. Normal. Je réponds que j'ai besoin de temps pour réfléchir. Pourquoi n'ai-je pas accepté aussitôt ? Je n'en sais rien. Je crois que je redoutais de me séparer de mes amis.

Freddo insiste pour que j'aille voir *Le Dictateur* au Gaumont. Là, au moins, mon ignorance de la langue française ne sera pas un handicap.

Dans la salle pleine, des gens rient. Moi, je trouve Charles Chaplin plutôt triste, pathétique. Ses misères et ses malheurs ne me touchent pas. Il est vrai que j'ai du mal à me concentrer. Devant moi, un couple s'embrasse. Lui, c'est un soldat américain. Vêtu en kaki, dans le noir, je passerais aisément pour quelqu'un portant l'uniforme. N'ai-je pas les mêmes droits et les mêmes chances que ce type ? Mais voilà : je n'ai jamais embrassé une femme. Et soudain, j'en ai envie. C'est la première fois que cela m'arrive. Du coup, je ne pense plus au film, je ne pense à rien. Passé, avenir, morale religieuse : dissipés dans une brume, quelque part. Mon corps pense à ma place. Il est attiré vers... Tiens, cette jeune femme qui est assise à ma gauche... Je l'observe

143

furtivement. Le sang me monte à la tête. Je me dis : « Ne fais pas de bêtises ! On n'a pas idée de s'approcher d'une inconnue... Elle est bien capable de te faire payer ton impudence... Une gifle, ça part vite... Et puis, il y a les commandements bibliques ! Tu les as déjà oubliés ? » Oh, je ne fais rien de mal. Après tout, je me contente de penser, d'imaginer. De déplacer timidement ma main vers la sienne. Pendant de longs instants, nos doigts se frôlent, comme par hasard. Quand faut-il insister ? J'insiste et ma voisine ne résiste pas. Malheureusement, le film s'achève. Les lumières s'allument. Tout est fini. J'en veux à Charlot. Il aurait pu attendre cinq minutes.

De longs mois passeront avant que Béa n'apprenne que je suis vivant. Quelqu'un l'a dit à quelqu'un qui l'a entrevue à Sighet. Nous nous donnons rendez-vous à Anvers. Eh oui, j'ai finalement échoué dans cette ville de diamantaires. Je n'y ai pas revu ma glorieuse et rayonnante cousine Reizi, morte en déportation. Mais j'ai retrouvé Shiku : il s'était caché dans une famille chrétienne. C'est chez lui qu'ont lieu les retrouvailles des trois orphelins de Sarah et Shlomo Wiesel.

Shiku ne peut retenir ses larmes.

Nous sommes plus forts.

On interroge les survivants : comment avez-vous fait pour vous réadapter à la vie, à la joie, à l'amour ? En vérité, ce n'était pas si difficile que ça, moins difficile en tout cas que de nous réadapter à la mort.

Parce que nous avons dormi avec les morts, côtoyé la mort pendant toute une vie, pendant toute une série de vies, il nous fallait faire un effort intellectuel et affectif pour voir en elle un arrachement, un malheur, un scandale. Durant notre emprisonnement, c'était un événement banal, attendu, une présence quotidienne, une routine. La norme et non l'exception. Après tout, nous étions là non pour vivre mais pour mourir. Quand on butait sur un cadavre, on continuait son chemin sans même lui accorder un regard. Comme si l'on venait de déplacer une branche desséchée.

Il nous a fallu nous recycler mentalement, nous refaire un système de valeurs, pour comprendre cette loi talmudique empreinte d'un humanisme bouleversant : si le grand prêtre aperçoit un cadavre anonyme, il doit tout laisser et l'enterrer immédiatement, même s'il est en route pour le Temple. Respecter la dignité d'un mort a priorité même sur l'office du jour le plus sacré de l'année.

Un cadavre anonyme ? Dans le camp, nous étions tous des cadavres anonymes en puissance, des cadavres ambulants. Même lorsqu'un ami ou un parent s'éteignait on ne pleurait pas, on ne portait pas le deuil, on ne déchirait pas ses vêtements, on ne mettait pas de la cendre sur son front, on n'affichait pas son chagrin, on ne se sentait pas amoindri. On ne faisait rien, on ne pouvait rien faire pour marquer l'événement.

Comment avons-nous réussi à réapprendre à respecter les morts tout en rejetant la mort ? Voilà une leçon de plus : la nature humaine est ainsi faite qu'on s'habitue plus aisément à la détresse qu'au bonheur.

Je me rappelle un garçon de ma région, très grand et très maigre, qui se croyait déjà mort. Il disait : « Personne n'arrivera à me convaincre que les Allemands aient pu laisser un Juif leur échapper vivant. » Certes, il mangeait et buvait, mais, disait-il encore : « Les morts, là-haut, boivent et mangent peut-être comme nous ici-bas. » Un sourire constant flottait sur ses lèvres. Il était convaincu que, là-haut, les morts lui souriaient. Alors, par politesse, il faisait comme eux.

Dans mon carnet, je lui ai donné un surnom : le mort.

D'où venait sa douceur ?

Les morts seraient-ils tous comme lui ?

Un soir, nous bavardons sous un arbre. Il me fait part de son bonheur. Oui, il a employé le mot bonheur. « Je suis heureux parce que je n'ai plus peur, dit-il. Je n'ai plus peur de mourir. Je n'ai plus peur, car je suis déjà mort. »

A l'heure où je transcris ces lignes, il vit toujours. Il habite Brooklyn avec femme et enfants. Et pourtant, ceux qui le fréquentent pensent qu'il se croit au ciel.

Après quelques semaines passées à Écouis, nous déménageons. Décision de la direction de l'OSE : séparer les quatre cents « enfants » en deux groupes : les religieux (une centaine) et les laïcs. Le premier, auquel j'appartiens, est transféré au château d'Ambloy (Vaucelles).

145

Nous disons adieu aux camarades chanceux qui partent pour la Palestine. Combien sont-ils ? Et qui les a choisis ? Parmi eux se trouvent Naftali Lau-Lavie (futur conseiller de Moshe Dayan) et son frère Israël, âgé de huit ans et surnommé Lolek. C'est le plus jeune buchenwaldien du groupe ; il deviendra grand rabbin d'Israël. Quarante ans plus tard, lors d'une cérémonie de commémoration à Birkenau, il racontera que c'est moi qui lui ai appris à réciter le kaddish par cœur...

Et nous autres, alors ? Je m'étais pourtant inscrit sur la liste, mais allez comprendre la bureaucratie britannique qui contrôlait les « certificats » d'immigration. Les frères Lau avaient de la famille en Palestine, moi je n'en avais pas. Était-ce la raison pour laquelle je n'étais pas sur la liste ? Comment savoir ? Je sais seulement que je n'ai pas quitté la France pour la Terre sainte. Une fois de plus, c'est le hasard qui s'est chargé de mon destin : serais-je devenu écrivain là-bas ? Aurais-je écrit les mêmes récits ?

Bonne nouvelle : Niny nous accompagne à Ambloy où Judith est nommée directrice. Mireille les rejoindra bientôt et toutes trois nous guideront vers l'avenir.

Été inoubliable dans une atmosphère de colonie de vacances. Pas besoin de discipline : nos directrices obtiennent sans difficulté que les « enfants » respectent la communauté et soient attentifs au bien-être de chacun. Des grands mots ? Ils sont pris au sérieux. Une vie normale est ainsi inaugurée. Plusieurs *minyanim* se réunissent le matin, des cercles d'étude et de sport sont constitués. Un groupe d'intellectuels juifs religieux, Yeshurun, vient souvent passer le Shabbat avec nous. J'assiste aux réunions, sans doute trop savantes, avec un sentiment d'exclusion : je ne comprends pas leur français. Parmi eux, Marc Breuer, fils et petit-fils de rabbins ; Théo Dreyfus, auteur d'un ouvrage sur le Maharal de Prague, deviendra directeur de l'école Maïmonide avant d'émigrer en Palestine ; Benno Gross, autre élève d'André Neher, enseignera à l'université Bar-Ilan et Lucien Lazare écrira des ouvrages importants sur la Résistance juive et les Justes non juifs en France.

Le soir, on allume ici aussi des feux de camp. Le romantique en moi les aime. Ils me ramènent à Fontana, ce village au cœur de la montagne, près de Borshe, où nous passions nos vacances autrefois, avant... Le crépitement des bûches, le jaillissement des étincelles, les chants graves et nostalgiques : on se sent proches les

uns des autres. Ambiance d'intimité bienfaisante. Accord total
entre le silence et la voix, la présence des vivants et celle des morts,
la mémoire et ce qu'elle abrite. Trop proches, les ombres ? Elles ne
sont pas menaçantes. Trop hautes, les étoiles ? Froide, leur
lumière ? Tant que les flammes portent vers le ciel nos chants et
nos vœux, rien ne nous effraie.

Peu à peu, des clans se forment. Je passe beaucoup de temps
avec Nicolas : sa mère, cuisinière en chef, est d'origine transylvanienne. Je retrouve Kalman et Binem pour travailler avec
Menashe, le meilleur talmudiste du château. Nicolas est poète.
Binem chante bien. Kalman me surprend par la rigueur de sa
logique : un vrai scientifique.

Niny ne le sait pas, mais Kalman et moi composons à sa gloire
des poèmes enflammés et médiocres en yiddish. Innocents ? Oui.
Platoniques ? Oui encore. Et pourtant, l'attirance que nous avons
ressentie pour elle me paraît aujourd'hui bien compréhensible :
vivant entre garçons, comment n'aurions-nous pas été subjugués
par la présence de Niny, si féminine, si affectueuse ? Dès que je
l'apercevais, mon cœur se mettait à battre violemment.

Judith et Mireille sont fiancées, donc intouchables. Niny est
seule, donc théoriquement approchable, « aimable ». Kalman
l'aime, moi je l'aime, en fait, tous les « enfants » l'aiment, mais
aucun n'ose l'avouer. Sincèrement attachés à la pratique religieuse,
nous redoutons l'engrenage du péché : qu'est-ce que la sensualité
sinon une invitation à la volupté, et qu'est-ce que la volupté sinon
la voie ouverte à l'interdit et au châtiment ?

Niny décide qu'il serait instructif et intéressant de nous faire
rencontrer des « enfants » français (fils et filles de déportés)
hébergés par l'OSE dans ses autres centres d'accueil. Elle nous
invite, Kalman et moi (et un troisième garçon, Moshe Kunitz,
originaire d'un village voisin de Sighet) à passer quelques jours
avec elle aux environs de Lyon, dans une maison de l'OSE, « Les
hirondelles ». Là, on me présente à André Neher (dont la sœur,
Aya Samuel, dirige la maison). Il me frappe immédiatement par sa
chaleur humaine, sa délicatesse et la profondeur de ses connaissances. Nous conversons en hébreu. Il cite le Midrash et Maïmonide, moi je ne cite personne, je l'écoute. Il m'impressionne par la
clarté de ses idées. Le Shabbat matin, après l'office, j'assiste à sa
conférence intitulée « Transcendance et immanence »; je n'en
saisis pas un mot, mais j'écoute. Généreux, André Neher m'expli-

que ses propos l'après-midi pendant une promenade dans le jardin. C'est un peu grâce à lui que je me tournerai vers la philosophie, lui qui restera pour moi une source de lumière et de ferveur bénies. Il me fera rencontrer sa future épouse, Renée, dont le charme et la grâce égalent l'érudition et les dons d'historienne. Notre amitié ne sera interrompue que par sa mort prématurée, en 1988, à Jérusalem.

Je fais la connaissance de Régine : brune, discrète, sentimentale. Elle joue du piano. C'est la première fois que j'entends un morceau de Schumann. Lui apprendre un air hassidique ? Elle préfère la compagnie de Kalman. Ainsi va la vie.

Lors d'un office du soir, on m'indique un bonhomme bizarre. Vêtu comme un vagabond, un chapeau minuscule sur sa tête immense, il se tient dans un coin, perdu dans ses réflexions. Quelqu'un me dit qu'il s'appelle Shoushani et que c'est un génie. Un autre rectifie : « C'est un fou. » Un troisième synthétise : « C'est un fou génial. » Il se trouve que les génies me font peur et que les fous m'attirent. L'aborder ? Dans quelle langue ? En allemand ? En hébreu peut-être ? Le temps de tergiverser, il a disparu. Tant pis, je le retrouverai un jour sur ma route. Je rentre à Ambloy et je me sens plus proche de Kalman. De Niny aussi.

La direction organise des cours de français ; je les néglige. A quoi bon ? J'ai mieux à faire qu'apprendre la conjugaison des verbes irréguliers et la concordance des temps. Des cours de dessin ? Comparé au Midrash, la perspective ne présente aucun intérêt pour moi. Je me procure des ouvrages hassidiques, des traités de mysticisme. Je suis déterminé à poursuivre la quête que les Allemands ont interrompue. A mes yeux, elle est plus importante, plus excitante que tout ce qui se passe dans le monde. De toute façon, les événements que nous vivons ici-bas ne sont-ils pas la conséquence de ce qui est décidé là-haut ? La défaite électorale de Churchill, les débats politiques sur la souveraineté de la Constituante, les querelles entre socialistes et communistes, le départ de De Gaulle, la charte des Nations unies signée à San Francisco, l'occupation quadripartite de l'Allemagne, la confé-rence qui réunit Truman, Churchill (puis Attlee) et Staline à Potsdam, Hiroshima et Nagasaki, la capitulation du Japon : l'Histoire se précipite au secours du Bien, de même qu'elle a basculé naguère dans le Mal. Mais c'est Dieu qui gouverne les actions des hommes, et si nous ne Le comprenons pas, c'est que nous sommes peut-être trop myopes pour voir ce que nos ancêtres auraient tout de suite remarqué. En ce qui me concerne, Ambloy est un monde refermé sur lui-même. Le reste ne me touche pas. Ailleurs, c'est loin, c'est inaccessible, irréel.

Au château, comme dans toutes les maisons d'enfants, on chante beaucoup. Chants sionistes, mélodies religieuses. A Ambloy, c'est le chant hassidique qui domine.

Avec le temps, nos éducateurs essaieront tout de même de nous intéresser à l'actualité. Avant la guerre, seules mes études religieuses m'importaient ; maintenant tout me concerne. Le procès de Nuremberg ou la philosophie de la justice : peut-on édicter des lois dont les effets seraient rétroactifs ? Le rideau de fer dont Winston Churchill a parlé dans une petite université de Fulton, dans l'État du Missouri : doit-il nous faire craindre nos alliés d'hier ? Le terrorisme juif et l'immigration clandestine en Palestine : la Torah permet-elle d'estimer que la fin justifie les moyens ? Je suis pour la Résistance juive, mais j'abhorre l'effusion du sang. Alors ? Comment faire pour bien faire ? On nous raconte les actes de sabotage commis par l'Irgoun et le groupe Stern. L'attentat contre le quartier général de l'armée britannique installé dans l'hôtel King-David à Jérusalem : beaucoup de tués, un grand nombre de blessés. C'est grave, injuste ? Mais plusieurs coups de téléphone de l'Irgoun auraient averti les Anglais, un journal local et un consulat étranger qu'une bombe allait exploser incessamment dans l'hôtel. Pourquoi le commandement n'a-t-il pas ordonné l'évacuation immédiate ? Arrogance britannique d'un côté, humanisme juif de l'autre ? Nous en discutons longuement. Y a-t-il déjà eu une Résistance qui aurait agi de la même manière ? Nouveaux débats : peut-on parler d'une morale spécifiquement juive ? Pour nous distraire, on nous raconte aussi que, dans la presse française et mondiale, on parle beaucoup d'un phénomène nouveau nommé « bikini ». Phénomène qui, curieusement, relève non de la géographie mais de la mode.

C'est à Ambloy que nous célébrons les premières Grandes Fêtes depuis la libération. Pour le service de Yizkor, consacré à la mémoire des disparus, les écluses s'ouvrent enfin. Toute l'assemblée pleure. Larmes de soumission à Dieu, larmes de contrition, de remords et d'incompréhension, larmes de désespoir. Le dernier office auquel nous avions assisté, c'était où et quand ? Avec mon grand-père, chez le Rabbi de Borshe à Sighet. Avec mon père, sur la place d'appel à Buna. Tout cela est désormais si loin : le temps ne se mesure plus en années, pas même en années-lumière. C'était ailleurs, dans un autre univers et une autre histoire.

Les prières graves et si solennelles, je les récite avec plus de *kavanah* qu'avant. Je n'ai jamais prié avec autant d'intensité. Je vois mon père, et je prie pour lui. Je vois mon grand-père, et je pleure pour lui. Je vois l'enfant que je fus, et je me cache devant lui.

Les questions concernant la justice et la charité divines, je les sens peser en moi, mais elles n'ont pas encore pris forme. J'agis comme si ma foi en Dieu, en Ses lois et Ses attributs était demeurée entière, intacte. Renforcée ? Pourquoi pas. Comme si mon rapport à Dieu était sans tache et sans fêlure.

Aujourd'hui, je songe à Ambloy avec tendresse et mélancolie. D'autant que notre séjour là-bas fut court. L'OSE nous transfère à Taverny, dans la banlieue parisienne. Je suis content : je reverrai Hilda plus souvent.

Sans doute pour nous rassurer, Niny, Judith et Mireille viennent avec nous mais elles nous expliquent que, les mois passant, il faut penser à l'avenir. Aux « enfants » de choisir : ils peuvent partir en Palestine (même illégalement), émigrer en Amérique (ou au Canada, en Colombie, en Australie, s'ils y ont de la famille) ou rester en France mais, dans ce cas, ils feraient bien d'apprendre un métier ou de suivre des cours spéciaux avant de s'inscrire au lycée Maïmonide à Boulogne. Beaucoup choisissent la Palestine ; certains réussissent à dénicher un oncle à Baltimore, une cousine à Melbourne, une tante à Johannesburg. Kalman et moi décidons de rester — pour l'instant. « Parfait, nous dit la direction, mais à présent il est impératif que vous appreniez le français. » Va pour le français. J'aime la langue, je la trouve musicale, mais la concordance des temps m'agace prodigieusement.

Heureusement, l'OSE s'arrange en 1947 pour que François Wahl me donne des cours particuliers. Grand, élancé, les traits fins, un peu désœuvré, la tête toujours inclinée, il jouera un rôle dans ma vie. Excellent professeur, intuitif autant qu'érudit, doté d'une imagination effervescente, il m'initie à ce que les enseignants français aiment le plus : l'explication de texte. Grâce à lui, j'apprends à savourer la puissance suggestive du vers racinien et les subtilités de la pensée chez Pascal. Il m'emmène à la Comédie-Française, aux concerts, me fait découvrir le Quartier latin. Ma passion pour la littérature classique et la culture française, c'est à lui que je la dois.

Au début, pourtant, les choses ne sont pas simples. Les états d'âme de Phèdre, eh bien je pourrais très bien vivre toute ma vie sans m'en émouvoir, et sûrement sans les analyser point par point pendant des heures interminables. Pareil pour le Cid et Monsieur Jourdain. Quant au personnage d'Esther, malgré tout le respect que je lui dois, je préfère l'original. Mais François n'est pas prêt à renoncer. La beauté d'un texte est pour lui intemporelle : lui tourner le dos, c'est tourner le dos à la source d'eaux vives. Je lui dis : « Vous vous exprimez comme un hassid. » Il veut savoir ce que c'est. Je le lui explique. Désormais nous parlerons aussi de la réalité juive.

A l'époque, j'ignore que le père de François Wahl a été déporté à Auschwitz ; j'ignore qu'il n'en est pas revenu. Des années plus tard, il me dira : « A Versailles, je ne savais rien de toi. Tu ne parlais jamais de là-bas. » De deux ans mon aîné, il me semblait beaucoup plus âgé. Me voyais-je comme son élève seulement ? Comment nommer le lien qui nous unissait ? Je l'ignorais. Je savais seulement que ce lien était profond et vrai.

Nos leçons ont lieu chez sa mère, avec qui il habite. Elle est médecin. Je la revois : distinguée, d'une beauté sobre, rayonnante de grâce.

Un jour, sans préambule, sans même savoir pourquoi, il lui demande : « Comment expliques-tu que les sujets juifs m'intéressent tant ? » J'ignore ce qu'elle a pu lui répondre, mais je sais que cette réponse pèsera sur son avenir. En 1947, alors que la guerre clandestine embrase la Palestine, il adhère à un mouvement juif de résistance où, me semble-t-il, ses fonctions seront secrètes mais importantes. Nos routes se séparent aux environs de 1948. Elles se croiseront à nouveau plus tard, beaucoup plus tard.

C'est en 1947 que Shoushani réapparaît dans ma vie. Pendant deux ou trois ans, il m'enseignera sans relâche la perplexité et l'angoisse, et je crois n'avoir jamais oublié ses leçons. A ses côtés, j'appris beaucoup sur les limites du langage et de la raison, sur les emportements du sage, du fou aussi, sur le cheminement obscur et persistant d'une pensée à travers les siècles et les cultures, mais rien sur le secret qui l'entourait.

Je me souviens de notre rencontre décisive : c'est un vendredi, dans le train qui me ramène à Taverny. Je rentre de chez François. Un peu étourdi par les échos du conflit qui oppose Racine à Corneille, et les deux classiques au bon père Hugo, je me plonge dans le Livre de Job. Pourquoi Job ? Parce que le lendemain, entre l'office et le repas, je suis censé parler des problèmes qu'il soulève.

C'est la coutume. Toutes les semaines, quelqu'un fait un exposé sur un sujet de son choix, mais de préférence biblique. Ma toute première communication avait pour titre : « Le ghetto : expérience salutaire ou néfaste pour le peuple juif ? » Kalman et moi nous étions partagé la tâche : je fis l'exposé et Kalman répondit aux questions. Niny et André (l'un de nos meilleurs moniteurs, ami d'un grand responsable de l'OSE, Bo Cohen) m'aidèrent à préparer le « plan ». Quant aux sources, je savais où les consulter. Le ghetto, je connaissais. Cette fois-ci, pour Job, je n'ai pas eu le temps d'écrire un texte. Tant pis, je lirai des passages du Livre en les commentant ligne à ligne. D'ailleurs, je connais le sujet ; je crois le posséder à fond. Tout à coup, je relève la tête : quelqu'un m'interpelle. En yiddish. Voix rauque, désagréable. C'est le bonhomme que j'ai entrevu chez Aya Samuel, à Lyon. Débraillé, pas trop propre, avec son petit chapeau ridicule et ses lunettes poussiéreuses, il ne manque pas d'attirer l'attention. Mais il ne voit pas les gens qui ricanent, il ne voit que moi. « Viens, me lance-t-il, il y a une place ici. » Comme je ne bronche pas, c'est lui qui vient s'asseoir à côté de moi. Il me parle comme à une vieille connaissance. « Que lis-tu ? » Sans attendre ma réponse, il s'empare de mon livre, en examine la page de garde, le feuillette et me le rend avec cette appréciation lapidaire : « La seule chose valable ici, c'est un commentaire original du cinquième verset du cinquième chapitre. » Et puis, il veut savoir pourquoi je me promène avec Job. Je bredouille : « Je dois... je dois en parler demain.

— Ah bon, tu enseignes Job, toi ?

— Non, dis-je, la tête basse. Je dois en parler un peu demain, c'est tout. »

Sarcastique, le bonhomme me demande si je connais le sujet. Non, je ne le connais pas vraiment. « Mais tu l'as bien étudié ? » Bien ? Non, sûrement pas assez bien. « Autrement dit, tu vas enseigner sans avoir étudié ? » Je me tais. « Tu imagines sans doute que tu en sais assez pour impressionner ton public, c'est ça ? Ou, du moins, pour avoir le droit d'en parler, c'est ça ? » Comme je n'ai toujours rien à répondre, je reste muet. Il insiste et, acculé, je balbutie quelques mots sur la valeur du dialogue, le silence, le thème de l'amitié, le pouvoir de Satan. Bref, je vais au bout de mon savoir. Là-dessus, il me met sur la sellette et me démontre que, le merveilleux Livre de Job, je n'y comprends rien. En fait, je ne saurais même pas traduire proprement, intelligemment, le premier verset. Et si jamais j'ai eu l'arrogance de croire que c'est le seul sujet que je ne connais pas, je me trompe lourdement ; il me le prouve en me faisant subir un véritable examen semé de pièges et de colles. En vérité, je suis un ignorant insolent de la pire espèce. « Et, conclut Shoushani, tu as la *houtzpa*, l'arrogance, de discourir sur Job en public ? » Bon, je me le tiens pour dit. Humilié, laminé, j'ai hâte que cette épreuve prenne fin. La lenteur du train de banlieue m'exaspère. Heureusement, nous arrivons à Taverny et je n'aurai plus à supporter ses sarcasmes. Je me lève, lui serre la main et lui souhaite un bon Shabbat. « Mais que dis-tu là ? On ne se quitte pas encore. Je viens avec toi. »

Ce Shabbat, il reste dans mon souvenir comme un châtiment : personne n'avait invité Shoushani, et je me demande s'il ne nous a pas imposé sa présence dans le seul but de gâcher ma conférence.

Telle était sa méthode : il aimait démolir avant de rebâtir, abaisser avant de récompenser.

C'est en tremblant que j'entame mon exposé. « *Ish haya beeretz Outz...* » Un homme vécut dans le pays d'Outz... Un honorable père de famille. Charitable, généreux. Presque un Juste. Or voilà que Satan en devient jaloux... Injustice suprême : Job souffre sans avoir péché, et Dieu participe à ce jeu... Job : exemple vivant du problème de la théodicée... Mes camarades ne font pas attention au vieux vagabond qui a assisté aux repas mais pas aux offices. Tapi dans un coin, il semble somnoler. Va-t-il m'interrompre ? Charitable, il me laisse aller jusqu'au bout. Vient la discussion. Il s'abstient d'intervenir, mais un sourire ironique flotte sur ses lèvres.

C'est lors du troisième repas, en fin d'après-midi, à l'approche du crépuscule, que la foudre s'abat sur l'assemblée. Dans le silence qui s'établit entre deux chants, il se met à parler des prières composées en l'honneur des dernières heures du Shabbat. Sa voix est enrouée mais elle force l'attention. Qu'est-ce que c'est, le Shabbat ? Et qui est la reine qui porte son nom ? Sur qui règne-t-elle et de quels pouvoirs est-elle investie ? Shoushani jongle avec des citations diverses, puisées dans la poésie lyrique médiévale et dans les sources mystiques de Safed, pour nous en fournir un dessin délicat et réaliste : du coup, nous imaginons la reine, nous percevons sa présence, nous nous enivrons de sa grâce, nous devenons ses chevaliers servants.

Le soir est depuis longtemps tombé, on pourrait dire la prière de Maariv, faire la Havdalah et allumer les lampes, mais nul n'y songe : tant que l'orateur parle, nous vivons à l'heure du paradis.

Finalement, c'est lui-même qui rompt le charme. Il pose ses mains sur la table, s'y appuie pour se lever et émet un petit bruit, comme pour dire : « Et voilà. » Alors, nous redescendons sur terre. Une nouvelle semaine commence.

Dimanche, il nous fait un « vrai » cours. Sur Job, naturellement. Pour le « réhabiliter », explique-t-il. Exposé éblouissant, stimulant, provocant, enrichissant : je n'en ai jamais entendu de pareil. Job et Abraham, Job et le prophète Élie, Job et Biléam. Le langage de Job, la philosophie de Job. L'attitude juive envers la souffrance et l'injustice. Les commentaires de Rabbi Yohanan et ceux de Resh-Lakish. Vérité et mythe. Les possibilités du Midrash mais aussi ses limites... Bien sûr, on me regarde presque autant que lui, comme pour me narguer : voilà comment on analyse Job. J'ai honte. J'ai perdu la face. Je voudrais m'enfuir. Mais je reste. Après le cours, je file vers la sortie ; il me rattrape. « Maintenant, au moins, tu pourras parler de Job un peu plus intelligemment. » Je fais un mouvement pour le quitter, mais il me prend le bras et me dit : « Avoue que tu n'as encore rien appris. » Et je m'entends lui répondre : « Aidez-moi à apprendre. » Il me jette une nouvelle méchanceté et s'en va. Ce jeu durera plusieurs jours.

Mais je ne me laisse pas abattre. Je devine, je sens en lui une telle force intellectuelle, un tel fonds de savoir, que plus il me repousse, plus je le poursuis. Déjà je lui appartiens. Je lui confie ma raison, ma volonté. Sa parole abolit les distances, les obstacles. On dirait qu'il explique au Créateur Lui-même les triomphes et les défaites de Sa création. Il dérange ? J'ai besoin qu'on me dérange. Il secoue la paix intérieure ? Je veux qu'on me la secoue. Il renverse les certitudes ? Tant mieux, elles commencent à me peser : l'homme se définit par ce qui l'inquiète, non par ce qui le rassure. J'ai besoin qu'on me force à tout reprendre de zéro.

En lui j'ai trouvé un Maître. J'apprendrai plus tard qu'il donnait également des cours à Emmanuel Levinas, et que des professeurs renommés étaient ses disciples, certains lui versant des honoraires fabuleux. Que fait-il de tout cet argent ?

Mystérieux Shoushani. D'où vient-il ? Marx dit que la philosophie n'a pas d'histoire, mais qu'en est-il du philosophe ? En ce qui concerne Shoushani, lui non plus n'en a pas. Ou plutôt, il en a une, et elle est sans doute fascinante, mais il la veut secrète.

Personne ne connaissait son vrai nom ni son âge, ni son origine. De quelle famille était-il issu ? Que cherchait-il à atteindre, à oublier ? Avait-il connu, à un moment quelconque de son existence, femme, bonheur, combat ? Il ne parlait de lui-même que pour brouiller les pistes. D'où lui vient son immense savoir ? Qui l'a couronné Rabbi ? Toutes ces langues, anciennes et modernes, où les a-t-il apprises ? Où, et dans quel but, a-t-il étudié le sanskrit ? En deux semaines, pour me surprendre, il maîtrisa le hongrois. Le Talmud de Babylone et celui de Jérusalem, il les connaissait par cœur. Et Maïmonide. Et Nahmanide. Et Crescas. Et Yehuda Halévy. Et les poèmes d'Ibn Gabirol. Et les Grecs. Et les Latins. Un Shabbat après-midi, à Taverny, il nous donna une leçon sur le seul premier verset du livre d'Isaïe : « *Khazon Yeshayahu ben Amotz...* Voici la vision qu'Isaïe, fils d'Amos, eut sur la Judée et sur Jérusalem, au temps d'Ozias, Joatham, Achab et Ézéchias, rois de Judée... » Elle dura quatre heures. Chaque mot constituait un cours en soi. *Khazon* signifie vision, mais est-ce une image ou une parole ? Reçues de l'extérieur ou de l'intérieur ? A l'état de veille ou en songe ? Quel est leur rapport avec la piété individuelle et la société organisée ? Quelle est la différence entre prophétie et vision, entre vision et hallucination ? Fallait-il être juif pour avoir des visions ? Et Biléam dans la Bible ? Et l'oracle de Delphes ? Ensuite : Isaïe. Qui était-il ? Pourquoi l'appelle-t-on prince des prophètes ? Que reprochait-il à son peuple ? Pourquoi était-il si sévère envers lui ? Si on le comparait à Jérémie, par exemple, lequel des deux nous toucherait davantage ? Comment définir son rapport à la langue ? Et à la prophétie ? D'autres prophètes, comme Moïse lui-même, et Jonas, n'ont-ils pas essayé de se dérober à leur obligation prophétique ? En général, un prophète a-t-il le droit de refuser son rôle et sa mission ? Ne dit-on pas dans la Halakha qu'un prophète qui refuse sa mission prophétique mérite la mort ? Est-ce pour cela qu'il mourut d'une mort non naturelle, son corps scié en deux par le roi Manassé ? Pourquoi tous les prophètes ont-ils connu une mort tragique ? Sans jamais s'écarter du verset, il nous transportait à une vitesse folle, vertigineuse, vers d'autres domaines, d'autres horizons qui s'ouvraient devant lui, devant nous, nous laissant à bout de souffle, oscillant entre le sommet et le gouffre de la connaissance, l'un aussi inquiétant que l'autre.

Un jour, il nous demanda de lui poser des questions, n'importe lesquelles. Sur la Bible ou la politique, l'Histoire ou le Midrash, la politique et le roman policier, le Zohar ou les sciences. Paupières baissées, il écouta, attendant que chacun soit intervenu. Ensuite, comme un magicien, il réunit toutes nos questions pour construire une mosaïque étonnante de richesse et de rigueur, questions et réponses se succédant harmonieusement. Soudain, chacun de nous réalisa que tous ces thèmes, énoncés au hasard, pêle-mêle, comme pour nous divertir ou le mettre à l'épreuve, étaient en réalité reliés à un centre, à un même foyer de clarté. Oui, le geste meurtrier de Caïn contient celui de Titus. Oui, le combat de Jacob avec l'ange prédit l'aventure du peuple juif défiant son destin.

Au loin, le clocher du village avait depuis longtemps sonné minuit, mais l'orateur, inlassable, inépuisable, parlait toujours, donnant à son verbe mille éclats et à sa pensée autant d'ombres, et notre commune prière était que sa voix, pourtant éraillée, monotone, ne s'arrêtât jamais.

Les sceptiques, ses détracteurs, prétendaient voir en lui un Faust contemporain. Aurait-il vendu son âme à un quelconque Satan en échange d'une connaissance sans limites ? Hypothèse osée, je la récuse. J'ignore s'il était un saint déguisé, ou un kabbaliste parcourant la terre pour ramasser les « étincelles divines » afin de les restituer à la flamme originelle, ou encore l'éternel vagabond, l'étranger intemporel qui incarne le doute et la menace, mais je suis certain qu'il n'appartenait pas aux puissances de « l'autre côté », celui des ténèbres.

Un jour, ne pouvant résister à ma curiosité, je commis l'imprudence de violer son sanctuaire ; je lui posai la question qui revenait jusque dans mes rêves : « Qui êtes-vous ? Qui êtes-vous vraiment ? J'aurai peut-être des enfants, j'aimerais pouvoir leur parler de vous plus tard. » Il se figea. Son souffle se fit bruyant, son visage revêtit une mine cruelle. Puis il laissa éclater sa fureur : « Et qui te dit qu'il y aura un plus tard ? » Par bonheur, ses colères tombaient vite.

Dans mes recueils, je reviens plusieurs fois sur la personnalité de

Shoushani. Et chaque fois que je le mentionne des lecteurs m'écrivent pour ajouter un détail sur sa vie, sur son mystère, ou sur autre chose : un jeune rabbin dans le Connecticut, un commerçant parisien (à qui Shoushani donnait des conseils financiers), la mère d'une reine de beauté juive, d'origine hongroise, qui adorait l'écouter. Où donc ? A Taverny. Elle y avait vécu avec son frère. A San Francisco ou à Montréal, à Caracas ou à Marseille, je dis Shoushani et sur le visage d'un auditeur un sourire apparaît ; et je sais que je viens de rallumer une étincelle.

A Oslo, Haïm-Hersh Kahan, mon camarade d'enfance : « J'assistais à ses cours dans une synagogue proche de la rue des Rosiers... Tout ce que j'avais appris auparavant n'était rien en comparaison... »

Le dernier en date est un savant nucléaire, Jacques Goldberg, qui me fait part d'un *khidoush*, d'une trouvaille en matière d'exégèse biblique qu'il attribue à Shoushani.

Étant nul en physique, nucléaire ou autre, je ne prétends pas comprendre les implications de sa communication. D'ailleurs, il m'arrivait souvent, plus que souvent, de ne pas comprendre les propos de Shoushani lui-même. Il voulait rester incompris.

Menashe assistait parfois à ses cours et finit par y renoncer en me déclarant : « Fais attention ; cet homme veut ébranler notre foi. J'ai peur de lui. » Il émigra aux États-Unis, s'installa à Brooklyn où il devint *rosh-yeshiva* et l'un des grands décisionnaires de sa génération. Moi, je restai auprès de Shoushani : je n'avais pas peur. Des années plus tard, je rendis visite à Harav Menashe Klein dans sa *yeshiva* : on aurait dit un octogénaire, alors qu'il n'avait que quatre ans de plus que moi. Ce qui ne nous empêcha pas de renouer nos liens d'amitié. Chaque fois que je le vois, je me dis secrètement que, si j'avais moi aussi quitté Shoushani, peut-être serais-je maintenant *rosh-yeshiva* comme Menashe.

Mais je ne pouvais ni ne voulais me détacher de Shoushani. C'est un de ces hommes qui vous accompagnent, vous troublent et vous habitent longtemps après vous avoir quitté. Peu de personnages m'ont tant dérouté et fasciné. Évidemment, dans son rôle d'enseignant, de Maître, il tenait à transmettre et à partager mais, aujourd'hui encore, j'ignore quoi. Ses certitudes ? En avait-il seulement ? Ses doutes peut-être ? Il se servait de sa science pour déranger, perturber, obscurcir les points de repère. Que reprochait-il à l'homme ? Qu'exigeait-il de la pensée et de l'histoire

157

juives ou du destin de l'homme ? Sur ses lèvres, oui et non se valaient. Ses théories, ses systèmes, il les construisait et les démolissait d'un même mouvement, en utilisant les mêmes moyens. Subjugué, l'élève se sentait constamment au seuil d'une aventure qui pouvait le conduire aussi bien dans un gouffre que sur les cimes. Il était la contradiction faite homme, avec ses attraits et ses dangers. Comment expliquer sa pauvreté apparente, alors que dans sa valise (que, par hasard, j'ai entrevue ouverte) il conservait une quantité de bijoux et de devises étrangères ? Comment comprendre son goût du vagabondage ? Était-il un de ces Maîtres hassidiques qui devaient errer en exil avant de se révéler ? Un de ces trente-six Justes cachés grâce à qui le monde subsiste en tant que monde ? Il n'existe pas de pays qu'il n'ait visité. On l'a vu à Alger, entendu à Casablanca, aperçu au Népal. Tel le *na-venadnik* de la légende, il ne dormait jamais deux nuits au même endroit. Était-il végétarien ? Il refusait de prendre ses repas en public. D'où tirait-il sa force ? Il lui arrivait de parler pendant huit heures d'affilée sans trahir la moindre fatigue physique ou intellectuelle. Hercule, Shoushani ? Aventurier hors pair ? Mystificateur aimant choquer ?

Pendant l'Occupation, il est arrêté par un officier de la Gestapo. Dans un allemand parfait, il déclare être alsacien, aryen, et universitaire. Mais son allure de clochard fait s'esclaffer l'officier : « Un professeur d'université, toi ?

— Oui, moi.

— Et qu'enseignes-tu ?

— Les mathématiques supérieures.

— Pas de chance, petit youpin. Il se trouve que, dans le civil, je suis moi-même professeur de mathématiques supérieures. »

Shoushani ne se démonte pas : « Vous pourriez naturellement tester mes connaissances, mais j'ai une meilleure idée : c'est moi qui vais vous proposer un problème ; si vous en trouvez la solution, fusillez-moi. Si elle vous échappe, vous me laissez partir. »

Libéré, Shoushani passe en Suisse où le grand rabbin devient l'un de ses admirateurs les plus dévoués.

Plus tard, apprenant l'arrivée du Rabbi de Satmàr à Paris, il décida d'aller le voir à son hôtel. Le couloir était envahi par les visiteurs qui voulaient présenter leurs requêtes au *Tzaddik*. Avant de pénétrer dans le salon où il trônait, tous faisaient la queue pour remettre au secrétaire le *pidyon* traditionnel, un billet de banque.

Tous, sauf Shoushani. Arrachant une feuille de son carnet, il griffonna quelques mots et dit au secrétaire : « Je t'ordonne de remettre ce message au Rabbi ; sinon, je ne garantis rien. » Terrorisé, le secrétaire obéit. Là-dessus, la porte s'ouvrit et le Rabbi lui-même vint chercher le visiteur vêtu en clochard. Ils restèrent quelques heures en tête à tête et jamais le contenu de leur entretien ne fut divulgué. Mais on entendit le Rabbi murmurer : « Je conçois qu'un être humain puisse connaître tant de choses, mais comment faites-vous pour les comprendre ? »

Pourtant, je ne l'ai jamais vu lire, je veux dire étudier, un livre. Est-ce parce qu'il les connaissait tous ? Même ceux qu'il n'avait pas lus ? Peut-être est-ce les yeux fermés qu'il lisait des livres inexistants ou, du moins, inédits.

Comment raconter nos séances privées à Taverny, à Versailles et plus tard chez moi, rue Le Marois ? Il déversait sur moi son savoir comme la pluie en plein soleil. Ouvert à sa parole, je la buvais. J'avais l'impression qu'elle me parvenait d'un sanctuaire lointain que jamais je ne pourrais approcher. Nous sommes restés des semaines entières sur la même page du Talmud, dans le traité qui explore les problèmes du divorce, sans jamais nous écarter du sujet. Lui parlait et moi je le suivais dans un état d'extase et de nostalgie.

Il me guidait sur des sentiers périlleux. Le désir constant de mettre l'accent sur l'interrogation, la poursuite du mystère qui gît à l'intérieur de la connaissance, de l'obscurité qui se cache dans la lumière, c'est à lui que je le dois.

Pourquoi Shoushani m'avait-il accepté, sinon choisi, comme élève ? En quoi l'avais-je mérité ? Qu'est-ce qui, en moi, pouvait l'intéresser ? Je n'en sais rien. En général, parlant de lui, ce sont toujours les mêmes mots qui me reviennent : « Je n'en sais rien. » Ses disparitions, ses réapparitions, ses changements d'humeur, ses accès de colère feinte ou sincère : comment les comprendre ? Pourquoi ne parlait-il jamais de lui-même ? Pourquoi s'entourait-il de tant de mystères ? Pourquoi dissimulait-il jusqu'à son nom véritable ? Pour quelle raison cachait-il ses origines ? Pourquoi vivait-il une existence si bizarre ? Pourquoi refusait-il de se montrer au grand public qu'il aurait sûrement conquis ? Pourquoi refusa-t-il de quitter Montevideo et de venir à New York pour donner des cours à des élèves triés sur le volet ? Je le lui avais proposé : des amis aisés étaient prêts à financer le projet. « Jamais, me répondit-il. J'ai juré de ne plus mettre le pied sur le sol américain ; j'y ai perdu trop d'argent pendant le krach boursier. » Était-ce vrai ? Avec Shlomo Malka, journaliste de *L'Arche* et de Radio-Communauté, nous lui avons consacré une quinzaine d'émissions qui nous valurent un courrier volumineux. Les auditeurs réclamaient la « vérité » sur Shoushani. La « vérité » ? Maintenant, une éternité après, je crois la connaître, ou tout au moins la situer.

Né en Lituanie, le petit Mordehaï Rosenbaum (le nom yiddish de Shoushani) émerveille très vite parents et Maîtres par sa mémoire prodigieuse ; il retient tout ce qu'il lit. Il n'a pas encore atteint l'âge de la Bar-mitzvah, et déjà il récite le Talmud entier par cœur. On vient de loin pour l'écouter. Son père l'emmène plus loin encore pour l'exhiber, contre rémunération, dans diverses communautés. C'est ainsi qu'il s'enrichit. Ainsi qu'il voyage à travers le monde. Partout il stupéfie et envoûte son public. Il devient en quelque sorte un acrobate redoutable du savoir. Existe-t-il une connaissance que l'argent pourrait corrompre ? Transformée en outil matériellement fécond, la Torah comporte-t-elle des risques insoupçonnés ? Je n'en sais rien. Je continue à ignorer pourquoi il disparaissait si souvent, ni chez qui il se rendait. Et pourquoi il partit brusquement s'installer en Uruguay. Était-ce par peur d'une nouvelle guerre en Europe ? Par goût du déracinement ou par besoin d'expériences sans cesse renouvelées ? Je sais seulement qu'il mourut en 1965 à Montevideo où il servait de Sage selon les uns et de bedeau selon d'autres. Je le raconte dans *Entre deux soleils*. Assis sous un arbre, entouré d'élèves, il enseignait le Talmud ; brusquement, au milieu d'une citation, il s'interrompit, sa lourde tête tomba sur l'épaule d'une étudiante ; l'instant d'après, il n'était plus. Cela se passait un vendredi après-midi, peu avant l'arrivée du Shabbat. Pareille mort est considérée dans la tradition juive comme *mitat neshika* ou mort douce : l'Ange vient, embrasse l'élu comme on embrasse un ami, et l'enlève, lui épargnant toute trace d'agonie et de souffrance. Il était en pleine possession de ses facultés. On trouva dans sa poche un texte que j'avais écrit sur son enseignement. On me demanda de rédiger l'inscription (en hébreu) pour sa pierre tombale. La voici : « Le rabbin et sage Mordehaï Shoushani, que son souvenir soit béni. Sa naissance et sa vie sont nouées et scellées en énigme. Décédé le sixième jour de la semaine, Erev Shabbat Kodesh, 26 Tévét 5726. »

A Shlomo Malka, qui a écrit un très bon livre sur Shoushani, je disais ma conviction que cette énigme devait être respectée. Car de quel droit tenterions-nous de pénétrer, donc de violer les secrets de sa personnalité, lui qui les protégeait si farouchement ? D'ailleurs, en serions-nous capables ? Je ne le pense pas. Je parle de lui comme un disciple parle de son Maître, c'est tout. Avec reconnaissance. En essayant d'entrer plus profondément en moi-même, je m'approche davantage de lui.

De plus en plus, je suis convaincu qu'il faut le ranger parmi les grandes figures inquiétantes de la tradition. Son rôle, il le voyait comme celui de l'agitateur, du perturbateur. Il dérangeait le croyant en lui démontrant la fragilité de sa foi, et secouait l'hérétique en lui faisant sentir les affres du vide.

Pourquoi tenait-il tant non pas à être méconnu, mais à ne pas être connu du tout ? De qui et pourquoi se cachait-il ? A quoi attribuer son goût de l'errance ? Pour pouvoir, pour devoir recommencer toujours, en pays inconnu, avec des disciples nouveaux ? Possible. Mais, chez lui, il s'agissait de fuite plutôt que de déplacement. Pour quelles raisons s'enfuyait-il ? Pour créer son propre mythe ? Celui d'un génie de la mémoire comme il y a des génies en mathématiques ? Pour enseigner la valeur du secret dans les rapports humains ? Pourquoi écrivait-il des manuscrits (j'en possède quelques-uns) indéchiffrables ? Je sais en tout cas que je ne serais pas l'homme que je suis, le Juif que je suis, si un clochard étonnant, déroutant et inquiétant, ne m'avait pas interpellé un jour pour me dire que je ne comprenais rien.

Nous restons peu de temps à Taverny. On ne nous demande pas notre avis. Prochaine étape : Versailles. La maison s'appelle « Chez nous » ; elle est dirigée par un ancien ingénieur des Mines, Félix Goldshmidt, homme cultivé et autoritaire. Son épouse, silencieuse, presque recueillie, souffre d'une maladie de peau. Ils ont trois filles (Batya, Ève, Tilly) et un garçon (Jules). Je m'entends bien avec le directeur. Jamais d'incident, ni même de malentendu.

Cette maison est différente des autres : en plus des Buchenwaldiens, elle accueille ensemble garçons et filles, orphelins et pratiquants pour la plupart, qui vécurent l'Occupation sous de fausses identités ou dans des familles chrétiennes. On y observe le

Shabbat et les fêtes, on chante la « Birkat hamazon » après les repas, à la manière ashkénaze, on va à l'office matin et soir. Mais, dans le jardin, et même au réfectoire, des flirts plutôt innocents sont amorcés (promenades à deux, confidences, sourires). La direction, sans doute pour des raisons à la fois pédagogiques et thérapeutiques, ne les décourage pas. C'est clair : nous avons tous besoin d'affection, de tendresse et — pourquoi pas — d'amour. Il faut dire que, dans l'ensemble, les filles sont attrayantes et disponibles.

Je me rends à Paris aussi souvent que possible. Hilda et son mari habitent dans un petit appartement rue Dussoubs. Ils vivent dans des conditions difficiles. Freddo est portraitiste, mais son art l'aide à vivre plus qu'à manger. J'écoute ses projets. Avec Hilda, nous parlons de Béa. A Versailles, je pense beaucoup à celle-ci. Je lui écris toutes les semaines.

Un matin, je suis accosté au réfectoire par un jeune Juif américain souriant qui vient d'arriver de New York. Ted Comet parle un peu le français. Il est venu faire un stage d'un an dans les maisons d'enfants. « A propos, dit-il, je cherche quelqu'un... Il est parent d'un camarade de l'université Yeshiva... Il s'appelle, il s'appelle... » Il regarde dans son calepin et dit mon nom... Je rencontrerai son ami, Irving Weisel, des années plus tard, à Manhattan. Quant à Ted Comet, nous continuons à nous voir encore aujourd'hui.

Pendant quelques semaines, je prends le train tous les jours pour aller au lycée Maïmonide. Il m'arrive d'y rester du lundi au vendredi. J'y rencontre des élèves qui, plus tard, deviendront des vedettes de la télévision : Marcel Mitrani et Josy Eisenberg. Le professeur d'allemand me fait écrire des devoirs sur mon expérience ; alors j'écris pour expliquer que je ne peux pas la décrire. Cela me vaut une espèce de prix, je ne sais plus lequel, sans doute une tablette de chocolat américain. En revanche, les leçons de mathématiques me laissent froid. Je ne m'intéresse qu'aux cours de français : François m'y encourage.

Marcus Cohen, le directeur de Maïmonide, est un personnage pittoresque. Austère comme un ascète, barbu comme un prophète. Infiniment timide, à l'élocution lente, au regard fuyant, il garde les mains nouées devant lui lorsqu'il s'adresse à ses élèves.

162

Il me reçoit parfois dans son bureau pour bavarder mais, lorsque nous nous quittons, j'ai toujours l'impression que l'essentiel n'a pas été abordé. Son frère Bo, le responsable pédagogique de l'OSE, lui a parlé de moi. J'ignore ce qu'il a bien pu lui dire, mais le directeur se montre plein d'égards. Peut-être parce que je m'exprime en hébreu moderne ? Marcus Cohen est un linguiste passionné : il composera le premier dictionnaire français-hébreu. Les élèves lui manifestent une affection mêlée d'ironie respectueuse. Dans son dos, ils se moquent de sa manière de marcher, de parler, de son air emprunté, de son obstination à vouloir faire rire. On répète son meilleur « mot » : quelle est la définition d'une prostituée ? C'est une femme qui gagne à être connue...

Je reste peu de temps à Maïmonide.

L'OSE m'offre alors la possibilité d'occuper un petit studio au Quartier latin. Un camarade d'Écouis, plus âgé que moi et qui est inscrit en Sorbonne, s'évertue à m'initier aux choses de la vie, comme on dit : il me présente à une soubrette qui veut bien se charger de mon apprentissage. Après quelques jours, je déclare forfait. Je reviens à Versailles. « Chez nous », c'est chez moi.

Ici, Kalman, Nicolas, Binem et moi faisons partie des « grands ». Nicolas rêve d'éditer une revue littéraire, Kalman s'apprête à partir en Palestine sur l'*Exodus*, Binem va faire un stage chez Henri Milstein à Moissac, et moi... Moi je ne chôme pas avec Shoushani (pour le Talmud) et François (pour le français). Je trouve quand même le temps d'organiser une chorale avec le concours professionnel et amical d'Israël Adler, *shalia'h*, émissaire palestinien de l'Agence juive, et étudiant au Conservatoire sous la direction de Lazare Lévy. Les leçons de violon de mon enfance me sont utiles. Et plus encore ma participation au chœur de notre synagogue à Sighet.

Ma chorale mixte attire pas mal de monde. Les plus belles filles de la maison en font partie et, du coup, j'ai plus de garçons qu'il ne m'en faut. Certains chantent faux mais ils insistent pour s'inscrire : est-ce parce que Dieu leur a donné une voix enrouée ou une oreille pas assez fine qu'ils n'auraient pas le droit de chanter ? L'un d'entre eux avance un argument plus éloquent : il est éperdument amoureux de Myriam, une choriste blonde et superbe qui ne répond pas à ses sentiments. Si je l'accepte, il gardera toutes ses chances de la conquérir. « Mais tu chantes vraiment faux ! » lui dis-je. Il répond qu'il fera l'effort de sa vie, qu'il apprendra. « Tu apprendras quoi ? Cela ne s'apprend pas ! » Mais il est tellement malheureux que je cède, à une condition : qu'il ne chante pas ; qu'il se contente de remuer les lèvres, qu'il fasse semblant, sinon... Il promet tout ce que je veux. Seulement, emporté par l'enthousiasme, il lui arrive d'oublier notre pacte, et c'est la catastrophe. Cela dit, son stratagème est couronné de succès : Myriam et lui se voient souvent et le dieu de l'amour leur sourit ; un jour, il leur permet de sourire ensemble. Et, bizarrement, le garçon ne chante plus faux.

Comme chef de chorale, je suis bêtement, inutilement sévère. Je fais tout pour paraître autoritaire, agressif, dominateur. La raison ? Je suis d'une timidité maladive. Il suffit qu'une choriste pose sur moi un regard un peu lourd, et je perds contenance. Qu'elle m'adresse un sourire aimable, et mon souffle s'accélère comme avant un péché. Je rougis en parlant, je rougis quand on me parle. Alors j'élève la voix, je me force à durcir mon expression, à projeter l'image d'un chef irritable, inaccessible. Je m'énerve vite, pour n'importe quelle raison, je réprimande le moindre écart. A la limite, je voudrais qu'on me trouve méchant, impitoyable. Je risque de provoquer la colère ? Le mépris ? Tant pis. Tout plutôt que d'être mal aimé. Car c'est de cela qu'il s'agit. J'en suis persuadé : qui j'aime ne m'aime pas. Qui je désire me tourne le dos.

Trois choristes me troublent particulièrement : une brune au rire provocant, une blonde aux yeux rêveurs, et Hanna. Un rien suffirait pour que, en leur présence, je perde mes moyens. Telle est ma nature : ce n'est pas poétiquement, comme Hölderlin, ni pieusement comme mon grand-père, mais amoureusement que je voudrais vivre sur cette terre invivable.

Besoin d'aimer autant que d'être aimé, c'est ridicule de l'avouer, mais en ce temps-là je m'amourachais vite, trop vite. De toutes à la fois, et d'une en particulier. Elle s'appelait, elle s'appelle... Je l'ai nommée Hanna. Elle est soliste et de caractère exécrable. C'est la fille d'un administrateur de l'OSE, et cela l'embarrasse, l'agace, la rend de mauvaise humeur. Pourquoi n'a-t-elle pas choisi une fausse identité ? Complexée, elle insiste pour être traitée comme tout le monde. Elle dort dans un dortoir, prend ses repas au réfectoire, participe à la vie communautaire, reçoit le même argent de poche que nous. Bref, mêmes privilèges, mêmes obligations. Naturellement, elle en rajoute. Elle travaille plus, réclame moins, ne se plaint jamais. Elle arrive toujours la première aux répétitions, et toujours bien préparée. Pourtant, nous nous disputons sans cesse, avec ou sans raison. Pour chacun, cela devient une sorte de seconde nature. Elle discute mes décisions, mes choix, elle n'est jamais satisfaite. Aimable avec les autres, elle se raidit dès que j'apparais, et c'est à peine si elle daigne me sourire. Je dis un mot et elle rouspète : elle n'est pas d'accord avec le calendrier, la composition du programme, la distribution des rôles, elle me reproche d'être à la fois têtu et indulgent, trop autoritaire et pas assez. Bref : de nos jours, on dirait qu'entre nous deux le courant ne passe pas. Elle ne m'aime pas, c'est clair, c'est évident, c'est visible. Toute la chorale le sait : tout nous sépare, tout nous oppose. Cela ne me gênerait pas si ce n'était pas vrai. Malheureusement ça l'est. Je dis oui, elle répond zut. Je dis : « Tu ne te concentres pas », elle rétorque : « Qu'en sais-tu ? » Je dis : « Je ne t'entends pas », elle riposte : « Tu écoutes mal. »

Pourtant, moi, je l'aime. De quelle manière ? Je n'en sais rien. Pas de façon physique, érotique, du moins je le pense. Platonique alors, comme avec Niny ? Non plus. Franchement, les fantasmes que je connaîtrai plus tard, je ne les nourris pas encore ; ils me traversent sans laisser de trace. A la limite, je pourrais mentir et dire que ce n'est pas son corps que j'aime, mais... pourquoi le sang afflue-t-il dans ma tête jusqu'à la douleur, pourquoi ma respiration se précipite-t-elle, pourquoi suis-je tout émoustillé quand mon épaule frôle la sienne ? En vérité, j'aime sa démarche assurée, sa façon de passer une main dans ses cheveux foncés, j'aime quand elle rit (c'est rare), et quand elle écoute (c'est plus rare encore), et quand elle monte les escaliers en courant, j'aime quand elle se retourne pour voir si on ne la suit pas. Je l'aime pour elle-même. Je l'aime pour me convaincre que je suis capable d'aimer, de languir, de vivre, d'exister par rapport à autrui. Je l'aime parce que c'est mon premier amour.

Comment parler du premier amour ? On en dit tant de choses, et ce n'est jamais assez, jamais ce qu'il faut. Clichés de l'extase et du désespoir, des « toujours » et des « jamais plus », des situations extrêmes. Je le dis car je le sais : en cette période-là, il m'est arrivé plus d'une fois d'aimer « pour la première fois ».

Il est vrai que Hanna n'est pas la seule que j'aime. Je l'ai noté : il y a Niny, il y a toujours eu Niny. Même quand je suis attiré par d'autres filles, je ne peux m'éloigner de Niny. Un aveu, cependant : avec le temps, je suis devenu plus lucide et plus courageux à son endroit. J'ai appris à assumer, dirait-on de nos jours. Je sais maintenant ce que je ressentais à Ambloy. L'amour n'est plus tabou. L'amour n'est pas une sensation vague et brumeuse, mais une douleur fort précise. Autrement dit : Niny comptait dans ma vie. Eh oui, j'avais le béguin pour elle, pour elle aussi. Naturellement elle ne le savait pas, ne devait pas le savoir, sinon j'aurais peut-être quitté Ambloy ou Versailles (pour aller où ?). Mais cette partie de cache-cache n'était de ma part qu'un jeu disons d'adolescent. Et comme c'était un jeu, innocent bien qu'interdit, je me permettais de le poursuivre ailleurs. Je feignais l'indifférence avec toutes les jeunes filles, et les filles moins jeunes, que je croisais dans la rue, dans le métro et, bien sûr, à Versailles. N'importe quelle femme pouvait, si elle le voulait, me faire tourner la tête. Combien de fois ai-je éprouvé le désir troublant d'interpeller une inconnue et de lui dire : « Aimez-moi ! » Mais je manquais d'audace. Et d'expérience. Pour dissimuler mon embarras, coiffé d'un béret basque trop grand, je jouais à l'étudiant assidu qui ne songe qu'à ses cours, au néophyte religieux qui n'aime que Dieu. Une image : dans le train de Paris à Versailles, je suis assis en face d'une femme sportive, vigoureuse, la trentaine ; elle lit son journal et moi un livre. Nos genoux se touchent et je n'arrive plus à lire. Soudain, nos regards se croisent. Elle me sourit et je sens que je vais m'évanouir de bonheur.

« Pourquoi me souriez-vous ? me chuchote-t-elle.

— Pardon ? Je vous souris, moi ?

— Oui, vous.

— Non, dis-je, pas moi... »

Et je me replonge dans ma lecture sans pouvoir arrêter la danse infernale des lettres sur la page. J'ai le vertige et, en même temps, je crains qu'elle n'écarte son genou. Comment faire ce que je devrais faire, ce que j'ai envie de faire ? Heureusement, ma voisine est persévérante : « Vous aimez quelqu'un, c'est ça ?

— Oui, dis-je.

— Qui est-ce ? »

Je suis prêt à répondre « Vous ! », mais bêtement je me reprends : « Dieu. »

Est-elle choquée ? Ce que je redoutais arrive ; je ne sens plus sa chaleur, finie la pression de son genou. Éperdu, j'ose une timide initiative. « Ça suffit, dit-elle dans un sifflement de dépit. Je ne suis pas Dieu. » J'ai joué et j'ai perdu. « Chez nous », je joue et je perds avec Arlette et Rachel, Élisabeth et Rita, Denise et Fanny, sans qu'elles s'en aperçoivent, naturellement. Quand l'une d'elles me cherche du regard, je détourne la tête ; j'ai envie de me cacher. Hanna, elle, en est consciente peut-être. Est-ce la raison pour laquelle elle continue à se montrer si parfaitement désagréable et me déteste avec tant de franchise ? Orgueilleux et lâche, je refuse de lui poser la question. Je me dis : elle me déteste, c'est son problème, pas le mien. Mais elle m'empêche de dormir, Hanna. Et la religion là-dedans ? Et ma ferveur retrouvée ? Contradictions déchirantes. Je m'en fais une raison. J'évolue dans deux univers. Je continue à dire mes prières, à manger kasher, à étudier avec Shoushani. Et à inviter, dans mes rêves, une Hanna enfin consentante.

Cependant, à la chorale, nous travaillons parfois bien, souvent très bien. Et les soirées passent. Et les semaines aussi. Secrètement je souffre, mais je suis trop fier pour m'en ouvrir à qui que ce soit, et trop timide pour essayer d'y remédier. Et les mois passent. Et les années.

Faisons un saut dans le temps. En 1954, un jour de printemps, je me trouve nez à nez avec Hanna sur les Grands Boulevards, à Paris. J'aurais pu flâner dans un autre quartier, elle aussi. Profitons du hasard. D'autant qu'elle est toujours attrayante, Hanna, et plus épanouie. Nous nous serrons la main. Gestes et paroles de convenance. Bonjour, bonjour. Tu vas bien ? Bien, et toi ? Cela fait six ans au moins que j'ai quitté « Chez nous ». Les « enfants » se sont dispersés un peu partout à travers la ville, à travers le monde. Envolés, comme les oiseaux et les rêves d'adolescents. La chorale s'est dissoute. Devenu journaliste, je voyage beaucoup. Je n'ai plus de contact avec les anciens de l'OSE. Hanna, si. Elle est bien renseignée. Elle sait tout. Régine, tu te souviens de Régine ? Elle était amoureuse de Kalman. Eh bien, elle s'est mariée. Avec Kalman ? Mais non, que tu es bête. Il est parti aux États-Unis, Kalman. Binem ? En Israël. Rita ? En Australie. Suzanne a terminé sa médecine. Nic, il vit toujours dans ses rêves. Comment peut-elle être si bien informée ? Par ses parents sans doute. Et elle, comment va-t-elle ? Très bien, merci. Que fait-elle ? Elle étudie la kinésithérapie. Tout en marchant vers la République (j'habite le quartier), nous bavardons cordialement. Son absence d'hostilité me surprend au point que je l'invite à prendre un café. Elle accepte. Je suis au septième ciel, prêt à grimper au huitième dès qu'il sera ouvert au public. Du coup, j'oublie la méchanceté notoire de Hanna, son hostilité d'autrefois ; j'oublie toutes les femmes que j'ai en vain tenté de séduire. Je retombe amoureux d'elle, d'elle seule. Naturellement, je me garde de le montrer : je joue au grand reporter un peu flegmatique, un peu cynique, qui ne s'étonne et ne s'émeut de rien. D'un air faussement humble, je lui raconte mon travail. Mes scoops, ah oui, c'est important qu'elle connaisse mes scoops. Un correspondant qui se respecte ne peut pas ne pas s'en vanter. J'ai rarement été aussi bavard. Hanna m'écoute ou fait semblant. Au moins, elle fait un effort, et je l'apprécie. Je lui demande ce qu'elle fait ce soir, elle répond : « Franchement, rien. » Elle a toujours été franche. C'est en toute franchise qu'elle me manifestait son antipathie, à Versailles. « Veux-tu qu'on aille au concert ensemble ? » Elle hésite un instant, puis dit : « Oui, je veux bien. » Ai-je bien entendu ? Docile, Hanna ? Aimable, la fille qui, hautaine, utilisait toutes les armes de la féminité pour me repousser ? Nous nous donnons rendez-vous salle Pleyel, à 20 h 30. Elle est à l'heure, moi aussi. Habillée sobrement, jupe gris foncé, blouse blanche, cheveux en chignon retenus par une simple épingle. Je cache mal mon excitation, elle garde son air imperturbable.

Grâce à ma carte de journaliste, j'obtiens deux bonnes places, gratuites de surcroît. Hanna se moque gentiment de moi : « Alors, comme ça, tu es devenu un personnage important ? » Je proteste avec l'humilité hypocrite qui s'impose. Nullement impressionnée, Hanna change de sujet. Nous parlons de Beethoven et de Schubert, d'œuvres symphoniques et chorales. Le programme me plaît, mais j'ai du mal à me concentrer. Hanna, elle, écoute attentivement. J'ai envie de lui prendre la main, je me retiens pour ne pas me rendre ridicule. A l'entracte, j'essaie de la charmer avec des commentaires peu originaux sur les différentes interprétations de ce que nous venons d'entendre. Elle est d'accord sur ceci, pas sur cela ; nous discutons en camarades ; l'humeur est détendue, presque chaleureuse. Pour regagner nos places, je prends son bras ; elle ne le retire pas. Dieu du ciel, qu'est-ce qui se passe ? Des miracles seraient donc possibles ? Pendant la seconde partie du concert, les sons glissent sur moi et s'évaporent dans l'air. Au diable, Beethoven. Je lui demanderai pardon demain. Aujourd'hui, je n'écoute que le silence de la jeune fille admirable et recueillie assise à ma droite. Nos épaules se touchent, ses cheveux par moments chatouillent mon visage. Hanna, moi, enfin. Enfin avec moi, enfin à moi. Merci Beethoven de nous avoir réunis. Merci au ciel d'organiser des rencontres fortuites. Merci au Paris printanier d'inspirer tant d'amoureux. Le concert est achevé, la salle applaudit, nous aussi. Hanna ovationne le chef d'orchestre, moi le destin. Elle semble heureuse, ma méchante bien-aimée d'autrefois. J'en suis ravi. Je lui lance la banalité de circonstance : « Fantastique, non ? » Elle est d'accord, et c'est la première fois que cela nous arrive : « Oui, fantastique. » Je ne sais pas pourquoi, mais l'enthousiasme du public nous rapproche l'un de l'autre. Lentement la foule se disperse. Nous sortons. « Fatiguée ? » Non, pas du tout. Plutôt excitée. Je propose : « Un café ? » C'est que je ne veux pas que cette soirée se termine ; je veux qu'elle se prolonge à l'infini. Tout au fond de mon être, je sens que si nous nous quittons maintenant, jamais plus elle ne se renouvellera. Cette occasion bénie de Dieu, si je la laisse échapper, je le regretterai jusqu'à ma mort. J'insiste, tout en gardant un ton détaché : « Alors, ce café, tu en as envie ? » Elle hésite, puis dit : « Désolée, pas ce soir. Je dois me lever tôt. » Sa voix est si belle et si douce que je ne me fâche pas. « On prend le métro ? » Non, elle préfère rentrer à pied. « Où habites-tu ? » A Montmartre. Près du Sacré-Cœur. C'est loin, mais pas trop. J'aimerais aller avec elle jusqu'à Saint-Cloud, jusqu'à « Chez nous », jusqu'au bout du monde, comme on dit. Pour l'instant, je dois me contenter de ce qu'elle consent à m'offrir.

Soit, marchons. Le ciel nous accorde son concours et semble disposé à déverser ses étoiles sur nos têtes. Ne ris pas, lecteur, mais, prévoyant, j'en attrape quelques-unes pour les offrir, demain, à ma compagne. Les passants nous sourient, les clochards me remercient de ma générosité pourtant modeste. Nous voilà déjà près du Lapin à Gil. Hanna s'arrête devant un immense portail sombre (je le déteste) et me tend la main. Je m'en empare et la tiens un long moment. Puis, idiot comme je suis, je trouve le moyen de tout gâcher : je prends un air dramatique, un ton pathétique, et la regarde droit dans les yeux. Et je lui demande : « Pourquoi m'as-tu tant détesté jadis ? Tu ne pouvais pas être comme ce soir, je veux dire : gentille, accueillante, féminine, je dirais même : gracieuse ? Vraiment, j'aimerais que tu m'expliques. »

Elle arrache sa main d'un geste brutal, tout son corps se raidit, son visage redevient hautain et méchant : « Tu es d'une bêtise, dit-elle en sifflant entre ses dents, d'une bêtise insupportable. » Là-dessus elle s'apprête à ouvrir le portail, mais je la retiens. Puisqu'elle est redevenue l'ennemie de jadis, je la rejoins sur le champ de bataille. « Écoute, Hanna, lui dis-je dans un accès de colère. Je n'ai jamais compris pourquoi tu me détestais, pourquoi tu me faisais souffrir à Versailles. Ce soir, pendant quelques heures, je me suis dit que c'était fini. Que tu avais changé. Apparemment, je me suis trompé. Tu continues à m'en vouloir, à me mépriser. Puisque ça te fait plaisir, soit... En ce qui me concerne, je renonce. Je suis à bout. Je ne chercherai plus à te comprendre, j'abandonne... J'espère que nous ne nous reverrons plus... Bonne nuit. »

Et je m'en vais. Chapitre clos. A tout jamais.

Je suis sérieux. Et fâché. Sérieusement fâché. Déterminé à tourner la page. Définitivement. Irrévocablement. Bon débarras. Je ne m'en fais pas. Je me connais : avec un peu de chance, je tomberai amoureux sur le bateau — car dans trois jours je prends le bateau. Je dois aller en reportage au Brésil. On tombe vite amoureux sur un bateau. Et moi plus vite encore. Hanna ? Je n'y penserai plus. Jamais. Effacée de mon livre. Chassée de ma vie. Promis, juré.

Sauf que...

Le lendemain, je reçois un coup de fil inattendu. Je reconnais la voix. C'est elle, Hanna. Comment s'est-elle débrouillée pour se procurer mon numéro de téléphone ? Je l'imagine, si fière, si orgueilleuse, obligée de s'abaisser auprès d'amis communs, quémandeuse, cherchant je ne sais quel prétexte pour justifier sa demande, et j'en arriverais presque à la plaindre.

« Oui ? Qui est-ce ? »

Elle répond : « C'est moi.

— Qui ?

— Hanna. »

J'ai envie de demander : quelle Hanna ? Elle me devance : « Hanna de Versailles.

— Ah bon, que puis-je pour toi ? dis-je sur le ton le plus sec, le plus glacial.

— J'aimerais te revoir. »

Ah, la garce. Elle aimerait me revoir pour m'insulter à nouveau, c'est ça ? Hier soir ne lui a pas suffi ?

« Je regrette, mais je n'ai vraiment pas le temps. Je pars au Brésil. En mission. « Cela sonne bien. » J'ai encore un tas de choses urgentes à régler. »

Elle soupire, puis : « Ce ne sera pas long. Donne-moi une demi-heure. »

Subjuguée, la voix de la princesse. Mais je m'obstine : « Je ne peux pas. » A son tour, elle repète : « Donne-moi une demi-heure.

— Pour faire quoi ?

— Pour parler.

— De quoi ?

— De... Non, pas au téléphone. »

Comme je ne réagis pas, elle reprend : « Enfin, puisque tu insistes : j'aimerais te poser une question.

— Et tu ne peux pas la poser au téléphone ? »

Non, elle ne le peut pas. « Et cette question est donc si urgente ? »

Oui, elle l'est. Dans ce cas, je me laisse fléchir. « Ce soir à minuit et demi dans le café près des bureaux de Radio-France. D'accord ?

— J'y serai », dit-elle avant de raccrocher.

J'ai choisi ce café parce que, comme tous les soirs, je passe à Radio-France pour envoyer mon câble à Tel-Aviv. Mais, maintenant, je n'ai plus la tête à travailler. Diên Biên Phu, la défense des Français assiégés par le Viêt-minh, les agences en parleront mieux que moi, ainsi que des réactions prévisibles en France. Le comportement de « Hanna de Versailles » n'est pas prévisible, lui. Pourquoi diable tient-elle à me revoir ? Pour me poser une question ? Laquelle ? Je ne tiens plus en place. Pour me distraire, je rédige un télégramme, le déchire, le réécris, le déchire à nouveau. Trop de clichés. Le cœur n'y est pas. L'actualité ? Ce soir, je me moque de l'actualité. Que la planète se porte bien ou non, que la paix mondiale soit en danger, que les politiciens hurlent ou se taisent, tout cela m'est parfaitement égal. La question de Hanna, voilà le sujet. Ah, si seulement je pouvais y consacrer mon prochain papier... Néanmoins, conscience professionnelle oblige, je réussis tant bien que mal à ficeler un article pas plus mauvais que d'habitude, et je consulte ma montre : il est l'heure. Je me dirige vers le café. Hanna est assise au fond. A part un bonhomme à moitié endormi, elle est la seule cliente. Une tasse de café refroidit devant elle. J'en commande un. Puis, sans le moindre détour, j'attaque : « Alors, ta question ? L'as-tu préparée par écrit ? »

Elle secoue la tête : « Pas besoin. Je la connais par cœur.

— Alors, pose-la ! »

Je continue à jouer le reporter cynique, endurci ; je cherche à la blesser et j'y parviens si bien que j'en ai honte. « Voilà, dit-elle en plongeant son regard dans le mien. Veux-tu m'épouser ? »

Si le plafond s'était effondré sur nous, si l'on m'avait nommé général en chef de l'Armée rouge ou annoncé que je venais d'obtenir le prix Goncourt pour un livre que je n'ai pas encore songé à écrire, ma stupéfaction n'aurait pas été plus intense.

Tout ce que je trouve à dire, c'est : « Mais... mais tu ne m'aimes pas... En fait, tu me détestes ! Depuis notre première rencontre, tu n'as jamais cessé de me haïr... »

Elle a un sourire triste : « C'est ce que tu croyais ?

— Bien sûr, je le croyais ; toute la chorale le croyait... »

La tristesse sur son visage s'éclaire de tendresse : « Mais alors... Ce que tu pouvais être bête, ma parole... »

La conversation, ce soir-là, dure plus d'une demi-heure, plus de deux heures ; nous nous levons seulement lorsque le garçon nous met poliment à la porte. « On prend un taxi ? » Hanna préfère marcher. Je la raccompagne chez elle, et...

Mais j'arrête. La suite, ce sera pour plus tard. Fermons la parenthèse.

« Chez nous », la vie en communauté continue. Repas de Shabbat, réunions de circonstance. Départs, arrivées. Bonjour, adieu. Comme à Écouis et à Ambloy, on parle de tout sauf du passé. L'avenir domine les conversations sans fin : apprendre un métier ou faire des études ? Partir ou rester ? Le directeur fait de son mieux pour nous aider. Son épouse, femme silencieuse et sage, l'assiste autant qu'elle peut, mais nous la voyons seulement le Shabbat. Nicolas (Nic) ne jure que par Paul Valéry et prépare son bac : on lui prédit une grande carrière dans les Lettres. A Shimon aussi, mais dans le domaine scientifique. Méno se tourne vers l'agronomie. Félix s'intéresse à la biologie. Israël Adler est déjà passionné par Jean-Sébastien Bach et pas encore par Solomon Rossi. Quant à moi, je reste indécis. Essayer de m'inscrire au

Conservatoire ou à la faculté des Lettres ? La Terre sainte m'attire, mais je ne me sens pas encore prêt. J'ai dix-huit ans et je vis en suspens. Que faire de ma vie, et où le faire ? Je travaille avec François, avec Shoushani, je lis tout ce qui me tombe entre les mains. C'est bête mais, avant de découvrir Malraux, Camus et Mauriac, je lis *La Critique de la raison pure* (ne riez pas) en yiddish. *Le Capital* aussi. Et Hegel. Et Spinoza. La philosophie m'accapare, me dévore. J'énerve tous mes copains avec mes conversations « sérieuses ». On me trouve bizarre pour ne pas dire ennuyeux. Dès que j'ai le courage de bavarder avec une fille, dans le jardin ou dans le train, je l'interroge sur le sens de la vie et le but de la Création. L'infini existe-t-il ? Et la finitude ? Et le néant ? L'âme est-elle immortelle ? Et Dieu dans tout cela ? Je sais bien que je suis agaçant, lassant, que tout le monde ricane derrière mon dos, que mes interlocuteurs me trouvent psychologiquement immature, socialement inadapté, sentimentalement inculte. Ils ont raison. « Peut-être que le mal absolu existe et pas le bonheur absolu, ni la vérité absolue, me lance une belle choriste, mais que veux-tu que ça me fasse ? » Résultat : je me sens encore plus mal dans ma peau ; mon corps se tend vers l'amour et je le punis. Je deviens encore plus strict avec ma chorale. Je me sais insupportable. Heureusement que j'ai mes deux sœurs ; avec elles, pas besoin de faire l'idiot.

Ma sœur Béa se trouve dans un camp pour Personnes déplacées près de Kassel, en Allemagne occupée (zone américaine). Je lui rends visite à deux ou trois reprises. Chaque fois, c'est toute une histoire. Apatride, il me faut remplir un tas de formulaires, me munir d'un tas de photos, me procurer un titre de voyage puis un visa de sortie et de retour, une autorisation de l'armée d'occupation américaine, de l'argent pour le train. Ce n'est ni simple ni facile. En Europe, tous les fonctionnaires se ressemblent mais les Français sont les pires : ils détestent les étrangers s'ils sont réfugiés, apatrides ou sans ressources et, comme je cumule les trois titres, je les énerve. On me scrute avec une méfiance et une hostilité blessantes. On me traite en intrus, en indésirable. Anxieux, je passe des heures à faire la queue devant des guichets anonymes à la préfecture de Police. Des questions, encore des questions. De quoi je vis (pourquoi je vis ?), ce que je compte faire, pourquoi je souhaite tant revenir dans cette douce France. Je finis par obtenir les documents dûment tamponnés, visés, signés : je suis l'homme le plus heureux, le plus comblé de la terre.

Je traverse une Allemagne vaincue, en ruine. Les trains sont bondés. Les Allemands n'ont pas le droit de monter dans les compartiments confortables, et le contrôle des géants à casques blancs de la police militaire est merveilleusement strict. Pourquoi le cacher ? J'éprouve un sentiment de satisfaction en voyant les conquérants dominés, les tortionnaires effrayés, les vainqueurs d'hier à genoux devant ceux qu'ils condamnaient à mort quelques années plus tôt, mendiant une cigarette, un morceau de chocolat, ou au moins un sourire indulgent.

Aujourd'hui, pendant que j'écris, je songe à tous ceux qui nous reprochent notre passivité, notre résignation durant la guerre : « Pourquoi n'avez-vous pas résisté ? » Et les Allemands, pourquoi n'ont-ils pas résisté, eux ? Et comment expliquer leur lâcheté obséquieuse devant l'étranger après leur défaite ? Des histoires sans fin circulent : parents qui, pour une tablette de chocolat Hershey, vendent leurs filles et leurs épouses au premier soldat américain qu'ils rencontrent ; anciens officiers supérieurs de la Wehrmacht qui cirent les bottes du moindre caporal noir ; commerçants ruinés qui se disputent le mégot qu'un soldat ivre a jeté dans la boue. Évanouie, leur force. Dissipée, leur puissance. Fanée, leur arrogance. Les surhommes d'hier seraient-ils devenus des sous-hommes ? Non, je n'aime pas ces deux termes. Il n'y a ni surhomme ni sous-homme. Les vainqueurs sont des êtres humains. Les vaincus aussi, malheureusement.

Un ami de Béa m'attend à la gare de Francfort. Comme j'ai raté la correspondance pour Kassel, il me conduit dans une famille allemande pour y passer la nuit. Les propriétaires, vieillards doucereux, vivent avec leur fille. Celle-ci, la trentaine ou la quarantaine, comment savoir, est sans doute veuve de guerre. Poitrine opulente, cheveux blonds ébouriffés, visage anguleux, traits figés, lèvres sensuelles : le type même de la femme dont rêve un adolescent. Mais elle est allemande. Elle prépare mon lit et ne cesse de me regarder en biais d'un air curieux. Elle sort et revient me demander en allemand si je n'ai besoin de rien. Je réponds en yiddish : non, merci. Je m'étends sur le lit tout habillé ; j'essaie de me concentrer pour lire. Impossible. Trop de choses en tête : si l'on m'avait dit à Auschwitz que je serais un jour traité avec tant d'égards, en vainqueur tout-puissant, par des Allemands en

Allemagne, j'aurais répondu : c'est qu'entre-temps le Messie sera arrivé. Vainqueur, moi ? Je ne me sens pas vainqueur. Hitler a perdu sa guerre, mais moi je ne l'ai pas gagnée. Je l'ai noté plus haut : trop de vies ont été sacrifiées pour que l'on puisse parler de victoire. Mais, aux yeux des vaincus, nous sommes vainqueurs. Voilà la veuve qui réapparaît avec un verre de vin : « Vous dormirez mieux », dit-elle. Merci, je n'ai pas soif. Comment lui expliquer, en yiddish, qu'un vin aussi peut être rituellement impur ? Il est minuit, et elle frappe à nouveau. Elle me demande la permission de s'asseoir. Je lui fais signe : oui, elle peut. Elle s'assied non sur la chaise près de la table, mais sur le lit. Du coup, j'ai l'estomac noué. Je suis encore trop religieux pour penser que tout est permis. Instinctivement, je me rétracte ; je me fais tout petit. Peine perdue. Elle étend le bras et prend ma main pour la caresser ; je la retire. Elle la reprend. « Il ne faut pas », lui dis-je. « Pourquoi pas ? » demande-t-elle. « Mais... vos parents sont là ! » C'est tout ce que je trouve à dire. L'argument ne semble pas peser lourd. « Oh, répond-elle, ils savent. Et ils sont habitués. » Dire que mon corps ne désire pas le sien serait mentir. Je suis jeune, je n'ai jamais fait l'amour : pourquoi ne pas profiter de l'occasion ? Une force obscure me retient. Quoi, la première femme de ma vie, une Allemande ? L'épouse d'un SS peut-être ? Une gardienne des camps ? Jamais je ne me le pardonnerais. « Pour dix cigarettes, dit la jeune femme. Ou deux barres de Hershey. Je resterai toute la nuit. » D'un bond, je me lève, ouvre mon sac et en retire un paquet de cigarettes. Je le lui tends : « Tenez, c'est pour vous. » J'ai dû mal m'exprimer car voilà qu'elle commence à enlever sa blouse. Je l'arrête : « Non, pas pour ça... » Elle ne comprend vraiment pas, mais elle hausse les épaules : « Comme vous voulez, dit-elle. Si vous changez d'avis, faites-le-moi savoir. Ma porte est près de l'escalier. » Elle s'en va et je m'étends sur le lit. Mon corps m'en veut, mais tant pis : je me fais violence pour penser à autre chose. A ma présence sur le sol allemand, par exemple. Aux Juifs qui vécurent dans cette ville. Le frère de Rabbi Shmelke, le grand Rabbi Pinhas. Meyer Anshel de Rothschild. Le rabbin Samson Raphael Hirsch. J'ose espérer que je ne leur ai pas fait honte.

Le lendemain, c'est avec un sentiment de malaise que je mets les téphilines et dis mes prières. La porte s'ouvre et la jeune femme entre avec mon petit déjeuner. Elle me contemple un long moment, interdite : elle n'a sûrement jamais vu un Juif pratiquant

175

disant ses prières. En fait, a-t-elle déjà rencontré un Juif ailleurs que dans les films antisémites ? Elle laisse le plateau sur la table et sort. Et revient une heure après. « Je peux vous poser une question ? » Oui, elle peut. « Vous n'avez pas voulu de moi, parce que je suis allemande ? » « Parce que je suis juif », lui dis-je. « Vous nous haïssez, c'est ça ? Vous voulez nous blesser, nous humilier, vous venger, pas vrai ? » « C'est plus compliqué que cela », lui dis-je, toujours en yiddish. A présent, je détecte la peur dans son regard. Serais-je tellement redoutable à ses yeux ? Soudain, je comprends : elle s'est offerte à moi non seulement pour les cigarettes, mais pour m'apprivoiser. C'est que les Allemands ont peur de nous. A juste titre d'ailleurs. La vue d'un Juif libre doit les remplir d'appréhension, de terreur. Ils doivent se dire : les malheureux rescapés des camps, les vaillants partisans des forêts vont revenir en justiciers et nous faire payer les tourments que nous leur avons infligés. Voilà pourquoi ces vieillards se plient en deux devant moi, voilà pourquoi cette femme voulait passer la nuit dans mon lit : sinon pour se racheter, au moins pour détourner ma colère et peut-être même la désarmer.

Ils se sont trompés. Les vengeurs juifs furent peu nombreux, et leur soif de vengeance de courte durée. La libération de Buchenwald me revient à l'esprit. Les prisonniers juifs avaient toutes les raisons du monde de revenir en Allemagne, de l'envahir pour briser sa nuque raide. Ils auraient aisément pu se procurer des armes et aller de ville en ville, de village en village, châtier les coupables et terroriser leurs complices. Et le monde n'aurait rien dit. Le monde aurait compris. Mais, excepté quelques unités de la Brigade juive palestinienne qui parcouraient l'Allemagne pour traquer les assassins de notre peuple, les Juifs, pour des raisons métaphysiques et éthiques enracinées dans leur histoire, ont choisi une autre voie. Comment expliquer cette absence de violence chez les rescapés ? Comment comprendre, dans cette Allemagne respirant mal sous les décombres, humiliée comme jamais nation le fut, cette absence de haine articulée et meurtrière de la part des victimes à l'égard de leurs bourreaux et tortionnaires d'hier ?

Pas de représailles sanglantes. Peu d'exécutions sommaires. Pas de bastonnades publiques. Pas de vengeance collective. En dehors du procès de Nuremberg et de quelques grands procès (contre des médecins criminels, contre les Einsatzkommandos), rien. Presque rien. La dénazification ? Pas sérieux. Pas vraiment. Le système judiciaire allemand n'en a pas été affecté : les juges nazis jugent maintenant les accusés nazis. Et cela ne dérange personne. Pas même la communauté juive internationale. C'est à n'y rien comprendre. En 1492, expulsés d'Espagne, les Juifs se hâtèrent d'excommunier ce pays qui les rejetait. Et le peuple juif tout entier observa ce ban pendant presque cinq siècles. Pourquoi n'a-t-on pas agi avec la même rigueur à l'égard de l'Allemagne dont les crimes étaient autrement plus monstrueux ? Peut-être parce que nous avions conscience que notre tragédie n'était comparable à nulle autre. Mais il y a une autre explication, plus pragmatique : après l'exode d'Espagne, les Marranes furent les seuls « Juifs » à y rester, alors qu'en 1945 des dizaines de milliers de rescapés ne pouvaient quitter l'Allemagne, car ils ne trouvaient pas d'abri ailleurs : toutes les portes leur étaient fermées. Hébergés dans des camps pour réfugiés et déracinés, souvent dans les lieux mêmes où les SS les avaient entassés, ils y attendaient un certificat pour la Palestine ou un visa pour l'Amérique. Attente plus ou moins longue, pénible, harassante qui, pour certains, dura jusqu'en 1950. Impossible, donc, d'appliquer le *hérem*, le ban, à une terre où les Juifs étaient contraints de continuer à vivoter.

Et à souffrir dans la misère et l'humiliation.

Eh oui, le sort des « personnes déplacées » était lamentable, comme l'établit un rapport américain officiel. Il a été rédigé sur ordre du président Harry Truman par Earl Harrison, ancien doyen de la faculté de Droit de l'université de Pennsylvanie, et représentant américain au Comité intergouvernemental des réfugiés. Le *New York Times* du 29 septembre 1945 lui consacra un long article dévastateur. En voici quelques extraits :

> Le président Truman a ordonné au général Eisenhower de corriger les conditions choquantes dans lesquelles vivent les rescapés juifs en Allemagne et en Autriche, en dehors de la zone soviétique.
> Le rapport déclare que des Juifs déplacés restent enfermés dans des camps entourés de barbelés, où les conditions sanitaires sont généralement déplorables et la nourriture insuffisante, car les autorités militaires ont d'autres préoccupations.
> Certains de ces Juifs déplacés sont malades, manquent de soins et de médicaments ; nombreux sont ceux qui doivent encore porter leurs anciens vêtements de prisonniers ou, humiliation pire, des uniformes de SS allemands.
> [...] Les Juifs peuvent se rendre compte que les Allemands,

surtout dans les villages, sont mieux nourris, mieux vêtus et mieux logés qu'eux...

La situation actuelle est telle, note encore M. Harrison, que nous semblons traiter les Juifs comme les nazis les traitaient, sauf que nous ne les exterminons pas. Ils se trouvent en grand nombre dans des camps de concentration gardés par nos troupes au lieu des SS. On peut se demander si le peuple allemand, voyant tout cela, n'est pas amené à supposer que nous suivons ou du moins que nous acceptons la politique nazie.

Je lis et relis ce rapport, et un sentiment de gêne, de frustration et de chagrin m'envahit : des leaders juifs, des intellectuels juifs, des humanistes ont sûrement lu ce rapport, à New York et à Washington, à Los Angeles et à Chicago ; ils savaient, ils ne pouvaient pas ne pas savoir que leurs frères et sœurs souffraient encore en Allemagne — et qu'ont-ils fait pour améliorer leur sort ? Je n'aime pas mettre en cause des Juifs, mais comment comprendre leur endurcissement, même en ce temps-là ?

Comment comprendre les gouvernements alliés ? Dans *La page n'est pas encore tournée*, Henri Amouroux raconte avec indignation les conditions scandaleuses dans lesquelles les armées américaines et anglaises ont laissé les camps de concentration qu'elles venaient de libérer. Il dit entre autres : « Ce n'est que le 5 juin que les derniers Français quitteront Bergen-Belsen avec le souvenir amer d'avoir à peine été mieux traités par les Britanniques que par les Allemands. » Pareil pour Flossenburg, Dachau et Buchenwald. Trop nombreux furent les déportés pour qui la libération signifiait simplement la possibilité de mourir en liberté.

Bon, n'insistons pas. Ce n'est pas le moment. Revenons à Francfort. Allons à Kassel.

En visitant le camp où Béa travaille au bureau de l'UNRWA (l'Agence créée par les Nations unies pour s'occuper des réfugiés) dans l'attente de son visa pour le Canada, j'éprouve une colère croissante non seulement envers les Allemands, mais aussi contre les pays dits amis. Ils traitent les « personnes déplacées » comme des lépreux ou des criminels. Depuis la lettre du président Truman au général Eisenhower, la situation s'est améliorée, mais le sentiment d'oppression persiste. Chaque émigrant subit d'innombrables vexations avant d'obtenir son visa. Il doit fournir la preuve qu'il est en bonne santé, physiquement et mentalement, apte à s'intégrer à une société « normale », qu'il ne sera pas à sa charge, que des parents ou des amis peuvent garantir qu'il trouvera du travail dans son pays d'accueil. Et nous qui pensions, dans nos rares moments de délire optimiste, qu'après la libération, si nous avions survécu, on verrait en nous des princes exilés, des frères retrouvés, qu'on nous porterait en triomphe pour nous faire sentir combien l'humanité regrettait ce qu'on nous avait fait subir !

La vérité, il faut la crier sur les toits : le malheur des survivants ne se limita pas à la durée de la guerre ; la société ne voulait d'eux ni pendant ni après. Pendant la guerre, on leur avait fermé les portes. Après la guerre aussi. Les preuves sont irréfutables : on les gardait dans les endroits mêmes où ils avaient souffert. Certes, après un certain temps, on les logeait (dans des baraques), on les nourrissait (mal), on les habillait (pitoyablement), mais on leur faisait sentir qu'ils étaient des parents pauvres, des mendiants, des bouches inutiles, des êtres superflus. Ils étaient de trop.

Le temps ne guérit pas toutes les blessures ; certaines restent ouvertes, vives, telles des brûlures.

Les rescapés, même en Amérique, on s'employait à les tenir à l'écart, en marge. Tarés, hantés, diminués, ils menaient une existence en marge, confinés dans une sorte de ghetto invisible. Ils ne célébraient pas les mêmes fêtes, ou du moins pas de la même manière, ne riaient pas aux mêmes mots. Isolement volontaire ? Non : on les empêchait de se mêler de la vie quotidienne des gens « normaux ».

Quant à ceux qui furent assez bêtes, ou du moins assez naïfs, pour rentrer dans leurs pays d'origine, ils se heurtèrent à l'animosité de leurs anciens voisins ou concitoyens. Au lieu d'accueillir les revenants avec des fleurs (comme ce fut le cas au Danemark), au lieu de fêter leur retour, leur survie, en leur demandant pardon, en les entourant d'égards et de chaleur, on les considérait avec suspicion et rancune : « Vous voilà de retour, vous aussi ? Auschwitz n'était donc pas si terrible que ça, hein ? » On refusait de leur restituer leurs foyers et leurs biens. En Hongrie, déclare un sociologue informé, l'antisémitisme d'après-guerre avait un mobile prédominant : les habitants craignaient le retour des déportés dont ils avaient confisqué les appartements et les entreprises. Kielce, en Pologne, fut le théâtre d'un véritable pogrom. Plus de cinquante survivants juifs furent massacrés par la populace en plein jour. Ailleurs, le nombre des victimes fut moins élevé, pas assez sans doute pour que la presse en fasse mention. Mais, dans tous les milieux, on était au courant : une fois de plus, les Juifs subirent la haine et la terreur. Eh oui, la tragédie des rescapés ne cessa pas avec la libération des camps. Lorsque Béa rentra à Sighet, elle trouva notre maison habitée par des étrangers et dut se loger provisoirement chez des amies.

Conséquence des épreuves endurées dans les camps, Béa avait les poumons malades, si bien que les États-Unis lui refusèrent un visa. Comme des milliers de rescapés, elle était « indésirable ». Le Canada avait-il besoin de main-d'œuvre ? Il se montra moins récalcitrant, plus souple dans ses lois sur l'immigration. Béa déposa donc une demande de visa au consulat canadien. Mais, là non plus, on ne voulait pas de ses poumons. Finalement, elle obtint un visa comme domestique chez une famille juive de Montréal.

Tout en flânant dans le camp, bavardant avec des réfugiés, je me dis : un jour, on pardonnera peut-être aux citoyens du monde libre d'avoir si peu fait pour sauver les Juifs européens ; on pensera : après tout, ils ne savaient pas, et s'ils savaient, ils ne croyaient pas, et s'ils croyaient, ils ne comprenaient pas, et s'ils comprenaient, ils se savaient impuissants à changer les faits. Et puis, il y avait la guerre, la guerre mondiale ; il fallait détruire le régime hitlérien. On pourra donc invoquer pour eux des circonstances atténuantes. Mais on ne leur pardonnera jamais leur comportement à l'égard des victimes après la défaite allemande. Après la guerre, on savait tout, on ne pouvait plus se mentir à soi-même ni mentir aux autres : il suffisait d'ouvrir un journal, une revue, d'aller voir les actualités au cinéma, d'écouter la radio pour savoir que des dizaines de milliers d'hommes et de femmes, jeunes et moins jeunes, vivotaient encore dans des camps, dans un environnement allemand, sous les yeux des Allemands, parce que l'Amérique et le Canada, la France et l'Angleterre n'étaient pas prêts à les aider à se reconstruire un foyer et un avenir.

Cependant, chose étonnante, dans le camp même, je ne rencontre ni colère ni dépit. Pas la moindre trace d'amertume. Au contraire, la communauté fait preuve d'un élan irrésistible, d'une joie de vivre sans pareille. Je prends des notes dont je me servirai pour un chapitre de *L'Oublié*.

Dans plusieurs baraques, on s'organise pour combattre l'occupation anglaise de la Palestine ; ailleurs, on monte une pièce de théâtre de Sholem Aleikhem ou de Peretz Hirshbein. L'humour et la satire dominent. Conférences culturelles, réunions politiques, soirées musicales : le camp est un maelström d'images, de lueurs, d'appels. Un intellectuel athée me fait découvrir Hugo Bettauer, un autre me fait lire Karl Kraus et Otto Weininger. Matin et soir, j'assiste aux offices à la synagogue. On y étudie la Mishna, on y approfondit les récits hassidiques du Besht. Comme avant, mieux qu'avant. On se fiance, on se marie, on ouvre jardins d'enfants et écoles, on fonde des journaux. Yossele Rosensaft — patience, je l'évoquerai plus tard — n'arrêtera pas de me raconter « le royaume juif » de Belsen. Le poète juif H. Leivik décrira « Les noces de Föhrenwald ». Certains font du marché noir ? Et après. Existe-t-il en Allemagne occupée un marché qui ne l'est pas ? Des commerçants s'enrichissent ? Tant mieux pour eux. Je l'avoue : il fut un temps où je leur en voulais. Oui, j'en voulais à ces rescapés de privilégier leur rêve de fortune personnelle au lieu d'œuvrer pour notre peuple, son honneur et sa mémoire. Plus tard, je changeai d'avis : qui étais-je donc pour les juger ? Ils cherchaient la richesse alors que, moi et quelques amis, nous nous consacrions à l'étude ? C'était bien leur droit. N'avaient-ils pas assez perdu, assez souffert ? Qu'ils dessinent les formes de leur bonheur comme bon leur semble... Je ne le dirai jamais assez, je veux être le défenseur des survivants ; je veux être fier de leurs défis et de leur réussite. Au lieu de sombrer dans le nihilisme, ils choisissent la société ; au lieu de parier sur la déchéance irrévocable de l'espèce, ils lui imposent leur vision humaine. Mais où trouvent-ils donc tant de confiance en l'avenir ? Comment peuvent-ils fonder des foyers, eux qui ont vu tant de familles anéanties ? Leurs enfants, comment peuvent-ils espérer les insérer dans une société dont ils sont fondés à craindre la fin meurtrière et déshumanisante ? Je ne les comprends pas, mais je les admire. Je ne m'explique pas leur foi en l'homme, leur foi en eux-mêmes, mais j'ai envie de les glorifier en déclarant combien je suis fier d'être des leurs.

Je sais qu'un jour j'aurai le devoir de témoigner ; eh bien, la vie et les activités de ce camp — et des autres camps pour personnes déplacées — feront partie de mon témoignage.

Parlant plusieurs langues, organisatrice efficace, mi-secrétaire mi-chef de cabinet, Béa travaille au bureau de l'UNRWA. Ses supérieurs l'apprécient. Elle sait tout faire : rédiger requêtes et documents, expédier le courrier, servir de liaison et d'intercesseur entre les divers services. Elle aime tout le monde et tout le monde l'aime : plus que jamais elle ressemble à notre père. Toujours prête à rendre service. Sa popularité m'émeut. On la connaît dans toutes les baraques, dans tous les milieux. Les religieux, les sionistes, les intellectuels : tous me parlent d'elle avec chaleur et reconnaissance. A tous elle a fourni des renseignements et des conseils, à tous elle a donné un coup de main. Grâce à ses interventions, de nombreux réfugiés réussissent à régler leurs problèmes. Au bureau, elle reçoit dix visiteurs à la fois, donnant à chacun l'impression qu'elle ne s'occupe que de lui.

L'appartement de service qu'elle partage avec quelques amies originaires de Sighet reste envahi jusqu'à minuit, si bien que j'ai du mal à la voir en tête à tête : mais, alors, nous nous tenons la main en silence.

Le jour de mon départ arrive trop tôt. La veille, nous passons un moment seuls tous les deux, et je peux enfin l'interroger : comment était Sighet ? Qui a survécu ? Qu'a-t-elle trouvé à la maison ? Elle m'apprend que très peu de Juifs sont revenus ; une centaine tout au plus. Désœuvrés, perdus, à la recherche d'un père, d'une mère, d'un mari rescapés... Et dans notre famille, qui a survécu ? Quelques cousins, quelques parents lointains. Et les salauds, les Nyilas ? Les antisémites haineux ? On en a arrêté plusieurs. Roués de coups, traduits en justice, emprisonnés. Normal. Logique de la situation. L'Armée rouge a confié la police à de jeunes Juifs communistes revenus de Bucarest, de Munkaszolgàlat ou des camps : à qui d'autre pouvait-elle faire confiance ? (L'un d'eux, Aczi Mendelowics, deviendra Amos Manor, chef du service de sécurité, le redoutable Shin Bet, en Israël.) Résultat : quelques règlements de comptes avec les fascistes. C'est tout ? Pas d'exécutions publiques ? Pas de pendaisons ? Non, pas qu'elle sache. Pas d'actes de vengeance ? Aucun... Et la maison ? Mieux vaut ne pas en parler. Et les bijoux ? Disparus. Et les objets de valeur ? Volés. Tout a été volé. Après notre départ, les bons voisins se sont jetés sur les demeures juives béantes. Pillées, toutes. Mais alors, où habitait-elle ? Pas chez nous. Chez des cousins lointains, les Davidowics. D'ailleurs, les rescapés cherchaient à se regrouper. Peur des fantômes ? La peur tout court. Ivres, les soldats russes semaient la panique. Un ami de mon père, horloger de son état, s'est fait égorger par un soldat russe amateur de montres. Sa fille, à peine arrivée d'Allemagne *via* Budapest, a trouvé son cadavre décapité dans la rue... Et nous deux, qu'allons-nous devenir ?

Combien de temps Béa va-t-elle encore devoir rester dans ce camp ? Et moi en France ? L'avenir nous paraît nébuleux.

J'y songe souvent ; c'est un thème que j'explore dans plusieurs de mes écrits : en ce temps-là, nous aurions tous pu devenir des loups, des bêtes sauvages, des incendiaires. Nous aurions pu crier à la face du monde : « Nous en avons assez de vos sermons hypocrites et de votre morale mensongère. Le bon Fedor Dostoïevski a raison : puisque la vie ne vaut rien à vos yeux, tout nous est permis à nous aussi, nous pouvons tout exiger, tout faire et tout défaire. »

Cependant, chacun à sa façon, nous avons suivi la voie non du pardon ni de l'oubli, mais de la confiance.

A la violence du châtiment, nous avons préféré la parole humaine du souvenir.

Cette nuit encore — 10 juillet 1991 — j'ai revu ma mère en rêve. Elle semblait agitée. J'ai compris : quelque chose de grave venait d'arriver. D'un geste, elle m'a demandé de la suivre. Elle m'a fait sortir de la ville. Soudain, j'ai vu mon père. Il portait mon costume gris, qui lui allait bien. Nous étions tous là, ceux d'autrefois et ceux de maintenant, devant une rivière qui, soudain, se mit à gonfler. Son niveau montait à vue d'œil. C'est le déluge, dit quelqu'un d'une voix posée, c'est le déluge mais je n'ai pas peur. Tiens, me dis-je, on peut donc voir arriver le déluge et ne pas avoir peur. Là-dessus, mon père glissa dans les eaux sales et épaisses, couleur de sang. Tiens, me dis-je : ça existe donc, des rivières de sang. J'attendis que mon père se relève pour lui en faire la remarque, mais il resta sous l'eau. Je me mis à hurler : au secours ! Mais tous avaient disparu. Ne sachant pas nager, je fus pris de panique. Je hurlai de plus en plus fort, mais j'étais toujours seul. Alors, je me suis mis à chercher mon père dans les eaux qui atteignaient maintenant mes épaules. Et je le trouvai. Quelle force m'a aidé ? Je ne sais pas. Je sais seulement que je réussis tout seul à sauver mon père. Je l'étendis sur l'herbe ; j'écoutai sa respiration. Dans mon rêve, il vivait. Et ma mère aussi.
Elle vivait dans mon rêve.

De retour à Versailles, j'apprends que mon ami Kalman se prépare à partir illégalement en Palestine, à bord de l'*Exodus*, avec deux ou trois « enfants » de la maison. Les amis inséparables vont donc se séparer. « Kalman, pourquoi maintenant ? » lui demandé-je. Il hausse les épaules : « Rester ici n'a aucun sens pour moi. Cette vie de transit me déplaît. Autant m'en aller. Faire quelque chose d'utile, de vrai. Le plus tôt possible. » Nous passons plusieurs soirées à discuter. Espiègle de nature, il est devenu sérieux, romantique. Je l'accompagne à la gare. En attendant le train, nous discutons encore, mais à voix basse pour ne pas nous faire remarquer par les espions anglais qui pourraient rôder sur les quais. Je le comprends, je ne me comprends pas. J'essaie de voir clair en moi-même. Pourquoi ce désir de rester en arrière ? Comme lui, j'aime la terre de nos ancêtres, je l'aime passionnément. Jérusalem a toujours figuré dans le plus ardent et le plus lumineux de mes rêves. Jérusalem, ma berceuse. Ma prière. Rien qu'à évoquer son chant, je me sens transformé, élevé. Alors, qu'est-ce qui me retient ? Hilda ? Béa ? François ? Shoushani ? Celui-ci, discrètement consulté, me répond : « Si tu y vas pour mieux te connaître, très bien. Si c'est pour apprendre, tu ferais mieux de rester avec moi. Ici. » Je dis : « Mais si Eretz Israël a besoin de moi, de quel droit puis-je me dérober ? » Il répond avec un haussement d'épaules : « Le peuple d'Israël a besoin de Juifs intelligents, érudits, capables d'apprendre et d'enseigner. Que vas-tu emporter en Palestine ? Ton ignorance ? Ta misère spirituelle ? Tes doutes ? Tes égarements ? »

Je demande à voir Bo Cohen. Après tout, il est directeur pédagogique de l'OSE et il a le devoir de nous guider. Homme merveilleusement timide et exigeant, c'est notre camarade aîné. Lui et sa jeune épouse Margot s'occupent de plusieurs d'entre nous avec un dévouement proche du sacrifice. Toujours prêts à nous écouter, à nous épauler. L'avis de Bo ? D'abord achever nos études. Un diplôme nous servira toujours, d'une manière ou d'une autre. Kalman n'est pas d'accord. Il brûle de partir.

Je m'en ouvre à Israël Adler. Son avis doit compter : n'est-il pas de Jérusalem ? Ne parle-t-il pas, en quelque sorte, au nom de l'Agence juive dont il est le *shalia'h*, l'émissaire ? Sa réponse est immédiate : « Quand le moment sera venu, me dit-il, nous " monterons " ensemble. » Pour le moment, il m'aide à la chorale. Nos plus beaux chants sont pour Jérusalem.

Et je poursuis mes études. Subrepticement, Shoushani me dirige vers un sujet qui me passionnera toute ma vie : l'ascétisme.

L'attrait, la quête de la souffrance. La volonté de souffrir pour donner un sens à la souffrance, celle de soi-même et celle des autres. L'ascète et son moi, le moi enrichi ou mutilé par la souffrance. Le rapport entre la souffrance et la vérité, la souffrance et la rédemption. La souffrance et la pureté spirituelle. La souffrance comme porte ouvrant sur le sacré. Le point de vue prophétique, rabbinique, mystique. Est-il nécessaire, voire indispensable, de punir son corps pour aider l'âme à voler vers les hauteurs ? Pourquoi un *nazir* (ascète) est-il considéré comme pécheur dans l'Écriture ? Pourquoi est-il obligé d'apporter un sacrifice au Temple ? Comment comprendre la diversité des ascètes ? Samson aussi l'est de naissance. Samson, le plus grand coureur de sa génération... Il me faudra du temps pour le comprendre : l'ascétisme nous avertit que le langage est sacré, qu'il ne faut jamais prononcer des paroles à la légère... Je prends des notes, beaucoup de notes. Je me mets à écrire. Des pages et des pages. Pour en faire un livre ? Pourquoi pas. Enfant, j'avais déjà envie d'écrire. A Sighet, je venais souvent au bureau de la communauté juive taper une page de commentaires bibliques sur l'unique machine à écrire hébraïque.

Naturellement, je pourrais rédiger mes souvenirs du camp. Je les porte en moi comme un poison. Je n'en parle à personne, par discrétion ou pudeur, mais cela me pèse. Matin et soir, j'y réfléchis avec appréhension. Le devoir de témoigner. Déposer pour l'histoire. Servir la mémoire. Que serait l'homme sans sa capacité de se souvenir ? Il existe une passion du souvenir qui n'est pas moins puissante ni moins envahissante que l'amour. Se souvenir, c'est quoi ? C'est vivre dans plus d'un monde, empêcher le passé de s'éteindre, appeler l'avenir pour l'illuminer. C'est faire revivre des fragments d'existence, sauver des êtres disparus, éclairer visages et événements d'une lumière blanche et noire, c'est faire reculer le sable qui recouvre la face des choses, combattre l'oubli, rejeter la Mort. Tout cela, je le sais. Et parce que je le sais, je me dis que je devrais écrire. Mais patience. Un jour, dans quelques années, je célébrerai la mémoire. Pas encore. Il est trop tôt. Je sais déjà les carences, les défaillances du langage. Les mots me font peur. La parole, c'est quoi au juste : œuvre divine ou diabolique ? La parole dite et la parole écrite ne reflètent pas la même expérience. Le mysticisme dont mon adolescence fut imprégnée se méfiait de l'écriture. Rabbi Itzhak Lurie n'a rien consigné sur le papier ; son disciple Rabbi Haïm Vital le fit à sa place, peut-être sans son approbation. Rabbi Nahman ordonna qu'on brûle ses écrits. Le Zohar parle de « *galut hadibour* », l'exil de la parole. La parole aussi est exilée. Autrement dit : une distance s'est creusée entre la parole et son contenu. La parole ne recouvre plus le sens qu'elle abrite. Entraves plutôt que repères, les mots brisent mon élan. Je ne leur fais pas confiance, pressentant ce que j'éprouverai avec tant d'acuité plus tard : ils sont trop pauvres, les mots humains ; trop transparents pour exprimer l'Événement. C'est simple, comment surmonter le dilemme : ou bien le conteur ment, ou bien les mots mentent. Aussi, à quoi bon multiplier les mensonges ? Bialik avait raison : « Les mots sont des putains. Fardés, ils s'offrent au premier venu. » Je décide d'attendre, de respecter une sorte de vœu : laisser passer dix ans avant d'ouvrir la bouche, avant de me lever pour faire ma déposition. J'aime écrire ? Il existe, Dieu merci, mille autres sujets qui attendent la rédemption. L'amour par exemple... Je veux dire : l'amour d'Israël, l'espérance d'Israël, la souffrance d'Israël, mieux : l'amour de la souffrance d'Israël... Enfin, vous voyez le genre.

Un volontaire de l'OSE, Joseph Milner, originaire du célèbre village de Chelm (dont les habitants, dit la légende, étaient tous des innocents), médecin de son état et écrivain yiddish à ses heures libres, s'intéresse à ce que j'écris. Il me recommande auprès du rédacteur en chef d'un quotidien yiddish auquel il collabore. Muni de sa lettre, je m'y rends. On m'introduit dans un bureau où le désordre n'est pas roi mais empereur. Assis derrière une pile de dossiers, de journaux et de livres, quelqu'un est en train d'écrire : sa tête seule est visible. Je dis bonjour, il ne répond pas. Je toussote, il ne lève même pas les yeux. Comme si je n'étais pas là ; comme si lui-même n'était pas là. Est-ce sa façon d'initier le débutant au délicat travail de journaliste ? Je me racle la gorge bruyamment, simplement pour voir s'il vit. Après un nouvel essai infructueux pour attirer son attention — cette fois je dis clairement « Bonjour monsieur » — je sors sur la pointe des pieds. J'ignore alors ma chance : le journal en question, *Neie presse* (La presse nouvelle), est l'organe des communistes juifs français. Nous n'étions pas faits pour nous entendre. Je ne serai donc pas journaliste communiste.

Si j'essayais l'éducation ?

Pendant l'été, l'OSE organise une colonie de vacances à

Montintin, dans le Limousin. Bo Cohen me propose d'y aller comme moniteur et Israël Adler m'encourage à accepter : d'abord, j'ai besoin d'argent, et c'est une expérience qui promet d'être intéressante. D'ailleurs, lui-même compte y aller. Pour les mêmes raisons. Argent et expérience. Ted Comet, le jeune volontaire de New York, fera partie de l'équipe dirigeante. Mais je reste indécis, j'attends un autre signe. Il arrive. On me dit que Hanna y sera : est-ce une raison pour dire oui ou pour dire non ? Je dis oui et je ne le regrette pas. Le matin très tôt, j'écris (en hébreu) « mon livre » sur l'ascétisme ; après le petit déjeuner je donne des cours bibliques et midrashiques. J'organise des débats sur la situation en Palestine : j'aime écouter autant que raconter. Le soir, je suis le dernier à quitter le feu de camp. La vie que je mène, je la sens féconde et prometteuse. Je découvre la vraie joie que procure l'enseignement : celle de la confiance et du partage.

Comme prévu, Hanna reste fidèle à sa nature ; elle se montre particulièrement désagréable à mon égard et je m'efforce de l'éviter. Heureusement, d'autres filles ne manquent pas de charme. J'amorce des flirts sérieux, c'est-à-dire que je leur parle de choses sérieuses, trop sérieuses pour me garantir le succès souhaité. Tous les jours je me convaincs que je perds mon temps, qu'aucune fille ne voudra de moi, ce qu'elles se font un plaisir de confirmer. N'empêche, tous les jours je recommence.

Les vacances terminées, Bo Cohen me conseille de quitter le confort du foyer à Versailles. Sauf pour le Shabbat, que je célèbre régulièrement « Chez nous », j'habiterai une petite chambre proche de son domicile, porte Saint-Cloud. Nic, Shimon et Félix reçoivent le même conseil. Et des chambres identiques, dans le même immeuble. Bo a raison : j'ai dix-neuf ans, il est temps de m'affranchir, de « m'assumer ». En faisant quoi ? Je ne sais plus qui eut l'idée originale de me pousser vers les sciences. Devenir ingénieur, moi qui suis incapable de résoudre un simple problème d'algèbre ? D'ailleurs, ingénieur en quoi ? Je me rebiffe : il y a génie dans ingénieur, bon, et alors ? Discussions sans fin. Quelqu'un me fait inscrire à un cours de chimie. Un matin, je me réveille dans un laboratoire, au milieu d'éprouvettes colorées. Je m'y sens aussi à l'aise qu'un anarchiste parmi des derviches ou des trappistes. J'aime ma blouse blanche, mais c'est tout. Je la retire deux semaines plus tard avec un sentiment d'embarras doublé de soulagement : c'est clair, je n'obtiendrai jamais un prix Nobel de chimie.

Je reprends mes cours avec Shoushani d'un côté et François de l'autre. Ma chambre est minuscule et sombre, sans eau courante : si quelqu'un vient me voir, il doit s'asseoir sur le lit. Heureusement qu'il y a le Shabbat, Versailles et la chorale. La chorale et Hanna, si belle, si froide.

Naturellement, je suis de près l'actualité juive. Je vais d'une manifestation sioniste à l'autre, salle Pleyel ou dans d'autres lieux moins imposants. Marc Jarblum, Daniel Mayer, Pierre-Bloch font vibrer les foules. C'est avec exaltation que je lis les reportages et articles de Jean-François Armorin et de Jacques Derogy dans *Franc-Tireur* sur l'odyssée héroïque de l'*Exodus* et la politique scandaleuse de la Grande-Bretagne. Ernst Bevin, je le maudis. Comment ose-t-il renvoyer les survivants de Bergen-Belsen en Allemagne ?

Kalman réapparaît à Versailles : malade, on l'a débarqué à Port-de-Bouc. « Et maintenant, Kalman ? » Il a perdu son exubérance. Il me paraît triste, éteint : « J'ai essayé, ça n'a pas marché. » L'histoire « vécue » de l'*Exodus*, c'est de lui que je la tiens. Le courage des passagers clandestins, le concours des autorités françaises, la duplicité des Britanniques : le cœur du monde battait au rythme du navire, le cœur du monde était sur le navire dont l'aventure prodigieuse entrera dans la légende d'Israël.

Avec le recul, nous mesurons mieux la dimension historique de cette épopée. Plus que les débats aux Nations unies, et autant que le combat livré par les mouvements de résistance juive en Palestine, jour après jour, parfois d'heure en heure, l'odyssée de l'*Exodus* fascina et bouleversa l'opinion publique de plusieurs continents. On admirait ces hommes et ces femmes qui, sans armes ni bagages, avaient choisi de s'arracher à l'Europe des cimetières pour aller reconquérir la terre de leurs ancêtres.

Il m'arrive de contempler les photographies de l'époque, d'y rechercher un visage familier. Depuis des décennies, une question me hante : ces réfugiés de tant de contrées, ces rescapés de tant de persécutions, de tant de massacres, de tant de haines, de tant de combats glorieux et désespérés, comment ont-ils fait pour accepter les risques de cette traversée ? Où ont-ils puisé le courage d'aller affronter la puissante, l'invincible marine de guerre de Sa Majesté britannique qui allait, c'était sûr, les pourchasser ? Survivants des camps de la mort, femmes au regard voilé, vieillards voûtés et adolescents aux yeux étincelants, étudiants attirés par la Torah ou inspirés par la foi patriotique : comment ont-ils réussi à se transformer en héros ? J'ai interrogé Kalman qui, en guise de réponse, haussa les épaules : « C'est comme ça. »

Bien sûr, un idéal commun les animait : rompre avec les vicissitudes et les tentations de l'exil, bâtir des foyers dans la joie et non plus dans la crainte, rendre au destin juif, à l'histoire juive leur part de soleil. Savaient-ils, pouvaient-ils deviner que, une fois réalisé, leur rêve comporterait d'autres défis, d'autres périls ?

Aujourd'hui, je regarde ces photos expressives, loin d'être figées, prises plus tard sur le sol libéré d'Israël : elles disent la sobriété, la simplicité de ces hommes et de ces femmes aux visages parfois mélancoliques. Regrettent-ils que la vraie rédemption, l'ultime délivrance messianique se fasse attendre ? Non, l'attente, ils connaissent. Cela fait des siècles qu'elle dure. Mais la paix ? Certains la réclament, tous en rêvent. Ils pourraient dire : « Nous, nous avons fait notre boulot, qu'on nous laisse tranquilles. » Ils ne le disent pas. La paix, la paix avec les Arabes, la paix avec les Palestiniens : voilà leur ambition maintenant. C'est qu'ils ont des enfants, et des petits-enfants, il faut bien qu'ils vivent, n'est-ce pas ? Il faut bien que les autres enfants, ceux d'en face, puissent vivre aussi. Il y a assez de soleil pour réchauffer tous les cœurs, il y a assez de rosée pour rafraîchir toutes les fleurs. Comment expliquer la générosité des gens de l'*Exodus* ? Grâce à eux, grâce à leur aventure prodigieuse, grâce à ce qu'ils représentaient, grâce aux « personnes déplacées » restées comme des renforts à l'arrière, l'État juif a vu le jour.

Israël : presque cinquante ans de turbulences sociales, de guerres, de victoires, d'enterrements, et, à mesure que s'approche la fin du siècle, l'angoisse se fait plus violente. Comment la chasser ? Tiens, j'aimerais pouvoir en discuter avec mon ami Kalman.

Il émigra aux États-Unis où il devint grand spécialiste dans le domaine du radar. Je le revis à Brooklyn, lors de ma première visite aux États-Unis : « Et ton ouvrage sur l'ascétisme ? Où en es-tu ? » me demanda-t-il. Beaucoup plus tard, nous nous retrouvâmes au Hunter College où il enseignait ; j'étais venu y faire une communication. J'étais heureux de le revoir : il n'avait pas changé.

189

Toujours aussi réservé, délicat. Frêle. Quelques années plus tard, je reçus un coup de fil de notre ancien camarade d'Ambloy, Harav Menashe Klein : « Appelle Kalman. Appelle-le vite. Il va mal. » Oui, Kalman allait mal. Le cancer. « Connais-tu le professeur Steven Rosenberg ? » me demanda mon proche ami de jeunesse d'une voix à peine audible. « Pourquoi le professeur Rosenberg ? — C'est lui qui a opéré le président Reagan. Lui seul peut m'aider à vivre. Sans lui, je vais mourir. » Je sentis que mon cœur se déchirait. Je remuai ciel et terre pour établir un contact avec le cancérologue, mais Kalman y parvint avant moi. Efforts vains : il mourut peu après, et c'est encore Menashe qui m'en informa. Ce jour-là, j'étais absent de New York. J'étais loin, trop loin pour venir aux obsèques. Kalman, mon ami d'autrefois... Écouis, Ambloy, Taverny, Versailles. L'humour de Kalman, la rigueur de sa pensée... Pourquoi nos routes s'étaient-elles écartées ? Nous habitions la même ville depuis si longtemps et nous nous étions vus si rarement...

Je songe à lui, souvent. Je l'imagine à bord d'un navire voguant vers un Orient en flammes.

Aidé par François, je m'inscris à la faculté des Lettres à la Sorbonne. Ouf, j'ai enfin trouvé ma vocation.

J'aime me souvenir de mes années d'étudiant. Les cours de Daniel Lagache dans l'amphithéâtre Descartes ou Richelieu, les leçons de Louis Lavelle au Collège de France. Les livres de philosophie et de psychologie que je dévore. Les dialogues de Platon, les analyses de Freud. Et puis il y a les flâneries interminables d'un bouquiniste à l'autre, d'un parc à l'autre. Le silence de la bibliothèque Sainte-Geneviève. Les rencontres fortuites et les rendez-vous obligatoires dans la cour de la Sorbonne. Tuteur, guide et ami, François s'évertue à m'initier à la vie du Quartier latin. Il m'emmène écouter Sartre et Merleau-Ponty, Robert Misrahi et Martin Buber. La conférence de celui-ci sur l'existentialisme religieux est un événement : salle comble et impatiente, public enthousiaste. On l'attend comme un prophète. On est emballé, conquis d'avance, prêt à avaler chaque parole, à s'extasier devant chaque trouvaille. Mais... eh oui, il y a un mais. Si Buber s'était exprimé en hébreu ou en yiddish, quelques-uns dans la salle auraient pu suivre son exposé. Même chose s'il avait parlé en anglais ou en allemand. Mais il a choisi le français et, à cause de son accent, personne ne le comprend. Pourtant, tout le monde applaudit. Ce n'est pas grave : on lira le texte lorsqu'il sera publié. Je suis quand même content d'avoir au moins aperçu le visage émouvant et entendu la voix pénétrante de l'auteur de *Je et Tu*, l'un des grands penseurs spirituels juifs de notre temps.

Plus que la théologie et l'existentialisme, les problèmes matériels me préoccupent. Je n'ai pas de quoi vivre. Mon seul moyen de subsistance, la subvention de l'OSE, est bien maigre : huit mille francs (anciens, très anciens) par mois. Bo Cohen me dit : « Il faut que tu apprennes à te débrouiller. » Certes, mais comment faire ? J'envoie des articles « philosophiques » au quotidien sioniste de Paris. Qui ne daigne même pas répondre. Si je devenais... si je devenais quoi ? Je ne suis bon à rien. Jamais je ne réussirai à gagner ma vie. Pour réussir, il faut oser. Et je manque d'audace. C'est que je crains le refus. Plutôt crever de faim que mourir de honte. La faim, je connais. La honte, je ne tiens pas à connaître.

Comme tout le monde, j'ai des tickets de rationnement. Quand je ne suis pas fauché, je mange du pain de maïs et du fromage. La jeune vendeuse qui me sert me donne chaque fois un morceau de brie plus grand. Pourquoi ce traitement de faveur ? Je ne le saurai jamais. Romantique, elle souhaite sans doute aider les étudiants affamés. Dans mes rêves je l'imagine amoureuse de moi. Un matin, elle m'a même souri. Du coup, je ne pense plus au fromage ni au pain.

Bo m'obtient un poste de tuteur. Je donne des cours particuliers à un fils de médecin : étude de l'hébreu et de la Bible pour le préparer à la Bar-mitzvah. On me paie, pas beaucoup, mais assez pour que je me croie utile. En vérité, je ne vaux pas mon salaire : mon brave élève de douze ans, je l'embrouille. C'est que j'emploie la méthode de Shoushani, trop difficile, trop compliquée pour un garçon de son âge. Plutôt que lui apprendre à lire les textes sacrés, je veux lui faire découvrir le mystère de leur genèse. Mon élève murmure : « Au commencement Dieu créa les cieux et la terre... » Je l'arrête : Au commencement ? Qu'est-ce que ça signifie, le commencement ? Y aurait-il un commencement pour Dieu ? Et une fin ? Je m'emporte, évoquant les Anciens et leurs conceptions de la Création, je cite Nahmanide et Abrabanel, et mon pauvre élève ne sait plus s'il doit faire semblant d'écouter ou se lever et

191

regagner sa chambre en pleurant. Après la quatrième ou la dixième leçon, son père arrive à l'improviste, me fait part gentiment de son mécontentement : pour le moment, son fils se passera de mes élucubrations métaphysiques ; que je revienne quand il sera mûr. A son mariage peut-être ? Reste la question des questions : comment vais-je régler mon loyer ? La nourriture est un problème, mais je le contourne. Parfois, Béa m'envoie des boîtes de lait concentré ou des biscuits. Il m'arrive également de déjeuner chez Hilda : pain et pommes frites. C'est la fête. Hilda ne se rend pas compte de la gravité de ma situation. Elle a ses propres soucis.

Chaque matin, il me faut choisir : aller au Quartier latin à pied et manger un repas ou un sandwich au restaurant juif kasher, rue de Médicis, ou prendre le métro ou le bus et rentrer l'estomac vide. Piètre économiste, j'y perds de toute façon : à force de marcher, j'use mes souliers — et le ressemelage coûte plus cher que le métro.

Le pire, c'est la fin du mois. Je tremble à l'idée de ne pouvoir payer mon loyer. A la date fatidique, il m'arrive de ne pas rentrer chez moi, de passer toute la nuit à me promener sur les quais de la Seine. Obscurément, j'ai peur de ma logeuse : je suis encore trop religieux et prisonnier de trop de tabous pour ne pas avoir peur des femmes : n'ont-elles pas été créées pour nous séduire et nous inciter au péché ? J'ai peur qu'elle ne profite de ma situation économique et morale pour... pour faire quoi au juste ? C'est bête, c'est ridicule, je le sais, je suis loin d'être un don Juan, mais j'ai l'impression terrifiante qu'elle cherche à m'attirer, à me posséder, bref : à me prendre comme amant. Chaque fois qu'elle vient faire la chambre, je prends la fuite comme un voleur, et si je la frôle malgré moi, cela me donne des frissons et des sueurs. Son odeur glisse sur ma peau. C'est qu'elle est jeune et ne manque pas de charme. Je veux dire : son charme, c'est sa poitrine ; elle est toujours sur mon chemin. Que j'aille à droite ou à gauche, impossible de l'éviter. Certes, il se peut que mes frayeurs d'adolescent naïf ne soient fondées que sur mes propres illusions ou mes désirs refoulés. Mais elles sont réelles. Et déroutantes. Aujourd'hui, on dirait : déstabilisatrices. Même si ma logeuse se comporte de la même manière avec tous ses locataires, dès que nous nous retrouvons dans la chambre je ne suis plus moi-même. Comment dire ? Je ne me plais pas, je ne m'approuve pas. J'aimerais être ailleurs ; j'aimerais être un autre. J'aimerais ne pas être.

Arrive le moment où je décide d'en finir avec l'existence que je mène. Stérile, lourde d'appréhension et de remords, elle me pèse. Je la traîne à contrecœur. Je la trouve gênante, encombrante. Comment la modifier ? Pour la première fois, l'idée du suicide s'insinue en moi ; j'interroge mon reflet dans le miroir ; le moment est-il venu de mettre un point final à mes soucis, à mon désarroi ? Si je ne meurs pas de faim, je pourrais me jeter dans la Seine ou sous une rame de métro... De quelque côté que je me tourne, la mort me regarde de ses yeux innombrables. Comment la repousser ? Jadis, dans la Grèce antique, le condamné devait chuchoter des vers d'Euripide dans l'oreille du tyran pour avoir la vie sauve. Existe-t-il d'autres vers pour apaiser l'Ange dont tyrans et sujets sont également les proies ?

Cafard monstre qui dure quelques semaines, quelques mois peut-être. L'homme que je souhaite devenir, que je suis déjà, je ne le reconnais plus. Il m'échappe et se cache dans la brume. Plus de contact entre lui et moi. Le moi ne m'appartient plus. Je doute de lui et des autres, je doute de tout. De ma mémoire aussi ? Non, ma mémoire est toujours accueillante. Menacée de mort, elle aussi.

Pourtant, elle ne devrait rien craindre. Les morts qui l'habitent la protègent. Les retrouver ? Ils m'appellent. En fait, ce n'est pas la Mort qui m'attire, ce sont les morts qui me font des signes. Je les vois, je les interroge sans cesse. Je sens leur présence, je m'en imprègne. Je vis parmi eux plus que parmi les vivants. Lorsque, dans mes romans, je parlerai du suicide, c'est de cette période de ma vie que je m'inspirerai.

Mais rien ne presse. La mort s'éloigne. Quant aux morts, ils ne veulent pas de moi. Peut-être est-ce parce que je n'ai encore rien fait de ma survie.

Je tombe malade. J'ai mangé des sardines sans pain et mon estomac me torture, j'ai les intestins en feu. Je vomis sans arrêt. J'ai rarement autant souffert. Si j'aimais être malade dans mon enfance, à présent j'en ai horreur. Je suis si mal en point que ma logeuse n'ose pas entrer. Un matin, comme par miracle, François me rend visite. Savait-il dans quel état il me trouverait ? « Si l'on étudiait aujourd'hui *Le Malade imaginaire* ? » me propose-t-il, et je n'ai pas la force de savourer son humour. Il descend téléphoner à sa mère, et revient avec des médicaments, m'aide à remonter la pente jour après jour. Sans lui, qui sait ce qui me serait arrivé ? Les douleurs s'atténuent. Je peux m'intéresser à autre chose qu'à mon corps.

Les journaux, que je dévore sans regarder aux dépenses, rendent compte de plus en plus des troubles et des émeutes qui agitent la Palestine. Un regret : j'aurais dû y aller clandestinement, avec ou sans Kalman. La guerre héroïque, historique, que le peuple juif mène contre les Britanniques en Terre sainte, il serait temps que j'y participe. D'autant qu'un événement dramatique se déroule aux Nations unies : l'Assemblée générale adopte une résolution octroyant aux Juifs le droit à une patrie souveraine. C'est le célèbre plan de partage du 29 novembre 1947. Je ne peux plus rester à l'écart. Je cherche dans l'annuaire l'adresse de l'Agence juive. 183, avenue de Wagram. Je m'y précipite. Je sonne. Le portier : « Qui venez-vous voir ? » Moi : « Je ne sais pas. » Le portier : « Vous avez pris rendez-vous ? » Moi : « Non, pas vraiment. » Le portier : « Que désirez-vous ? » Moi : « Deve-nir membre de la Hagannah. » Un instant, il hésite entre le rire et l'indignation puis, avec une moue de dédain, il me claque la porte au nez. Ce n'est pas à lui que j'en veux, mais à moi-même. Que je suis bête ! J'aurais pu deviner que la Hagannah n'était pas un club de jeunes footballeurs mais un mouvement quasi clandestin. Il me faudrait un contact, mais je ne connais personne dans les milieux sionistes officiels. Par hasard, un hebdomadaire yiddish me tombe entre les mains : *Zion in Kampf* (La lutte de Sion). C'est le journal de l'Irgoun. L'adresse ? Pas d'adresse. Normal, il s'agit de l'organe d'un mouvement palestinien de résistance. Mais, bizarrement, l'adresse de l'imprimerie est indiquée : en France, c'est la loi. L'imprimerie, je l'apprendrai assez vite, appartient à Marc Gutkin, militant clé du mouvement de Vladimir Jabotinsky : homme cultivé, hébraïsant, sportif, aimant la vie et ses plaisirs, la cause palestinienne juive est sa véritable passion. J'écris donc une lettre en yiddish au rédacteur anonyme du journal et l'expédie à l'imprimerie. Dans la missive, j'explique simplement et maladroi-tement — je veux dire : dans un style pompeux et patriotique — que mon souhait le plus vif est d'aider la Résistance juive en Palestine. Je mets ma lettre à la poste et le regrette aussitôt. Tout ce que j'y gagnerai, c'est d'être ridicule aux yeux d'un inconnu. Rien ne sortira de mon geste impulsif, j'en suis persuadé. Les patrons de presse ont sûrement d'autres chats à fouetter. En fait, je n'attends même pas de réponse. La lettre se perdra sans doute. Si elle arrive à l'imprimerie, elle ne sera pas transmise au journal. Si elle arrive à la rédaction, une secrétaire la lira et la jettera à la poubelle. Et si elle la remet au rédacteur, c'est sa poubelle à lui qui en profitera.

Je me suis trompé.

La même semaine, je suis invité à la rédaction secrète du journal, dans un immeuble banal de la rue Meslay derrière la place de la République. Je m'y présente à l'heure dite. Un homme élégant, genre intellectuel de Mitteleuropa, cheveux bien coiffés, lunettes d'écaille, se lève et me serre chaleureusement la main : « Je m'appelle Joseph ; asseyez-vous, je vous en prie. Ainsi, vous êtes étudiant en lettres et vous voulez nous aider, c'est cela ? »

C'est ainsi que je suis devenu journaliste.

JOURNALISTE

J'ai envie de chanter.

De tous mes camarades et amis, de tous mes frères d'infortune rencontrés après la tourmente, je me considère comme le plus chanceux, le plus heureux. Oui, c'est sciemment, comme pour me lancer un défi à moi-même, que je parle de bonheur. J'ai envie de rire, de boire, moi qui déteste les boissons. J'ai envie d'annoncer la bonne nouvelle au monde entier, comme si cela l'intéressait. A mes sœurs, à François, à Shoushani. Bien sûr, je ne le fais pas. Première règle de la clandestinité : la discrétion absolue. Anonymat obligatoire. Prudence et vigilance. Quand on est heureux, il faut paraître triste ; quand on est triste, il faut se dire malheureux en amour ou au jeu.

Je suis heureux et je sais pourquoi je ne devrais pas l'être : ne suis-je pas en train de tourner le dos aux morts qui me tenaient compagnie ? Et à mes études ? Et à ma pratique religieuse ? Un vrai journaliste peut-il avoir une vie intérieure ? Un rescapé a-t-il le droit d'être heureux ? Mais je sais aussi que mon bonheur s'explique et se justifie. Tout d'abord, mes soucis d'ordre financier, éternellement graves, vont bientôt s'évanouir : je vais recevoir un salaire de millionnaire : trente mille francs (là encore, anciens, très anciens) par mois. Jusqu'à présent je vivotais avec le quart de cette somme. Je vais pouvoir déménager. Finie l'angoisse des fins de mois. Finie la crainte nébuleuse et excitante qui m'envahissait en présence de ma logeuse. Finie la marche à pied de Saint-Cloud à Odéon. Je vais habiter plus près du centre. Je déniche une chambre avec lavabo — c'est le luxe — rue de Rivoli, près de l'Hôtel de Ville. C'est à deux pas ou presque de la rédaction. Vive le journalisme, vive l'avenir. Frénétique, je saisis ma petite valise, j'y fourre les quelques vêtements et les rares livres que je possède, les téphilines dont je ne me sépare jamais, et je cours m'installer à l'hôtel de France. Débordant d'énergie, je me sens comme un futur conquérant, sauf que j'ignore ce que je souhaite conquérir.

Mais je sais que je vais me battre ; cela me stimule et me procure une joie que je ne connaissais pas encore. Celle de l'action. Mieux, celle de l'action clandestine.

A l'époque, et plus tard aussi, la Résistance représentait pour moi une concentration humaine de tout ce qui est éthique et noble dans la société. Le courage physique, le sacrifice de soi, la solidarité, on peut les rencontrer jusque dans les bas-fonds. Mais la noblesse, c'est-à-dire la quête du sacré dans la grandeur, la compassion pure de toute arrière-pensée, le refus d'humilier et de se laisser humilier, l'altruisme au sens absolu, on ne la rencontre que chez ceux qui se battent pour une idée et un idéal qui les dépassent. La noblesse de l'action, on ne la trouve que chez ceux qui ont épousé la cause des faibles, des opprimés, des prisonniers du mal et du malheur. A mes yeux, la Résistance antinazie incarnait cette noblesse. Et, obscurément, je souffrais de n'y avoir pas participé. Certes, j'étais trop jeune à Sighet pour m'intégrer au réseau communiste clandestin qui distribuait brochures et pamphlets contre la bourgeoisie capitaliste, et trop peureux, trop apathique à Buchenwald pour rejoindre l'organisation clandestine dont j'ignorais d'ailleurs l'existence au petit camp. Il n'empêche : je me sentais fautif et frustré, pas entier.

Or voilà qu'une possibilité m'est offerte de me racheter.

Naturellement, l'Irgoun n'a rien à voir avec la Résistance française. D'abord, l'ennemi n'est pas le même. Et puis, si je m'en faisais une idée romantique, il me faut vite déchanter. Mesures de sécurité, cérémonies d'initiation, rendez-vous secrets, mots de passe, voyages nocturnes, jolies filles qui servent d'agents de liaison, ruses pour déjouer les filatures : rien de tout cela à l'Irgoun. Pas d'interrogatoire serré, pas d'enquête minutieuse sur mon passé, pas de serment prêté une main sur la Bible et l'autre sur un revolver, pas de fausse identité. Une conversation amicale, une poignée de main, et c'est tout. Pas assez pour en faire un film à suspense, même un tout petit. Si j'imaginais que j'allais vivre dangereusement, je vais être déçu : je ne risque pas la mort, même pas la prison. Le refoulement du territoire ? Peu probable. On n'expulse pas un apatride : c'est son unique avantage. Au pire, j'irai rejoindre Béa dans son camp pour personnes déplacées. Bon.

Tant pis pour la clandestinité. Je suis heureux malgré tout : je fais partie d'un mouvement de Résistance juive

Et puis, du jour au lendemain, presque en un clin d'œil, j'ai un poste, un emploi du temps, un métier que je vais aimer, je le sens. Existe-t-il vocation plus absorbante, perspective plus fascinante pour un garçon de dix-neuf ans, surtout en cette période turbulente où le foisonnement des événements « historiques » fait tourner la tête ? Je lis les reportages vécus de Joseph Kessel, les éditoriaux de Camus dans *Combat* et d'Altman dans *Franc-Tireur*, les chroniques polémiques de François Mauriac dans *Le Figaro*, je souhaite marcher sur leurs traces, être au centre nerveux de l'actualité, vivre en regardant vivre, informer, expliquer, participer aux bouleversements de la planète : je me vois déjà grand reporter prenant l'avion et le bateau, dans les jungles africaines ou le Sahara, au milieu de tribus perdues qui attendent impatiemment qu'on les découvre...

Seulement, dans mon cas précis, la réalité ne rejoint pas le rêve. Le lundi suivant, je me présente à la rédaction. Joseph, le patron, m'indique un bureau et me tend un article en hébreu : « Traduis-le, veux-tu ? » Bien sûr, je veux. Publié dans l'organe de l'Irgoun en Palestine, le texte dénonce David Ben Gourion, l'Agence juive et la Hagannah, glorifie Menahem Begin, le commandant en chef de l'Irgoun. Je traduis en yiddish des mots hébreux sans saisir leur signification. Je sais que la Hagannah combat les Anglais tout autant que l'Irgoun ; mais alors pourquoi cette haine entre les deux mouvements ? L'article mentionne aussi le Lehi (le groupe Stern), mais quel est son rôle ? Peut-être suis-je trop naïf et politiquement inculte : j'imagine le combattant juif comme un idéaliste dont l'être est tout entier tendu vers la rédemption de notre peuple, animé par la poésie de ses rêves et la force de ses armes, un pur, presque un Juste qui se ferait tuer pour sauver un frère, un camarade. Alors pourquoi accuser David Ben Gourion et la Hagannah de « collaborer » avec la police britannique en lui livrant des patriotes de l'Irgoun ? Je traduis, je retraduis, mais je ne comprends pas. L'article parle d'une certaine « saison » pendant laquelle des choses atroces auraient été commises par l'establishment politique juif. Je n'ose pas interroger Joseph, le patron, qui doit se dire que la situation politique en Palestine n'a pas de secret pour moi et que c'est en connaissance de cause que j'ai choisi de travailler pour l'Irgoun. Il se trompe : pour moi, tous les mouvements juifs clandestins se valent. Et si le portier de l'Agence juive ne m'avait pas renvoyé, je me trouverais maintenant derrière un bureau semblable, traduisant pour un journal de la Hagannah des propos insultants sur l'Irgoun. Bon, il faudra me documenter sur la question. Plus tard. Pour l'instant, traduisons, puisque apparemment traduire fait aussi partie de la profession. Et du combat patriotique clandestin.

Cela ne va pas de soi. Je lis bien l'hébreu et parle couramment le yiddish, mais mon yiddish, trop germanisé, n'est pas le bon : ma phrase est sèche, manque de structure, de tempérament et de sève ; le sens semble s'y promener comme dans une allée d'arbres morts. C'est un peu naturel : j'ignore tout de sa grammaire, de sa littérature qui est vaste et riche. Peretz, Sholom Aleikhem, Mendele : je n'ai pas encore lu leurs œuvres. Quelques miettes par-ci, quelques pages par-là. Leivik et Markish, Bergelson et Der Nister, Glatstein et Manguer : leurs noms me sont encore peu familiers. J'ai beaucoup à apprendre.

Joseph corrige ma traduction et se déclare prêt à m'instruire ; il devient mon professeur en littérature et en sciences politiques, m'expliquant que le yiddish possède sa grammaire, sa diversité, mille nuances et de nombreux pièges. « Si tu veux accrocher le lecteur, me dit-il, ta phrase doit être suffisamment claire pour être comprise et suffisamment énigmatique pour éveiller la curiosité. Un bon papier est celui qui combine style et substance ; il ne doit pas tout dire — on ne dit jamais tout — mais suggérer qu'il existe un tout. »

J'apprends que le yiddish polonais est différent du yiddish lituanien, que le yiddish roumain chante autrement que le yiddish hongrois. Le yiddish des hassidim se différencie du yiddish de leurs adversaires. Le yiddish des intellectuels n'est pas celui des forains et des bûcherons.

J'en parle à Shoushani — que je continue à voir le soir —, et il me stupéfie une fois de plus : son débit est lituanien, mais il connaît tous les accents yiddish, excepté le hongrois. Par la même occasion, il m'interroge sur mon travail. Fidèle à mon serment, j'esquive ses questions. Il ne s'en offense pas : « J'aime ce qui est secret, dit-il. Songe aux alchimistes : c'est dans leurs abris souterrains qu'ils essaient de transformer le sable en or. C'est en secret qu'on élabore les grands projets. » Il abhorre la violence, mais le combat juif en Palestine ne le laisse nullement indifférent. Je m'en souviens : chaque fois que les Anglais arrêtaient un membre d'une organisation clandestine, Shoushani cherchait à se renseigner sur son sort. Le jour où, quelques heures avant leur exécution, un membre du Lehi et un membre de l'Irgoun se suicidèrent ensemble, il ne tenait pas en place : il interrompit notre cours, arpenta la pièce en tous sens, se cogna aux murs, se moucha, respira bruyamment et s'essuya le front avec le plus grand mouchoir que j'aie vu de ma vie.

Je continue également à rencontrer François : mon patron me permet de poursuivre mes études avec lui et à la Sorbonne. Nous parlons moins de la bataille d'*Hernani* que des combats qui ravagent la Terre sainte. Comment et pourquoi François a-t-il décidé tout d'un coup de se joindre à la lutte pour un État juif indépendant ? Serait-il allé frapper à la porte de l'Agence juive de l'avenue Wagram ? Il a adhéré au Lehi, moi à l'Irgoun, mais notre amitié n'en souffre pas. D'ailleurs, chacun garde ses activités pour soi : moins l'autre en sait, mieux cela vaut pour tout le monde.

J'avoue que cette vie de « clandestin » me plaît. Être porteur d'un secret (mais de quel secret ?), cela permet non seulement de vivre différemment, mais aussi de vivre intensément. De jouer le personnage d'un héros en puissance. De se sentir vaguement supérieur à ceux qui vous entourent ou vous croisent simplement dans la rue. A la synagogue de la rue Pavée que je fréquente le Shabbat, nul ne me pose de questions ; pour eux je suis un étudiant comme tant d'autres. Ah, si seulement ils savaient...

S'ils savaient quoi ? Il n'y a rien à savoir. Je travaille dans un bureau normal, je traduis des articles qui ne sont même pas inédits, je passe des heures dans une petite imprimerie aux activités parfaitement légales, je ne dispose d'aucune information sur des ventes d'armes ou des navires qu'on affrète, je ne pose pas de questions et ne suis à l'affût d'aucune rumeur. D'ailleurs, après le vote des Nations unies, il n'y a presque plus d'activités clandestines en Palestine...

Qu'à cela ne tienne. Je me sens important, privilégié, utile, non pas en danger, mais dans une situation problématique, précaire, et ô combien héroïque. Journaliste militant, combattant de la liberté juive, je suis jeune, enthousiaste, à la recherche d'une cause qui ne soit pas perdue...

Je vais plus rarement à Versailles (la chorale s'est dissoute) mais, chaque fois, je dois faire un effort pour ne pas jouer au « résistant ». Surtout devant Hanna : comment lui faire comprendre que je mérite son attention sinon son affection, qu'elle pourrait s'intéresser à ce que je fais, qu'elle devrait me poser certaines questions pour que je puisse lui répondre que je n'ai pas le droit d'y répondre ? Niny, que je revois à Paris, n'a pas besoin de feindre, elle ; elle a tout deviné. M'approuve-t-elle ? Je le suppose. Son conseil, un dimanche matin : « Fais attention. » Et après un clin d'œil : « Et ne néglige pas trop tes études. »

Je ne les néglige pas. Le proverbe américain a du vrai : plus on est occupé, plus on a du temps. Shoushani et le Talmud, François et Kierkegaard, l'ascétisme et *La Lutte de Sion* : je fais ce que j'ai à faire. Je dors moins, c'est tout. J'aimerais que Hanna remarque ma mauvaise mine, mais quand elle me regarde c'est pour ne pas me voir.

Cependant, le journal m'accapare de plus en plus. Encouragé par Joseph, je choisis mieux les informations et les articles à traduire ou à adapter ; je commence à suggérer des titres, à porter les manuscrits à l'imprimerie de Gutkin, je compose la première page et programme les rubriques culturelles : semaine après semaine, j'apprends le métier.

Avec Marc Gutkin, nous parlons religion, culture, politique sioniste. Je me souviens de Jacotte, sa fille : encore petite mais si dynamique, malicieuse, assidue... Je me souviens du linotypiste Sam, un ancien d'Auschwitz, qui travaillait sans relâche jusque tard dans la nuit, soucieux que chaque numéro soit digne de sa mission... Son assistant, Jackie, sera le dernier linotypiste yiddish de Paris...

Grâce à mon travail, je fais la connaissance de Shlomo Friedrich, chef du Bétar. Grand, fort, démarche rapide, vigoureux. Ancien prisonnier du goulag, remarquablement intelligent, astucieux, audacieux, inspiré, il anime son mouvement avec dévotion, passion et imagination. Je me souviens de son sourire, de sa voix. Il sait tout faire, Friedrich. Chanter en yiddish, russe et hébreu en s'accompagnant de son accordéon, aussi bien que rédiger un programme politique. Des jeunes de son mouvement vont se marier ? Il présidera la cérémonie et s'arrangera pour qu'ils ne manquent pas de cadeaux. Il faut un chantre pour les Grandes Fêtes ? Il se porte volontaire et s'en tire à merveille. Il parle aux ministres qu'il va voir avec autant d'aisance qu'aux avocats qui viennent le voir, lui. Je fais la connaissance de sa future épouse, Shoshana. De ses enfants. (Je suis à New York quand Shlomo meurt de cancer dans un hôpital parisien ; apprenant la nouvelle, j'entends un déchirement, celui du deuil.)

Journalisme oblige, j'assiste à des conférences de presse, à des réunions publiques, à des manifestations. J'ai l'occasion de faire connaissance avec mes « confrères » : Henri Bulawko, qui ne sait pas encore que nous étions ensemble à Auschwitz-Buna ; Léon Leneman qui, l'un des premiers, lancera un cri d'alarme en faveur des Juifs persécutés en Union soviétique ; les collaborateurs du quotidien communiste *Neie Presse* ou de son rival sioniste *Unser Wort*. Lentement, je me familiarise avec le métier. Je n'écris pas encore d'articles. Je continue de traduire, de corriger et de m'occuper des aspects techniques du journal.

Le monde est en effervescence. Le jeune roi Michel de Roumanie est contraint d'abdiquer et de quitter son pays devenu communiste. La Birmanie acquiert son indépendance. Gandhi est assassiné, Jan Masaryk défenestré. En Irlande, Eamon De Valera démissionne. En Palestine, des soldats britanniques se font tuer. Des Juifs aussi. Des terroristes arabes font sauter l'immeuble de l'Agence juive à Jérusalem : onze personnes sont tuées, quatre-vingt-six blessées. A Paris, on s'émeut de la mort d'Antonin Artaud... que je ne connais même pas de nom.

Tous les jours, des envoyés de l'Irgoun viennent à la rédaction. Je ne suis censé connaître que leurs noms de guerre. Tous sont des Palestiniens. Leur chef, Élie Farshtei, s'entoure de mystère mais, en grand secret, Joseph me raconte un épisode de son passé : alors qu'il dirigeait les services de renseignements de l'Irgoun à Jérusalem, Élie fut capturé en 1946 et torturé par les agents de la Hagannah. Il paraît qu'il resta enchaîné pendant des mois sur un lit de fer dans un kibboutz du Mapaï (le parti de Ben Gourion). Avec Aryeh et David, ses adjoints, il s'enferme parfois dans le bureau de Joseph. J'aimerais savoir ce qu'ils mijotent. Des attentats : contre qui ? Un nouveau départ d'immigrants illégaux ? Quand ? Et venant de quel pays ? Élie Farshtei est le seul à s'arrêter près de moi pour me demander si le travail n'est pas trop dur, si mes études n'en souffrent pas. Je réponds en baissant les yeux que tout va bien, tout en espérant qu'il est content de ma « contribution » à la lutte de Sion...

Je me souviens d'un certain Marcel qui s'exprimait en anglais (que je ne comprenais pas) plutôt qu'en hébreu : il donnait l'impression (fausse ?) d'être toujours armé. De Zeev qui assurait la liaison avec les groupes de l'Irgoun en Allemagne. De Saul, plus universitaire qu'homme d'action. De Mendel et de son air de poète. J'aurais pu de nouveau rencontrer dans les couloirs une jeune fille juive anversoise, belle et audacieuse, qui transportait documents et autres objets : ma future épouse.

Entre-temps, l'évolution de la situation en Palestine gagne en intensité dramatique. Une vague de terreur déferle sur les communautés juives de différents pays arabes. La meute incendie la synagogue d'Alep en Syrie. Des dizaines de Juifs sont massacrés à Aden. Jérusalem est assiégée, les bandes du grand mufti, le chef pro-hitlérien Haj Amin el Husseini (l'ancien allié et protégé de Himmler), attaquent villages et convois juifs. Bientôt, ce sera le mois de mai. Bientôt, ce sera l'indépendance. Les unités combattantes de la Hagannah, du Palmach, de l'Irgoun et du groupe Stern redoublent d'efforts et de volonté : il est impératif de protéger chaque kibboutz, chaque colonie. En diaspora, les organisations sionistes travaillent inlassablement pour apporter à nos frères en Palestine leur soutien politique et financier. En France aussi. On mobilise. Jeunes et vieux, riches et moins riches, tous ressentent la fébrilité qu'ont jadis connue leurs ancêtres. Séparément, les représentants de tous les mouvements de résistance travaillent jour et nuit : comment se procurer armes et munitions, comment les payer, comment recruter des volontaires qui, demain ou après-demain, partiront sur les divers fronts de l'État juif à naître ? Élie et ses adjoints ne dorment plus. Au journal, nous les aidons comme nous le pouvons : en refusant le sommeil.

Le cercle autour de moi s'est rétréci. Kalman est parti en Amérique, Israël Adler a été rappelé par la Hagannah : il se trouve dans un camp d'entraînement pour volontaires, le Grand Arenas, près de Marseille. Ses fonctions : officier chargé des activités culturelles. Nicolas m'annonce sa décision : malgré son amour pour Paul Valéry, il va interrompre ses études : « Quoi, notre peuple se bat sur sa terre, et moi je resterais ici les mains croisées, à me balader dans *Le Cimetière marin* ? » Il ira se battre. « Et tes parents ? » Ils comprendront. « Et Myriam ? Elle t'aime, tu sais. » Il le sait et ne le sait pas. A Versailles, il l'aimait à la folie : pour être avec elle, il renonçait à son amour-propre et venait chanter dans la chorale. Maintenant, c'est elle qui l'aime à la folie. Et lui ? Un peu moins. Problème ? Mais non. Qu'elle le rejoigne en Israël, et tout s'arrangera. Est-ce pour ne pas me séparer de Nicolas ou

206

pour obéir à une impulsion patriotique ? Je lui dis : « Allons-y ensemble. » J'en parle à Joseph qui fait son rapport à ses supérieurs : pas d'objection. Naturellement, ils auraient préféré me voir enrôlé dans les unités combattantes de l'Irgoun, mais ils me laissent faire.

Tout au fond de moi-même, j'éprouve quelque réticence : je ne suis pas fait pour la vie militaire. La routine de l'entraînement, les hurlements des sergents, la promiscuité dans les baraques, l'identité fondue dans la masse : je sens que je ne le supporterai pas. Et puis... si je tombe au combat ? Je n'ai encore rien fait de ma vie, rien écrit des visions et hantises que je porte en moi et que je n'ai encore partagées avec personne. Même au journal, je n'ai fait que traduire et transmettre la pensée, les exigences, la colère des autres, les frustrations et les aspirations des autres. Pas les miennes. Rien de moi, rien des miens. Mon histoire risque de disparaître avec moi. De plus, je sens que j'appartiens encore à la diaspora. Et puis... tant pis, la patrie nous appelle, comme on dit.

Nicolas et moi nous inscrivons au bureau de recrutement, 83 avenue de la Grande-Armée. Il faut faire la queue tant les volontaires sont nombreux. Et impatients. Ambiance de camaraderie. On se salue, on se raconte potins, rumeurs et histoires drôles : déjà nous faisons partie de l'armée juive. Tout va bien, tout ira mieux, sauf que... A la visite médicale, un obstacle surgit : mon état de santé « déplaît » au médecin. Il suggère une petite intervention chirurgicale, pas grave mais indispensable. « Soignez-vous, me dit-il. Vous n'êtes pas en état. Revenez une autre fois. » Serais-je malade ? Je ne vois pas de quoi. Mais alors pourquoi le médecin essaie-t-il de m'effrayer ? J'envie Nicolas qui est déclaré « apte », lui. Il se porte bien, le futur professeur d'études séfarades. En pensée, je le vois rejoindre Israël Adler, dans le Sud de la France. Il débarquera à Haïfa, revêtira l'uniforme de l'armée juive ressuscitée. Et il sera un guerrier, un héros. Pas comme moi.

Triste, mélancolique, en plein désarroi, je retourne passer le Shabbat à Versailles. Je suis parmi les derniers des « enfants » qui fréquentent encore cette maison. Je ne retrouve plus l'ambiance d'autrefois. Je ne me sens plus à l'aise. Pour le directeur, je ne suis qu'un étudiant. Me prend-on pour un fainéant ? Un étranger, un évadé de quelque asile ? J'ai l'impression que tout le monde me regarde de travers, que certains me jugent. Hanna aussi ? Hanna surtout : depuis que nous nous connaissons, elle ne fait que cela. Nous chantons à table les chants habituels, les Zémirot, mais le cœur n'y est pas.

Je me rends également à Orsay où Léon Ashkenazy (Manitou) dirige une sorte de *yeshiva* moderne, style séfarade. Déjà charismatique, il diffuse son enseignement où la parole poétique et son écho ésotérique font bon ménage. Sa méthode me plaît. Ses chants aussi. J'ai besoin de célébrer le Shabbat en priant, en chantant, en étudiant. A Paris, c'est difficile. A Orsay, j'apprends des airs ladino et j'enseigne des chants hassidiques...

A la rédaction, nous travaillons d'arrache-pied. Nous chevauchons la septième vague, la plus haute qui soit. L'État juif va naître, le rêve ancien va se réaliser. De tous les peuples de l'Antiquité, Israël est le seul à se réinventer une souveraineté nationale sur la terre de ses ancêtres. Israël redevient le centre du monde.

Arrive l'événement tant souhaité, l'aube de nos rêves : c'est un vendredi. Le 14 mai 1948. Toutes les radios du monde transmettent le discours de David Ben Gourion. Dans un musée de Tel-Aviv, quelques heures avant l'heure du Shabbat pour ne pas violer sa sainteté, il lit la déclaration d'Indépendance et, moi qui l'écoute, moi qui la lis et la relis, je suis incapable de contenir mon émotion. Quand ai-je pleuré pour la dernière fois ? C'est dans un état de recueillement proche de la douleur que j'accueille le Shabbat, le plus beau et le plus lumineux Shabbat de ma vie. Shabbat en offrande à Israël ? Pas aujourd'hui. Aujourd'hui, c'est Israël qui se veut offrande au Shabbat.

Le monde, partagé entre l'émerveillement et l'angoisse, retient son souffle : le peuple juif, en réalisant son rêve ancien, va-t-il enfin changer de visage, sinon de destin ?

A la tombée du jour, porté par des ailes invisibles, je me rends à la synagogue pour y accueillir la reine de Shabbat. Pas tant pour prier que pour m'intégrer à une communauté vivante. Le service n'a pas encore commencé. Exaltés, les fidèles discutent politique et stratégie. Un vieux Maître coiffé d'un feutre à large bord m'attire dans un coin et me demande : « Croiras-tu désormais aux miracles ? — Oui. — Et tu ne nieras plus les bienfaits du ciel ? — Non. » Il me perce de son regard tranchant, et sa voix se fait dure, blessante : « Eh bien, mon petit, tu te contentes de peu. Tu pardonnes et tu oublies trop vite. » Mais j'ai besoin de ce tournant, ou du moins de ce signe. « Non, s'écrie le Maître plein de dépit. Le salut qui survient trop tard, je n'ai pas le droit de le refuser. Mais je ne peux pas l'appeler salut. Nous l'avons payé trop cher. Pour qu'il soit un salut véritable, rédempteur, il aurait fallu qu'il vienne plus tôt. » Les dents serrées, il se met à prier, alors qu'en Israël, malgré l'infériorité numérique et un armement insuffisant, on se bat déjà comme au temps des Maccabées. Perdre signifierait la fin d'un rêve, la fin d'Eretz Israël.

(Cette conversation, j'y songe souvent en visitant Israël. Israël, une récompense pour l'Holocauste ? Explication trop commode, à la limite du blasphème. Les deux expériences n'ont en commun que les personnes qui les ont vécues.)

L'opinion publique est favorable à l'État juif à peine né. Truman et Staline se disputent l'honneur d'être le premier à reconnaître son existence *de facto* ou *de jure*. La presse française y dépêche ses meilleurs reporters, ses commentateurs les plus prestigieux. Je les envie. « Correspondant de guerre » : que ne donnerais-je pour ce titre ? Seulement voilà : dans la mesure où *La Lutte de Sion* a besoin de mes services, c'est ici, comme simple journaliste-correcteur-rédacteur-coursier.

Je vis donc les événements historiques à distance, par personnes interposées. Israël en guerre, Israël accueillant ses enfants rapatriés des camps, Israël forgeant ses structures étatiques : je lis les dépêches des agences de presse, compare reportages et analyses politico-militaires, souligne telle image particulièrement significative, coche telle expression qui peut frapper les esprits. J'apprends à associer noms et événements. La mort d'Abd el Kader Husseini près du Kastel, l'attaque de Deir-Yassin (dont on ignore encore les sanglants détails), la chute de Kfar-Etzyon, le massacre d'un convoi de médecins ; « j'accompagne » les glorieuses unités du Palmach se battant pour ouvrir la route de Jérusalem et la Brigade 7 qui restera célèbre dans les annales pour ses victoires dans le Sud ; je hurle de joie lorsque l'Irgoun conquiert Jaffa, j'applaudis Menahem Begin qui proclame son attachement à la démocratie en créant un nouveau parti politique, le Hérout : il succède à l'Irgoun dont les officiers et les soldats s'intégreront à Tsahal ; je crie de rage et de tristesse quand j'apprends la capitulation de la vieille ville. Puis, en juin, j'ai enfin le droit de publier mon propre article : une sorte de commentaire romanesque mais personnel sur l'incompréhensible tragédie de l'*Altalena* : au journal, elle provoque la fureur plus encore que la douleur ; pour nous, il ne s'agit pas de tragédie mais de crime, d'assassinat, de trahison.

Dois-je en rappeler les circonstances ? Après la déclaration d'Indépendance, Tsahal (l'armée israélienne de défense) incorpore tous les mouvements clandestins sur le sol national, sauf à Jérusalem que l'ONU a internationalisée et où l'Irgoun et le Lehi conservent leurs infrastructures, bases et commandements autonomes. Manquant d'effectifs et de matériel, l'Irgoun affrète un bateau transportant un millier de réfugiés des camps pour personnes déplacées en âge de combattre et assez d'armement et de munitions (offerts par le gouvernement français) pour équiper toutes ses unités et quelques autres. Mais cette initiative pose un double problème : d'un côté, elle est contraire à l'embargo décrété par l'ONU ; de l'autre, il y a la crainte (réelle ? imaginaire ? politiquement utile ?) du Premier ministre David Ben Gourion que les chefs détestés de l'Irgoun ne tentent un coup d'État. Y a-t-il eu un accord entre les deux camps ? L'entourage du Premier ministre prétend que non, celui de Begin jure le contraire. Argument de l'Irgoun : « Si nous avions préparé un coup d'État, aurions-nous informé le gouvernement de la date de l'arrivée du navire ? » Il est aujourd'hui prouvé que des négociations eurent lieu concernant la distribution des armes ; de nombreux témoignages le confirment. Qu'est-ce qui les a fait échouer ? L'appréhension du gouvernement provisoire de se faire condamner pour avoir violé l'embargo de l'ONU ? Le désir inavoué de Ben Gourion de liquider les armées séparées de l'Irgoun, du Lehi et surtout du Palmach ?

L'*Altalena* arrive devant les côtes d'Israël, à Kfar-Vitkin, mais, chose étrange, n'obtient pas l'autorisation de jeter l'ancre pour décharger son armement, sauf s'il est remis dans sa totalité à Tsahal. Le commandement de l'Irgoun décide d'emmener le bateau à Tel-Aviv. Là, sur ordre de Ben Gourion, le Palmach l'accueille à coups de canon et le fait couler. L'opération est commandée par des officiers supérieurs dont les noms et le talent militaire brilleront au firmament de Tsahal : le futur général et ministre Moshe Dayan, le futur archéologue, général et ministre Yigael Yadin, le futur ministre des Affaires étrangères Yigael Alon et un jeune officier dont la fermeté égale la timidité : le futur chef d'état-major, ministre de la Défense et Premier ministre Itzhak

Rabin. Comment expliquer l'acharnement de Ben Gourion ? Dans ses directives, il parle de « l'ennemi » qu'il faut abattre à tout prix ; il exige une capitulation sans conditions. Il cherche à humilier autant qu'à vaincre. Rabbins respectés et leaders politiques tentent de le convaincre qu'une médiation est non seulement souhaitable mais possible ; en vain. Pas de pitié pour « l'ennemi ». Des volontaires anglo-américains refusent de bombarder le bateau : « On n'est pas venu ici pour tuer des Juifs », disent-ils. Certains officiers (dont l'adjudant de Dayan) adoptent une position similaire. Cas de conscience exceptionnels. La bataille, perdue d'avance pour l'Irgoun, fait rage. Les pertes ? On parle d'une vingtaine de victimes : presque toutes sont des rescapés des camps. Est-il vrai que des officiers du Palmach boivent à leur victoire ? Begin pleure en lançant un appel à ses troupes : « Pas de vengeance, pas de guerre civile, pas de lutte fratricide ! » Lors d'un débat tumultueux à la Knesset, Ben Gourion prononce un discours qu'aujourd'hui encore j'ai du mal à comprendre sinon à pardonner ; justifiant son ordre, il déclare : « Quand le Troisième Temple sera reconstruit, le canon qui a tiré sur l'*Altalena* y aura une place d'honneur. » J'en veux à Ben Gourion. Plus tard, j'éprouverai pour lui-même et pour sa vision politique une admiration durable. Beaucoup plus tard.

Dans le numéro consacré à l'événement, *La Lutte de Sion* publie un article polémique, débordant d'indignation prophétique, du plus grand éditorialiste israélien, le docteur Azriel Carlebach (traduit de *Maariv* par un rabbin, Eliézer Halberstam, membre de l'Irgoun et issu d'une lignée hassidique connue, celle de Czanz). Son titre : « Le canon sacré ». Inspiré par ce texte autant que bouleversé par l'événement, j'écris un papier que je signe Ben Shlomo. J'y raconte le drame de deux frères qui appartenaient aux camps opposés. Le combattant de l'Irgoun devint la victime de son frère, soldat du Palmach.

En y repensant, je trouve curieux que le premier de mes écrits traite d'un mal qui a toujours affecté l'histoire de mon peuple. Est-ce un hasard si Caïn et Abel, les deux premiers frères de la Bible, sont l'un meurtrier et l'autre victime ? Et si les enfants de nos patriarches se sont tant querellés ? Pas une génération qui ne soit perturbée par une division juive interne, pas un siècle qui ne soit marqué par un conflit idéologique juif, par des scissions et des déchirements divers. Isaac contre Ismaël, Jacob contre Ésaü, Juda contre Israël, Pharisiens contre Sadducéens, talmudistes contre hassidim, bundistes contre sionistes, communistes contre tous... Mais où est-elle donc cette unité juive, cette solidarité juive tant vantée dans notre littérature et tant décriée par la propagande ennemie ?

Pourtant, j'y croyais. Je voulais y croire. Être juif, à mes yeux, c'était appartenir à la communauté juive, au sens le plus large et le plus direct. C'était se sentir offensé chaque fois qu'un Juif était humilié, quelles que soient son origine, son appartenance sociale, la contrée où il habitait. C'était réagir, protester chaque fois qu'un Juif, même inconnu, au loin, était battu par n'importe qui pour la simple raison qu'il était juif.

Jamais je n'aurais pensé qu'un Juif serait capable de faire couler du sang juif, de faire la guerre à des Juifs, et sûrement pas à des Juifs qui refusent de riposter. Les renégats du Moyen Age ? Des exceptions. Les kapos pendant la guerre ? Des exceptions. Dans les deux cas, ce n'étaient que des marginaux dépourvus d'autorité.

Or voici des bons Juifs, mieux des soldats juifs, sans doute des héros juifs, tirant sur leurs frères, des rescapés de l'enfer, comme on dit, qui sont venus les aider, qui sont venus adhérer à leur cause, se battre à leurs côtés, participer à leur prodigieuse aventure...

Je n'en reviens pas. Ce n'est pas vrai, me dis-je tout en lisant articles et dépêches, tout en contemplant photos et manchettes, non, ça ne peut pas être vrai. Le Premier ministre de l'État juif à peine né n'a pas lancé ces ordres. Les officiers du Palmach ne les ont pas exécutés. Ils n'ont pas refusé de soigner les blessés. Les soldats n'ont pas tiré sur des anciens déportés et partisans nageant dans la mer. Les morts ne sont pas morts.

Comme un amoureux déçu, désabusé, je cherche en vain à me faire une raison. Les gens de l'Irgoun me disent : « Ben Gourion a toujours haï ce que nous sommes, ce que nous représentons. » Ils citent son programme officiel pendant ce qu'on appelait la « saison » durant laquelle ses adversaires étaient traqués et chassés : pour combattre l'Irgoun, il fallait licencier tous ceux que l'on soupçonnait d'en faire partie, leur refuser abri et aide, résister à leurs menaces et collaborer, si nécessaire, avec la police et le pouvoir britanniques. Pour l'establishment juif en Palestine, en ce temps-là, l'ennemi principal n'était pas l'occupant anglais mais le combattant de l'Irgoun. C'est ainsi, me dit-on : le léopard ne changera pas de peau ni la Hagannah sa tactique. Explication qui ne me satisfait pas. Je n'accepte pas le portrait qu'on dessine de Ben Gourion : un grand sioniste, un idéaliste juif comme lui ne peut pas être un monstre. Mais, désormais, on ne me verra plus au bureau de recrutement, 183, avenue de la Grande-Armée. Je porte en moi une blessure secrète qui ne cicatrisera pas avant bien longtemps. Fidélité à l'Irgoun ? A mon adolescence plutôt. D'ailleurs, il n'y a plus d'Irgoun en Israël. Plus de Lehi non plus. Dissous. Liquidés. Mais ils fonctionnent encore en diaspora. Leurs activités ? Aujourd'hui on dirait : relations publiques. Albert Stara continue de faire paraître *La Riposte* et nous *La Lutte de Sion*.

Je décide d'aller revoir Béa qui attend toujours son visa. Scénario connu : longues attentes à la préfecture de Police, demandes de visas, interrogations agaçantes, humiliantes, tampons salutaires.

Le camp de Béa se vide peu à peu. Beaucoup partent en Israël. D'autres émigrent vers des contrées lointaines, n'importe où. Les Allemands, quant à eux, semblent contents de se débarrasser des Juifs. Ben Shlomo leur consacre une chronique intitulée « Vainqueurs et vaincus » où je pose la question : s'il est vrai que les Allemands sont des vaincus, sommes-nous des vainqueurs ?

J'écris beaucoup, le plus souvent pour la poubelle ; d'ailleurs, Joseph ne veut plus que je traite de politique, et j'en ai moi-même assez de ce qui divise le peuple juif. Appuyer l'un en critiquant l'autre, défendre un groupe en condamnant l'autre : ce genre d'activité, de bataille n'est pas de mon goût. Je me tourne vers la littérature et la philosophie. J'écris une longue étude sur Spinoza, une autre sur Mahomet et le Coran. Cela n'a rien à voir avec l'Irgoun ou même l'actualité ? En effet, et l'un de nos « supérieurs » ne se gêne pas pour nous le faire remarquer : qu'est-ce que le renégat d'Amsterdam vient faire dans un organe où c'est Ben Gourion qui est traité de renégat ? Heureusement, Joseph me protège. Il aspire à élargir le faisceau de nos lecteurs en touchant un public intellectuel. Nous ne sommes plus clandestins — l'avons-nous jamais été ? — et, comme tout journal qui se respecte, nous ne pouvons plus nous contenter d'informations tendancieuses et de débats politico-idéologiques. Rassuré, je prépare plusieurs grands reportages culturels et articles de fond pour les mois à venir, mais... Eh oui, une fois de plus un mais vient bouleverser mes plans. Peu de temps après la catastrophe de l'*Altalena* (janvier 1949), les bureaux de l'Irgoun en Europe ferment leurs portes. Élie Farshtei et ses lieutenants sont rappelés. Et, parmi eux, Joseph, mon patron. Quant à moi, je n'étais qu'un auxiliaire local : je n'ai d'ordre ni de secours à recevoir de personne. « Pourquoi ne viendrais-tu pas en Israël ? » me demande Joseph. Je lui promets de réfléchir.

Chômeur, je reprends mes études avec une vigueur accrue. Je lis, je lis tout ce qui me tombe entre les mains. Je découvre enfin la littérature française moderne. Georges Duhamel, Romain Rolland, *La Condition humaine* de Malraux, *Le Baiser au lépreux* de Mauriac, *Jean Barois* et *Les Thibault* de Roger Martin du Gard. Et, bien sûr, les existentialistes. Je dévore romans et récits sur la guerre. Il m'arrive de ne pas sortir de chez moi, tant je suis absorbé par mes lectures. En outre, que ferais-je dehors ? Je n'ai rien à chercher dans le désert.

Ange secourable, Shlomo Friedrich m'obtient quelques travaux de traduction et de rédaction. Cela me permet de payer mon loyer. Mais ma situation redevient précaire. L'OSE a depuis longtemps suspendu sa bourse. Certains jours, je me promène l'estomac vide. Retourner porte Saint-Cloud et sourire à la vendeuse de fromage ? J'ai honte rien que d'y penser. Combien de temps vais-je continuer ainsi à m'apitoyer sur moi-même ? Soudain, je me sens dépaysé, déphasé. Je n'appartiens plus à l'Europe. Béa est enfin partie au Canada (avec un visa de domestique). Shoushani a disparu, probablement pour de bon. Hilda et son mari mènent une existence difficile, pénible. Souvent, le soir, je viens garder leur Sidney dont le berceau occupe tout le « salon ». Ils veulent se lancer dans les affaires, mais je n'ai jamais su lesquelles. Ils ont à peine de quoi subsister. Pour un repas convenable de Shabbat, il m'arrive de retourner à Versailles. La maison a encore changé : d'autres « enfants » nous ont remplacés et l'ambiance n'est plus la même. Hanna reste fidèle à elle-même : distante, sarcastique. Elle n'y peut rien. Le monde entier peut et doit se transformer, mais pas elle. Tant pis. J'ai d'autres soucis. Que vais-je devenir ? Nicolas m'envoie une longue lettre : viens. Israël Adler m'écrit un seul mot : viens. Les semaines passent vite, les mois encore plus vite. Voici Pessah. Le printemps. Et si j'allais en Israël pendant l'été ? J'en parle à Georges, le beau-frère de Hilda, qui occupe un poste important dans le groupe de presse d'Amaury. Bonne idée, me dit-il. Il va s'arranger pour m'obtenir une carte de presse. Il n'y a plus de guerre en Israël ? Peu importe, il y a l'armistice. Ce n'est pas la paix. Mon rêve sera accompli : je serai enfin correspondant de guerre. Mais comment ferais-je pour décrire une guerre sans guerre ? Bah, je trouverai bien d'autres sujets d'actualité. Pourquoi pas la vie des nouveaux immigrants ? Israël, terre d'accueil pour tous les fils et filles de la diaspora ; Israël, début de la rédemption. Combien de temps y resterai-je ? Comment prévoir, comment savoir ? L'important c'est d'y être.

Pour faire les choses convenablement, professionnellement, je me rends dans les bureaux de l'Agence juive et suis reçu par une sous-directrice qui se déclare enchantée par mon projet : « Allez-y, me dit-elle, un bon reportage romantique, sentimental, sera toujours utile pour l'Aliya ; les portes du pays sont ouvertes, mais trop peu de Juifs y entrent. »

La mère de Meno Horowitz, un camarade de Versailles étudiant en agronomie, s'occupe de mon cas. Nous préparons un plan. Une stratégie. En mai-juin, je me joindrai à un groupe d'immigrants. Je ferai le parcours avec eux. De la gare de Lyon jusqu'à Haïfa. Ensuite, on verra bien. Par chance, j'apprends que quelques anciens de l'Irgoun sont du voyage. Mais eux partent définitivement et j'ai honte de leur avouer que je suis moins idéaliste, et surtout moins courageux qu'eux. De quoi vais-je vivre là-bas ? Le journal m'emploie comme pigiste. Mon portefeuille n'est pas vide : quelques milliers de francs, toutes mes économies, et une livre sterling, cadeau de Freddo. Bah, Dieu est partout.

A la gare, avec ma valise où j'ai fourré mes téphilines, quelques vêtements, des livres et mon manuscrit inachevé sur l'ascétisme, je retrouve mes copains Baroukh et Louis. Le premier adore les romans de Jack London, le second les bons repas. Tout le monde est d'excellente humeur. Exubérants, les jeunes *olim*, ou immigrants, boivent et chantent, jamais ils n'ont été si éveillés, si ouverts à la camaraderie. Ils se racontent en riant leurs conquêtes amoureuses. Moi, je songe à Hanna. A Niny. Je ne leur ai pas dit au revoir. Pour Niny, j'ai une bonne raison : elle est en stage aux États-Unis. « Et toi ? me demande quelqu'un dans le noir. Cachottier, va. Tu ne dis rien ? Quelle femme t'a rendu heureux ? Ou malheureux ? » Je fais semblant de dormir. Mes copains sont comblés. Je devrais l'être aussi mais je me sens incapable de participer à leur allégresse. Je me revois à la gare de Sighet, j'attends mon père mort. Saisi d'angoisse, je me demande si le train va venir. Il arrive, la locomotive émet trois longs sifflements, mais aucune portière ne s'ouvre. Le train est vide.

Des camions nous attendent à la gare de Marseille. En route pour le camp d'accueil et de transit. Nous entrons dans un tunnel et Baroukh me demande de fermer les yeux. Je m'exécute. « Maintenant, ouvre-les », me dit-il. J'obéis et, le souffle coupé, je découvre la mer. Venant d'une région montagneuse, je suis ébloui par sa mystérieuse puissance. Les battements de mon cœur s'accélèrent comme si j'avais un rendez-vous d'amour.

Jamais plus je n'échapperai à son emprise.

Première étape : un centre d'hébergement près de Bandol. Ambiance d'excitation permanente. Des familles se retrouvent, des couples se forment, s'aiment, se promettent un avenir radieux. Moi, je prends des notes. Certains se groupent par affinités politiques pour élaborer mille plans et mille projets. Moi, je griffonne. Je suis là pour ça. En ville, on s'amuse ou l'on fait des achats. Pour soigner mon apparence de grand reporter, je m'offre une veste en cuir et des lunettes de soleil. Des conciliabules fiévreux se déroulent à l'ombre de chaque baraque. Est-ce qu'on nous logera ensemble, une fois arrivés ? Comment va-t-on faire pour vivre ? Le service militaire, est-ce dur ? Un homme trapu, aux traits énergiques, affirme : « Oui, c'est même très dur, mais... Vous vous rendez compte ? Moi, partisan et combattant clandestin, qui me cachais comme une bête traquée dans la forêt, n'osant sortir que la nuit, demain je porterai fièrement l'uniforme de l'armée israélienne ! » Son camarade, épaules voûtées, lèvres pincées, rétorque, amer : « Oui, tout ça, c'est très beau, mais moi je me suis assez bagarré dans la vie, j'ai passé assez de nuits aux aguets, j'ai trop souvent affronté la mort ; j'aimerais bien me reposer un peu. » Des voix : « Il a raison... » « Non, il n'a pas raison... » Certains ont peur que l'armistice ne se prolonge et d'autres qu'il ne soit rompu. Chacun a une idée là-dessus. Tout le monde se sent concerné. Et moi là-dedans ? Me voilà en vrai clandestin.

Le soir, sur mon lit de camp, je gribouille des notes tout en écoutant les conversations. Est-ce pour dissiper la tension ? Comme chaque fois que des hommes se réunissent entre eux, il s'en trouve un pour raconter des histoires de salle de garde ; on rit. Un autre montre qu'il en connaît de meilleures, de plus fabuleuses, de plus grivoises. On s'esclaffe. Moi, je n'ai pas envie de rire. Je songe à toutes les jeunes filles de Versailles, et à toutes les inconnues dans les trains, qui ne savent pas combien je les ai aimées. Ah, tous ces péchés que je n'ai pas eu le courage de commettre. J'essaie de penser à autre chose.

Peu à peu, la conversation s'affaiblit. Les derniers murmures ne suscitent plus que quelques soupirs. La baraque dort. Il est tard, mais je n'arrive pas à fermer l'œil. Est-ce le moment de faire le bilan ? Je me revois, à la maison, écoutant mon père qui nous demande s'il faut ou non tout abandonner et partir en Eretz Israël. Je l'entends murmurer : « A mon âge, aurai-je la force de repartir de zéro ? » Combien de chefs de famille dans combien de villes ont-ils éprouvé la même crainte ? Et puis il y avait notre manque d'imagination. Nous avions confié notre avenir à Dieu, sans nous douter que l'ennemi se l'était déjà approprié. Comment mon père pouvait-il être tellement naïf ? Et les Juifs européens tellement aveugles ? Cinquante ans plus tôt, trente ans même, rien ne les empêchait d'émigrer en Palestine. A l'époque, on n'avait pas besoin de visa ni de certificat. Qu'est-ce qui nous avait retenus sur cette terre assoiffée de sang juif et jamais désaltérée ? En pensée, j'évoque tous ceux de ma ville et de ma vie qui ne sont plus là pour m'accompagner.

Jours ensoleillés, soirées qui embaument. Atmosphère de rêve et d'anticipation. Au seuil d'une grande aventure, les inconnus se lient plus vite. Sauf moi : ma maudite timidité m'isole. Je brûle d'engager la conversation avec Inge, jeune fille juive d'origine allemande dont — on l'aura deviné — la beauté mélancolique me trouble. Ses lèvres, je les ai vues, je veux dire bien vues, une seule fois, je le jure, mais je crois que je m'en souviens encore aujourd'hui. Lourdes de désir, d'une sensualité à rendre fous tous les séducteurs de Hollywood. Ici, elle n'a ni famille ni amis. C'est comme si elle m'était destinée. Du coup, j'oublie toutes mes tentations passées. Hanna, c'est bien fini : Inge seule occupe mes pensées. Elle est sûrement plus douce que Hanna. Ah, comme je pourrais l'aimer ! Parfois, je me trouve derrière elle dans une file d'attente. Un mot, si seulement je réussissais à prononcer un seul mot. Mais je suis paralysé. Je sais, je devrais tendre la main, toucher son bras, lui offrir mon sourire le plus chaleureux, lui expliquer un passage difficile de la Bhagavad Gîta ou de Schopenhauer, je devrais l'attirer, la convaincre : je ne vais tout de même pas quitter l'Europe sans avoir fait l'amour ! Mais je n'ose pas. J'ai peur. Peur d'être repoussé et de ne pas l'être. Je me promets plus de hardiesse sur le bateau : tout le monde devient audacieux en contemplant la mer.

Tout le monde, excepté moi.

Le bateau — le *Négba* — est bondé. Impossible de rester sur le pont, de s'isoler. Les immigrants sont logés dans la cale. De temps en temps, on nous permet de monter à l'air libre. Je cherche Inge dans la foule bruyante. Ma nouvelle obsession, Inge. Je regarde à droite, à gauche. Trop de monde partout. Beaucoup d'enfants en bas âge. Quelqu'un m'informe qu'on a vu des femmes s'installer dans des cabines. Seraient-elles devenues soudainement riches ? Dociles peut-être ? Si je montrais ma carte de presse à un membre de l'équipage ? Il me permettrait peut-être d'inspecter les autres ponts. Mais je ne demande rien ; je ne sors pas de ma coquille. Comme toujours, je suis incapable d'attirer l'attention. Depuis le camp, ma devise est de ne pas me faire remarquer. Je me promets d'oser, une fois arrivé en Israël. En Israël, c'est connu, tout le monde ose.

Traversée calme, sans incident heureux ni désagréable. Je prie, je lis, j'écris mon journal, j'accumule des notes pour mon reportage, j'observe, je m'observe, je compte les heures, trop occupé pour avoir le mal de mer. La veille de l'arrivée, je ne me couche pas. C'est debout, les yeux écarquillés, les oreilles ouvertes et les sens aiguisés, qu'il faut voir le mont Carmel. Qui sait, avec un peu de chance, j'y apercevrai le prophète Élie.

J'espérais être le seul à avoir cette idée. Naturellement, je me suis trompé. Des dizaines de couples ont envahi le pont. Des amoureux ? Quelques-uns ont apporté leurs couvertures. « Réveillez-nous dès que la montagne émergera à l'horizon », nous demandent-ils. Nous n'aurons pas besoin de le faire : comme nous, ils sont incapables de trouver le sommeil.

Appuyé contre le bastingage, je scrute le ciel étoilé que bercent les vagues. Une tristesse profonde, aussi profonde que l'océan, s'abat sur moi et m'oppresse au point que j'ai du mal à respirer. Comment l'expliquer ? C'est bête, mais, attiré par l'infini, j'ai brusquement envie d'en finir avec la vie ; envie de me jeter par-dessus bord pour que les vagues m'engloutissent et m'emportent. Je n'ai jamais subi pareille attirance pour la mort, même dans ma chambre misérable de la porte de Saint-Cloud. Un inconnu, le visage enveloppé d'ombre, me sauve sans le savoir. Il me parle. Je ne l'entends pas bien, mais je sais qu'il me parle, ou qu'il se parle en me parlant. Histoire, religion, poésie. Il parle, il parle, et je finis par me tourner vers lui. Alors, loué soit le Seigneur, j'aperçois sur sa droite, oui j'aperçois Inge qui contemple les mêmes vagues que moi, qui peut-être comme moi appelle la mort... Je prie Dieu que l'homme qui nous sépare s'en aille, qu'il s'adresse à un autre passager, il n'en manque pas sur le pont... Eh bien, Dieu exauce ma prière. Il s'en va, le bonhomme s'en va. Je devrais le retenir un instant, pour le remercier de m'avoir sauvé la vie, mais Inge est là, tout près, et j'ai peur de la perdre. Doucement, je m'approche d'elle. Le silence, j'absorbe le silence qui règne sur le ciel et sur la mer, un silence traversé de chuchotements d'amour ou de prière. Je suis sûr, absolument sûr, que, si je prenais la main d'Inge, j'ouvrirais pour elle comme pour moi la première page d'une inoubliable histoire d'amour ; nous débarquerons ensemble ; nous commencerons une nouvelle vie ; nous aurons des enfants beaux, sages et espiègles ; jamais nous ne nous quitterons ; rien ne nous séparera, pas même la mort. Il suffit d'un geste, d'un seul... Mais je reste impardonnablement figé, stupidement prisonnier de mes inhibitions... Et le moment béni s'en va. Il dure une heure, ce moment. Et même deux. Mais il s'en va... Et soudain, de cent bouches, mille peut-être, jaillit un puissant cri de triomphe : « Regardeeez ! » Je scrute l'horizon qui va bientôt s'enflammer : le mont Carmel y est incrusté, menaçant l'ennemi mais nous invitant, nous, les apôtres de la fidélité, à nous approcher...

Est-ce la rosée ? Mes joues sont humides.

Est-ce l'arrivée imminente qui me bouleverse ou l'amertume d'avoir laissé passer ma chance ? Et Inge, est-elle émue ? Le temps de me tourner vers elle, elle a disparu. La retrouverai-je un jour ? Me sera-t-il donné de réparer ma faute ?

Au milieu de la foule qui maintenant se presse sur le pont, je me sens seul. Bêtement, irrémédiablement seul.

Comme toujours ? Pour toujours.

Je retrouve mon carnet d'alors : écriture folle, hachée, illisible. Je me sens excité, stimulé, exalté, comme jamais. D'abord parce que je foule le sol d'Israël et respire l'air de la Galilée toute proche. J'ai l'impression de revivre mes rêves d'enfant : rends-toi compte, me dis-je, Isaïe et Habacuc, Rabbi Yehuda et Rabbi Ishmaël,

Rabbi Moshe ben Nahman et Rabbi Yitzhak Lurie ont peut-être marché sur ce sol. Ensuite, c'est ma première mission, mon premier reportage. Curiosité et volonté mobilisées, observant ce qui se passe autour de moi et en moi, je veux tout absorber, tout retenir. La couleur du ciel — d'un bleu singulier, unique : existe-t-il un bleu biblique ? —, le mouvement lent et sûr des nuages blancs. Les bruits assourdissants du port auxquels se mêlent cris et appels dans toutes les langues. La chaleur, l'énervement. Tous ces officiels en short. Est-ce ainsi que j'avais imaginé l'Orient ? Que j'avais compris le retour des exilés ? Est-ce ainsi que j'avais senti l'État juif ? Formalités de police et de douane sont vite expédiées : nul ici n'est accueilli en étranger. Travail à la chaîne. Tampons, formulaires, transactions bancaires. On me sourit, on me lance des clins d'œil. Parce que je suis journaliste ? Parce que je suis juif. Les fonctionnaires vous serrent la main et vous souhaitent la bienvenue. Une pensée inquiétante me traverse l'esprit : comment peuvent-ils être certains que, parmi les immigrants accourus des quatre coins de la terre, aucun espion ne s'est glissé ? Il pourrait déclarer n'importe quoi, impossible de vérifier. Je note mentalement : « Question à étudier ! » Débarqué, je suis le mouvement des immigrants. Direction : un centre d'accueil au nom fort poétique : Bat-Galim (La fille des ondes). Notre groupe dort sous la même tente. Et moi je crois rêver : je me retrouve sur un lit de camp près d'Inge. Et voilà que, dans l'obscurité, elle me tend la main (décidément, ce pays suscite des miracles !). Amoureux jusqu'à la racine des cheveux, tremblant comme une feuille en plein vent, je l'enferme dans la mienne, je la garde ainsi un temps infini, une minute entière peut-être. Est-ce pour cela que je suis venu en Israël ? Pour savoir ce que c'est qu'une main fine, tendre, douce, ouverte, une main féminine ? J'ai grandi dans une tradition qui nie le hasard. Si tout n'est pas prévu, donc prédéterminé, tout reste néanmoins lié. Comme dira Nikos Kazantzakis, citant un proverbe étrusque : ce n'est pas parce que deux nuages se rencontrent que l'étincelle jaillit ; deux nuages se rencontrent pour que l'étincelle jaillisse. Mais le libre arbitre, alors ? Et la possibilité de choisir ? Ils existent. Eh oui, ils existent malgré tout. Et l'accent est sur « malgré tout ». Rabbi Akiba le formule bien : tout est prévu (là-haut), et pourtant l'être humain est libre dans ses choix. Tenant la main d'Inge dans la mienne, je suis libre de la garder ou de la rendre. Libre de l'embrasser ou de la caresser. Libre d'aller plus loin, de descendre plus bas. Oserai-je ? Oui, j'ose. Je sens sa poitrine et le sang coule plus vite dans mes veines. Plus bas ? J'ose. J'ose être libre. Libre, le suis-je ? Trop attaché encore à mon éducation puritaine, je m'arrête. Par pudeur ? Par peur peut-être. Lorsque j'y pense, je me juge sévèrement : Oscar Wilde a raison de dire que l'on regrette toujours les péchés que l'on n'a pas commis. Je me suis rendu ridicule aux yeux d'Inge. D'ailleurs, elle me le prouve : elle pousse un soupir et retire sa main. Mutilé, amputé, je n'arrive plus à trouver le sommeil.

Le lendemain, au réveil, je n'ose pas la regarder en face. Je me jure de changer la nuit prochaine : je saurai surmonter mes vieux tabous, je serai audacieux, entreprenant. Mais il n'y a pas de soirée prochaine : quelqu'un vient chercher Inge pour l'emmener dans un kibboutz. Elle ne m'a même pas dit adieu. Et moi, pour la première fois depuis Écouis, j'oublie de dire mes prières avant de prendre mon petit déjeuner. Je m'en rends compte à la tombée du jour, trop tard pour mettre les téphilines. Et pourtant le ciel ne s'est pas fendu, aucun éclair ne m'a foudroyé. Coup classique : je n'ai pas interrompu la pratique pour des raisons philosophiques ; tout indique que c'était un oubli involontaire qui aurait pu m'arriver en France.

Mais c'est arrivé en Israël.

Quelques jours plus tard, je quitte à mon tour Bat-Galim : j'ai réuni assez d'informations pour écrire un premier papier sur l'arrivée des immigrants. Je me rends à Tel-Aviv pour m'inscrire en bonne et due forme au service de la presse étrangère. Avant de pénétrer dans l'hôtel Kete Dan, je fais un tour au bord de la mer et, soudain, je reçois comme une gifle : j'aperçois, au large, l'*Altalena* ou ce qu'il en reste : une épave échouée. Sur son flanc noir, quelqu'un a inscrit à la chaux, en lettres gigantesques, cet avertissement : « Parti du Hérout ! Ta fin sera celle de l'*Altalena* ! » Pourquoi n'a-t-on pas effacé ce souvenir d'un épisode honteux ? Le Hérout n'est-il pas un parti politique démocratiquement constitué, donc légal ? Pourquoi le vouer à la mort ? Je ne comprends pas. Presque un demi-siècle plus tard, je ne comprendrai toujours pas.

Je me présente devant l'officier chargé des relations avec la presse. J'obtiens ma carte de « correspondant étranger » qui m'impressionne, je l'avoue. Vous vous rendez compte ? Les autorités civiles et militaires sont priées par le gouvernement provisoire d'Israël — pas moins ! — de m'accorder aide et soutien dans l'exercice de mes fonctions. Le jeune État veut plaire et se faire aimer. Visibles et invisibles, toutes les portes s'ouvrent devant les journalistes d'outre-mer. Je voyage en jeep, en bus, en camion. J'écoute des récits de guerre, des histoires dramatiques vécues ou rêvées qui commencent bien et finissent mal ou inversement, je les écoute jusqu'à l'ivresse : romantique incorrigible, j'ai l'impression de vivre au temps de Juda Maccabée ou de Shimon Bar Kokhba. Je traverse le pays qui, si petit qu'il soit, m'enchante par sa diversité, et naturellement par sa judéité. Et plus encore par son humanité. Comment décrire la courtoisie, la chaleur des gens, leur hospitalité ? Personne ne ferme sa porte la nuit. Ne craignent-ils pas les voleurs ? Bah, eux aussi ont besoin de vivre, me répond-on en riant.

A Tel-Aviv, j'essaie d'entrer en contact avec Nicolas ; il est à l'armée. En revanche, je rencontre les deux sœurs d'André Bodner, l'ancien moniteur de l'OSE et l'ami de Bo ; nous déjeunons dans un restaurant végétarien. A Haïfa, je bute sur mon cousin Leizer Slomovic, le futur professeur de Talmud à Los Angeles ; il a épousé une fille de Sighet. Je passe un Shabbat chez eux. Leur bonheur me rend heureux. Ils me donnent l'adresse de nos cousins Reshka et Leibi Feig à Tel-Aviv. Je passe un autre Shabbat avec eux. Reshka connaît mon goût pour les *latkes* (pommes de terre râpées frites, version juive du *rösti* suisse) : la dernière fois que j'en ai mangé, c'était dans le petit ghetto. Leur bonheur aussi est contagieux. Certes, ils ont des difficultés matérielles, c'est normal, qui n'en a pas ? Mais, face aux événements historiques que vit le pays, les problèmes individuels pèsent peu, n'est-ce pas ? Mes cousins semblent s'exprimer comme des propagandistes sionistes : un bon Juif, un vrai Juif ne devrait pas s'attarder un jour de plus en diaspora. Ici, tout le monde le répète. Et moi je n'ai pas envie d'en débattre. D'ailleurs le voudrais-je que j'en serais incapable. Je suis conditionné pour ne voir que le bon côté d'Israël. J'admire, j'exulte, je célèbre. Cela sonne sentimental, mais je n'y peux rien : je suis ému de parler à un fonctionnaire juif, d'interroger un politicien juif, de voir un policier juif, un officier juif, d'écouter un membre de l'état-major juif, un ministre juif. La Galilée, j'aime la Galilée. J'ai envie de m'établir à Safed, la ville des visionnaires mystiques. Ou pourquoi pas à Tibériade, le lieu dont le Talmud vante les bienfaits ? Et de quel droit négligerais-je le Néguev, ce désert pas comme les autres qu'ont chanté tant de poètes anciens et modernes ? Et Jérusalem, la plus belle, la plus silencieuse, la plus inspirée des cités, ne pourrais-je pas y vivre les années qui me restent ? Pourtant, je ne peux pas découvrir la vieille ville, la vraie Jérusalem. Celle-ci reste entre les mains des légionnaires jordaniens. Pour la voir, je monte sur la tour de Notre-Dame. Pourquoi mon cœur se serre-t-il alors ? Les lamentations de Jérémie me reviennent à l'esprit : qu'elle est donc solitaire, qu'elle est donc abandonnée, la cité de Dieu. Pour la première fois depuis sa naissance, au temps du roi David, il n'y a plus de vie juive ni de Juifs dans ses murs. Pourtant, même après la destruction du Temple, tous ne l'avaient pas désertée. Aujourd'hui, je ne comprends pas : les Israéliens semblent l'avoir oubliée. Phénomène déroutant que je décide d'approfondir. Pas facile. Les témoins et les acteurs du drame de Jérusalem refusent d'en parler. Dès que je pose la question, les visages se ferment. Comme si les gens avaient honte. Je ne ferai donc pas de reportage là-dessus. Pas encore. J'en parlerai plus tard, après de nombreuses recherches dans journaux, revues et archives, en 1968 (dans *Le Mendiant de Jérusalem*) et en 1989 (dans *L'Oublié*).

La chute de Jérusalem en 1948 ne cesse de me hanter. Peut-on la comparer à celle qui eut lieu en l'an 70, lorsque la Xe légion romaine, sous le commandement de Tibère, neveu de Philon d'Alexandrie, l'assiégea ? Qui furent ses derniers défenseurs ? Comment a-t-elle vécu ses dernières heures de souveraineté ? Le moindre détail m'intéresse.

Dans mon bloc-notes, je transcris ce que j'ai réussi à recueillir sur sa capitulation. Un chroniqueur se souvient :

> ... Et, ce matin-là, un tableau étrangement triste se déroula sous le ciel bleu de Jérusalem.
> Deux vieux rabbins, Minzberg et Hazzan, s'approchent de la porte de Sion, dans la vieille ville, portant un grand drap blanc accroché à deux bâtons.
> C'est vendredi, un vendredi lumineux. 29 mai 1948. 9 h 15 du matin.
> De l'autre côté, les Arabes...
> Les combattants de la Hagannah interdisent aux rabbins de passer, malgré l'autorisation du commandant de la vieille ville. C'est simple : ils refusent qu'on négocie leur capitulation. Le commandant Moshe Rusnak et son adjoint David Eizen doivent

accompagner eux-mêmes les deux rabbins jusqu'à la dernière position de défense.

Et, même là-bas, un incident a lieu : quelqu'un a blessé le rabbin Hazzan. Qui a tiré ? Un Jordanien ? Un Juif ? On ne le saura jamais. En revanche, on sait que cette dernière balle n'a pas réussi à sauver la plus sainte ville de l'histoire juive.

Les deux émissaires arrivent devant les positions jordaniennes. On les conduit auprès du commandant de la légion jordanienne, Abdallah el Tall. L'acte de capitulation est signé à 17 heures. Ce Shabbat-là apportera la paix mais pas la joie dans les demeures juives.

Lorsque les Jordaniens occupent la vieille ville, défendue par si peu de Juifs, si faiblement armés, ils laissent éclater leur frustration coléreuse : « Si nous l'avions su, nous vous aurions chassés avec des bâtons. »

Pourquoi les défenseurs de la ville étaient-ils si peu nombreux, et si pauvrement armés ? Au début du siège, deux mille Juifs y habitent avec leurs familles. La plupart sont des orthodoxes fanatiques, des étudiants rabbiniques et kabbalistes inspirés, soutenus par des unités des trois mouvements de résistance. Les défenseurs font preuve d'un courage et d'une abnégation sans pareils. Jeunes et vieux, enfants et parents, garçons et filles participent aux combats. Un garçon de vingt ans est blessé, on le soigne : « Combien de temps ça va vous prendre ? » demande-t-il au médecin. « Vingt minutes. » « Trop long, dit le blessé. Donnez-moi un calmant, je reviendrai. » On le ramène une heure après. Tué. Cependant, il faut le dire : tous ne sont pas prêts à se sacrifier pour la ville. Certains, des antisionistes religieux, poussent la population au désespoir et souhaitent la défaite. Ils sont peu nombreux ? Cela fait quand même mal.

Qui consolera la cité outragée et battue ? Quand sera-t-elle consolée ? conclut la chronique.

Les antisionistes religieux me rappellent Flavius Josèphe : lui aussi, pour démoraliser les habitants, prêcha l'abdication et incita les combattants au désespoir. N'y aurait-il donc rien de nouveau dans les annales de notre histoire ? La question me fascine, mais je doute qu'elle intéresse mes patrons parisiens. S'ils ont besoin de quelqu'un ici, c'est d'un reporter, non d'un historien. C'est pour parler de Juifs vivants, non de Romains morts, qu'on m'a envoyé ici. Plus précisément : de ces vagabonds, ces êtres dépossédés, sans attache psychologique ou simplement humaine, soudain métamorphosés en citoyens fiers de leur force, sans complexes ni phobies. Flavius Josèphe ? Je m'y intéresserai plus tard. Ce général devenu patricien a attendu si longtemps, il attendra encore un peu.

Les nouveaux immigrants me réservent des surprises. En discutant avec eux, dans les centres et les camps d'accueil comme dans les villes et les villages, je commence à entendre çà et là récriminations et plaintes qui me laissent songeur et, pourquoi ne pas l'avouer, déçu, désabusé.

Protestations contre la bureaucratie, les difficultés économiques, le manque de logements? S'il ne s'agissait que de cela, je comprendrais. Mais le problème n'est pas là. « On ne nous aime pas, on ne nous accepte pas », me disent certains. Étonné, je leur demande d'expliquer. Ils expliquent, et ça fait mal.

A les entendre, cela dure depuis 1945. En Palestine aussi, on traite les rescapés des camps comme des malades ou des marginaux. Au mieux, comme des pauvres types. On les plaint, on va jusqu'à les héberger, mais on ne les respecte pas. Ils ont souffert? C'est de leur faute : ils n'avaient qu'à quitter l'Europe comme on le leur avait conseillé ; ou se battre, s'insurger contre les Allemands. Autrement dit, les immigrés incarnent tout ce que le jeune Juif en Palestine refuse d'être : une victime ; ils représentent le pire aspect de l'histoire juive, le Juif faible, courbé, qui a besoin qu'on le protège ; ils personnifient la diaspora et ses indignités.

« Nous sommes venus ici en espérant échapper aux humiliations, or elles nous assaillent, bien qu'elles soient d'un autre genre », me dit un ancien instituteur de Lodz. « A leurs yeux, je suis une loque humaine, une sorte d'épave mentale », remarque de son côté un ancien commerçant de Radom.

Depuis 1948, les choses n'ont cessé d'empirer. Les fiers guerriers juifs vont jusqu'à manifester ouvertement leur dédain envers les *olim 'hadashim* : « Nous sommes six cent mille et avons vaincu six armées arabes bien équipées ; vous étiez six millions, et vous vous êtes laissé mener comme des moutons à l'abattoir? » Comment leur expliquer? Comment leur dire qu'ils ne comprennent pas, qu'ils ne pourront jamais comprendre?

Attitude hautaine, condescendante. On voit dans le nouvel immigrant un lâche, un contrebandier, un malfaiteur, on le soupçonne, on le surveille du coin de l'œil; c'est sûrement un trafiquant rusé, immoral ou amoral, aimant la vie facile, le négoce douteux, le marché noir, et ne songeant qu'à s'enrichir en trichant, à tromper le gouvernement et à semer le désordre dans le pays.

Pis, on lui fait comprendre qu'on n'est pas dupe : s'il a survécu, c'est qu'il a sans doute été membre du Judenrat, ou policier, ou kapo...

A l'école, les élèves juifs palestiniens appellent leurs camarades immigrés *sabonim* — des petits savons...

Ce n'est pas leur faute. Ça n'est jamais la faute des enfants. Ils répètent ce qu'ils ont entendu à la maison. C'est le système d'éducation qu'il faudrait blâmer. On a tant vanté les vertus héroïques du sionisme et tant décrié les méfaits de la diaspora que l'un et l'autre paraissent désormais incompatibles : le sionisme est beau, grand et honorable ; il baigne dans la lumière éclatante d'Israël. La diaspora pervertit l'homme et le déshonore ; elle le conduit vers les ténèbres d'Auschwitz. Dans les kibboutsim, on apprend aux enfants rescapés, ou enfants de rescapés, à oublier le passé, à tirer un trait sur la mémoire de leurs souffrances, ça vaut mieux, c'est plus sain, plus agréable, sociable, c'est essentiel s'ils tiennent à se refaire un avenir honnête à l'intérieur de la communauté.

Aussi évite-t-on de s'attarder sur l'Holocauste. Pendant de longues années, on le mentionne à peine dans les manuels scolaires. On ne l'enseigne pas dans les universités. Pas encore. Quand David Ben Gourion et ses collègues décident enfin, au début des années cinquante, de faire adopter à la Knesset un projet de loi sur Yad Vashem, le Conseil supérieur du souvenir, l'accent est mis sur la *guévourah*, le courage, les exploits héroïques du combattant, du résistant. On les présente comme appartenant à une sorte d'élite, tandis que les victimes — morts et survivants — ne méritent que compassion ou pitié, et encore. Le sort des victimes, mieux vaut ne pas l'évoquer, surtout en public. Le sujet embarrasse. D'où le sentiment qu'éprouve le survivant : il encombre, il est indésirable.

Ambiance malsaine, démoralisante, elle suscite en moi un malaise qui mettra du temps à se dissiper. Elle ternit ma joie de respirer l'air de Jérusalem. Mélancolique, souvent cafardeux, je cherche en moi un équilibre sans le trouver. En parler dans une chronique ? Le hasard me fait rencontrer un ancien émissaire de l'Irgoun en France : il me demande de ne pas le mentionner dans mes reportages éventuels. Il préfère que son passé reste voilé. « C'est plus sain », m'explique-t-il, d'un air gêné. Je décide de faire taire en moi la douleur du désenchantement.

Bien plus, je me propose de prolonger mon séjour. Aussitôt, la vieille question resurgit : de quoi vais-je vivre ? Je rends visite à des cousins, des amis. Itzu Junger m'héberge dans son taudis quelque part dans un faubourg de Tel-Aviv : c'est une sorte de cagibi sans fenêtres où l'on ne peut s'attarder plus de quelques heures sans risque d'étouffer. C'est mieux que rien. Je vais voir Joseph, mon premier patron, qui travaille à la rédaction du journal *Hérout*. Il m'offre un poste provisoire, le temps de dénicher autre chose. Je lui dis : « Mais je ne pense pas rester très longtemps ! Et puis je n'appartiens pas à ce parti politique ! » Il sourit : « Tu comptais peut-être écrire des éditoriaux ? » Soit. De toute façon, cela m'aidera à parfaire mon hébreu. Pendant trois ou quatre semaines, je suis mi-correcteur, mi-garçon de course. Un jour, un ami de Paris que je croise dans le couloir me dit : « Pourquoi ne viendrais-tu pas avec moi à Beer-Yaakov ? » Qu'y a-t-il à Beer-Yaakov ? Un village d'enfants situé non loin d'un asile d'aliénés. Je saute sur l'occasion. Me voilà moniteur à plein temps : que penserait Niny si elle me voyait dans son rôle ? Les « enfants » sont des adolescents, originaires de Roumanie et de Bulgarie. Semaines agréables, joyeuses, instructives. Feux de camp, naturellement. Fantana et Ambloy. Chants et contes. Nous étudions l'histoire juive ancienne et l'Écriture aussi bien que la philosophie et la littérature européennes modernes. L'éthique d'Isaïe, l'interrogation chez Jérémie, la solitude de Rabbi Shimon bar Yohaï, Socrate et Leibniz (un étudiant de Sofia est amoureux de Leibniz, il le connaît comme moi je connais Job), Descartes et Rousseau. Les jeunes, surtout les Bulgares, m'étonnent par l'ampleur de leur savoir. Leurs condisciples d'origine roumaine m'émerveillent par leur ferveur. Beaucoup de soirées musicales, d'exposés, de discussions dans les orangeraies. Quelques flirts aussi, malheureusement tous sans conséquences.

L'automne arrive avec les pluies. J'ai le cafard. Je me renferme de plus en plus. Une vague dépression transparaît dans mes carnets. Sans Shoushani, mon étude sur l'ascétisme n'a pas l'air d'avancer. Une fois de plus, je me retrouve à la croisée de chemins et, une fois de plus, je me force à dresser un bilan. Je ne suis pas encore prêt à m'installer dans le pays de mes rêves où, je ne sais pourquoi, je me sens non pas étranger mais inutile, en trop. Eh, ce n'est pas que je n'aime pas Israël ; je l'aime de tout mon cœur, mais... Mais quoi ? Je n'en sais rien. Je sens qu'il est temps de rentrer en France. J'ai besoin d'amis et, ici, je n'en ai pas. Nicolas est toujours à l'armée, Israël Adler a repris ses études à Paris. Une amourette, une liaison ? Rien ne se présente. Et pourtant. Solitude pesante. Envie d'embrasser, de rêver à l'amour. Nostalgie. Revoir Paris où les surprises sont quotidiennes. Les terrasses des cafés. Les flâneries sur les quais, les arrêts chez les bouquinistes, tout cela me manque. Sauf que je retrouve mes inhibitions, mes craintes d'autrefois : comment vais-je me débrouiller ? De quoi vivrai-je là-bas ?

Une idée me vient : pourquoi ne serais-je pas « correspondant étranger » en France ? Je parcours tous les quotidiens : *Haaretz*, *Haboker*, *Maariv* ; tous ont des représentants à Paris, comme ils en ont à Londres et à Washington. Tous ? Non, pas *Yedioth Ahronoth*, le plus petit et le plus pauvre des quotidiens israéliens. Soulagé, je me mets en quête d'une recommandation et trouve quelqu'un qui connaît quelqu'un qui, lui, connaît le rédacteur en chef. Je lui téléphone, il m'accorde un entretien.

Le docteur Herzl Rosenblum (ancien jabotinskien, sa signature figure au bas de la déclaration d'Indépendance, parmi celles des fondateurs) est un homme chauve et chaleureux, d'une grande érudition politique, au regard étincelant d'intelligence et d'humour. Il me raconte avec force détails l'histoire pathétique du journal : jadis très riche et influent, il perdit sa fortune et son rayonnement après un « putsch » retentissant : un beau matin de 1948, le rédacteur en chef d'alors, le docteur Azriel Carlebach (oui, c'est celui dont *La Lutte de Sion* avait reproduit l'article sur l'*Altalena* et le canon sacré), lança son propre quotidien du soir, *Yedioth Maariv*, emmenant avec lui tous les membres de la rédaction et des services administratifs. En fait, il s'agissait pratiquement du même journal qu'avant ; seul un mot du titre avait changé : *Yedioth Maariv* au lieu de *Yedioth Ahronoth*. Et le public, désarçonné, suivit Carlebach. C'est dire que *Yedioth Ahronoth* connaît des difficultés, mais son propriétaire, Yehuda Mozes, est déterminé à se battre coûte que coûte pour le maintenir en vie. Riche d'un passé prestigieux, il mise sur l'avenir. Et sur la justice. Il est prêt à vendre tous ses biens, mais le journal vivra. D'ailleurs, me dit Rosenblum, Yehuda Mozes a réussi ce jour-là un exploit sans précédent en constituant en quelques heures une nouvelle rédaction : *Yedioth Ahronoth* a paru le lendemain avec un retard de deux heures seulement. Et aujourd'hui ? Aujourd'hui, le journal n'a malheureusement pas les moyens d'employer un correspondant à Paris. « Si vous alliez à Moscou, ce serait différent », ajoute-t-il en souriant malicieusement, comme pour dire : « Ce serait différent, sauf sur le plan financier : je ne pourrai pas vous donner plus de francs à Paris que je ne vous offrirais de roubles à Moscou. » Cet intellectuel juif lituanien est un nostalgique de la Russie d'antan dont il connaît l'histoire et la littérature sur le bout des doigts. D'ailleurs, il ne manque pas une occasion d'évoquer ses souvenirs de l'époque glorieuse de Kerenski dont il admirait les talents d'orateur : ah, s'il s'était montré un peu plus ferme, en 1917, le monde serait bien différent... Je l'écoute avec un véritable intérêt : j'adore les histoires autant que l'Histoire. Donc ? Donc il veut bien de moi comme correspondant, mais, pour ce qui concerne le salaire, mieux vaut l'oublier tout de suite ; je travaillerai comme pigiste. Tant pis, j'accepte : je me débrouillerai ; ce qui m'importe c'est de recevoir une carte de presse.

Je reprends le bateau — c'est le *Kedma*, frère aîné du *Négba* — et, contrairement à l'aller, je souffre d'un violent mal de mer ; je maudis le jour où, romantique, j'ai rêvé de la mer. Je jure que plus jamais je ne prendrai le bateau, plus jamais je n'irai en mer, m'entendez-vous ? Plus jamais je ne quitterai la terre ferme. Le troisième jour, je me sens mieux. J'ai déjà oublié mes serments. Je me tiens sur le pont, j'aime les vagues, j'aime leur chant grave et menaçant, puis grave et apaisant, je laisse ma pensée les chevaucher jusqu'au bout du monde et, pendant que j'y suis, encore plus loin.

Je ne suis pas seul sur le pont. Cette fois encore, on l'aura deviné, une belle jeune fille pas trop mince me plaît ; ce n'est ni Inge, ni Hanna, mais elle pourrait prendre leur place ; je lui parle du destin et, pour faire bonne mesure, de Dante. Elle me répond de ne pas faire l'imbécile. Tout va bien. La vie ne change pas, moi non plus. Pas la peine d'essayer. Je n'ai pas de chance. Cause perdue d'avance : je ne plais pas aux femmes, je ne leur plairai jamais. Mais, diable, comment apprend-on à plaire ? Plus loin, une autre fille, marocaine ou tunisienne, sûrement séfarade, cheveux ébouriffés, embrasse voluptueusement un membre de l'équipage. Si je m'engageais dans la Marine ? Derrière moi, une jeune femme blonde, très blonde, pleure en hoquetant : elle refuse de se séparer d'un garçon qu'elle vient de rencontrer. D'autres couples, ici et là, s'adonnent aux mêmes exercices et j'entends leurs promesses chuchotées. Le lendemain, je constate avec un plaisir mêlé de dépit que la jeune blonde a trouvé un nouveau soupirant ; elle lui demande de ne rien lui promettre ; il le lui promet. Elle insiste : s'il la revoit, il doit faire comme s'il ne la connaissait pas. Promis ? Promis. « Tu veux que je t'oublie ? » Elle dit oui. Il est d'accord. Elle feint de se fâcher : « Non, je ne veux pas. » Ils s'embrassent pour se réconcilier. Et moi ? Je n'existe pas pour eux. Ni pour personne. Je suis le seul passager à n'avoir pas amorcé un seul flirt. Mon opinion de moi-même, mieux vaut ne pas y penser. Je me promets d'être plus entreprenant à Paris : je serai un nouvel homme. Je me le dois.

Je me promets tant de choses.

A Paris, que je retrouve un jour gris de janvier 1950, je me réinstalle à l'hôtel de France, rue de Rivoli. Je rends visite à Georges pour lui expliquer pourquoi je n'ai pas envoyé la série d'articles sur les immigrés en Israël. Puis je cours voir Hilda, Israël Adler, Friedrich ; ils me félicitent pour ma promotion. Je prends le train pour Versailles. Comme les fois précédentes, j'en reviens déçu. Hanna ? Un « Tiens, tu es là », et elle parle déjà à quelqu'un que je ne connais pas. Je ne suis plus chez moi « Chez nous ». Tout a changé, et moi aussi. Alors, pourquoi revenir en arrière si ce n'est pas pour être heureux ? D'ailleurs, je dispose de moins de temps qu'avant. Je mène une vie aussi active qu'exubérante. Je me sens à l'aise dans mon nouveau rôle, et important puisque je vais fréquenter des personnalités dites importantes, « couvrir » des événements décisifs. Je rencontre Niny et lui montre ma carte de presse : sa fierté m'émeut.

Mais j'ai perdu la trace de Shoushani. Et de François. Vais-je arrêter mes études pour autant ? Ce serait dommage. Et stupide. Un journaliste ignorant est plus ignorant que journaliste. Je fais un vœu : ne jamais oublier de consacrer au moins une heure par jour à l'étude. Promis ? Juré.

Mon premier papier : un portrait-entretien. Ancien avocat et militant sioniste égyptien, ministre-conseiller à l'ambassade d'Israël, causeur passionnant, amateur d'anecdotes politiques et littéraires, Emil Najar fait pour moi un tour d'horizon des relations franco-israéliennes et, en général, de la situation politique et culturelle en France. Ce n'est pas une interview traditionnelle — je suis trop timide pour forcer mon interlocuteur à me faire des confidences — mais qu'à cela ne tienne : ce qui compte, pour moi, c'est de pouvoir le citer. Dans mon excitation, je me sens capable de transformer en entretien animé voire dramatique une page de publicité d'un journal professionnel.

Pour mieux me pénétrer de l'ambiance parisienne, songeant à l'exemple bienveillant d'un Sartre et d'un Hemingway, je m'installe à la terrasse d'un café sur les Grands Boulevards, plume en main, et je commence à rédiger mon article. Obscurément, j'espère être abordé par un(e) inconnu(e) : « Dans quelle langue écrivez-vous ? Seriez-vous romancier ? » Alors, je répondrais d'un air hautain : « Non, je suis journaliste. » Mais personne ne s'intéresse à mes efforts.

L'article publié — « de notre correspondant à Paris » — sous ma signature, je le lis et le relis jusqu'à saturation. Je le montre à Israël Adler qui, pour marquer l'événement, m'offre un café et un sandwich au salami (kasher). Une tradition s'instaure : pour chaque article, il m'invite à partager son sandwich. Pratiquement, cela signifie qu'il me paie mieux que le journal. Mais il sait que je suis fauché. Et lui ? Il l'est presque autant que moi.

Quant à Emil Najar, je m'attends à un mot de remerciement de sa part pour tout le bien que j'ai dit à son sujet. C'est le contraire qui se produit : il m'appelle à l'hôtel pour me faire part de son déplaisir. La raison ? Je l'ai décrit comme un homme d'âge moyen, alors qu'il n'a même pas quarante ans. Effrayé de perdre une source d'informations si précieuse, je bredouille des excuses, mais il se met à rire : il a un excellent sens de l'humour. Avec le temps, ce futur ambassadeur à Tokyo, Rome et Bruxelles, l'un des cerveaux les plus brillants du ministère des Affaires étrangères, ne me refusera jamais son concours.

Reste l'éternel problème financier. *Yedioth Ahronoth* ne verse pas à ses pigistes des sommes fabuleuses. Ange secourable, Shlomo Friedrich m'obtient quelques travaux de traduction et de rédaction. Grâce à lui, et pour lui faire plaisir, un mensuel hébreu, qui deviendra trimestriel avant de sombrer dans l'indifférence générale, me demande un article sur n'importe quel sujet culturel à condition qu'il soit long : je le consacre à Beethoven. Yerahmiel Viernik, rédacteur en chef et seul collaborateur de la revue, me dévisage comme si j'étais fou à lier : « Beethoven parlait-il l'hébreu par hasard ? Était-il seulement juif ? Que veux-tu que je fasse d'un texte biographique sur ce compositeur sourd et pauvre qui n'entendait rien au sionisme ? Yehuda Halévy, Bialik, Jabotinski, Herzl, Nordau, ça ne te convient plus ? » Comme il n'a rien d'autre sous la main, il doit se contenter de ce que je lui donne. Beethoven, jamais je ne l'ai autant aimé que ce jour-là. C'est lui qui me permet de payer mon loyer du mois.

Je travaille dans ma chambre d'hôtel, pièce exiguë donnant sur la cour, constamment dans la pénombre. Mais son loyer n'est pas plus élevé que son confort. Parfois je me demande si les chambres ne sont pas aussi louées à l'heure : je croise sans arrêt de nouveaux clients dans l'escalier.

Ma carte de presse, délivrée par la présidence du Conseil, est mon bien le plus précieux. Elle devrait me suffire, mais les Français semblent adorer les cartes. Alors qu'aux États-Unis le seul document que l'on porte sur soi est le permis de conduire, en France on a tout le temps besoin de prouver son identité. Comme tous les correspondants étrangers, je dois obtenir, en plus du coupe-file indispensable de la préfecture, une carte rouge (pour le théâtre), une carte bleue (pour les concerts) et une carte verte (pour le cinéma). J'ai même le droit — la France est galante — d'emmener mon épouse légitime ou mon amie du moment. Le plus souvent, je me présente seul, ce qui me vaut le regard apitoyé ou dédaigneux du bonhomme en habit chargé du contrôle.

Le jeu économe et nerveux de Louis Jouvet, les accents hachés de Charles Dullin, la voix de Germaine Montero, la respiration et l'immobilité d'Étienne Decroux, la sobriété de Paul Paray, les plus grands acteurs, les plus doués des interprètes : je les vois à l'œuvre. J'aimerais faire leur éloge dans mon journal, mais ils ne sont pas israéliens, ils ne sont même pas juifs... Isidore Isou et Gabriel Pomeraud le sont, mais leur lettrisme n'intéresserait pas mon rédacteur en chef.

Bien que musicologue de formation, c'est au cinéma qu'Israël Adler m'accompagne le plus souvent. Nous préférons les petites salles de quartier où l'on montre des « vieux » films français ou italiens, en particulier les chefs-d'œuvre de Carné-Prévert-Kosma. Je n'oublierai pas de sitôt l'effet que *Les Enfants du paradis* et *Les Portes de la nuit* ont eu sur moi. Je les vois deux fois, trois fois. Je ne savais pas que l'art cinématographique était une écriture. J'ignorais que l'image pouvait non seulement être poétique, mais véhiculer un message philosophique. Si seulement j'avais la possibilité de leur consacrer quelques lignes...

Ma difficulté ? *Yedioth Ahronoth* ne publie que des articles concernant directement ou indirectement Israël ou les Juifs et, à la rigueur, leurs ennemis. Indifférence au reste du monde ? Avant tout, il manque d'espace, c'est-à-dire de papier. Israël, à peine né, affaibli par une guerre sans merci, traverse une crise économique interminable. Pour mon journal, plus pauvre et démuni que le pays lui-même, le monde extérieur n'existe que dans la mesure où il est bon ou mauvais pour l'État juif.

Pourtant, sur le plan journalistique, les sujets d'actualité abondent et ils feraient le bonheur de tout correspondant étranger qui se respecte : en vérité, ils se ramassent à la pelle, comme dirait la chanson. Il suffit d'ouvrir les yeux, de parcourir une revue, d'assister à une manifestation quelconque pour y puiser la matière d'un bon papier. Le début de la guerre d'Indochine. La mort (passée inaperçue) d'Albert Lebrun, dernier président de la Troisième République. Celle (très remarquée) de Léon Blum : il était, comme moi, à Buchenwald, mais nous n'en avons pas rapporté les mêmes souvenirs. Et celle d'André Gide... Les grèves et les scandales politiques qui se suivent et se ressemblent. Les gouvernements qui se font et se défont avec une rapidité qu'aucun auteur dramatique n'oserait inventer. Le fossé qui se creuse entre les communistes et leurs adversaires. Le conflit des idéologies. La violence qui envahit le langage. Dans le monde des Lettres, c'est le débat autour du pardon : faut-il continuer d'exclure les écrivains collaborateurs ? Jean Paulhan et François Mauriac plaident pour la compassion, Aragon et Vercors pour la rigueur. Soumis à d'incessantes tensions datant de l'Occupation, le Comité national des écrivains finit par éclater. Plus généralement, la France vit à l'heure de l'existentialisme : Sartre et Camus, Simone de Beauvoir et Juliette Gréco, le Flore, les caves de Saint-Germain-des-Prés. Giacometti, dans son café sombre, perdu sous le poids de ses réflexions. Vive la littérature politisée ! Et la philosophie de l'engagement !

Pour un observateur étranger, c'est le paradis. Pour moi, frustré, ce paradis-là demeure inaccessible. Ma rédaction n'en veut pas. Si Sartre était juif ou antisémite, alors là, oui, je pourrais lui consacrer un reportage et même deux. En retirer quelques livres israéliennes de plus. Et, si ma production prolifique n'acculait pas le journal à la faillite, quelques sandwiches chez Israël Adler.

L'agitation intellectuelle et artistique de Paris m'occupe et me stimule. C'est que je suis encore en pleine période de formation. Je cherche, je n'arrête pas de chercher. Insatiable client de la bibliothèque, jamais je n'ai autant lu. Pas les écrits de la droite réactionnaire : Montherlant, Léautaud et Chardonne ne me « disent » ni ne m'apportent rien. En revanche, je me nourris des œuvres de Malraux, Mauriac, Paul Valéry, Georges Bernanos, Ignazio Silone, Martin du Gard. Je lis tout Camus (pourquoi s'est-il soumis à la censure allemande et a-t-il consenti à omettre le chapitre sur Kafka de son *Mythe de Sisyphe*?), tout Sartre (ne pouvait-il attendre la Libération pour faire jouer son *Huis clos*?), et leur rupture me fascine. Je découvre Beauvoir, Gabriel Marcel, Merleau-Ponty, Duhamel. Et Raymond Aron. Et Arthur Koestler. Et William Faulkner. Cervantes et Miguel de Unamuno. Et Kafka, bien sûr. Leurs questions, je les confronte aux miennes. Peut-on être saint en dehors de la religion ? Existe-t-il un sacerdoce laïque ? Où s'arrête la responsabilité des hommes, où commence celle de Dieu ? Sans Dieu, l'existence serait-elle donc absurde ? Par ailleurs, peut-on la concevoir sans Dieu ou en dehors de Dieu ? Dieu-question, Dieu-réponse : lequel choisir, lequel suivre ? Je cherche donc je suis. Je suis donc je cherche, je cherche le sens de la recherche, le sens premier et ultime de l'existence. J'ai besoin d'être guidé. Mais François n'est pas joignable, Shoushani non plus : qui me servira de repère, de soutien ? Je reprends mon manuscrit sur l'ascétisme, déterminé à l'achever, mais j'ai des doutes. En quoi le thème serait-il urgent ? Il arrive que l'éternel cède devant le temporel. Qu'est-ce qui vaut mieux ? Mysticisme juif ou mysticisme hindou ? Qu'est-ce qui est préférable : l'action ou la méditation ? (Dans le Talmud, nos Sages ont posé la même question. Leur réponse : l'étude vaut mieux, car elle incite à l'action.)

Période fébrile, fertile, utile sinon indispensable pour mes écrits romanesques. Dans *La Ville de la chance*, je raconte :

> Paris traversait ce qui ressemblait à une crise de conscience philosophico-politique. La guerre, les massacres en Europe, Hiroshima ravageaient les mémoires. La jeunesse, tombée dans un monde créé par leurs aînés, dans une situation donnée d'avance, cherchait à comprendre, à saisir l'incompréhensible.

On ne parlait qu'existentialisme, on ne discutait que communisme, on se battait autour du terme réalisme. Il ne fallait plus accepter et s'accepter. L'homme est ce qu'il refuse — disait-on — et ce qu'il choisit, et ce qu'il fait. Les maîtres à penser donnaient les définitions de l'homme à tort et à travers et le situaient un peu partout, à gauche, à droite, au-dessus, au-dessous, et n'importe où. L'être et le néant ? L'être du néant ? On parlait de dignité, de liberté, d'action. Il faut agir — disait-on — et il faut lutter, il faut crier, il faut dire non. Le désespoir — disait-on — garde toutes les issues, l'enfer est le voisin qui ronfle la nuit, l'absurde occupe le trône délaissé par Dieu, donc il faut faire quelque chose ! Faire un geste, un acte, une révolution, à l'échelle universelle ou individuelle, qu'importe ! Dieu est mort et seuls les faux messies, les faux prophètes le savaient...

Une étrange constatation : dans les publications de l'époque, si l'on excepte les témoignages bouleversants de David Rousset et de quelques rares résistants rescapés (dont *L'Espèce humaine* de Robert Antelme), la littérature concentrationnaire existe à peine. On dirait que les gens ont peur ou honte d'aborder l'événement. En sont-ils encore trop proches ? Ou trop occupés à se réinsérer dans la société, à se refaire une vie, une famille, une situation ? Un destin peut-être ? Comme ailleurs en Europe, on écrit beaucoup sur l'Occupation et la Résistance : voilà le grand thème. Pièces de théâtre, films, documentaires, essais, romans : la source semble intarissable. On glorifie ces hommes et ces femmes qui, vaillamment, ont su faire face à l'occupant et le chasser du territoire national. L'héroïsme des uns voile la lâcheté des autres. Il dissimule surtout la souffrance des victimes, trop aisément sacrifiées par une France officiellement battue et passive, sinon installée dans la collaboration. Il est plus commode de montrer le courage des valeureux combattants clandestins que l'humiliation et l'affliction des Juifs pourchassés aussi bien par les Allemands que par leurs complices de la gendarmerie et de la police. Les lettres de dénonciation qui s'entassaient dans les archives allemandes ? Le Vél' d'hiv' ? Tabou. Les rafles ? Tabou. Gurs et Drancy ? Tabou. La déportation des enfants juifs (que les Allemands n'exigeaient même pas, mais qui fut suggérée par Pierre Laval) ? Tabou.

Dénoncer cette complaisance ? D'autres le feront plus tard : Robert Paxton, Michael Marrus, les Klarsfeld. Pour le moment, *Yedioth Ahronoth* réclame d'autres aspects de l'actualité. Lesquels ? Les Juifs et l'antisémitisme, encore eux ? Comment convaincre mes patrons de me laisser le champ libre ? Si seulement je pouvais retourner en Israël... Mais, en fait, pourquoi ne le pourrais-je pas ? Ne suis-je pas journaliste ? Donc, par définition, obligé et capable de vaincre toutes les difficultés ?

Je vais voir Loinger, ancien résistant, ancien de l'OSE, et actuel directeur en France de la compagnie de navigation israélienne Zim. Je lui explique mon problème : il est urgent, indispensable que je me rende à Tel-Aviv, seulement... Et Loinger comprend tout de suite : « Si c'est un voyage d'agrément, je ne peux pas vous aider. Je peux vous aider si vous prenez le bateau pour écrire. Et vous allez écrire, n'est-ce pas ? » me dit-il en souriant d'un air complice. « Non, dis-je. J'ai l'intention de... » Il m'interrompt : « Un journaliste ne peut pas ne pas écrire. Même s'il n'écrit pas sur le moment, il écrira plus tard, pas vrai ? » Devinant que je suis un piètre menteur, il m'empêche de répondre, décroche son téléphone et donne des instructions me concernant : un billet aller et retour sur le *Kedma* me sera remis le jour même. En première, naturellement. Il m'accompagne à la porte, et me dit : « Vous êtes journaliste mais pas encore débrouillard ; cela ne fait rien, vous apprendrez. » C'est un pur, Loinger. Mais il est mauvais psychologue : il y a des choses que l'on n'apprend jamais.

Traversée nouvelle formule. Cabine confortable. Plus vaste que ma chambre d'hôtel. Douche privée. Fleurs et fruits sur la table. Je n'en savoure pas le luxe et ne mets les pieds qu'une ou deux fois au restaurant ; ce maudit mal de mer me tient cloué au lit. Le jour de l'arrivée, je ne me lève même pas pour apercevoir le mont Carmel.

A peine débarqué à Haïfa, je prends le bus pour Tel-Aviv. Sans même m'annoncer, je me précipite à la rédaction, dans Rechov Finn, près de la bruyante gare centrale. L'accueil que me réserve le docteur Rosenblum est une récompense qui vaut plus que le salaire mensuel d'un grand reporter. Il est satisfait de mes articles, même s'il aurait préféré les recevoir de Moscou ou de Tachkent... Il me présente à ses collaborateurs, peu nombreux à l'époque. Aviezer Golan, la vedette du journal, grand gaillard rouquin, proche de l'Irgoun, généreux de son temps et de son talent ; Menahem Barash, orthodoxe pratiquant, petit, portant lunettes, regard perçant, ironique ; Lazar Reisman, reporter de style classique, rapide, curieux, bavard ; Zeev Altagar qui « couvre » la police et les tribunaux ; Shlomo Shamgar, rédacteur des pages étrangères et critique de cinéma ; Aharon Shamir, rédacteur du supplément du vendredi *7 Jours* et de l'hebdomadaire féminin *Laïsha* (où je publierai des papiers sous le pseudonyme Elisheva Karmeli)... Sensation excitante, bienfaisante, d'appartenir à une équipe, à une famille, que dis-je : à une confrérie. Tous sont mes aînés ; je suis étranger, nouveau, inconnu et j'habite trop loin pour susciter leur jalousie ou même leur méfiance. Chacun me donne des conseils ; ils connaissent mieux que moi les ficelles du métier. On m'offre un café, on me confie les « secrets » de la rédaction : qui monte, qui est menacé. Un rédacteur me conseille la prudence : l'ennemi est partout, il va essayer de me piéger, de m'exploiter, de m'acheter. Je suis convaincu qu'il parle des Arabes ; je me trompe : il se réfère à notre concurrent. Tous tiennent à ce que je sois prévenu : *Yedioth Ahronoth* n'a qu'un seul ennemi ; c'est l'usurpateur, le traître, *Maariv*. Je connais la chanson : jadis, *Yedioth* était au sommet, l'argent coulait à flots, comme à *Maariv* maintenant. L'argent, l'argent : ce mot revient fréquemment sur leurs lèvres. Notre journal est tellement à court de fonds qu'on y travaille surtout pour l'honneur et le plaisir, ou parce qu'on n'a pas encore trouvé mieux — mais cela ils ne me le disent pas

Fidèle aux mœurs russes, le docteur Rosenblum ne m'offre pas du café mais du thé. Et un nouveau cours magistral en littérature sur Tourgueniev et en politique sur Kerenski Il m'invite chez lui. Son appartement respire la culture. Son jeune fils, Moshe, joue du violon pour faire plaisir à ses parents, mais sa véritable passion ce sera le journalisme : il succédera brillamment à son père dans les années quatre-vingt.

Le docteur Rosenblum m'informe que « le Vieux », le propriétaire du journal, Yehuda Mozes, a exprimé le désir de faire ma connaissance. Quand ? Tout de suite. Et pourquoi ? Serait-il mécontent de moi ? Je cours au 76 boulevard de Rothschild. A bout de souffle, je monte les escaliers. Je sonne. La porte s'ouvre et une femme silencieuse m'invite à entrer. Un homme (barbiche blanche, kippa noire) vient vers moi, la main tendue ; je me souviens de la clarté de ses yeux bleus. Assis dans le salon, nous nous regardons un long moment en silence : moi parce que je n'ose pas ouvrir la bouche, lui parce qu'il jauge mon caractère, mon tempérament, autrement dit ma personnalité. Puis il commence à m'entretenir, lui aussi, de « notre » journal : il aurait tant souhaité être en mesure de bien me rémunérer, seulement, comment faire, depuis le « coup », malheureusement... Mais, l'argent n'est pas tout dans la vie, n'est-ce pas ? C'est quoi, l'argent ? Une illusion, rien d'autre. On le prend, on le perd. Et puis, ça salit. Et ça corrompt. C'est connu... Mais n'en parlons plus, d'accord ? D'ailleurs, entre nous, tout ça va changer, « ils » (c'est la concurrence) vont voir ce qu'on sait faire, il en est convaincu... Il veut que je le sois aussi... L'injustice ne dure pas éternellement... Il y a un Dieu au ciel, et c'est Lui qui gouverne le monde... Dieu est juste, Dieu est bon ; Dieu rétablira les choses... A part moi, je pense : Dieu serait-Il banquier ? Je Le préfère philosophe. J'ai l'étrange impression d'écouter un cours sur Job.

Le Vieux trouve le moyen et le ton pour me mettre à l'aise. Il m'interroge sur mes études, ma vie, mes origines, mes projets. Il évoque son propre passé, à Kalisz (dont le cimetière juif est, paraît-il, le plus ancien de Pologne), puis à Lodz. Connaît-il mon histoire ? Mesure-t-il le poids du fardeau que je traîne ? Tout à coup, il me pose une question qui me frappe : est-ce que je crois en Dieu ? Sur d'autres lèvres, cette question indiscrète me blesserait ; pas sur les siennes. Je réponds en rougissant. Un lien vient de se créer entre nous : non pas professionnel, mais personnel, humain. Soudain le Vieux change de registre. Nous parlons Talmud, Midrash, hassidisme. Il cite un passage et, timidement, je le corrige. Pour prouver mon erreur, il se lève, sort et revient avec un volume. Il l'ouvre et le referme aussitôt : par hasard j'avais raison. Il n'est pas offusqué, au contraire : il paraît content. Pour employer une expression ancienne, « j'ai trouvé grâce à ses yeux ».

A peine m'a-t-il rencontré que déjà il m'offre son hospitalité. Il insiste : il faut que je loge chez lui. Rien à faire, il le faut. Tant mieux : l'hôtel me coûterait trois mois de mon misérable salaire. Je dis merci, j'apporte mes affaires. Je mange à sa table, je participe aux discussions qui suivent les repas. Sous son toit, je me lie d'amitié avec Dov, son neveu (lui aussi est un ancien déporté), puis avec son fils Noah. Amitié vraie, désintéressée, joyeuse. Le Vieux m'emmène à Jérusalem. En route, dans un taxi *shérout* (collectif), il me raconte son enfance, sa jeunesse. Kalisz, Moscou, Lodz, Londres... Ses souvenirs : les poètes Schnéour et Bialik, les peintres Soutine, Glicenstein et Mané Katz et... une certaine Madame Reid, l'ancienne propriétaire du *New York Herald Tribune*. Ses déceptions, ses aspirations, ses espoirs. Je deviens membre de sa tribu. Il tient à ce que je connaisse les frères de

Noah. L'un est gauchiste, l'autre proche du Hérout. On parle beaucoup politique chez les Mozes. Mais c'est le Vieux qui donne le ton. Excepté son épouse, tous le craignent. Mais il n'a jamais élevé le ton avec moi. Plus tard, il lui arrivera de me téléphoner à Paris, souvent le vendredi après-midi, pour me souhaiter un Shabbat paisible, me rapporter une parole d'un Maître hassidique ou simplement pour bavarder. Et je me dirai parfois : « Dommage qu'il ne me donne pas les sommes qu'il dépense pour ces appels. » Mais l'argent, l'argent, ça ne mérite pas qu'on en parle, pas vrai ?

Mon amitié avec Dov plaît au Vieux ; il l'encourage. Encore aujourd'hui, je me demande pourquoi : était-ce parce qu'il espérait que Dov deviendrait plus juif, je veux dire, plus impliqué par le fait juif ? Il est vrai qu'en ce temps-là Dov s'intéressait plus au dernier numéro de *Time Magazine* qu'à la Parashah de la semaine. Y avait-il une autre raison ? Pendant un temps, Dov et moi partageons la même chambre et, après son mariage avec Léa, tous deux m'inviteront à habiter chez eux. Et le Vieux, magnanime, me permettra d'accepter leur hébergement ou celui de Noah et de Paula, mais aucun autre. Cependant, quand je me trouve dans le pays durant les Grandes Fêtes, c'est avec lui que je me rends à l'office. Je me souviens d'un Rosh-Hashana à Jérusalem, en l'absence de sa femme ; nous habitons l'hôtel. Je me rappelle l'office solennel dans un *shtibel* avec les hassidim du Rabbi de Guèr. Il récite certaines litanies en pleurant et, moi, respectueux, je détourne les yeux. Pendant les repas, nous discutons liturgie et repentir. Je vante le style de Wizhnitz, tandis que lui reste attaché au hassidisme polonais.

Le Vieux, je m'en rends compte maintenant, n'était pas si vieux. A l'heure où j'écris ces mots, je ne sais plus ce qu'être vieux peut bien signifier. J'ai l'étrange impression que tout le monde est plus jeune que moi.

Comme tout le reste, le sens des mots varie selon l'âge.

Un journaliste ambitieux se déplace souvent, c'est connu. Eh bien, j'aime voyager. Est-ce le mouvement ou l'inconnu qui m'attire ? J'ai besoin de me dépayser. Je suis toujours prêt à n'importe quelle invitation, de n'importe qui, par n'importe quel moyen (à cheval ? non, il y a tout de même des limites), pour me rendre n'importe où, en train, en avion, en carrosse pourquoi pas. Rompre les habitudes, changer d'horaires. Et d'environnement. Découvrir des contrées pittoresques, courir l'aventure, faire des rencontres imprévues, me mêler à la vie exotique de tribus peu connues : voilà mon ambition. Ramener le sourire d'un aveugle hanté par le hurlement des fantômes, les larmes d'une orpheline enlaidie par la cruauté des gens, la prière d'un prisonnier que ses geôliers ont rendu muet : n'est-ce pas le devoir du journaliste consciencieux ?

Un émissaire-inspecteur de l'Agence juive, rencontré par hasard, m'invite à l'accompagner en voiture au Maroc. Pourquoi pas ? A la préfecture, vite, pour un visa de sortie. Vite, au consulat d'Espagne pour un visa de transit. Coup de chance, j'ai assez de photos d'identité en poche. Autre coup de chance, j'obtiens les tampons nécessaires sans difficulté. Décidément, les astres me sont favorables. Mais l'argent pour le voyage ? De quoi vivrai-je ? Comment paierai-je les hôtels, les repas ? Je dispose du loyer de ma chambre pour le mois prochain. Je la libère, fourre tout ce que je possède dans une vieille valise. Pour le reste, on verra bien. Comme dit un adage talmudique : « Celui qui donne vie au vivant veillera aussi à le nourrir. »

Nous sommes trois dans la voiture. Première étape : Marseille. Nous logeons dans le camp d'immigrés près de Bandol. Les choses ont changé depuis mon premier passage, l'année précédente. Maintenant, ce sont des Marocains qui se préparent à « monter » vers Israël. Je passe mon temps à les interroger sur leurs foyers abandonnés, puis à leur raconter le pays de leurs rêves : le bonheur de se sentir juif, la joie de vivre loin des menaces antisémites, la beauté du crépuscule à Jérusalem. Comme je parle couramment l'hébreu (eh oui, grâce à la ténacité de mon père et de mon ami Yerahmiel), ils me prennent pour un Israélien et ne me demandent pas pourquoi j'ai choisi de rester en diaspora. Le directeur du camp est tellement content de mes exposés qu'il insiste pour me payer dix mille francs (toujours anciens). Je refuse d'abord et finis par dire merci en rougissant. Ah ! si seulement nous pouvions nous attarder encore une semaine, je partirais presque riche et tranquille. Nous ne restons que quelques jours.

En route pour Hendaye et Irún. La frontière. Les policiers et douaniers qui examinent mon titre de voyage d'apatride me terrorisent. Me prendront-ils pour un agent communiste, un ancien

240

des Brigades internationales ? Certes, je pourrais leur dire que je n'avais que huit à dix ans pendant leur sale guerre civile, mais les fascistes savent-ils compter ? Appréhension, crainte diffuse : je me vois déjà dans une geôle franquiste. J'aurais dû passer par un autre poste. Et ne pas embêter ces braves gens chargés de la sécurité de leur minable dictature. Mais, comme nous sommes en juillet, la paresse semble officiellement s'imposer à eux. Ils me laissent passer sans histoire.

L'Espagne m'enchante. Soleil brûlant, regards brûlants, flamencos effrénés, danses tourbillonnantes, vertigineuses. Et les femmes, les femmes espagnoles aux lèvres entrouvertes, farouches, aux yeux sombres et insondables. Chacune m'attire, et de chacune je m'éloigne. Depuis mon enfance, je rêve de ce pays où vécurent et que chantèrent nos plus grands poètes et philosophes. Et où les Inquisiteurs versaient de chaudes larmes en torturant et en humiliant les miens au nom d'un bien étrange amour de Dieu. Je me rappelle avoir lu leur manuel... Il avait la conscience tranquille, le brave et non moins cruel Inquisiteur. Mieux : il se sentait protecteur et aimé de Dieu en châtiant l'« ennemi »... Comment pouvait-il ?... Passons...

Je cherche les traces d'Ibn Gabirol, de Yehuda Halévy, de Rabbi Moshe ben Nahman surnommé le Ramban ou Nahmanide. Contraint par le roi Jacques Ier d'Aragon de prendre part à une dispute publique avec le converti Raymond di Pinei Porti surnommé Pablo Christiani, le Ramban en sortit victorieux.

Hanté par les récits des Marranes, je cherche leurs descendants. Comment deviner si le passant que je croise sur les *ramblas* de Barcelone n'est pas l'un d'entre eux ? Mais attention : je peux faire fausse route en me laissant guider par mes rêves ; ce fonctionnaire ou ce cordonnier, pendant la guerre civile, n'avait peut-être rien d'un sage ou d'un poète. J'ai lu assez d'ouvrages sur les méthodes franquistes pour ne pas me méfier.

Barcelone et ses foules, Barcelone et ses fantômes. Les *ramblas* et leur brouhaha. Les ruelles et leurs secrets. Des figures humaines, pareilles à des ombres épuisées, étendues sur les trottoirs, adossées aux maisons éteintes, attendent un Sauveur ou, tout simplement, quelqu'un qui leur fera don de quelques pesetas.

Tandis que je déambule ainsi dans une rue déserte, un jeune garçon surgit soudain devant moi. D'où vient-il ? D'un taudis voisin sans doute, ou de mes divagations, qu'importe. Le gamin, bloc de nuit granitique, tend le bras, paume ouverte, et dit tout bas : « Señor... j'ai faim. »

Voix dure, sombre, mûre. Pas celle d'un mendiant qui essaie d'éveiller la pitié, c'est la voix d'un être humain — ou de ma conscience à moi ? — qui veut me rappeler que, dans ce monde corrompu où je vagabonde, un jeune Espagnol, un enfant, me montre sa main ouverte — un enfant qui a faim.

Instinctivement, je veux chercher dans ma poche quelques pesetas pour qu'il rentre dans sa nuit, mais ma main ne m'obéit pas : bizarrement, je perds le contrôle de mon corps. Les paroles du gamin, et surtout sa voix, m'ont paralysé. Pétrifié, je ne peux détourner mon regard de la main qui semble m'accuser de tous les péchés commis depuis que le premier homme se détourna de son frère, pas loin du paradis.

« Señor, répète le gamin. J'ai faim. » J'aimerais lui demander son nom, je ne sais pas comment. Juanito, Alfonso ou José ? Tous les enfants espagnols se nomment ainsi. Et tous ont sans doute faim. De nouveau, je veux lui remettre ce que j'ai dans ma poche, et de nouveau mes doigts refusent de bouger.

La scène n'a duré que quelques secondes, ou peut-être a-t-elle été interminable, comment savoir ? Le temps a suspendu son vol ; la terre a cessé de respirer. La Création tout entière s'est concentrée sur ce gamin espagnol immobile.

Croyant que je refuse de l'entendre, que je refuse de l'aider, le gamin laisse tomber son bras et disparaît. C'est alors seulement que je sors de ma torpeur. Les battements de mon cœur sont si violents qu'ils pourraient réveiller la cité endormie.

Je me mets à appeler Juanito, José et Alfonso, je lui crie de revenir, que je veux lui offrir ce que je possède et même ce que je ne possède pas, que je désire lui faire comprendre combien je hais les sociétés où des enfants sont contraints de quémander du pain à des étrangers, mais c'est peine perdue : découragé, il a dû aller tenter sa chance ailleurs.

Je ne l'ai jamais revu. Non, je me corrige : chaque fois que je me trouve devant un restaurant, j'ai l'impression de buter sur lui. Il a cent visages et cent noms différents ; et il a toujours faim.

(Avec le recul, j'en viens à me demander si ma paralysie passagère n'était pas tant soit peu volontaire : si j'avais donné tout mon argent au jeune Espagnol, aurais-je pu continuer le voyage ?)

A Madrid, nous flânons à longueur de journée. Touristes

curieux, nous ne sommes jamais rassasiés. Nous cherchons quelque chose, sans savoir quoi. Nous cherchons quelqu'un, et nous ne savons pas qui.

Et tous ces gens dans les rues, trouvent-ils ce qu'ils cherchent ? On dirait qu'ils passent plus de temps dehors que chez eux ou au travail. Restant toujours entre eux, ils se méfient des étrangers. A cause de la dictature ? Elle pèse sûrement sur les Madrilènes, mais pas sur nous. Personne ne nous suit. Tout au moins, c'est ce que nous croyons. Plus tard, nous apprendrons que ce n'est pas vrai. En régime policier, tout le monde est suspect, et les touristes plus que quiconque.

Nous visitons le Prado : Goya et Vélasquez. La folie si humaine et si déformée que dépeint Goya me hantera longtemps. Et la dignité telle que Vélasquez la conçoit. Nous visitons Arias Montana, un institut d'études juives. Dommage que je n'aie pas assez de temps. J'aimerais lire et relire tous les documents, toutes les archives concernant le passé juif de l'Espagne.

Le vendredi soir, je vais à la synagogue. Un *minyan* restreint s'est réuni dans une cave. J'ai l'impression de me retrouver à l'époque des rois très catholiques Ferdinand et Isabelle, comme jadis, au temps de Torquemada. Les gens prient à voix basse. Je me mêle aux fidèles, je me présente comme journaliste juif, j'écoute leurs remarques en yiddish : presque tous sont des réfugiés. A mon étonnement, ils font l'éloge de Franco. Certes, il a un passé fasciste ; oui, en effet, il a étranglé la République ; c'est vrai que la religion juive n'est pas reconnue dans ce pays où règne un catholicisme fanatisé, mais... Mais quoi ? Pendant la guerre, Franco s'est bien comporté à l'égard des Juifs persécutés. En reporter consciencieux, je fais ma petite enquête, je rencontre des officiels espagnols, des diplomates étrangers, des confrères américains et britanniques, et je dois me rendre à l'évidence : contrairement à la Suisse réputée si humaniste, l'Espagne n'a jamais refoulé les Juifs qui fuyaient la Gestapo. Le philosophe Walter Benjamin n'avait pas de raison de se suicider : il n'aurait pas été remis à la police de Vichy. Franco avait en outre donné des instructions à ses légations dans les pays occupés par l'Allemagne pour qu'elles délivrent des passeports espagnols aux Juifs séfarades... « Et pourtant, se plaint un haut fonctionnaire du ministère des Affaires étrangères, Israël refuse d'établir avec nous des relations diplomatiques. » C'est que, pour David Ben Gourion, l'Espagne est un pays fasciste ; cela suffit pour la disqualifier. Plus tard, Israël changera d'avis et c'est alors l'Espagne qui se fera prier. Tout de même, en me promenant dans les rues de la capitale, je m'en veux de me sentir si bien dans ces lieux où la brutalité franquiste n'a pas suffisamment révolté le monde civilisé. La mémoire des victimes devrait m'affecter davantage.

Heures inoubliables à Tolède. Une synagogue a été transformée en église, mais les lettres hébraïques refusent de disparaître sur les murs. En 1992-1993, nous serons quelques-uns, dont le banquier Edmond Safra, à essayer de la racheter à l'Église pour la restituer à la communauté juive. L'ancienne demeure de Shmuel Hanaguid — qui fut également celle du Greco — est équipée d'un tunnel souterrain : si les prêtres surgissaient, les Juifs pouvaient s'échapper vers la mer. Rencontre mémorable à Saragosse, ville de Goya et du célèbre visionnaire mystique Rabbi Abraham Aboulafia qui, à la fin du XIIIe siècle, avait nourri le projet de précipiter la rédemption ultime en convertissant l'humanité entière à la Loi de la Torah. Idée parfaite, solution grandiose, mais par où commencer ? Par Rome, naturellement, et par le pape Nicolas III en personne. Ensuite, les choses seraient plus faciles. Pauvre rêveur : il mourut avant de réaliser son projet.

Visitant l'immense cathédrale, je suis abordé par un homme entre deux âges. Maigre, visage anguleux, yeux profonds et sombres. Nous bavardons en français, qu'il parle avec difficulté. Il me demande d'où je viens, ce que je fais à Saragosse. Je lui réponds que je suis juif, que j'habite Paris, mais que je travaille pour un journal israélien. Juif ? s'étonne-t-il, cela existe encore ? Oui, cela existera toujours. Et Israël, on en parle dans la Bible, non ? Oui, mais aussi dans l'histoire, je dirais même dans l'histoire contemporaine, au Moyen-Orient, en Terre sainte. Il m'écoute, intrigué, songeur. Au bout d'un moment, il m'invite chez lui pour me montrer quelque chose qui sans doute m'intéressera. Il me remet un petit rouleau de parchemin. Il me faut du temps, mais c'est le cœur submergé d'émotion que je réussis à déchiffrer le message en hébreu : un dénommé Moshe ben Abraham demande à ses descendants de se souvenir de leurs origines... Ce document, je veux l'acheter ; il me le faut à tout prix. Mais l'homme refuse. J'insiste, il s'énerve, pique une colère et, comme je ne comprends pas, il m'explique : ce parchemin n'a jamais quitté sa famille où il se transmet de père en fils... Il m'interroge à son tour, mais l'émotion me rend muet. Il se met à m'insulter en espagnol et je finis par retrouver mes moyens. Debout devant la fenêtre, le bonhomme à ma gauche, je lis et relis le contenu du Testament. D'abord en hébreu, puis en français. Maintenant c'est lui qui est bouleversé...

Je l'ai revu un jour, à Jérusalem où il vivait modestement avec sa famille. Il semblait heureux. En me quittant, il me lança d'un air espiègle : « A propos, je ne vous ai pas dit mon nom. Je m'appelle Moshe ben Abraham... » Et, chaque fois que je me rappelle Saragosse, je ne vois plus la cathédrale ; c'est lui que je vois, Moshe fils d'Abraham. Et je remercie le ciel de m'avoir conduit vers sa ville, la ville du mystique visionnaire Rabbi Abraham Aboulafia où, par le plus grand des hasards, j'ai réussi à ramener un frère au sein de notre peuple.

Nous poursuivons notre route qui, peu à peu, prend forme de pèlerinage aux sources mystérieuses de notre mémoire collective. Chaque étape est marquée par une découverte, par une rencontre. En dehors d'Israël, l'Espagne est le pays qui me « parle », qui m'interpelle le plus.

Arrivés à Algésiras, nous passons la nuit dans un petit hôtel près du port. Je n'arrive pas à fermer l'œil. Le voyage à travers ce pays au passé juif, chrétien et musulman m'a trop profondément remué. Je me sens tiraillé par des hantises contradictoires. J'en parle dans *Le Chant des morts*. Pas assez peut-être.

Nous prenons le bateau pour Tanger. Traversée orageuse. Maudit mal de mer, le pire de ma vie. C'est le châtiment, me dis-je. Je n'aurais pas dû quitter Saragosse.

Tanger, cité cosmopolite aux innombrables entrepreneurs — des plus honnêtes aux plus louches — m'éblouit par ses activités nocturnes, souterraines. J'y recueille impressions et souvenirs qui alimenteront *La Ville de la chance*. Tanger, la nuit. Le *soco chico*. Les voleurs délurés ; comment se fâcher avec eux, ils ne font que leur métier. Les gamins qui vous offrent tout l'or de l'Orient pour quelques francs. Les derviches avaleurs de feu. Les contrebandiers qui déploient des efforts inhumains pour se faire de l'argent facile, les aventuriers avides de missions dangereuses vers des contrées qui souvent n'existent que dans leur imagination. Les conteurs arabes, au milieu de foules en extase, en quête d'émotion, d'admiration et de quelques sous. Tanger, pour moi, c'est Pedro, mon ami, l'homme qui, à mes yeux, incarne l'idéal de l'amitié. Aussi fou que sage, aussi intrépide que philosophe, aussi triste que triomphant de toute tristesse : j'ai inventé le personnage, j'ai créé Pedro parce qu'il me manquait, il me manque encore.

Nous traversons le Maroc espagnol à toute vitesse pour aboutir enfin à Casablanca. Sa blancheur aveuglante et pourtant apaisante. Le calme qui précède le crépuscule. Les petits cireurs de chaussures agiles, souriants, espiègles. Les marchands de couvertures au regard franc et au geste lent. Dieu doit regarder cette ville avec bienveillance, me dis-je. Les gens sont bons. Ambiance idyllique.

Nous sommes en 1950, et je suis trop ignorant pour percevoir les tensions qui traversent les diverses communautés. Je manque de discernement, de lucidité politique. Bêtement, je suis persuadé que tout le monde respecte et aime tout le monde. Mais l'identité nationale et ethnique ? Le droit à l'autodétermination ? Le droit des hommes et des femmes au respect et à la dignité ? Ces idées n'ont pas encore cours et l'humiliation que les autochtones ressentent devant les airs supérieurs de leurs protecteurs, ils la cachent encore. Mais les pauvres ? Eh bien, être pauvre à Casa est peut-être moins pénible qu'ailleurs.

Mes compagnons de voyage m'aident à lier connaissance avec la communauté juive. Je visite fréquemment le Mellah où l'ombre elle-même est rayonnante. J'aime sa densité humaine. Un homme encore jeune, dépenaillé, ébouriffé, les yeux fous, s'offre à me servir de guide. Il se nomme Ifergan. Débrouillard, il connaît rabbins et négociants, militants et sympathisants des causes juives ; toutes les portes lui sont ouvertes. Il ne comprend pas pourquoi j'insiste pour rencontrer des Maîtres rabbiniques : « Je pensais que vous étiez journaliste, et non *bahour-yeshiva*. » Il espérait me présenter aux responsables de la communauté, à des fonctionnaires. Des vieillards érudits s'étonnent eux aussi quand je les interroge sur la tradition plutôt que sur l'actualité politique ; alors, je leur propose de me parler de l'actualité de la tradition : et leurs réponses sont empreintes de sagesse, guère naïves, plus stimulantes que les propos des politiciens. Un *dayan* (juge rabbinique) me montre des écrits mystiques inconnus, attribués aux Sages de Fez. Un rabbin me raconte des anecdotes peu connues concernant les années que Maïmonide a vécues au Maroc. Ici aussi, comme en Espagne, le passé juif est incontournable.

Les Juifs sont nombreux au Maroc. Actifs, attachés à leur sol et à leur souverain. L'éloge qu'ils font de leur sultan, Mohammed V, ne peut que m'étonner. A tort. J'aurais dû savoir. Le sultan a protégé ses sujets juifs durant la guerre, tenant tête à Vichy et aux Allemands. Aucun Juif marocain n'a été déporté. Des Dhimmis modernes ? Des Dhimmis tout court. Donc, point de problèmes avec les Musulmans ? En apparence, aucun danger ne les guette. Rapports de commerce, de bon voisinage. Les Juifs riches entretiennent de fructueuses relations avec les Musulmans riches. Mais les pauvres ? Voir plus haut : être pauvre à Casa est moins terrible qu'ailleurs. Mais, alors, pourquoi tant de Juifs envisagent-ils de « monter » en Terre sainte ? C'est que la situation est trouble, l'avenir incertain : dans cette communauté si exubérante, si active, si fidèle à ses rites, des signes de dislocation apparaîtront bientôt. Combien resteront des 250 000 âmes qui la composent ? Très peu, prévoit mon compagnon, l'émissaire de l'Agence juive. Je ne comprends toujours pas : si les choses vont bien ici, sur cette belle terre hospitalière, pourquoi les Juifs décideraient-ils d'affronter l'inconnu ? Ifergan répond : « Pour un Juif, Israël n'est jamais l'inconnu. » Je me rappelle alors les Juifs de ma ville : comment se fait-il que les Juifs du Maroc soient plus perspicaces et plus audacieux que ceux de Sighet en 1940-1944 ? Ils le sont. Et grâce aux efforts diplomatiques de Joseph Golan, du Congrès juif mondial et de l'Agence juive, la quasi-totalité de la communauté émigrera en Israël entre 1952 et 1956. Ce n'est pas que ces Juifs n'aimaient pas le pays où ils ont vécu depuis mille ans, mais ils aiment encore plus la terre qui leur appartenait bien avant le Maroc.

Je m'attache facilement à eux. Tout d'abord, parce que j'aime les Séfarades. Je l'ai déjà dit : enfant, j'imaginais le Messie le teint foncé, la barbe noire, les yeux sombres, en un mot, je croyais qu'il était séfarade. (Que les Ashkénazes me pardonnent. Si le Messie est ashkénaze, Il me pardonnera, Lui. Et même s'Il ne me pardonne pas, qu'Il vienne me punir, mais qu'Il vienne vite !) Et puis, j'aime la passion juive qui les anime. Et l'esprit familial, patriarcal, qui gouverne leurs relations. Le vendredi soir, la synagogue est pleine. Les enfants embrassent la main de leurs pères ; ceux-ci, à leur tour, embrassent la main de leurs pères à eux. Malgré les différences de coutumes et de langues, je me revois chez moi, au loin.

Le samedi après-midi, j'assiste aux activités des cercles sionistes.

Chants, exposés, prières : je me retrouve à Versailles, à Orsay. Je leur apprends quelques chants : mon ami, l'émissaire de l'Agence juive, se déclare heureux de mon « influence » sur les jeunes et me remet une enveloppe. Bien que modeste, la somme me semble magnifique : finis les soucis d'argent pour les deux ou trois semaines à venir. Mieux : une choriste me rappelle Hanna (en moins méchante), bien qu'elle ne lui ressemble pas vraiment. Très brune, petite, d'une lenteur réfléchie, gracieuse. Voix de soprano, alors que Hanna était alto. Calme, douce, pas volcanique comme Hanna. N'empêche que, romantique incorrigible, je me surprends à rêver. Je lui parle — vous l'avez deviné — de la nostalgie chez Yehuda Halévy et Nietzsche. Aimable, elle se montre intéressée. Un soir, nous quittons les autres en pleine séance. Nous sommes seuls dans la rue. Timidement je lui prends la main et voilà qu'elle exprime le souhait de faire un tour en fiacre. Soit. Amoureux comme jamais, je contemple les étoiles, je les veux témoins de mon bonheur, je les implore d'illuminer les rêves de cette jeune fille si belle, puis je la raccompagne, mais n'ose pas l'embrasser en lui disant bonsoir.

Le lendemain, le brave Ifergan m'avoue qu'il nous a suivis et me fait des reproches. Je veux savoir ce qui lui a pris de m'espionner. « Oh, comme ça, répond-il. D'ailleurs, puisque je vous ai vus, permettez-moi d'attirer votre attention sur le danger que vous courez... » Il est fou, ma parole. Un danger, quel danger ? « Cette jeune fille, dit-il, vous lui avez tenu la main. » Et alors ? « Alors, chez nous, cela signifie que vous avez l'intention de l'épouser. » Quoi, l'épouser, moi ? « Si le père ou le frère de la jeune fille s'amène demain à l'hôtel, que lui direz-vous, hein ? Ici les flirts peuvent mener loin. Et coûtent cher. »

Brave Ifergan. Grâce à lui, j'ai peut-être échappé à un bonheur passager et à un malheur durable.

Guide consciencieux, il ne me quitte pas d'une semelle. Maladroit mais serviable. Attentif aux exigences de ma profession, il me fait découvrir les coins cachés de la ville, les aspects inviolables de la société. « Les choses ne sont pas si parfaites qu'elles en ont l'air, remarque-t-il. Les rapports entre Juifs et Musulmans sont parfois ombrageux. Il y a déjà eu des incidents tragiques. On dit, enfin on chuchote, que plusieurs jeunes filles ont été enlevées par des riches Musulmans. Impossible de les délivrer : on ignore dans quels harems elles sont enfermées. » Il me parle aussi de la prostitution qui sévit dans les quartiers pauvres. Peu à peu, je m'initie à la vraie vie de Casa, j'apprends à me méfier des apparences trompeuses et des déclarations complaisantes. Mes reportages, plus équilibrés, plus nuancés aussi, gagneront en objectivité : maintenant je comprends mieux pourquoi tant de Juifs se déclarent prêts à se déraciner, pourquoi ils brûlent de « monter » vers Israël.

Rentré en France, je reçois un télégramme d'Ifergan : « Vos articles ont suscité la colère de certains. Roué de coups, avec plusieurs côtes cassées, je suis à l'hôpital. »

Naturellement, je ne me le pardonne pas. J'aimerais lui venir en aide, mais je n'en ai pas les moyens. Lui écrire ? Je n'ai pas son adresse. Je lui envoie deux ou trois lettres « aux bons soins de la communauté israélite » ; elles me reviennent avec la mention « destinataire inconnu ».

Vingt ans plus tard, dans un papier de circonstance (sur le repentir) pour le numéro de Rosh-Hashana, j'évoque le tort involontaire que je lui ai fait jadis. Confession humoristique, mais sincère. Sa réponse me parvient aussitôt : « Vous n'avez pas de reproche à vous faire ; en vous suivant, je n'ai fait que mon boulot ; j'étais au service du Mossad ; j'avais des ordres : vous tenir à l'œil, vous protéger. Les coups et blessures ? Cela faisait partie des risques du métier. »

Quant à la jeune choriste qui aimait les promenades en fiacre, je l'ai rencontrée par hasard, des années plus tard, à New York. Avec son mari et leurs enfants. J'aurais voulu lui demander si elle voyait des étoiles dans ses rêves, mais je me dis qu'elle ne comprendrait pas. Et son mari encore moins.

« Et votre père ? lui demandé-je. Comment va-t-il ?

— Mon père ? s'étonne-t-elle. Il n'est plus en vie.

— Quand est-il mort ?

— Oh, il y a longtemps. Quand j'avais cinq ans.

— Et vos frères ? »

Elle ouvre de grands yeux :

« Mes frères ? Je suis fille unique. »

Sacré Ifergan, va.

Hier, après minuit, j'ai vu ma mère en rêve. Elle me tient par la main et cela me semble bizarre. Je me dis : j'ai grandi, je suis adulte, mais pour elle je suis encore un enfant...

249

Nous marchons lentement dans la rue ; je lui demande : « Où allons-nous ? » Elle paraît ne pas entendre. Peut-être entendait-elle, mais préférait ne pas répondre. Soudain, je me rends compte que nous sommes seuls. Je lui demande : « Où sont les gens ? On dirait qu'une tempête les a emportés. » Ma mère hoche la tête, mais j'ignore si c'est en signe d'approbation ou de dénégation. Cependant nous poursuivons notre marche à travers la ville. Je reconnais les maisons mais quelque chose me perturbe : plongées dans l'obscurité, les fenêtres s'éclairent à notre passage. On dirait qu'une main mystérieuse y allume une bougie. « Mais c'est une bougie de Yahrzeit », dis-je à ma mère. On l'allume pour commémorer les morts ! Là encore, elle hoche la tête comme pour me dire que j'ai raison, ou qu'elle m'a entendu. Je lui demande : « Mais qui est mort ? » Comme elle ne répond toujours pas, je répète ma question : « Qui donc est mort, maman ? » Du coup, elle lâche ma main. Je me retrouve seul, seule bougie éteinte au milieu de mille flammes clignotantes.

Dov, le neveu du Vieux, devenu responsable de la rédaction, excepté la page éditoriale, me propose de créer une rubrique intitulée « Étincelles de la Ville des Lumières ». J'accepte aussitôt. Pas pour des raisons bassement matérielles : je ne suis plus pigiste. J'ai le statut de salarié. Je reçois des virements bancaires mensuels. Oh, les sommes sont modestes : 25 000 francs anciens par mois. Mais c'est mieux qu'avant. Et puis, du point de vue professionnel, je vais enfin pouvoir sortir du « ghetto » judéo-centriste dans lequel mon journal m'avait enfermé. Deux fois par semaine, j'essaie de raconter avec humour les anecdotes, potins et incidents plus ou moins sérieux du monde des Lettres et des Arts. J'assiste aux premières, mais pas aux réceptions ; on m'invite à des présentations diverses, mais pas aux dîners : ni *Yedioth Ahronoth* ni son correspondant ne sont assez importants. On me refuse un entretien avec le prix Goncourt, mais on m'offre une interview avec un romancier qui vient de recevoir un prix littéraire moins important. Un bref échange avec Louis Jouvet que je vais voir dans sa loge après une représentation d'une pièce de Molière : « Monsieur Louis Jouvet, que faites-vous quand vous n'êtes pas Louis Jouvet ? — Je l'appelle pour vous mettre à la porte, jeune homme ! » Je lis les hebdomadaires, j'épluche les reportages à sensation sur des vedettes en tout genre. Dov est content, moi aussi. J'aime toucher à tout. J'aime être aimé. Suis-je lu ?

Mira, la plus célèbre des « potineuses » du pays, la Carmen Tessier de la presse israélienne, me confiera plus tard un secret qui me fera plaisir : lorsqu'elle fut engagée par le journal, pour y tenir une rubrique sur la vie mondaine et politique, le Vieux lui recommanda de lire mes « Étincelles » pour s'en inspirer.

Ainsi, je suis sûr d'une chose : je compte au moins une lectrice en Israël.

J'en ai aussi une à Paris. Dana, Israélienne d'origine roumaine, travaille avec Shlomo Friedrich pour le Bétar et le Mouvement sioniste-révisionniste. Elle compte beaucoup de soupirants qu'elle attire ou écarte avec une ironie désinvolte et dédaigneuse mais jamais blessante. Brune, regard sombre et ardent, d'une intelligence rapide et cinglante, elle sait plaire. Lui faire la cour ? Je n'ose pas. De toute façon, même si j'osais, ce serait sans espoir : elle a sûrement un ami en secret. Je me contente donc de sa compagnie. Avec elle, impossible de s'ennuyer. Anecdotes amusantes, histoires drôles et lestes à faire rougir un régiment de hussards : c'est un plaisir de l'écouter. De plus, elle a des opinions bien arrêtées et déteste qu'on la contredise. Parce qu'elle semble savourer mes articles, elle m'invite parfois à partager ses repas dans un petit restaurant près des Grands Boulevards. Pourtant elle est presque aussi fauchée que moi. Mais ce « presque » fait toute la différence. Souvent elle me sert de banquier pour m'aider à attendre mon prochain virement.

Confidente, Dana ? Quand ça ne va pas, elle le sent et me détend en me racontant des histoires drôles. Une nuit, j'avais le cafard, comme ça, pour rien, je l'ai appelée. Elle est venue.

C'est à cette époque-là que je revois Rachel Minc, la poétesse qui, à Écouis, nous déclamait des poèmes en yiddish. Elle demande à me voir. A quel sujet ? « C'est personnel », dit-elle.

Elle n'habite pas loin de chez moi, place de la République, un petit appartement cossu rempli de fleurs et de livres. Un samovar est posé sur la table. Une pensée me traverse : elle a dû être très belle. Elle l'est encore. Je suis frappé par son sourire. Comment le décrire ? Romantique ? Rêveur ? Disons : un sourire humain. Cheveux noirs parcourus de reflets gris, visage maigre et fin, menton prononcé.

« Je lis tes articles, me dit-elle. Certains sont bons. Tu écriras, je le sais. Tu seras écrivain. C'est pour cette raison que je t'ai téléphoné. »

J'attends la suite tout en me répétant : comme elle a dû être belle !

« Je vais te demander un service, enchaîne-t-elle après un silence. Mais, auparavant, tu dois me promettre de dire oui. »

Requête que je trouve étrange, mais qu'est-ce que j'ai à perdre ? Pour lui donner mon accord, j'emploie la phrase biblique du Livre d'Esther : « Demandez la moitié de mon royaume et vous l'aurez.

— Le service dont il s'agit en l'occurrence est beaucoup plus modeste, me dit-elle en souriant. Je te demande simplement de m'écouter. Ensuite d'écrire. Et puis, de publier. Mais... tu ne publieras rien avant ma mort. »

Aurait-elle bu ? Non, elle semble lucide. Elle me regarde tranquillement, attendant ma réponse. Mon cerveau travaille, mon imagination court à 200 à l'heure : comment lire dans la pensée de cette petite femme poétesse aux requêtes si bizarres ?

« Madame Minc, lui dis-je, je vous promets la seconde moitié du royaume...

— Très bien. Alors, écoute... »

Elle commence à me raconter son histoire d'amour avec Nikos Kazantzakis... Berlin après la Première Guerre mondiale... Leur rencontre dans un musée archéologique... Les statues égyptiennes... Celle de la reine Néfertiti... Le début d'une inoubliable aventure.

« Nikos était convaincu que j'étais une réincarnation de Néfertiti, dit Rachel Minc. Il trouvait que je lui ressemblais... Pourtant il savait que j'étais juive, je le lui avais dit... »

C'est elle qui lui fit découvrir la tradition juive, lui apprit à jeûner pour la fête de Yom Kippour, le convainquit d'aller en Palestine, d'apprendre la langue sacrée. Le héros de son roman sur l'Afrique s'appelle Toda Raba (merci beaucoup, en hébreu)... La veuve, dans *Alexis Zorba*, c'est un peu elle... D'ailleurs, elle figure dans chacun de ses romans...

Rachel Minc me fait lire les lettres que l'écrivain grec lui envoya durant les années vingt. Lettres d'amour éblouissantes, émouvantes de beauté, vibrantes de passion... Leur liaison n'a pas duré très longtemps, quelques années, mais la passion, elle, ne s'est jamais éteinte.

Je ne connaissais pas encore l'œuvre de Kazantzakis. Dès le

premier jour, je m'y suis plongé et l'ai lue entièrement, d'un trait. Le grand écrivain me fait entrer dans un univers envoûté où l'homme, poussière étoilée, poursuit avec le même acharnement son combat avec lui-même et avec Dieu. *Les Frères ennemis*, *Le Christ recrucifié*, sa version poétique de l'*Odyssée*... Qui commence à lire Kazantzakis ne peut plus s'arrêter.

Pendant une semaine, l'après-midi, je vais écouter la poétesse yiddish d'Écouis. Et puis, son récit achevé, nous nous quittons. Nos rapports subissent des changements. Trop susceptible, Rachel Minc. Exigeante. Dans ses lettres, elle se plaint : je ne lui écris pas assez souvent, je la vois moins souvent encore. Des mois, des années s'écoulent.

Au printemps, le hasard — non : le devoir professionnel — m'amène sur la Côte. Je « couvre » le Festival de Cannes. Pourquoi ne pas rendre visite à l'écrivain que je connais désormais si bien sans l'avoir jamais rencontré ? J'obtiens son adresse à Antibes. Je frappe à sa porte. C'est lui qui ouvre : « Que désirez-vous ? » Je réponds : « Rien. » Il me ferme la porte au nez, la rouvre : « Entrez. » Il me conduit vers un sofa, près de la fenêtre, s'assied en face de moi, me regarde longuement. Puis : « Qui êtes-vous ? » Je lui dis que je suis journaliste. « Que voulez-vous savoir ? » Lui dire que je sais tout ? Je réponds : « Rien. » Alors, imperceptiblement, sa tête s'approche de la mienne ; nos fronts se touchent presque ; et, tout bas, dans un murmure, il dit : « Vous la connaissez, hein ? »

Ils ne s'étaient pas vus depuis vingt-cinq ans.

En Israël, on commence à parler de négociations prochaines avec le gouvernement de Konrad Adenauer. Dov me demande si j'ai envie d'aller en Allemagne. J'ai envie de lui répondre oui et non, et pour les mêmes raisons.

Je visite Bonn où les officiels n'ont que le mot « politique » à la bouche. A Munich, des Juifs font du marché noir sans se gêner le moins du monde.

Dachau : j'y passe la journée, seul. Troublé, déprimé. La judéité des victimes juives est à peine évoquée. Certes, à l'origine, ce camp était fait pour les prisonniers politiques, mais quand même...

253

Au temps de Hitler, la vie juive était en danger. Maintenant, c'est la mémoire juive qui n'est plus en sûreté.

En Allemagne, l'oubli est une philosophie nationale.

C'est à peu près à cette période-là qu'une source inattendue de revenus s'offre à moi : la traduction simultanée. Molière avait raison : il arrive que l'on possède des dons sans le savoir. J'ignorais tout du métier qui allait me rapporter des fonds dont j'avais bigrement besoin.

Une voix d'homme agréable et un peu traînante — « Je m'appelle Teddy Pilley et j'ai besoin de vos services » — me demande si je suis intéressé par un poste d'interprète à la conférence que le Congrès juif mondial va tenir prochainement à Genève. « J'ajoute que c'est bien payé, dit la voix. Deux cents dollars par jour. » Je crois délirer : deux cents dollars ? Je vais devenir millionnaire, moi qui n'en reçois que cinquante par mois... Devant mon silence, Teddy Pilley ajoute : « Bien sûr, cela n'inclut pas le *per diem*. » J'ai le souffle coupé. Au fait, *per diem*, c'est quoi ? Comme je reste muet, Pilley ajoute : « Venez demain à 11 heures du matin aux bureaux du Congrès juif mondial. Vous connaissez l'adresse ? Avenue des Champs-Élysées. Nous bavarderons. Cela vous intéresse-t-il ? »

Il se moque de moi, M. Pilley. Si cela m'intéresse ? Et comment ! Je crains seulement de ne pas être compétent. Je n'ai jamais fait du « simultané », moi. Je ne sais même pas ce que c'est, cela a sans doute quelque chose à voir avec le *per diem*. Et puis je n'ai jamais assisté à une conférence internationale. Pourquoi ce bienfaiteur potentiel me choisirait-il ? Je ne peux qu'échouer, c'est certain. Mais... qu'est-ce que j'ai à perdre ? Sur place, je suis pris de panique : nous sommes six candidats et M. Pilley va sûrement nous examiner l'un après l'autre. Or je n'aime pas ça. Je n'ai jamais aimé les examens. Je le dis tout bas à l'homme qui nous accueille avec un sourire affable. « Mais non, répond-il. Ne voyez donc pas les choses comme ça... Voyez-les plutôt comme un jeu... On va s'amuser ensemble, c'est tout... » Je veux protester : ce genre de divertissement n'est pas de mon goût. Mais déjà il m'entraîne dans une pièce où deux cabines ont été aménagées. En une minute, je me retrouve assis devant un microphone, avec des écouteurs immenses sur les oreilles. « Je vais lire quelque chose en français, me dit Pilley, et vous allez le traduire en yiddish. Un conseil : ne réfléchissez pas aux paroles, je veux dire pas trop. Laissez-vous porter par le rythme de ma voix. Vous verrez : c'est facile. » Et, déjà, il se met à lire un article politique tiré d'un journal du matin. Je me sens pris, happé, ballotté, incapable de me taire. Eh oui, c'est plus fort que moi. La voix de Pilley force la mienne à sortir de ma gorge. Je m'éloigne du texte, j'invente, je dis n'importe quoi, je m'attends à ce que mon examinateur m'engueule ; mais il ne connaît pas le yiddish, Teddy Pilley. Tant mieux. Tout ce qu'il souhaite, c'est m'entendre, moi, en yiddish. Puisque ça lui chante, faisons-lui plaisir. Au diable, M. Pilley, me dis-je. Vous me suivez ? Non ? Je fonce. Pilley s'interrompt, je m'arrête. Mainte-nant, il lit un discours du docteur Nahum Goldmann, le président du Congrès juif mondial. Là encore, je galope. D'autant que j'ai déjà rencontré l'homme, et le sujet m'est familier. L'examen a duré dix minutes, peut-être plus. Pilley enlève ses écouteurs, j'ôte les miens. Il sourit ! « Ma décision est prise, me dit-il. Vous ferez partie de l'équipe. Mais, pour la forme, il faut que j'examine les candidats qui attendent dehors. » J'ai peur, je dois le montrer, car Pilley me rassure : « Je ne les connais pas, mais je doute fort qu'ils soient plus qualifiés que vous. Allez, soyez tranquille. Je vous fais signe cet après-midi. »

Tiendra-t-il parole ? Le soir même, nous dînons ensemble « Appelle-moi Teddy », me dit-il. Nous sympathisons. Il me vante la vie des interprètes : voyages bien payés, travail bien rémunéré, rencontres excitantes avec les célébrités de ce monde. C'est mieux que le journalisme. Je proteste. J'aime mon métier et refuse qu'il le dénigre. Discussion animée. Arguments pour et contre. Teddy est intelligent, brillant, plein d'humour. Conteur-né, il cite anecdote sur anecdote pour appuyer ses thèses ou illustrer ses idées, toutes plus farfelues les unes que les autres. Il me raconte sa vie de jeune Juif en Pologne. Il se souvient de Lvov avec nostalgie. Lvov avec ses marchands et ses intellectuels. Son père était un ténor du barreau. Les gens le saluaient dans la rue. Au restaurant, on se levait pour lui serrer la main. Parmi ses protégés, il y avait un camarade de Teddy, de deux ans son cadet. L'avocat lui achetait livres et vêtements, lui payait ses études, faisant preuve d'une générosité que Teddy s'expliquait par l'amitié qui liait les deux adolescents. Des années plus tard, il en apprit la vraie raison : le

255

garçon était son demi-frère. Tous deux se retrouvèrent après la guerre, à Lvov. Ils passèrent de longues soirées ensemble à échanger leurs souvenirs d'enfance et de jeunesse. « Je n'oublierai jamais ce que je dois à ton père », dit son ami. Et Teddy, ému, le corrigea : « Notre père. »

A mon tour de me raconter. Kalman le kabbaliste, Shoushani, Pedro... De tous mes personnages, c'est Pedro qui le fascine le plus. Pour différentes raisons, je suis content d'avoir fait la connaissance de Teddy. Nous décidons de ne pas nous séparer à Genève : nous avons tant de sujets à aborder, tant de choses à partager. En aurons-nous le temps ? Oui, bien sûr. Pendant les déjeuners. Et le soir. Nous irons nous promener au bord du lac et parler aux cygnes. « Tu connais Genève ? » Non, je n'y suis jamais allé. Teddy m'en décrit le calme, le climat, l'humeur : c'est le paradis des adorateurs du dieu argent et du mot neutralité, de tous ceux qui fuient le risque et célèbrent la sérénité.

A la fin, nous parlons du travail qui m'attend. Teddy me fournit des détails pratiques, des conseils utiles. Une lettre confirme notre accord. Me voilà presque riche. Pendant quelques mois, mon loyer ne me posera plus de problème. Mais une chose continue à m'inquiéter : serai-je à la hauteur ? Teddy rit : « Ne t'en fais pas. De toute façon, la plupart des orateurs s'expriment en yiddish ; tu auras moins de travail que les autres. » Je lui avoue alors le mauvais tour que je lui ai joué ce matin en faisant semblant de traduire... Il éclate de rire : « J'adore... j'adore... Quelle leçon, oui, quelle leçon... Cela m'apprendra... » Je lui promets de ne plus recommencer.

La conférence s'ouvre deux semaines plus tard. J'arrive par le train. En première classe. Comme un prince. Les huit interprètes (anglais, français, hébreu et yiddish) sont logés dans un hôtel somptueux. Notre chef aussi. Il nous invite à prendre le café pour organiser notre travail. « Personne ne vous surveillera, nous dit-il. Je vous fais confiance. Veillez surtout à ne pas traduire le contraire de ce que dit l'orateur. Pour le reste, on s'arrangera. »

Il a raison. On s'arrange. Divisés en quatre équipes installées dans des cabines mal sonorisées, nous sommes deux pour chaque langue, mais mon coéquipier et moi n'avons pas grand-chose à faire : beaucoup de discours sont prononcés en yiddish. En bons camarades, nous donnons donc un coup de main pour la traduction française. C'est alors que survient un incident qui m'a coûté pas mal d'argent et causé un certain nombre de désagréments.

Nous sommes à l'avant-veille de la clôture, et je traduis en français le discours du président Goldmann devant le comité exécutif réuni à huis clos.

Il jouit d'une réputation de bon orateur, Goldmann. Chef tout-puissant du Congrès juif mondial qu'il a fondé dans les années trente avec le rabbin américain Stephen Wise pour combattre le péril nazi en Europe, il ne sollicite pas d'avis : il impose le sien. Il encourage le débat mais ne tolère pas la contradiction. Détenteur de pouvoirs mal définis, il est convaincu de savoir mieux que n'importe qui pourquoi et comment gérer les affaires complexes du peuple juif. Il prétend connaître tous les grands de ce monde dont il serait le confident ou le complice : lui seul serait capable d'interpréter leurs intentions. Aujourd'hui, il informe les délégués de ses négociations avec le chancelier ouest-allemand Konrad Adenauer sur les réparations et les indemnités que Bonn devrait payer à Israël et aux survivants des persécutions nazies.

Le débat est douloureux, tendu, orageux. Certains délégués européens et israéliens protestent ; ils redoutent que les négociations n'aboutissent au pardon et à l'oubli. Goldmann les réprimande : « La sentimentalité n'est pas de mise ici ; elle ne nous servira à rien. Soyons pragmatiques. Israël est à bout de souffle, le gouvernement a désespérément besoin de fonds. » Des voix coléreuses répliquent : « Et la mémoire sacrée de nos martyrs ? Vous allez la vendre contre des marks ? » Les passions se déchaînent. C'est la première fois que j'assiste à une séance si désordonnée, si tumultueuse. Tous y participent, chacun s'efforçant de hurler plus fort que son voisin. Nous, les interprètes, ne savons plus où donner de la tête, qui traduire, qui regarder. J'interroge Teddy qui, d'un œil amusé, dans la cabine voisine, répète en anglais ce que tout le monde dit dans un charabia bruyant et incompréhensible. Il me fait passer sa réponse : « Pour nous, celui qui paie est le patron ; et c'est le docteur Goldmann... » Soit, je me concentre sur le président. Général devant ses troupes rebelles, bien que débordé sur ses flancs, il poursuit, seul, son combat. Qu'en est-il de son éloquence et de sa fermeté légendaires ? Peu de gens l'écoutent ; et ceux qui l'écoutent lui crient leur désaccord. Il lance des slogans à droite, des remontrances à gauche : peine perdue. Je l'entends vaguement répondre à un ancien ministre letton, le rabbin Mordehaï Nourok, vieillard barbu au visage noble et tourmenté de prophète : « Il ne s'agit pas de faire du sentiment ; il s'agit de sauver l'économie, donc l'existence, de l'État juif... » Le rabbin essaie de répondre, mais Goldmann rétorque : « Voilà pourquoi j'ai tenu au huis clos : si le gouvernement ouest-allemand apprend la teneur de nos débats, il risque de le prendre mal. » Le rabbin Nourok, d'une voix faible, demande : « La susceptibilité allemande est-elle, à vos yeux, plus importante que celle de nos frères ? » Goldmann : « L'argent, l'argent dont Israël a besoin, qui le lui donnera sinon les Allemands ? » Des voix couvrent la sienne, moi je n'écoute que Goldmann et je l'entends déclarer : « Il ne faut surtout pas énerver Adenauer ; il ne faut pas trop insister ici sur les crimes allemands ; ça ne nous servira à rien. » Une voix : « Et les victimes ? » Une autre : « Nous n'aurons donc pas de séance spéciale pour les commémorer ? » Une troisième (peut-être est-ce la première) : « Que dira-t-on de nous, et que pourrons-nous répondre ? Dans la rue, les Juifs cracheront sur nous ! » Goldmann : « Un homme public ne doit pas craindre la critique et les insultes ; il doit avoir le courage de ses convictions. » Des voix : « Donc, que suggérez-vous ? Il n'y aura pas de commémoration ? Rien ne sera dit ? » Goldmann : « Rien ; ça vaut mieux ; c'est plus prudent. » Le rabbin Nourok : « On ne récitera même pas le kaddish, la prière pour les morts ? » Goldmann : « De quoi Israël profitera-t-il davantage : du kaddish ou des compensations financières allemandes ? »

La séance levée, je m'enquiers auprès de mes confrères : ai-je bien entendu ? Goldmann s'est-il vraiment opposé au kaddish à la mémoire des victimes ? J'ai besoin d'une confirmation car, lorsqu'il faut traduire si rapidement, on a du mal à retenir ce qui a été dit. Mon collègue de cabine me rassure : j'ai bien entendu. François Wahl serait content de son élève : à présent je comprends ce que signifie un conflit cornélien. En tant que traducteur, j'ai juré le secret ; mais comme journaliste ai-je le droit de ne pas révéler au public israélien et juif les propos scandaleux que je viens d'entendre ? Je prends conseil auprès de Teddy. Lui aussi se dit troublé. Comment expliquer la position de Goldmann ? Il doit avoir ses raisons. Des raisons d'État ? « De toute façon, dit Teddy, si tu décides d'en parler dans ton journal, je ne t'en voudrai pas. Mais, auparavant, tu vas devoir démissionner de l'équipe. »

Panique : vais-je renoncer aux deux cents dollars quotidiens et au *per diem* béni du système ? Redevenir pauvre ? Retrouver mes soucis quotidiens et mes insomnies ? Le sacrifice me paraît lourd, trop lourd. D'un côté le loyer, la blanchisserie, le métro, le cordonnier, le restaurant ; de l'autre, le devoir d'informer le lecteur et, par-dessus tout, la fidélité à la mémoire. « Alors, mon vieux ? me demande Teddy d'un air curieux. Qu'est-ce que tu décides ? » Je ne réponds pas tout de suite ; ma gorge est nouée. Je me sens blêmir et finis par murmurer : « Je démissionne, je n'ai pas le choix. »

L'entretien se déroule au fond d'un couloir. Le visage avenant de Teddy s'assombrit. Il continue de sourire, comme d'habitude, mais son sourire amical est devenu grave. Il pose sa main sur mon épaule et dit : « Tu sais, je suis fier de toi. » Il a dit cela avec tant d'émotion qu'à mon tour je suis ému. Comme si je venais d'accomplir un acte héroïque. Or je n'ai rien d'un héros. La perte de quelques centaines de dollars ne mérite tout de même pas que... D'autant que nous sommes à l'avant-veille de la clôture. Je perdrai deux jours de salaire, peut-être trois. Les paroles de Teddy comptent bien plus. D'ailleurs, cet argent tombé du ciel, c'est à lui que je le dois. « Tu fais honneur à notre profession, reprend Teddy. Vraiment... » Il s'interrompt. Il ne sait plus quoi dire, mon nouvel ami. Mais il se ressaisit. Il continue de me féliciter, il parle de l'idéalisme si rare de nos jours, des exigences éthiques, du sens du devoir. Je l'écoute, mais distraitement. Autour de nous, des délégués vont et viennent. La séance reprendra à trois heures de l'après-midi. Sans moi. Moi, je me rends aux bureaux des télécommunications. Fiévreux, je rédige un câble bref et indigné. C'est un scoop. Naturellement, il fait la une. Naturellement, il provoque une véritable tempête en Israël. Et à Genève. Si bien que Goldmann est obligé de convoquer une conférence de presse. Les journalistes juifs l'assaillent de questions : est-il vrai qu'il s'oppose à ce que le kaddish soit récité lors de la séance solennelle de clôture ? Et qu'il prêche l'oubli ? Et que, pour des raisons bassement matérielles, pécuniaires, il trahit l'honneur juif pour plaire aux Allemands ? Est-ce digne d'un dirigeant juif d'agir de la sorte ? Se rend-il compte des conséquences de son attitude ? Pâle, Goldmann s'efforce de garder son calme. Il dit ne pas comprendre. Comment peut-on le soupçonner, lui, Juif d'origine galicienne, ami et collaborateur du rabbin Stephen Wise, de vouloir oublier les victimes du nazisme ? Ou de sacrifier la mémoire au rapprochement avec les dirigeants de l'Allemagne ? En fait, la question du kaddish n'a même pas été soulevée par le comité exécutif. Le compte rendu paru le jour même dans *Yedioth Ahronoth* ? Élucubration. Il n'y a pas un mot de vrai là-dedans. Il le déclare sur son honneur. D'ailleurs, la séance s'est déroulée à huis clos et tous les participants lui ont juré qu'ils n'en avaient rien soufflé à la presse. Autrement dit : le correspondant de *Yedioth Ahronoth* a tout inventé. Bien entendu, Goldmann ignore que j'étais présent à la discussion en tant que traducteur... Certes, je pourrais, je devrais me lever et rétablir les faits. Dire la vérité. Défendre ma réputation de journaliste. Mais j'ai peur de nuire à Teddy ; c'est lui le responsable des interprètes ; on pourrait lui reprocher d'avoir engagé un journaliste. Et puis je me sens physiquement et psychologiquement incapable de parler en public. Malade de honte, abattu, malheureux, je quitte la conférence de presse.

Je rentre à l'hôtel. J'appelle Dov. Il me console : ça arrive à tout le monde, me dit-il. Je réponds que ça ne devrait pas m'arriver. Dov a une idée : aller voir le rabbin Nourok, solliciter son témoignage. Ce que je fais. Je raconte tout au rabbin. Je lui dis : « Le docteur Goldmann me traite de menteur ; mon avenir professionnel est en jeu. Vous étiez présent. Je vous ai entendu. Je vous ai cité. Dites que je n'ai pas menti. » Le rabbin comprend et me donne une déclaration qui me satisfait. Seulement elle fait moins de bruit que le démenti de Goldmann.

Avec les années, Goldmann et moi nous sommes beaucoup rapprochés. Je l'ai souvent critiqué et parfois sévèrement, sinon injustement, mais nos rapports n'en ont jamais été vraiment affectés. Lui ne m'en voulait pas, et, moi, j'apprenais à l'apprécier à sa juste valeur. D'abord, il avait le courage de choquer. L'ambiguïté de ses rapports avec Israël était telle qu'il se permit un jour d'exprimer des doutes sur sa survie même : « Peut-être, dit-il, Israël ne restera qu'un épisode dans l'histoire juive. » Ben Gourion ne l'aimait pas (il le traitait de Tzigane juif), et Golda Meir se méfiait de ses initiatives auprès des Soviétiques et des Arabes. Personnage controversé, c'était un agitateur qui mettait à mal principes et idées reçues. Il écoutait mal mais s'exprimait bien. Il savait situer les événements dans un contexte historique d'une manière qui m'agaçait et me fascinait tout à la fois. Cependant, malgré son égocentrisme, il m'impressionnait par son passé riche d'actions en faveur de notre peuple. Nous évoquions fréquemment les années noires de la guerre. Je le harcelais : « Pourquoi le lobby juif américain n'a-t-il pas œuvré davantage, avec plus de courage et d'abnégation, pour sauver le judaïsme européen ? » D'abord il essaya de me persuader que, en Amérique, on ne savait pas ce qui se passait là-bas, dans les pays occupés par les nazis. Ensuite il admit que « *Yadanu ve-shataknu* » : nous savions et nous nous sommes tus. Mais... Mais quoi ? Il invoqua des circonstances atténuantes. Jusqu'en 1941, la communauté juive américaine craignait l'antisémitisme. Et il aurait été dangereux de s'opposer au président Franklin D. Roosevelt. Et les Juifs n'avaient pas le pouvoir qu'ils possèdent — ou que l'on croit qu'ils possèdent — depuis quelques années. Et puis Roosevelt avait le don de convaincre ses visiteurs juifs qu'il était le meilleur avocat et protecteur de leur peuple.

Un soir, dînant en tête à tête dans son restaurant habituel à New York, je lui rappelai l'incident de Genève : « Comment pouviez-vous mentir à ce point-là ? Que croyiez-vous que le jeune journaliste que j'étais penserait de vous ? » Déjà vieux, ridé, il se mit à rire : « Premièrement, j'ignorais que vous étiez dans la salle pendant le débat ; je pouvais donc dire n'importe quoi impunément ; deuxièmement, la différence entre nous, c'est que je suis un politique, et vous non. » Et il me donna un conseil : « Écrivez vos romans, racontez vos histoires hassidiques, mais ne vous mêlez jamais de politique ; ça n'est pas pour vous. » Lors d'un autre dîner, en présence de Marion, comme s'il avait oublié ses propres conseils, il me proposa de lui succéder à la présidence de la Fondation pour la mémoire et de la Conférence des réparations, toutes deux financées par les Allemands. Naturellement, je refusai. Mais je suis resté proche du Congrès juif mondial, surtout depuis qu'Edgar Bronfman, aidé par ses adjoints Israël Singer et Elan Steinberg, en a assumé la présidence.

Après Genève, mon amitié avec Teddy Pilley ne cessa de s'épanouir. Lorsque j'avais un pressant besoin d'argent, il me dénichait toujours une conférence internationale où je pourrais exercer mes « talents » d'interprète.

Au printemps de 1960, je viens lui rendre visite à Londres. Le téléphone sonne. Il décroche et je l'entends parler en français : « A quelle date ? Je crois que j'ai quelqu'un pour toi. Attends, je vais le lui demander. » Il se tourne vers moi : « Que fais-tu la semaine prochaine ? » Je lui dis que je n'en sais rien. « Tu peux te libérer pour un travail urgent et bien payé ? » Oui, je peux. « Il est d'accord, dit-il à son interlocuteur. Viens demain. Je vous présenterai l'un à l'autre. » Il pose le combiné et m'explique : « C'était le prince Andronikov. Tu ne le connais pas ? Tu devrais. C'est quelqu'un de spécial. Il est l'interprète personnel du général de Gaulle. Or il est embêté, le prince. David Ben Gourion arrive en visite officielle la semaine prochaine à Paris. Il aura, lui, son interprète. De Gaulle n'en a pas. Pour lui, c'est une question de prestige national. » Voilà pourquoi Andronikov a fait appel à mon ami qui me demande : « Alors, tu vas le dépanner, n'est-ce pas ? » Quelle question, j'accepte, bien sûr. Être l'interprète de De Gaulle, quel honneur ! Être présent aux entretiens avec Ben Gourion, quel privilège ! « Mais promets-moi de ne pas recommencer le coup de Genève ! » ajoute Teddy. Je le lui promets.

Le lendemain, je fais la connaissance du prince. Dîner à trois. Le jugement de Teddy est juste : c'est quelqu'un de bien. Très cultivé et informé. Sobre, efficace, totalement fiable : il possède son métier sur le bout des doigts. Il m'explique de façon détaillée comment se passera l'entretien au sommet. Lui aussi insiste sur la confidentialité. Je m'y engage. Soirée bien remplie. Gagné par l'excitation, je dors mal. En pensée, j'anticipe ma rencontre avec le Premier ministre israélien. Et soudain un frisson me traverse l'échine : je viens de comprendre que je dois renoncer au projet.

Mon journal m'ayant chargé de rendre compte de la dernière visite de Ben Gourion à Washington, lui et moi avons alors inventé une sorte de jeu privé. Informé par un ami de son entourage, je le précédais partout où il se rendait : à la Maison-Blanche (où il fut reçu par le président Eisenhower) aussi bien que chez le vice-président Richard Nixon. Au Sénat aussi bien qu'à la Chambre. Ainsi, lorsqu'il m'apercevait, David Ben Gourion s'exclamait toujours : « Quoi ? ! Encore vous ? » Et maintenant, je l'imagine à l'Élysée, me découvrant aux côtés du Général... Non, je ne peux pas lui faire ce coup-là, je n'en ai pas le droit. Et puis, à ses yeux, j'appartiendrai à l'autre camp, à l'autre côté : que pensera-t-il de moi ?

Malgré l'heure tardive, je réveille Teddy et lui annonce ma décision. Il essaie de me raisonner : « Tu n'as qu'à prévenir Ben Gourion ; je suis sûr qu'il sera d'accord. » Je tiens bon et utilise finalement l'argument décisif : « Teddy, lui dis-je, le journaliste en moi risque de ne pas pouvoir résister à la tentation : tu te rends compte ? Ce serait pour moi un scoop formidable... Saurai-je garder le secret ? Je ne veux pas vous embarrasser, toi et ton ami le prince. » Long silence. L'argument a porté. « Tu es idiot, dit Teddy de sa voix traînante et chaleureuse. Tu vas perdre pas mal d'argent et une occasion historique qui ne se renouvellera plus de voir deux grands hommes à l'œuvre. » Et, après un soupir : « Ce que tu dis est idiot, mais... cette fois encore, je suis fier de toi. » C'est le professeur Samuel Sirat, futur grand rabbin de France, qui assista aux entretiens.

Aujourd'hui, avec le recul, je reconnais mon erreur et la regrette. En vérité, je n'étais pas sûr de moi ; j'avais peur de ne pas être à la hauteur de ma tâche.

Je connus les mêmes doutes lorsque je travaillais pour le *Jewish Chronicle* de Londres. Son correspondant, Maurice Carr, m'offrit de le remplacer pendant quelques mois. Je brûlais de pouvoir accepter : le prestigieux hebdomadaire du judaïsme britannique payait bien ses collaborateurs et remboursait leurs dépenses. Mais... comment surmonter l'obstacle de la langue ? Mon anglais était pire qu'insuffisant. « Tant pis, décida le rédacteur en chef. Vous nous enverrez vos articles en yiddish. » Le retour de Carr me rendit malheureux.

Les premières négociations officielles entre l'Allemagne de l'Ouest et Israël s'ouvrent début 1952 dans le château de Vassenaar, aux Pays-Bas. Dov tient à ce que j'y assiste. Pour l'ouverture ? Non. Pour toute la durée de la conférence. Pour des raisons professionnelles ? Les négociations me touchent personnellement aussi, et Dov en est conscient. D'ailleurs, il se montre généreux : cette fois, le journal me remboursera mes frais de déplacement. Le visa ? Un coup de fil à l'attaché de presse du consulat hollandais résout le problème en vingt-quatre heures. Je commence à croire que je suis non un grand, mais un vrai reporter.

Quatre journalistes seulement sont accrédités auprès des deux délégations : Sam Jaffe de l'Agence télégraphique juive ; Marcel Rosen, rédacteur de l'organe officiel de la communauté juive de

Düsseldorf ; Alfred Wolfmann, représentant la radio berlinoise, et moi-même, seul correspondant travaillant pour un quotidien israélien. Les autorités hollandaises nous préviennent : comme les délégués, pour des raisons de sécurité, nous resterons « entre nous », c'est-à-dire quasi *incommunicado* du début à la fin de la conférence qui promet d'être dramatique.

Malgré son aspect politique et économique, l'événement est capital, d'abord sur le plan historique. C'est la première fois qu'officiels allemands et juifs se rencontrent pour affronter les conséquences d'un passé commun fondé sur la brutalité légalisée pour les premiers et la souffrance ultime pour les seconds.

En Israël, le public se passionne pour un débat qui divise la population. Les passions se déchaînent : on dirait une guerre de religion. Faut-il accepter l'argent des Allemands ? Ben Gourion répond oui, Nahum Goldmann aussi, tandis que Menahem Begin s'insurge. Le premier cite le prophète Nathan : « Tu as tué, comptes-tu en plus hériter [des biens de ta victime] » ? Le second affirme que le sang juif n'est pas à vendre, qu'on ne marchande pas avec les morts juifs. Quant aux survivants, même ceux qui appartiennent à la gauche (Mapaï, Mapam), ils partagent généralement son avis. Les manifestations sont quotidiennes, les pétitions aussi. Pas une communauté, pas un kibboutz, pas une famille où le sujet ne soit débattu, provoquant colère, conflit et amertume.

Ma position à moi ? Je suis contre. Prendre cet argent — on mentionne la somme : un milliard de dollars — constituerait le premier pas vers une normalisation qui, à mes yeux, restera longtemps prématurée, car inévitablement elle préparera la voie vers la coopération économique et la collaboration politique (et la fraternisation ?) entre les deux peuples. Or, de tout mon cœur, je crois que l'une et l'autre ne peuvent que trahir la mémoire des morts.

Aux délégués israéliens qui me demandent : « Préférerais-tu que les trésors volés restent entre leurs mains ? », je réponds : « Non, ils doivent nous être restitués, ce n'est que justice. De toute façon, jamais les Allemands ne pourront nous rendre tout ce qu'ils nous ont pris. Mais il y a manière et manière. Que le gouvernement des États-Unis serve d'intermédiaire. Que Bonn confie les sommes en question aux Américains qui les remettront à l'État d'Israël. »

(Les Israéliens disent aujourd'hui que, sans les réparations allemandes, il n'y aurait pas eu d'industrie lourde dans leur pays.

C'est possible. Mais, selon une rumeur qui court dans les milieux d'affaires, bon nombre d'entreprises créées grâce à l'argent allemand auraient ensuite fait faillite : les luxueux paquebots de la compagnie maritime Zim, par exemple, ont tous été vendus. Et l'un d'entre eux, battant pavillon italien, mais affrété par le gouvernement français, sauva Yasser Arafat de Tripoli assiégée en 1982 ou 1983.)

Naturellement, à Vassenaar, les mêmes discussions remplissent nos heures d'attente dans les couloirs pendant que les délégués, dans la salle de conférences, examinent les problèmes techniques de l'accord. Rosen est pour, moi contre, et Sam entre les deux. Et Alfred ? La tête inclinée, toujours, il ne participe au débat que lorsque je m'en écarte. C'est que, lors de notre première rencontre, il a tenu à se présenter « honnêtement », comme il le disait : ancien officier de la Wehrmacht, ayant servi en France occupée et aussi, pour très peu de temps, en Russie, il n'était pas nazi, mais se déclarait citoyen loyal du Reich puis de la Bundesrepublik. Voilà, il tenait à ce que les choses fussent claires. « Très bien, lui répondis-je. Dans ce cas, vous comprendrez qu'il ne puisse pas y avoir de relations entre nous. Certes, si je savais avec certitude que vous n'avez commis aucun crime contre mon peuple et contre l'humanité... Mais je ne le sais pas. Donc, il vaut mieux que nous gardions nos distances. » Depuis, je ne lui adresse plus la parole. Les officiels israéliens aussi lui témoignent une méfiance qu'il semble accepter, mais de mauvaise grâce. « Regarde, dit-il à Sam. Regarde les Allemands. Eux, ils sont aimables avec vous, les Juifs... » Typique, me dis-je. Pour lui, Juifs et Allemands, il ne voit pas la différence.

La séance d'ouverture ne manque ni de solennité ni de tension dramatique : empreintes de la même gravité, les deux délégations se font face sans se serrer la main. Symbolisme oblige. Pourtant le professeur Franz Boehm, qui dirige la mission allemande, est un démocrate au-dessus de tout soupçon. C'est grâce à lui que les relations entre les deux délégations se détendront et deviendront cordiales d'abord, amicales ensuite.

Mais entre Wolfmann et moi elles restent figées. Situation désagréable mais irrémédiable : je ne peux ni ne veux voir en lui un confrère. On ne « fraternise » pas avec un officier qui a juré fidélité à Hitler. Pourtant, il m'arrive de l'observer du coin de l'œil : il ne manque ni d'intelligence ni de finesse. Et puis il connaît son métier à fond. Ses analyses sont perspicaces, souvent justes. Sam et lui sont devenus copains. Si bien qu'un jour je les entends aborder un sujet qui n'a rien à voir avec la politique : est-ce difficile d'apprendre l'hébreu ? Sam prétend que oui. Alfred, avec l'arrogance qui caractérise son passé militaire, secoue la tête : il est prêt à parier cent florins qu'il lui suffira de quelques mois pour maîtriser cette langue qui, après tout, ne doit pas être plus difficile qu'une autre. Sam se tourne vers moi : « Tu l'entends ? » Je lui conseille d'accepter le pari. Là-dessus, Alfred s'adresse directement à moi : « Et vous ? L'accepteriez-vous aussi ? » Je préfère faire semblant de ne pas l'avoir entendu.

— Une vie, ça vaut combien ?
— Aucune idée.
— Réfléchis, je t'en prie.
— Je n'arrive pas à réfléchir.
— Fais un effort. La question est importante, reconnais-le. Puisque les Allemands sont prêts à payer pour les vies juives assassinées, il faudrait établir des barèmes, pas vrai ? Par exemple, une vie d'enfant, dis, est-ce qu'elle vaut autant qu'une vie de vieillard ? Un professeur d'université et un mendiant, est-ce le même prix ? On ne va tout de même pas mettre toutes ces vies juives dans le même sac, non ? Puisqu'on est entre marchands, faisons comme eux, marchandons...
— Tais-toi.
— Ne suis-je pas raisonnable ? Est-ce que je manque de logique ?
— Tais-toi. Pour l'amour du ciel, tais-toi.

Jugée fructueuse par les deux parties, la conférence s'achève et notre petit groupe se sépare. Alfred me tend la main, mais je me détourne. Il fait la moue : « Je croyais que la guerre était finie entre nos deux peuples... » Je ne daigne pas lui répondre. Sam prend l'avion pour Paris, Rosen pour l'Allemagne. Je rentre par le train en m'arrêtant à Anvers où j'ai envie de revoir mes cousins, les Feig et les Dick. Je descends dans un hôtel modeste de Pelikaan Straat. Il est tard. J'expédie ma dernière dépêche et je me mets au lit. Des coups à la porte me réveillent tôt le matin. Qui est-ce ? Une voix d'homme répond, mais je ne la reconnais pas. J'ouvre : c'est Alfred Wolfmann : « Qu'est-ce que... Qu'est-ce que vous me voulez ? » Il dit bonjour. Ulcéré, je répète ma question. Il fait un geste pour entrer, je lui interdis le passage : « Allez-vous-en. Je ne veux pas vous voir. Ni dans ma chambre ni ailleurs. » Il sourit, et son sourire hautain me met hors de moi. Il a un haussement d'épaules et s'en va, l'air dépité. Je me remets au lit, mais ne parvient plus à me rendormir.

Quelques semaines plus tard, on sonne à la porte de mon appartement parisien. C'est encore lui et de nouveau il veut entrer. Je m'apprête à le repousser, quand il se met à parler... en hébreu. Stupéfait, je bascule dans l'irréel. « Vous voyez ? dit-il d'un air calme et agaçant. J'ai gagné... » Profitant de ma stupeur, il pénètre dans la chambre et s'assied sur la chaise près du lit défait. Convaincu qu'il n'a appris que quelques mots pour m'épater, je lui demande de continuer : « Dites autre chose, allez ! » Sans se gêner le moins du monde, il obtempère. Je dois me rendre à l'évidence : il parle couramment l'hébreu, l'ancien officier de la Wehrmacht. Je n'y comprends plus rien. J'attends la suite, sans arriver à l'imaginer. Va-t-il essayer de me convaincre qu'il a réellement appris l'hébreu depuis Vassenaar ? Pendant un long moment, il me laisse à mon désarroi. Puis, d'un ton lent et posé, il dit, toujours en hébreu : « Je vous ai menti. Je n'ai jamais été officier de la Wehrmacht. Je suis juif... » J'ai envie de le secouer : se moque-t-il de moi ? Quand a-t-il dit la vérité : à Vassenaar ou à Paris ? « Je suis juif », répète-t-il. « Un Juif a le droit de mentir, non ? D'ailleurs, à Vassenaar, auriez-vous préféré que je sois allemand et fasse semblant d'être juif ? » J'attends qu'il continue, mais il se tait comme s'il s'était suffisamment expliqué. J'aurais voulu connaître la technique des interrogatoires. Je ne suis que journaliste. Je prends un air sévère et finis par rompre le silence : « Bon, je vous écoute. »

Drôle de personnage. Compliqué comme seuls peuvent l'être un Juif ou un Allemand complexés. Son histoire est tout sauf banale : enfance en Allemagne, émigration vers la Palestine où il adhère au parti communiste, retour en Allemagne de l'Est où il devient haut fonctionnaire du parti, désenchantement idéologique, fuite vers l'Ouest où il se fait journaliste anticommuniste...

Mais pourquoi ce mensonge, ce jeu ? Sa réponse est celle d'un fou : « Pour deux raisons. D'abord pour me venger. De vous tous, les Juifs débrouillards de Pologne ou de Russie, qui se croient supérieurs... Vous comprenez, en Palestine, on se moquait de moi parce que j'étais " Yékké ", c'est-à-dire juif allemand... On me prenait pour un idiot bien élevé, un imbécile éduqué, qu'on pouvait facilement rouler... Eh bien, je voulais vous prouver que je pouvais à mon tour vous berner aussi longtemps que je le voulais... » Et l'autre raison ? « Vous montrer qu'il ne faut pas se hâter de juger autrui. Il y a une heure, à vos yeux, j'étais abject parce que allemand... Maintenant, je vous plais parce que je vous dis que je suis juif... » Donc ? « On ne devrait jamais se fier aux apparences ! »

Je le regarde, je l'écoute, et j'éclate de rire. Tout mon corps rit. C'est donc pour remporter une sorte de joute oratoire ou dialectique qu'il a inventé ce scénario ridicule, enfantin, et érigé un mur entre nous... Pour « se venger », il a accepté d'être soupçonné et tenu à l'écart par les Israéliens à Vassenaar...

« Sacré Alfred, lui dis-je, soudain détendu, appelons Sam... Voyons ce qu'il dira... Il doit déjà être à son bureau... » Il s'y trouve. Je lui demande de patienter : quelqu'un veut lui parler. Alfred lui dit alors en hébreu : « Vous me devez cent florins. » Et c'est le tour de Sam de se tordre de rire : « Non, non, ce n'est pas vrai... », répète-t-il encore et encore.

Alfred et moi passons la journée ensemble et dorénavant nous parlons l'hébreu. Du coup, je l'aime bien, mais il me dérange. Il me perturbe. Comment lui, un Juif, a-t-il pu quitter la Palestine pour revenir en Allemagne ? Il tente de s'expliquer : « Tu oublies que j'étais communiste. Le monde entier était ma patrie. » J'insiste : « L'Allemagne aussi ? » Il répond : « L'Allemagne communiste aussi. » Mais puisqu'il n'est plus communiste, pourquoi y habite-t-il toujours ? « Parce que j'y livre un combat que je crois juste. Contre le communisme. Et l'antisémitisme. » Ne pourrait-il le livrer ailleurs ? « Ce ne serait pas pareil. »

En vérité, je ne le comprends pas. Que des Juifs (dont un grand nombre de rescapés) vivent encore en Allemagne, cela continue à me gêner. Il me répond qu'un jour je comprendrai.

Après un silence, il reprend : « J'étais misérable, j'étais malheureux en Palestine. » Malheureux pourquoi ? Parce que Juif allemand ? « Parce que communiste. J'appartenais à la fraction la plus extrémiste : j'étais plus stalinien que Staline. Proche des Arabes. On m'en voulait et on me le faisait payer. En me refusant tout emploi. En m'humiliant. On me traitait de renégat, de traître, on me traînait dans la boue, comme un paria... »

Je ne le juge pas. Je sais qu'il ne ment pas : en Palestine aussi il y avait des victimes.

Je le présente à des confrères, il assiste avec moi à une conférence de presse à l'ambassade d'Israël. Nous déjeunons avec Sam Jaffe. Une idée me vient à l'esprit : *Yedioth* n'a pas de correspondant en Allemagne fédérale, est-ce que ça l'intéresserait... Oui, ça l'intéresse. Je lui promets d'en parler à Dov qui accepte aussitôt : « Mais dis-lui que le journal n'est plus aussi riche qu'avant. » Je connais le refrain. Alfred devient mon collègue. Il est heureux, moi aussi. Il demande et obtient la nationalité israélienne. Il se sent en paix avec lui-même. Il projette de quitter l'Allemagne pour s'établir en Israël, mais des raisons familiales le retiennent. Dommage. A force de combattre la résurgence nazie dans son pays, il commence à en avoir peur. Jusqu'à en tomber malade. Souffrant de paranoïa, il croit nécessaire d'être constamment armé. Maintenant, il voit des nazis partout. Dans la rue, devant sa maison. Nous nous téléphonons fréquemment. J'essaie de le calmer, de lui remonter le moral. Je l'interroge sur sa femme, sa fille : je les ai rencontrées. Dov veut qu'il vienne avec sa famille se reposer en Israël. Il y va, il repart. Dov lui propose de rester pour de bon, de s'installer à Ramat-Gan. Il refuse, il a peur de quitter l'Allemagne, il a peur d'y vivre... De Tel-Aviv, je l'appelle pour l'apaiser, ce n'est pas facile, sa peur le tient prisonnier. Je lui demande : « De quoi, de qui as-tu peur, Alfred ? » Il a l'air stupéfait, incrédule : « C'est toi qui me le demandes ? Tu ne sais donc pas qu'ils sont là ? Ils veulent me tuer, ils veulent tuer tous les Juifs, ne me dis pas que tu ne le sais pas... Ça recommence... Mais cette fois je ne me laisserai pas faire... Je suis armé... »

Le lendemain, il se tira une balle dans la tête.

Nous avons souvent discuté de la question du pardon : les Juifs doivent-ils, peuvent-ils pardonner à leurs ennemis d'hier ? Des années plus tard, je me trouvai à nouveau confronté au problème en parlant avec des étudiants allemands : « Consentez-vous à nous pardonner ? » me demandaient-ils. Je répondis qu'Ivan Karamazov a raison : je pourrais peut-être pardonner le mal que les Allemands m'ont fait personnellement, en tant qu'individu, mais non la souffrance et la mort qu'ils avaient infligées à mes parents, à tous les parents morts, et à tous leurs enfants disparus. Nul ne doit ni ne peut accorder le pardon en leur nom. D'ailleurs, le peuple allemand ne nous l'a jamais demandé.

Désormais, je travaille vraiment à plein temps. Israël figure plus fréquemment dans l'actualité : des officiels viennent en visite à Paris, des acteurs, des confrères, des députés. L'économie israélienne s'améliore, le niveau du journal aussi. J'écris plus, et sur des sujets variés : les funérailles d'André Gide, la mort de Charles Maurras, l'œuvre de Gérard de Nerval...

Et puis, ne riez pas, il y a Miss Israël. Qui m'occupe toute la journée — selon elle, mon temps lui appartient comme je lui appartiens — et accapare un peu trop mes soirées.

Une fois de plus, une explication s'impose : le concours de Miss Israël est organisé par *La'isha*, l'hebdomadaire féminin de *Yedioth Ahronoth*. L'heureuse élue reçoit non seulement une couronne, mais aussi un voyage à Paris. Or, à Paris, il lui faut un guide sinon un chaperon. Naturellement, le choix tombe sur moi.

J'ai de l'expérience en la matière, il faut bien le dire. Quelques semaines avant l'élection de Miss Israël, le Vieux me pria d'interviewer Miss Europe. Prévenue par Tel-Aviv, elle accepta. Je me souviens : brune, mince, belle comme certaines Espagnoles savent l'être. Elle me reçoit dans ses appartements près des Champs-Élysées. Rayonnante de grâce, les mains délicatement posées sur ses genoux, elle est prête à répondre à mes questions. Malheureusement, je n'en ai pas. C'est que j'ignore totalement comment se passe une interview avec une reine de beauté. Que lui demander ? Son point de vue sur le désarmement allemand ? Ses auteurs préférés ? Le dernier Goncourt ? Pendant que je me morfonds, elle attend, patiemment d'abord, puis commence à s'énerver. Ma vue se brouille, tant je suis confus. Finalement, à bout, j'opte pour la franchise : « Mademoiselle, lui dis-je en bredouillant, j'ignore les questions que je suis censé vous poser. Pourriez-vous m'aider ? » Elle s'esclaffe et applaudit, comme si elle venait d'entendre la meilleure plaisanterie de sa vie : « Vous ne savez vraiment pas ? Ça alors, c'est la première fois que ça m'arrive ! Bon, écrivez... » Elle me décrit son régime, les exercices de gymnastique auxquels elle s'astreint... Puis elle m'indique quelques chiffres, je l'interromps : « C'est un numéro de téléphone ? » Nouvel accès de fou rire : « Ah, ça alors, ça alors ! Et vous êtes journaliste... à Paris de surcroît... » Est-ce ma faute ? Comment pouvais-je savoir que ces chiffres correspondaient à son tour de poitrine, de taille et à je ne sais quoi encore ? En bon élève, je note tout et, à la sueur de mon front, je rédige un papier en espérant qu'on ne le lira pas ou, du moins, qu'on ne se moquera pas trop de moi.

Idée rassurante : je n'aurai pas ce genre de problème avec Miss Israël. Je n'aurai pas d'article à écrire sur sa visite. Mais elle me cause d'autres soucis. Le journal a oublié de m'envoyer l'argent dont le mentor que je suis a besoin pour offrir à la jeune reine juive l'hospitalité due à son rang. J'en emprunte donc à droite et à gauche. Par malheur, la reine est intelligente ; et cultivée. Elle désire connaître vraiment Paris. Pas seulement les Folies-Bergère et la tour Eiffel ; elle veut aller au théâtre, aux concerts. Mes cartes de presse ne m'ont jamais été aussi utiles. Çà et là, je capte des regards envieux : ce n'est pas déplaisant d'être, du matin au soir, le chevalier servant de la plus belle femme d'Israël. D'autant que Miriam (c'est son nom) a du caractère, du tempérament. Je l'interroge sur son passé, ses études, sa vie actuelle, et elle aime ça. Moi aussi : j'ai toujours aimé écouter. Mais Miriam me demande aussi des explications sur Paris, et je les lui fournis volontiers. Pas besoin d'effort. J'improvise avec un aplomb dont j'ai encore honte aujourd'hui.

C'est qu'il est temps de reconnaître mes défauts passés : à cette époque-là, il m'arrive assez souvent de broder, d'inventer des détails piquants sur l'histoire de Paris qu'on ne trouverait dans aucun ouvrage, fût-il romancé. Pourquoi ? Par fatigue. Trop de visiteurs israéliens insistent pour que je leur montre le Louvre et la Concorde, Montmartre et les cabarets russes. Au début, je fais mon métier de guide consciencieusement : je ne dis que ce que je sais. Et puis je m'aperçois que les touristes dont j'ai la charge sont insatiables en ce qui concerne la culture parisienne : ils en veulent davantage. Des récits plus pittoresques. La façade de Notre-Dame avec ses Juifs au chapeau pointu, avec sa synagogue aveugle et misérable, ne leur suffit pas. Pas plus que le palais de Justice où, en 1240, sur l'ordre de Louis IX, se déroula la première dispute sur le judaïsme entre le vénérable Rabbi Yehiel et le converti Nicolas Donin. Mes visiteurs savent-ils que le roi et la reine y assistaient ? Et que ce fut Donin qui persuada le pape Grégoire IX et le roi Louis IX de faire brûler le Talmud ? « Tout cela, disent-ils, nous l'avons appris à l'école. Ici, c'est autre chose qui nous intéresse. » Bon, qu'à cela ne tienne : je me mets à inventer une anecdote pour chaque statue, une histoire pour chaque square, un souvenir pour chaque monument. Réarranger le passé de la capitale pour une

271

heure, une matinée, en quoi cela nuirait-il à la France ? Or, un jour, l'inévitable se produit : un guide, malheureusement professionnel, se trouve place de la Bastille près du petit groupe (francophone) qui m'écoute bouche bée lui décrire les journées de juillet 1789 ; je suis en forme, je connais le nom de l'officier qui, le premier, ouvrit les portes de la prison ; et celui du prisonnier qui, à genoux, implora sa miséricorde. Dans la cellule voisine, une princesse se préparait à la mort ; elle souhaitait mourir, mais la vue de l'officier la fit changer de philosophie, et la voilà qui, au scandale de ses amies, clame son amour de la vie et des vivants... Je pourrais continuer à broder ainsi jusqu'à la prochaine révolution, n'était le cri d'animal blessé qu'un bonhomme inconnu pousse à côté de moi... Il se jette sur moi, prêt à me déchiqueter : « Comment... comment osez-vous ? Moi qui connais cette ville, l'histoire de chaque pierre, comment osez-vous mentir en ma présence et faire mentir l'histoire ? » Nous le quittons plutôt précipitamment. « Ne fais pas attention, me console l'un de mes invités de passage. C'est un fou furieux. » Un autre le corrige : « Mais non, il est jaloux, c'est clair comme le jour. »

Mais Miriam, elle, adore les histoires. Vraies ou imaginaires, elles la divertissent. Et puis, elle est belle, Miriam.

Le docteur Rosenblum et sa femme arrivent et je les accueille à l'aéroport. J'aimerais les inviter au restaurant, mais je n'ai pas de quoi payer. Ils le devinent, ils le savent, et ce sont eux qui, parfois, me proposent de manger dans leur chambre d'hôtel des sandwiches aux anchois. C'est la première fois que je mange des anchois.

J'accompagne mon patron au Quai d'Orsay, à l'ambassade d'Israël, à la rédaction du *Monde*. Édouard Sablier, spécialiste du Moyen-Orient, critique la « pactomanie » de John Foster Dulles.

Les Rosenblum ne sont heureux qu'au concert. Heureusement que j'obtiens des billets gratuits pour nous trois. « Ah, si Moshe s'y mettait sérieusement... » Moshe, je l'ai dit, est leur fils et ils rêvent de le voir choisir une carrière musicale.

Paula Mozes, la femme de Noah, m'annonce à son tour son arrivée par le train de Londres. Elle me fait un compliment : « J'ai lu l'article dans lequel vous dites que Paris est la seule ville au monde où le début du printemps fasse la une des journaux... Alors, je suis venue voir... » J'aimerais lui rendre l'hospitalité que je lui dois, mais je suis fauché. Comment le lui avouer ? Elle le devine. Elle parle peu, mais jamais de son passé chez les partisans russes. Je l'apprendrai plus tard.

Mes migraines héréditaires se font de plus en plus violentes. Et une rage de dents décide de me torturer. Je trouve un dentiste place de l'Opéra. C'est un royaliste. Impossible de parler démocratie avec lui. Dès que j'ai envie de dire quelque chose il m'ordonne d'ouvrir la bouche et, pendant qu'il me soigne, il prêche les vertus de la monarchie.

De nouvelles reines de beauté m'honoreront de leurs visites, toutes envoyées par le Vieux. Le temps que je passerai en leur compagnie, eh bien, libre à vous de vous moquer, mais ce sera pour moi le temps de la pénitence.

Heureusement que Dieu est grand : je découvre la richesse de l'industrie cinématographique. Je traduis en hébreu quelques sous-titres du film *Clochemerle* : on me paie pour chaque phrase ce que *Yedioth* m'offrait autrefois pour un article. J'exagère ? A peine ! Et puis, dans le même ordre d'idées, je vais pouvoir équilibrer mon budget en acceptant un emploi secondaire. Je le dois à Marc Gutkin, qui me présente à un comédien yiddish originaire de Varsovie, Léon Poliakoff. Celui-ci souhaite publier chez mon ami l'imprimeur un mensuel yiddish spécialisé, *Le Miroir du théâtre*. Il me propose d'y collaborer : « Pour le moment, nous ne sommes pas encore des vrais Rothschild... Nous ne pouvons pas vous payer un vrai salaire. Mais...

— Mais quoi ?

— Eh bien, vous aurez un vrai titre : rédacteur en chef.

— Et la rédaction ?

— La rédaction ? Elle sera très prestigieuse, je vous le promets.

— Qui en fera partie ?

— Vous. Et, à la rigueur, moi. »

Poliakoff me plaît, je lui trouve un sens de l'humour et un charme qui évoquent en moi ce que le judaïsme de l'Europe orientale a de plus pur et de plus attachant. Impossible de lui résister. Je serai donc tout à la fois secrétaire, dactylo, reporter, commentateur, critique et éditorialiste. Reste une dernière question pratique : les bureaux de la rédaction, les a-t-il déjà loués ? « Naturellement », dit-il. Où se trouvent-ils ? « Venez. » Nous nous rendons au café du coin, prenons place sur la terrasse et commandons un café crème. Nous parlons de culture yiddish, de littérature yiddish, des dramaturges yiddish (que je connais mal), d'acteurs yiddish (que je connais plus mal encore). Au bout d'une heure, je m'impatiente : quand allons-nous à la rédaction ? Polia-koff éclate de rire : « Mais nous y sommes... »

Une fois par semaine, nous nous donnons rendez-vous au même endroit pour préparer le prochain numéro. Poliakoff et son épouse appartiennent à une célèbre famille d'acteurs. Ils m'initient à leur art avec tact, talent et tendresse. J'aime les écouter raconter des anecdotes drôles ou pathétiques sur les stars de la scène yiddish. Peu à peu, je me laisse prendre par cet univers que je ne connaissais pas. Je lis avec admiration les pièces d'Ansky et de Leivik, de Pinsky et de Hirschbein ; je me familiarise avec les noms d'Adler et de Granach, de Kaminska et de Schwarz... Je suis le « patron » d'une revue de théâtre yiddish (qui, j'ai honte de l'avouer, jouit d'une certaine réputation à New York), alors que je ne pense pas avoir assisté à trois représentations yiddish de ma vie. Que ne fait-on pas pour un « vrai » titre ?

D'ailleurs, une idée commence à me travailler : pourquoi ne pas fonder un hebdomadaire juif de langue française, genre *Time Magazine* ? Il n'aurait rien à voir avec *Le Miroir du théâtre* où j'écris sous dix signatures ; ce serait une vraie revue. Avec une vraie équipe. J'en parle à un ami israélien, Ilan. Il est ingénieur du son de son état et ignore tout de mon métier comme moi du sien. Pourquoi lui ? Simplement parce que nous avions rendez-vous ce soir-là. Pour me faire plaisir, il se déclare enthousiaste. Devant nos cafés crème, nous rêvons des années à venir : bientôt, Henry Luce, le fondateur de *Time*, et le légendaire Pierre Lazareff seront contraints de solliciter nos conseils sinon nos faveurs. Ce qui nous manque ? Un mécène audacieux, un millionnaire prêt à miser sur la jeunesse. Interviewant un industriel israélien, je rassemble mon courage pour le sonder. Il se dit intéressé, mais aimerait voir un projet écrit, un plan, un budget, un numéro zéro de préférence. Je me précipite chez Gutkin. Sam me donne un coup de main. Le numéro zéro est prêt. Mais, entre-temps, mon généreux et courageux bailleur de fonds éventuel a quitté la France... Je renouvellerai plus tard l'expérience aux États-Unis, et le résultat ne sera pas moins décevant.

Bien sûr, je n'oublie pas l'actualité plus sérieuse ou plus grave.

On se bat en Indochine, on s'accommode des grèves en France, on découvre avec horreur l'antisémitisme moderne qui sévit en Union soviétique. Le cosmopolitisme y est traité comme un crime contre le peuple et l'État. Aux procès de Moscou, de Prague et de Sofia, on ne parle que d'aveux spontanés. Laszlo Rajk en Hongrie, Rudolf Slansky en Tchécoslovaquie. Inexplicable, leur soumission. Tous ces chefs communistes glorieux étaient-ils donc des saboteurs, des espions, des traîtres ? On essaie de comprendre. *Le Zéro et l'Infini* d'Arthur Koestler offre une explication : en URSS, la fin justifie les moyens. Pour sauver le parti, un communiste fidèle doit prétendre l'avoir trahi. On discute l'idéalisme de Roubachov, celui d'Ivanov. Le noble sacrifice du premier, la dialectique perverse du second. L'arrestation des médecins juifs. L'antisémitisme d'État. Vulgaire, obscène, néfaste, la presse communiste va de bassesse en bassesse. Son fanatisme est aussi répugnant que sa servilité. Comment peut-on se vouloir poète, romancier ou philosophe et traiter Staline non seulement d'oracle mais de dieu immortel ? Comment peut-on se proclamer matérialiste et dialecticien tout en utilisant un langage exalté de mystique ? Comment peut-on répéter les mensonges de la *Pravda* sur le sionisme, le cosmopolitisme et les organisations juives de bienfaisance, sans se sentir souillé, sans se disqualifier et perdre à jamais le droit à la parole ? Parmi les propagandistes, il y a même des communistes juifs (dont André Wurmser) ; ceux-ci font du zèle. Comment s'y prennent-ils ? La honte ne les étouffe-t-elle pas, même si, à l'époque, on ignore encore les assassinats de S. Mikhoels, Peretz Markish, Dovid Bergelson, Itzik Pfeffer, Der Nister et d'autres écrivains et poètes juifs ? Staline signa de sa propre main leur condamnation à mort. Parmi les grands intellectuels juifs arrêtés, seule l'académicienne Lina Stern fut épargnée. Elle racontera ses rencontres en prison avec les coaccusés : Itzik Pfeffer méconnaissable, plié en deux, mains tremblantes, ensanglantées, à moitié fou ; incapable de la regarder, il l'exhorta à passer aux aveux... Des rumeurs troubles, inquiétantes courront sur Pfeffer... B. Zuskin devint fou, lui aussi... Seul, Peretz Markish ne fut pas brisé par la torture ; à ses accusateurs, il cria : « Je ne suis pas coupable, aucun d'entre nous ne l'est ; vous nous jugez uniquement parce que nous sommes juifs... »

Avant même ces révélations, on sait déjà que les Juifs sont publiquement dénoncés, menacés, persécutés, humiliés. Et pourtant les écrivains communistes de Paris continuent de glorifier Staline : de quoi ont-ils peur ? Croient-ils sincèrement que les Slansky, les London sont des vendus ? Je ne comprends pas, je ne comprendrai jamais la mentalité communiste. C'est pour essayer de la saisir que j'écrirai *Le Testament d'un poète juif assassiné*. Aurai-je raison d'avancer l'hypothèse selon laquelle le communisme serait une sorte de religion, voire de messianisme sans Dieu ? Il suffit d'analyser son vocabulaire : expiation, confession, rédemption, on dirait des mots tirés d'un dictionnaire de mysticisme.

Un jour, je me rends à une manifestation communiste. Son but : mobiliser le parti des travailleurs contre les « sales intellectuels bourgeois et sionistes » qui osent critiquer Staline, le petit père de tous les peuples opprimés, des pauvres avides de liberté et de paix, et sans doute de quelques illusions. Les orateurs hurlent et la foule applaudit frénétiquement. Qu'importe la vérité, elle répète inlassablement les mêmes slogans, les mêmes gestes ; elle est en extase. A la fin, debout, la tête en feu, regard déterminé et poing levé, tous entonnent *L'Internationale*. Au milieu des militants, je dois faire un effort à la fois physique et mental pour ne pas les imiter ; j'aurais presque honte de me singulariser, de ne pas appartenir à cette communauté si chaleureuse, si généreuse, prête à sacrifier sa liberté de pensée et de décision, ses doutes et ses hésitations sur l'autel d'un lumineux avenir qui ne cessera jamais de s'éloigner.

Je n'ai jamais été attiré par le communisme. Dois-je le rappeler ? Si j'étais né au début du siècle, peut-être aurais-je succombé, dans ma ville natale, à l'attrait du message prophétique du communisme originel. Mais, dans les années trente, j'étais trop jeune et trop religieux ; et, après la guerre, j'avais d'autres problèmes à résoudre. Pourtant, à supposer que j'aie adhéré au mouvement, aurais-je eu le courage de rompre avec lui en 1952-1953 ? J'espère que oui. Je crois que l'antisémitisme soviétique m'y aurait forcé. J'en ai discuté plus d'une fois avec l'écrivain juif américain Howard Fast ; il essayait de m'expliquer sa décision tardive de quitter le parti en disant qu'il est difficile de rompre avec un idéal, une religion et une famille, et que le communisme avait représenté tout cela pour lui. Il ne m'a pas convaincu : pour les communistes juifs, 1939 et 1952 auraient dû constituer des dates charnières. Je ne les accuse pas ; je dis seulement que je ne les comprends pas.

Plus tard, en écrivant mon roman sur les poètes et écrivains juifs

Dodye Feig, le grand-père maternel.

Sighet, le magasin.

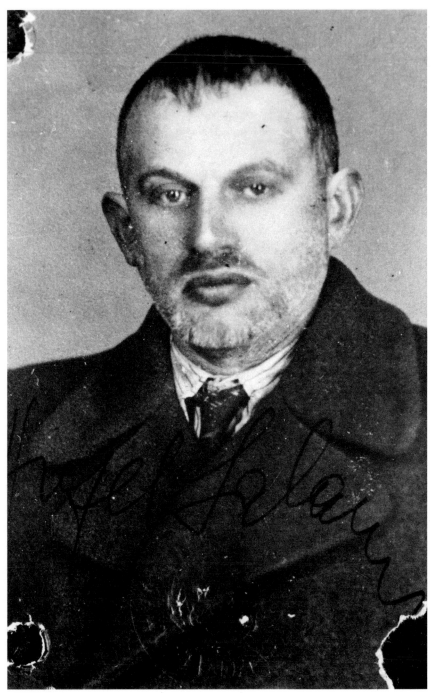

Shlomo Wiesel.

Sarah, Élie et ses sœurs aînées, Hilda et Béa.

Sarah, Élie et Tsipouka (Tsiporah), sa petite sœur.

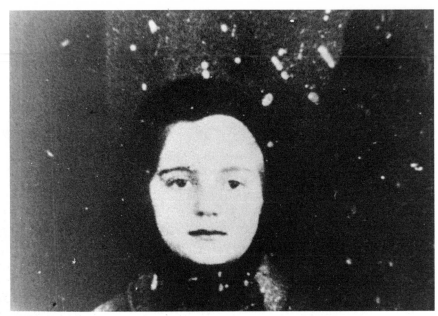

Tsipouka.

Élie adolescent.

Buchenwald, 11 avril 1945, avec les prisonniers libérés.

Au château d'Écouis, été 1945.

A Ambloy.

Niny.

A Taverny.

Paris, 1947, avec André Bodner.

Première traversée vers Israël,
juin 1949.

Genève, 1953, avec Teddy Pilley et son équipe de traducteurs simultanés.

A Paris, 1960.

Devant la maison natale.

Le cimetière de Sighet.

New York, manifestation en faveur des Juifs russes.

Avec Dov, devant le Mur des Lamentations, 1967.

Le prix Médicis, 1968.

Marion, 2 avril 1969.

assassinés par Staline, je me souviendrai des procès fabriqués par le NKVD, et de la manière dont je les ai vécus à Paris.

Comme le nazisme, le communisme débouche sur l'inhumain. Certes, il ne faut pas comparer Staline à Hitler ; mais sa haine du peuple juif, comment ne pas m'en souvenir ? Est-ce l'effet du hasard ou du dégoût que l'Europe m'inspire ? Je décide de tourner la page.

Je pars en Inde.

PARTIR

Il y a longtemps que j'y songe, que j'en rêve. Ce qui m'attire en Inde, ce n'est pas le désir de rencontrer les sept cents maharajas constitués en syndicat, mais les sages, les yogis, les ascètes. C'est que je n'ai pas abandonné mon projet, né du temps de Shoushani, d'écrire une étude sur l'ascétisme juif. Pourquoi ne pas le comparer à l'ascétisme hindou d'abord et chrétien ensuite, confronter l'idée juive de rédemption au nirvana hindou ?

La tradition bouddhiste me fascine. Les mantras, les yogas, et surtout le tantrisme : je les étudie, mais de loin. Bhagavad Gîta, Upanishad, Védas : j'aime la beauté de ces textes, les liens cosmiques qu'ils dessinent. L'Ange de la Mort du Talmud et Shiva, le dieu destructeur des textes bouddhistes, sont tous les deux ennemis de l'ignorance autant que du plaisir facile. Et comme le mysticisme hindou, malgré son polythéisme apparent, est proche du mysticisme juif ! A ceci près que ma tradition refuse l'image, tandis que l'hindouisme les multiplie. Une statuette de Brahma juif serait inconcevable. La Védanta, donc, une version hindoue du Zohar ? Le monde ne serait-il qu'un rêve de Dieu ? Et la Création qu'une roue dont le mouvement est éternel ?

En vérité, toutes les traditions mystiques sont proches par leurs origines. Ce n'est qu'en surface, dans leur superficialité, que les religions s'opposent les unes aux autres, quand elles ne s'annulent pas. Cela vaut-il aussi pour l'hindouisme ? Je verrai bien.

Les frais de voyage ? *Yedioth* n'a pas d'argent. Je ne me donne même pas la peine de lui en réclamer. J'écris dix articles pour divers journaux yiddish, j'en promets dix autres pour plus tard, je fais quelques traductions pour Friedrich, j'achète pour la première fois de ma vie un billet de loterie (miracle des miracles : je gagne un dixième), j'envoie lettre sur lettre à la compagnie de navigation britannique P&O, et finalement j'ai mon billet en poche. Mais pas grand-chose de plus : les deux cents dollars qui garnissent mon portefeuille, je ne pense pas qu'ils me mèneront bien loin.

Reste la question du visa. Dan Avni, brillant attaché de presse à l'ambassade israélienne, futur écrivain et universitaire, intervient auprès de son collègue indien. Le visa anglais ? Je ne passerai qu'une nuit à Londres et n'en ai pas besoin.

Pendant la traversée — avec escales à Suez et Aden — j'apprends les rudiments de l'anglais, je lis Rudyard Kipling et Somerset Maugham, je relis l'enseignement de Sakyamuni, les commentaires de Sri Vivekananda et de Sri Aurobindo, je me documente sur la vie actuelle de l'Inde... Un passager — dont la carte de visite porte le nom, et la profession : futur médecin — m'indique un hôtel pas trop cher à Bombay. Pas trop cher ? Pour moi tout est trop cher... L'étudiant en médecine me conseille de jouer aux courses. Sur le bateau ? Pourquoi pas. Sans chevaux ? Pas besoin de chevaux. Mon instructeur me montre comment jouer. D'abord je perds, puis je gagne, ensuite je perds à nouveau. Les jeux de hasard ne sont vraiment pas faits pour moi. Pour le « futur médecin » non plus : il ne lui reste plus un sou et il me demande de lui prêter deux cents dollars : c'est toute ma fortune. Il me les rendra à Bombay, me promet-il. Comment faire ? La voix de la prudence me chuchote : ne sois pas idiot ; qu'est-ce que tu feras si cet inconnu disparaît ? Mais je n'ai jamais su dire non. La veille de l'arrivée, je me surprends à éprouver quelque remords : j'ai eu tort de céder, tort de faire confiance au « futur médecin », en fait je n'aurais pas dû me lancer dans cette aventure « spirituelle ». J'aurais mieux fait de rester avec Poliakoff et ses souvenirs innocents du théâtre yiddish. Les mystères de l'Inde ? Je pouvais les rencontrer à Paris. Et la vieille hantise resurgit : comment vais-je payer mon hébergement dans ce vaste pays ? De quoi vais-je vivre ? Trop tard pour reculer.

Un matin humide de janvier, après trois heures d'interrogatoire et de négociations avec la police des frontières et la douane (les inspecteurs ne comprennent pas pourquoi je suis le seul passager sans malle), je débarque enfin à Bombay, muni d'une valise en piteux état et de ma machine à écrire. Et le « futur médecin » ? Je le cherche dans la foule, convaincu que c'est un escroc et que, moi, je suis un imbécile. Mais si je suis un imbécile naïf, lui est un escroc honnête ; il apparaît devant moi, tout sourire, et me rend les deux cents dollars. Vive l'Inde !

Tout près du port, pendant que je cherche un taxi ou de

préférence un autobus, je suis soudain entouré d'une multitude de gamins à moitié nus, ravagés par des maladies anciennes et nouvelles, connues ou non. L'un pleure sans larmes, l'autre bougonne des mots incompréhensibles, le troisième me désigne du doigt sa jambe gauche : elle a été amputée.

Certains sont jeunes, d'autres n'ont pas d'âge. Tous semblent beaux et mystérieux. Cheveux noirs et ébouriffés. Yeux pareils à des tombes : le néant s'y reflète. Pour tout vêtement, ils portent une chemise qui, jadis, a peut-être été blanche. La main tendue, ils me supplient : « Sahib, donne-moi quelques annas... une roupie... » Ils ont faim. Je me rappelle Juanito ou Alfonso de Barcelone. Comme lui, ils ont toujours eu faim.

A quelques pas, un touriste français se heurte à un groupe similaire. Plus loin, un industriel américain est, lui aussi, assiégé. Et ainsi jusqu'à l'infini.

Ce sont les enfants de la faim, les plus malheureux du monde. Les mutilés de l'espoir. Dans *Le Serment de Kolvillag*, je leur consacre un passage que, la gorge nouée, j'ai directement recopié de mon bloc-notes.

Ces gosses, orphelins de Dieu, je les rencontrerai partout en Inde. La lèpre les dévore. Certains n'ont pas de bras, d'autres n'ont pas de jambes. Émaciés. Affamés. Les uns crient, les autres n'ont plus la force de parler.

C'est à eux que va ma pensée lorsque j'interroge un vieillard au visage fin, un Maître spirituel au silence grave, puis un officiel au comportement prudent et réservé.

Comment un État civilisé comme l'Inde peut-il tolérer cette misère et cette agonie ? Sur place, cette question me préoccupe plus que les recherches théosophiques. On me répond en souriant, en haussant les épaules ou en m'entraînant dans de longs discours sur la transmigration des âmes, leur désir de s'améliorer, de s'approcher de la perfection, quel qu'en soit le prix. Je ne suis pas satisfait. Dans le judaïsme, c'est dans sa vie terrestre que l'homme est censé s'accomplir : en participant à la vie de ses semblables, en faisant le bien, en combattant l'injustice inhérente à l'existence. Ensuite, il est trop tard. La réincarnation, à mes yeux, ne constitue pas une réponse valable au problème de la souffrance immanente. Je peux à la rigueur accepter et assumer ma souffrance, mais pas celle d'autrui.

Certes, sur le plan politique, l'indépendance nationale exige sa part de sacrifices. Et, d'ailleurs, des progrès considérables ont déjà été accomplis. L'abolition des castes : bravo! La décision de Jawaharlal Nehru de nommer un intouchable comme ministre de la Justice me paraît audacieuse et géniale. Mais... Ces rickshaws tirés par des hommes résignés au malheur? Ces êtres englués dans l'âpre mousson de Bombay, baignant dans les détritus de Calcutta, étouffés par la fumée des rives du Gange, ces hommes dépenaillés qui couchent dans la rue, à même le sol, et que les passants enjambent d'un air indifférent; et ces épouses que, dans les profondeurs du pays, on brûle encore avec la dépouille de leur mari; et ces lépreux à l'horizon amputé, et ces gamins que le bonheur n'effleure jamais, et ces vieillards qui ne peuvent plus gémir, et ces multitudes humaines qui ne connaissent ni joie ni espoir? Je ne parviens pas à insérer leur détresse dans aucun système de valeurs, religieuses ou autres. Cette somme de souffrances m'interpelle avec violence, et quelqu'un en moi me refuse le droit de l'ignorer, ou de composer avec elle par le truchement d'explications spécieuses ou de formules magiques.

Parfois, cédant à la curiosité, j'essaie de parler avec l'un de ces malheureux. Comme je ne connais ni l'urdu ni l'hindi, je ne peux que balbutier un charabia d'anglais que je trouve moi-même incompréhensible, ou quelques mots de sanskrit que je prononce sans doute mal et hors de propos. D'ailleurs, il paraît que cela fait des siècles que le sanskrit ne sert plus de langue courante en Inde.

Parfois, une voix en moi chuchote : « Ces enfants qui souffrent, ces vieillards squelettiques ne te rappellent-ils pas ceux que tu as croisés là-bas? » Je la fais taire : « Pas de comparaisons, je t'en prie. Ce que tu découvres ici n'a rien à voir avec... »

Je pars à la recherche d'autres aspects du pays. Les moines mendiants qui se déplacent en cortège, je les compare aux Justes errants. Les Maîtres se ressemblent tous : on les reconnaît à la qualité de leurs disciples. Je rencontre les Parsis et leurs temples, dont l'accès est interdit aux étrangers, leurs « Tours du silence », ces cimetières où les corps sont exposés au soleil pour être dévorés par des vautours noirs et voraces toujours présents, à l'affût. Malgré leur aspect poétique (tout ce qui est lié au silence me paraît poétique), ces Tours m'indiquent la distance qui me sépare de cette religion. Une phrase biblique trotte dans ma tête : « Né de la poussière, l'homme retourne à la poussière. » Ici, l'homme est enlevé par des vautours. Un journaliste parsi s'étonne de mon étonnement : « N'est-ce pas plus utile ? Même mort, l'homme, dans ma tradition, montre qu'il est capable de nourrir des créatures vivantes. »

Les castes et leurs frontières rigides, immuables me surprennent. Les Juifs n'en ont que trois et leurs membres bénéficient tous des mêmes droits. Ici, il y en a quatre dont les pouvoirs et les privilèges sont plus ou moins étendus. Au sommet de l'échelle règnent les brahmanes. Tout en bas, on trouve les parias — les hors-caste, les intouchables — qui, de l'existence, ne connaissent que le malheur. Je comprends mieux Gandhi, l'apôtre adulé de la non-violence, dont la philosophie est, au demeurant, si peu mise en œuvre.

Mais je ne comprends pas son antisionisme, malgré tout ce que j'ai lu à ce propos : sa correspondance avec Albert Einstein, sa conversation avec un émissaire sioniste, Yehuda Nedivi, au milieu des années trente. Pourquoi s'opposait-il à l'immigration juive en Palestine ? Il voulait que les Juifs restent en Europe où, selon lui, ils jouissaient de toutes les libertés humaines. Bon, nul n'est parfait.

Je rencontre par hasard un Parsi riche et influent (la plupart le sont). Nous bavardons de choses et d'autres. Je l'intrigue. Des Juifs comptent parmi ses connaissances, mais il ignore tout de nos coutumes, de nos lois et traditions. Je lui parle de l'influence persane sur la culture juive dans l'Antiquité, surtout pendant l'exil babylonien. Je lui démontre qu'il existe de curieuses correspondances entre les aspirations de nos mystiques respectifs. Lorsqu'il se lève, quelques heures après, pour rejoindre ses associés, il me tend une carte de visite où il jette quelques mots. Et il me dit : « L'Inde est un pays vaste ; vous aurez sans doute à vous déplacer souvent. Avec cette carte vous pourrez prendre n'importe quel vol intérieur pour n'importe quelle destination. » Je ne sais comment le remercier. D'ailleurs, je n'apprécie pas encore le cadeau à sa juste valeur. Cela viendra. Chaque fois que j'aurai faim, je prendrai l'avion.

Mais je ne pousserai pas jusqu'au Tibet. J'en garde un vague sentiment de remords. En rencontrant le dalaï-lama dans les années quatre-vingt-dix, je lui raconte ma frustration. Il me répond en souriant : « Est-ce à moi de vous dire qu'il ne faut jamais désespérer ? » En 1992, à Washington, où l'on me demande de le présenter à une grande soirée en son honneur, il m'interrogera sur le secret de la survie juive pour l'appliquer à son peuple qui est lui aussi exilé et dont la religion est aussi menacée : « Malgré les persécutions, en dépit de la haine qui vous entourait, vous avez réussi à maintenir vivantes votre culture et votre mémoire. Montrez-nous comment. » Dans ses rencontres avec des intellectuels juifs, il répétera souvent : « Nous, Tibétains, avons beaucoup à apprendre de nos frères et sœurs juifs. »

L'Inde : pays des rêves, pays qui fait rêver. Oubliés, les cauchemars des guerres civiles et religieuses ? On le dirait. Qui pouvait alors prévoir que quarante ans plus tard, en 1993-1994, des émeutes sanglantes ravageraient le pays ? Onze bombes exploseront le même jour : trois cents morts, mille blessés. La haine ne disparaîtra donc jamais ? A l'époque, optimiste à l'excès, je répondais : oui, elle reculera. Je me laissais porter par l'envoûtement que l'Inde exerçait sur moi. Haidarabad, Amritsar (le Temple d'or des Sikhs), Jaipur. Bénarès et son fleuve sacré qui emporte les cendres, offrandes misérables, vers la mer et ses profondeurs. Calcutta et ses foules denses, étouffantes. Bombay et les B'nei Israël dont les ancêtres servirent dans la marine marchande du roi Salomon. Et puis, Cochin et son passé, Cochin et ses légendes.

Du IVe au XIVe siècle, une principauté juive indépendante prospéra à Cranganore, dans le Sud de l'Inde : on peut encore voir sa charte dans la synagogue de Cochin. A la tête de cet État juif se trouvait Joseph Rabban, ami et protégé du prince qui lui ordonna de transmettre ses fonctions de père en fils.

D'où venaient-ils, les Juifs de Cranganore ? De Palestine, naturellement. Mais à quelle époque ? Là-dessus, les opinions divergent. Était-ce avec les dix tribus que le roi Salmanasar III emmena en captivité ? Ou avec les déportés du roi Nabuchodonosor ? A moins qu'ils n'aient été envoyés en mission commerciale ou diplomatique par le roi Salomon ?

Ce qui est « certain », d'après la légende, c'est qu'ils vécurent en paix à Cranganore. A l'en croire, Rabbi Yehuda Halévy et Rabbi Abraham Ibn Ezra auraient été si curieux de voir un roi juif en chair et en os qu'ils y vinrent en visite. Le grand Saadiah Gaon lui-même parle de l'Inde : il était convaincu que quiconque y allait devenait riche. Une théorie prétend que Christophe Colomb voulut partir en Inde uniquement pour découvrir cet État juif qui, à ses yeux, serait susceptible d'accueillir les futurs réfugiés et exilés d'Espagne et du Portugal.

Cochin et ses traditions, ses légendes, ses souvenirs. Souvenirs de gloire mais aussi de détresse avec l'occupation par les Maures, puis par les Portugais, leur barbarie, les souffrances collectives, l'Inquisition.

Pourtant l'Inde a la réputation d'être une terre d'accueil et de tolérance. J'ai souvent entendu des Juifs, à Bombay ou ailleurs, se féliciter qu'il n'y ait jamais eu d'antisémitisme, de discrimination raciale ou religieuse en Inde. Mais les castes ? Et les parias ? Et les affamés ? Et les estropiés ?

Inde, pays de défis et de conquêtes spirituelles, pays de probabilités infinies comme Israël l'est d'improbabilités infinies. Un Européen, un Juif comme moi, peut-il vraiment s'y orienter, peut-être même s'y accomplir ?

Un Sage m'aborde à la sortie de mon hôtel à Bombay : « Pour cinq roupies je te dirai ton avenir. » Je lui réponds : « Je vous en donne dix si vous me dites mon passé. » Interloqué, il me demande de noter ma date de naissance et une date quelconque sur un bout de papier. Il le saisit d'un geste rapide, me tourne le dos pour faire ses calculs et reste un moment figé. Quand il se retourne, il semble effrayé : « Je vois des cadavres, dit-il. Beaucoup de cadavres. » Là, il m'étonne. Il ne peut pas savoir ce que le 11 avril 1945 signifie pour moi. Et pourtant.

Je passe un Shabbat dans une famille juive de Bombay. Je vais à la synagogue. Les Juifs me racontent avec fierté la réussite des leurs. Les Sassoon et les Kadouri sont des familles richissimes, des dynasties, mais il ne viendrait à l'idée de personne de les haïr en raison de leurs origines ou de leurs attaches juives : il y a tant d'ethnies, tant de langues, tant de cultures, tant de traditions dans ce vaste pays, que les Juifs n'attirent pas l'attention comme groupe particulier. Dans une synagogue, je rencontre un étudiant juif américain désireux de se convertir au bouddhisme. Je lui demande pourquoi. Sa réponse ne peut que m'attrister : « Le judaïsme est égocentrique alors que le bouddhisme est la religion la plus universaliste du monde. » A-t-il au moins étudié, bien étudié, la tradition de son peuple ? Sans doute pas, mais... Qu'est-il advenu de ce précurseur de la génération des soixante-huitards ?

Je vis une soirée inoubliable dans un Ashram à écouter les étoiles, et une autre, plus loin, à écouter celui qui écoute en silence. J'apprends à lire les visages impénétrables, à recevoir l'offrande d'un sourire. Je puise dans l'enseignement des vieillards, je l'assimile. La nuit, je ne sais plus quand je rêve et quand je me détache de mon rêve ou de l'homme en moi qui rêve. Le matin, je ne sais plus si la lumière vient d'en haut ou de plus haut encore.

Ce genre de pèlerinage n'est pas encore à la mode ; je suis le seul étranger en ce lieu. Une centaine de jeunes moines y méditent sur le sens de la souffrance. Me voient-ils ? Que pensent-ils de l'étranger que je suis ? En me croisant, ils me saluent en levant les mains dans le geste gracieux des hindous ; ils me sourient en s'inclinant, je leur souris à mon tour. J'assiste à leurs prières. Leur manière de chantonner l'OM résonne encore à mes oreilles. Un vieux Maître m'invite à des promenades. Je quitterai l'Ashram sans avoir entendu sa voix.

Je suis amoureux de l'Inde, de la puissance spirituelle et des possibilités intellectuelles qu'elle incarne. Mais il va falloir m'en arracher. Sa conception de l'existence et de Dieu est trop différente, trop éloignée de la mienne. Pour les Juifs, la douleur est une insulte à l'homme. La souffrance d'autrui m'implique et me condamne ; je n'ai pas le droit de m'en détourner. Les Juifs doivent « choisir la vie », la mienne et celle de mon prochain, celle d'ici-bas, de maintenant. Et choisir les vivants. D'ailleurs, le même mot — haïm — signifie à la fois « vie » et « vivants ». Je n'ai pas le droit de renvoyer mon salut à une prochaine réincarnation : ce que je ne fais pas aujourd'hui, je n'aurai plus jamais la possibilité de le faire. L'accomplissement de soi n'est possible que dans le moment qui s'écoule.

Je rentre d'Inde encore plus juif qu'avant.

Le fichu noir noué sous son menton, grand-mère Nissel bavarde avec Tsipouka. Grand-mère est grave ; ma petite sœur sereine, pensive.

Elles sont sagement assises sur un banc couvert de feuilles mortes. C'est l'automne, me dis-je. Au cimetière, c'est toujours l'automne.

Sur la pointe des pieds, d'un pas glissant mais étrangement bruyant, je m'approche du banc. J'essaie d'écouter. Je n'entends que le bruissement des feuilles. Je me dis : ce sont les feuilles qui parlent pour les morts. Je me dis aussi : quand elles ne bruissent pas, c'est que les morts n'ont pas envie de parler.

Ces temps-ci, les morts envahissent plus souvent mon sommeil. Ils le labourent comme pour y récupérer des images d'eux-mêmes que le temps n'a pu déformer.

Au petit matin, je me réveille exténué, abattu. Paniqué, je m'efforce de saisir un mot, un appel de ce monde d'où, à contrecœur, je me suis évadé.

Je baisse les paupières.

Elle est pâle, ma grand-mère.

Et ma petite sœur, elle est pâle aussi.

En rêve, je les accompagne jusqu'au point au-delà duquel les vivants n'ont plus le pouvoir d'avancer. Je reviens sur mes pas. Et je recommence.

Un billet gratuit d'El Al me permet de me rendre à Montréal. Béa est heureuse bien qu'elle ne soit pas encore mariée. Elle travaille maintenant au consulat d'Israël. Contrairement à ce qui s'est passé à Kassel, en Allemagne occupée, nous nous retrouvons souvent seuls tous les deux. J'ai envie de lui poser une question qui me hante depuis des années : comment c'était, avant la sélection... Les derniers instants, les derniers pas avec... Je n'ose pas. C'est pareil pour Hilda. Je n'ose pas.

Au Canada et aux États-Unis, j'écris une série de reportages sur la vie des *yordim*, terme péjoratif qui désigne les émigrés israéliens, ceux qui ont pris la décision de « descendre », de s'expatrier. Eh oui, il y en a. Dans ces années 1953-1954, on les rencontre à Paris (autour de l'hôtel Melay), à Montréal et à New York. Pourquoi ont-ils quitté leur patrie retrouvée ? Surtout pour des raisons économiques. « The american dream » légendaire, le rêve américain, avait des adeptes en Israël comme ailleurs. Faire carrière, ramasser des dollars, s'imposer, montrer aux copains qu'avec un peu de talent et d'audace on pouvait tout obtenir.

N'étant pas israélien, je ne me sens pas le droit de les juger, pas même de les critiquer.

Maintenant, il est temps que je vous parle de Joseph Givon. Ce nom ne vous dit rien ? Vraiment rien ? L'homme qui donnait à

Staline des conseils de stratégie planétaire, le confident de Mao
Tsé-toung et de Juliette Gréco, celui qui servit de médiateur entre
Hô Chi Minh et Pierre Mendès France puis entre le général de
Gaulle et les Algériens ? Allons, le nom de Joseph Givon ne vous
dit toujours rien ? Alors, écoutez.

Cela se passe en 1953, en Israël. Je compte y rester un mois pour
terminer mes reportages sur l'Inde et faire plus ample connaissance
avec la rédaction de *Yedioth* et le pays. Exceptionnellement, je
descends à l'hôtel : l'appartement du Vieux est sens dessus
dessous, car la famille prépare le mariage de Dov et Léa. Le Savoy
(Menahem Begin y a passé la plus grande partie de sa vie
clandestine) est près de la plage. Je me lève à l'aube et vais me
promener au bord de la mer. J'aime ces moments de paix.

Dix jours magnifiques. Je passe les matinées à la rédaction et les
soirées avec Noah, Dov ou le docteur Rosenblum. Je rencontre
écrivains, journalistes et artistes. Le docteur Shimshon Yunit-
chman, vétéran du Mouvement sioniste-révisionniste que j'ai
connu à Paris, me dit que mes premiers articles sur l'Inde ont été
appréciés au ministère des Affaires étrangères : c'est la première
fois qu'une personnalité connue me fait un compliment et cela me
flatte. On m'emmène au théâtre, au concert. On m'invite à des
réceptions, on me présente à des députés dans l'enceinte de la
Knesset. Le Vieux insiste pour que je l'accompagne dans ses
randonnées à travers le pays. A Jérusalem, il me présente à un
hassid de Lubavitch, médecin de son état, qui m'apprend le chant
du fondateur du mouvement, le Rabbi Shnéour-Zalmen de Ladi.
A cette occasion, je fais la connaissance de sa fille cadette. Le
Vieux nourrit un projet... Ça lui plairait que... Mais Rachel est
encore plus timide que moi. D'ailleurs, comment fait-on pour
flirter avec une fille pieuse ?

Au matin du onzième jour, coup de téléphone urgent de Dov :
« Prague va libérer un citoyen israélien, un certain Furmand, qui a
connu Mordehaï Oren dans la prison de Pancracz. *Maariv* envoie
son meilleur reporter à Paris pour l'interviewer. Rentre tout de
suite. Tâche de le prendre de vitesse. Ce sera un scoop. »

Ah, encore ce mot magique et redoutable : un scoop ! J'en rêve
la nuit, j'en rêve le jour. Pour un scoop d'envergure, un journaliste
qui se respecte donnerait son bras droit (ou son bras gauche). Avec
un bon scoop, on « bat » le concurrent, on fait parler de soi, on
reçoit une prime ou, dans la famille *Yedioth*, des félicitations

chaleureuses. Oh, Dieu de Moïse — premier reporter et éditorialiste de notre histoire mouvementée —, sois charitable : donne-moi
mon scoop quotidien ou, si tu as des engagements antérieurs, au
moins un scoop hebdomadaire !

Je me lave, je m'habille en vitesse, j'avale une tasse de café, je
saute dans la voiture que le journal m'a envoyée, une fois n'est pas
coutume, et, vite, à l'aéroport. Je n'ai même pas le temps de faire
un saut chez le Vieux pour lui dire au revoir. Notre correspondant
de Lydda m'attend. A toute vitesse, il me fait passer les contrôles
de police et de douane. Cinq minutes plus tard, j'embarque. Et,
bien sûr, je suis assis à côté de mon concurrent de *Maariv*. Je lui
demande d'un air mi-innocent mi-perfide ce qu'il va faire à Paris.
« Raisons personnelles, me dit-il. Ma tante est malade, je dois lui
rendre visite. » Et, après un silence : « Et vous ? Pourquoi est-ce
que vous y allez ? » « Moi ? Mon oncle est médecin ; il soigne votre
tante. » Nous éclatons de rire en même temps.

Au bout du compte, nos patrons sont tous les deux satisfaits. Le
prisonnier libéré, nous l'avons interviewé le même après-midi
(pour la vérité historique, je dois préciser que mon confrère m'a
devancé d'une heure). Déclarations retentissantes. C'est que
Prague fascine et inquiète. Prague, c'est le procès Slansky. Or
Slansky était lié à Oren, ou inversement. De l'autre côté du rideau
de fer, tout est lié. Prague c'est Moscou, Moscou c'est Staline, et
Staline est fou, sa haine le rend fou. En Israël, qui n'a plus de
relations diplomatiques avec l'URSS ni avec ses satellites, la
gauche est en plein désarroi : elle ne comprend pas l'antisémitisme
féroce et implacable de Staline et des staliniens. Oren, ennemi de
la classe ouvrière ? Impossible. Agent impérialiste, lui ? Impensable. Il n'est donc pas étonnant que son nom soit sur toutes les
lèvres. La moindre nouvelle le concernant fait la manchette des
journaux. Un tribunal l'a accusé d'espionnage, de subversion en
tout genre. Son procès, ses aveux, sa condamnation : les journaux
se livrent une guerre impitoyable pour un semblant d'information.
Seulement, ça n'est pas facile d'en obtenir. Prague est une
forteresse inaccessible. N'y va pas qui en a envie. N'en revient pas
qui veut. Le seul à qui Prague ouvre ses portes secrètes, c'est le
grand, l'unique, le tout-puissant Joseph Givon.

Qui est-il ? Une sorte de Shoushani journalistique, un aventurier
de grande classe ou un mystificateur de génie ? De grâce, ne me le
demandez pas. Si vous ne le savez pas encore, vous ne le saurez

jamais. C'est vraiment quelqu'un. Un personnage, comment dire, bien singulier, bien bizarre, que dis-je : un personnage rare, incomparable, unique. Interrogez donc le poète israélien Haïm Gouri, Izso Rager, le maire de Beersheba ou l'ancien porte-parole du gouvernement israélien, Dan Patir : ils vous jureront que, de leur vie, ils n'ont jamais rencontré une personnalité de la trempe de Joseph Givon.

Moi, j'ai fait sa connaissance lors d'une réception à l'ambassade d'Israël. C'est un homme encore jeune ou éternellement jeune — Gouri lui trouve une ressemblance frappante avec l'inoubliable Peter Lore — aux yeux bleu clair d'enfant émerveillé, tirant sa jambe gauche et son bras droit avec difficulté, vêtu d'un élégant costume bleu, portant l'emblème en or du Palmach à son revers. Il est en grande conversation avec une actrice de l'Habimah et, involontairement, j'en capte des bribes. L'actrice veut savoir qui lui a décerné sa décoration. Sa réponse, murmurée : « Yitzhak... Le général Yitzhak Sadé lui-même. » Comment, Sadé ? Le vieux commandant des troupes de choc ? « Oui... j'étais sous ses ordres au Palmach. Avec le grade de colonel. La décoration m'a été remise en pleine séance du quartier général. » Mais pour quelle action ? s'enquiert l'actrice dont les joues s'enflamment. « Pardonnez-moi, mademoiselle, mais je n'ai pas le droit... Vous ne m'en voulez pas, vous comprenez sûrement... » Oui, elle comprend. Et moi aussi : ça ne peut être qu'un membre des services de renseignements ou de sécurité. D'ailleurs, il se promène dans les salons de l'ambassade en familier des lieux. Il connaît l'ambassadeur, l'attaché militaire, les conseillers, les secrétaires, et tous semblent le connaître. Intrigué, je demande à un attaché : « Qui est-ce ? » Il répond : « Je n'en sais rien. Mais il se peut aussi que je ne sois pas censé le savoir. » Donc ? Mon intuition était juste : ce combattant héroïque, cet invalide de guerre fait sûrement partie des « services ».

Plus loin, un groupe échange les dernières nouvelles d'Oren. Aux aguets, j'écoute de toutes les fibres de mon être. On ne sait jamais : quelqu'un pourrait lâcher involontairement un petit scoop, même un tout petit, et ce serait toujours mieux que la routine. Soudain, j'entends le héros qui dit : « ... Pourtant, je l'ai prévenu... Je lui ai dit qu'on allait l'arrêter... » Qui cela ? demande quelqu'un. « Mordehaï Oren », répond-il avec un calme énervant. Je sursaute : comment ? Il connaît Oren ? « Si je le connais ? Bien sûr que je le connais ! Nous étions ensemble à Berlin-Est. A Prague aussi. J'ai des amis là-bas, vous pensez bien. Haut placés. L'un d'eux m'a conseillé de passer le message à Mordehaï : on le tenait à l'œil. Il fallait qu'il parte. Le plus tôt possible. Chaque heure comptait. Je l'ai supplié : Mordehaï, Mordehaï, pense à toi, à ta famille, prends le premier avion pour Paris, Vienne ou Bangkok... Dépêche-toi, tu es en danger... Tu ne sens pas le sol brûler sous tes pieds ? L'idiot, il refusait de m'écouter... Mais, après tout, je n'étais pas moins idiot que lui... A la fin, on m'a arrêté, moi aussi... »

Maintenant je suis inquiet, fâché qu'il ait raconté tout cela à voix haute. Mes confrères sont présents dans la salle ; ils risquent de se joindre à nous ; il ne manquerait plus que cela. Mais comment faire ? Pour une fois, j'ai l'audace d'avoir une idée. Et de la réaliser. C'est simple. Je chuchote à Joseph Givon que j'ai un message confidentiel à lui remettre. De la part de la belle actrice qu'il vient de charmer. Nous nous retirons dans un coin. Je me présente ; il esquisse un faible sourire : « Je lis *Yedioth*. » A son tour, il se présente. « Vous avez un avantage sur moi, dis-je. J'ignore qui vous êtes. » Il prend un air condescendant : « Et ce message confidentiel, de quoi s'agit-il ? » Je baisse la voix : « Elle vous demande de me faire confiance.

— C'est tout ?

— Non. Elle vous demande de me raconter vos expériences de Prague.

— C'est tout ?

— Non. Elle souhaite en plus...

— Oui ?

— Que vous n'en parliez qu'à moi. »

Il s'esclaffe, mais son rire est étrange : on a l'impression qu'il est silencieux. « Vous mentez mal. On ne vous l'a donc jamais dit ? Bon, sortons. » J'ai envie de danser, tant ma joie me soulève. « Eh bien, reprend-il une fois dans la rue, puisque tel est le désir d'une belle femme et, qui plus est, d'une actrice, je vais vous révéler deux ou trois choses... » Nous cherchons un café tranquille. Tout en marchant, il évoque la vie à Prague : il a connu Rudolf Slansky et Artur London... Il faisait partie de leurs intimes... Avant tout le monde, il a su qu'on allait les arrêter, les inculper et les juger... « Comme ils étaient juifs, j'ai cru bon d'informer Moshe... » Moshe ? Quel Moshe ? « Sharett, précise-t-il. Le ministre des

Affaires étrangères. » Il le connaît ? « Nous avons fait différentes choses ensemble », avoue-t-il d'un air flegmatique. Qu'il ne me raconte pas qu'il connaît aussi David Ben Gourion ? Mais si, il le connaît. « Chaque fois que je voyage en Israël, c'est lui que je vais voir en premier. Il me l'a fait promettre. Et j'ai toujours tenu parole. »

Assis devant deux tasses de café noir, je l'accable de questions auxquelles il répond toujours de la voix calme, professionnelle, assurée de celui qui sait. Comme un enfant dans un magasin de jouets, je ne sais plus que croire, que demander : « Malenkov... Il vous a fait chercher... Chercher en avion militaire ? Pour vous confier quoi ? » Givon, conseiller du Kremlin ? Interlocuteur du maréchal Joukov ? Pourquoi Mao Tsé-toung tenait-il à le recevoir ? Il était le confident intime de Slansky ? Quand l'a-t-il vu pour la dernière fois ? Ma tête tourne, j'ai le vertige, mais Givon reste serein. Et prudent. Avant de répondre, il regarde de tous les côtés, comme pour vérifier qu'on ne nous écoute pas. On ne sait jamais : certains « services » paieraient cher pour obtenir ses confidences murmurées. Et moi ? Je les reçois gratis. Chacune de ses révélations vaut mille fois la valeur de mon journal ; et il me les offre pour rien. Sans doute existe-t-il un Dieu pour protéger les journalistes pauvres et timides.

Tout ce qu'il déballe semble précis, bien documenté. Et même véridique. J'insiste sur véridique car, au début, comprenez-moi, je refuse de croire à ses divagations. Non, quand même, pour qui me prend-il ? Je ne suis pas né d'hier. Je sais quand j'ai affaire à un fabulateur, à un mythomane. Malenkov, Hô Chi Minh, Staline et Ben Gourion recevant ce bonhomme qui, pardonnez-moi, a l'air d'un clochard soucieux d'élégance ? Il doit se rendre compte de mon scepticisme car, avec une nonchalance de gentleman, il tire de sa poche intérieure une trentaine de photographies qu'il me tend. Du coup, mon incrédulité s'évanouit : voilà Givon et Staline. Givon et le Grand Timonier chinois. Givon entouré de généraux et de maréchaux soviétiques. Non, non, mille fois non, me dis-je : c'est impossible ! Je ne vais tout de même pas tomber dans le panneau : il invente, il brode, il ne peut pas avoir négocié le sort de l'humanité avec les grands de ce monde, cela se saurait, non ? Les photographies ? Un montage remarquable, voilà tout. Étonnamment bien exécuté. Je les examine attentivement et dois me rendre à l'évidence : pour l'amateur que je suis, elles paraissent authentiques. Mais, alors, le bonhomme ne me mène pas en bateau ? Il a connu Rudolf Slansky, échangé des paroles — plutôt violentes — avec ses accusateurs et ses juges ? Et rencontré le malheureux prisonnier israélien avant et après son arrestation ? Oui, et il pourrait me décrire la prison, me raconter les dessous de cette affaire dont le monde entier parle depuis des mois. Mais alors, c'est une source précieuse, Joseph Givon, une source inappréciable, une mine d'or et de diamants, et je ferais bien de le ménager... L'acheter peut-être ? Lui offrir — lui offrir quoi ? De l'argent ? Ah oui, je vais télégraphier à Dov... Mais me croira-t-il ? Ne vais-je pas me rendre ridicule ? Soudain, Joseph se lève : « Tu m'excuseras, me dit-il en me tutoyant. Il faut que je parte. J'ai un rendez-vous urgent avec Sartre. »

Je sursaute : « Vous... Tu as bien dit Sartre ? Jean-Paul Sartre ? Le philosophe ? » « Bien sûr, c'est... un vieil ami. »

Il a l'air de ne pas comprendre mon ahurissement. En fait, il a raison. Un homme qui connaît les chefs d'État, pourquoi ne serait-il pas l'ami d'un écrivain illustre ? Bon, passons. Quand le reverrai-je ? « Demain. Je t'appellerai. » D'ici là, puis-je utiliser ses informations pour une dépêche à *Yedioth Ahronoth* ? « Ah non, s'écrie-t-il. Surtout pas. Tu me ferais courir des risques que tu ne peux pas imaginer... » Mais il promet de m'apporter dès demain de quoi écrire un papier sen-sa-tion-nel. Le psychologue en moi m'avertit qu'il vaut mieux ne pas insister et feindre la confiance. « Soit, dis-je. Prends mon numéro de téléphone. » Il me regarde de ses yeux bleus d'enfant désarmé : « Pas la peine. Nous savons comment te joindre. » Nous ? Il a bien dit nous ? En prenant congé, il précise : « Sois devant ton téléphone demain matin à 10 h 35. « O.K. ? » « O.K. », dis-je. « Synchronisons nos montres », ajoute-t-il. Je réponds : « A tes ordres. » Nous nous séparons et partons dans des directions opposées.

Dans ma dépêche, j'indique à Dov que j'aurai peut-être bientôt des révélations importantes — que dis-je, sensationnelles — concernant Oren. Bien sûr, Dov me réveille à 5 heures du matin : « De quoi s'agit-il ? » Je lui réponds que je ne peux pas lui en dire davantage au téléphone. « Mais, insiste-t-il, dis-moi un mot, un mot seulement. » A mon tour de jouer à celui qui sait : « Je ne peux pas. Pas au téléphone. »

Léon Leneman, le correspondant du quotidien israélien *Haboker* chez qui j'habite depuis 1951 (en échange, je lui traduis ses

articles du yiddish en hébreu), ne peut dissimuler sa curiosité :
« On vous a réveillé si tôt... rien de grave ? » Je le rassure : « Tout
va bien. » Il ne me croit pas tout à fait, mais c'est la vie.

A 10 h 32, je me plante devant le téléphone. Sonnera ou sonnera
pas ? Il sonne. Illusion ou réalité ? Je reconnais la voix traînante.
Vive Joseph Givon ! Loué soit Joseph Givon : « C'est d'accord »,
dit-il. Je me rends compte que j'ai oublié de respirer : « Que Dieu
te bénisse, mais...

— Mais quoi ? Tu n'es pas content ?
— Si, très content. Mais...
— Mais quoi ?
— Heu... de quoi veux-tu parler ?
— Tu comprendras en temps voulu.
— Quand ?
— Sois en bas cet après-midi à 16 h 48. »

Ma tête tourne et tourne. S'il ajoute sa phrase coutumière,
« synchronisons nos montres », je vais exploser. J'ai dû pâlir car
Leneman s'inquiète : « Mauvaises nouvelles ?
— Tout va bien », lui dis-je.

Pourtant je n'en suis plus sûr du tout. Quelque chose dans cette
affaire ne me plaît pas. Je ne pense pas que mon nouvel ami mente,
mais j'ai peur qu'il ne m'entraîne dans une d'histoire d'espionnage
ou je ne sais quelle galère douteuse. Pourquoi ne s'exprime-t-il pas
ouvertement ? Bon, attendons jusqu'à 16 h 45, pardon : 16 h 48.

Attendons ? Facile à dire. J'arpente ma chambre, fumant
cigarette sur cigarette. Mme Leneman m'offre une tasse de café ; je
n'en ai pas envie. Je n'ai envie de rien. Si : j'ai envie de fouetter le
temps, de le faire avancer plus vite. J'essaie de lire les journaux ; en
vain. D'écrire un article ; en vain. Ce sacré Givon me harcèle et
m'embrouille.

Enfin, c'est l'heure. Ou presque. 16 h 40. Le téléphone sonne.
« C'est pour vous », me dit Léon Leneman. Je lui demande de
répondre que je ne suis pas là : il faut que je descende, Givon va
arriver d'un moment à l'autre. « L'homme dit que c'est urgent. »
Tant pis, je m'empare du combiné et reconnais la voix déjà
familière. « Je suis à l'aéroport. On m'a rappelé à Prague. Il nous
faut remettre notre rendez-vous. Lundi prochain, ça te va ? » Je
bredouille un oui affaibli, déçu. Naturellement, lundi me va. Avant
de raccrocher, il ajoute : « Il se peut que je t'appelle de là-bas...
Ne t'éloigne pas du téléphone. »

Déconfit, malheureux, je m'enferme dans ma chambre ; je ne veux voir personne, je ne veux plus courir aux nouvelles, je ne veux plus envoyer de dépêches. Je vais démissionner du journal, de la société ; je vais retourner aux Indes... devenir ascète...

Tant bien que mal, et plutôt mal que bien, la semaine passe. Samedi soir, appel de Prague : « On se voit lundi ? » Absolument. « A propos : j'ai tout arrangé. » Tout ? Arrangé ? Mais pour qui ? « Pour toi, idiot. » Qu'a-t-il pu arranger pour moi à Prague ? « Je te le dirai lundi. En bas, à la même heure. » La bonne madame Leneman se fait du souci pour moi : « Vous avez mauvaise mine. Vous n'êtes pas souffrant ? » Je la remercie : non, je ne suis pas malade. « Alors, seriez-vous amoureux ? » J'esquisse un sourire maladroit et ne réponds pas. Qu'elle pense ce qu'elle veut. Ah, si seulement elle savait ! Elle pourrait alors s'inquiéter et rechercher pour moi un bon psychiatre juif qui...

Cafardeux, j'attends le rendez-vous, persuadé qu'il sera remis une fois de plus. Erreur. A 16 h 48 précises, un taxi s'arrête devant le 8, avenue de la République. Joseph Givon en personne m'invite à monter. Le doigt sur la bouche, il me fait comprendre : le silence est d'or. Nous nous arrêtons près du Châtelet et, grand seigneur, il me permet de payer puis m'indique la terrasse d'un café. Je lui demande à voix basse : « Tu crois qu'on peut ? » Il inspecte les alentours et décide : « On peut.

— Alors, Prague, comment c'était ?

— Comme d'habitude. J'ai fait ce que j'avais à faire. J'ai vu Mordehaï. Lui ai remis un colis... »

Tout mon sang afflue dans mon cerveau : « Tu as vu... Oren ? En prison ? » Oui. « Est-ce que je peux le publier ? » Non. Non ? Pourquoi non ? « Parce que j'ai mieux à te proposer. » Moi, je ne veux rien de mieux, ce scoop-là me suffit amplement. Je vois déjà le titre à la une : Le message d'Oren... Exclusivité *Yedioth Ahronoth*... Mes confrères seront verts de jalousie et rouges d'embarras. « Non, répète Joseph prêt à se fâcher. Et puis ça suffit : tu veux tout savoir, mais tu ne me laisses pas parler. » Il se renferme. Il faut absolument que je le déride : « Allons, Joseph, pardonne-moi de t'avoir interrompu. Continue, je t'en supplie. Oren, comment se porte-t-il ? Les conditions de son enfermement, raconte ! Est-il abattu ? Confiant ? Est-il seul dans sa cellule ? Qu'est-ce qu'il mange ? Qu'est-ce qu'il lit ? » Givon fait semblant de ne pas m'écouter et finit par couper mon flot de questions d'un geste de sa main valide : « Un entretien avec Oren ; ça t'inté-resse ? » Je reste sans voix, suffoqué : s'il n'est pas fou, c'est moi qui vais le devenir. « Tu te moques de moi ? Comment veux-tu que je le rencontre ?

— J'ai posé la question aux autorités là-bas, répond placidement Givon. D'abord, " on " était plutôt réticent. Mais j'ai réussi à convaincre qui il fallait... Tu comprends, la secrétaire du procureur général m'aime bien... Je crois qu'elle s'est entichée de moi... » S'il continue, je vais me mettre à implorer le bon Dieu de me réveiller de ce cauchemar. Eh bien, il continue : « Tu viens avec moi, la semaine prochaine. » Je me retiens pour ne pas crier : « Mais comment veux-tu que j'aille à Prague ?

— Par avion », dit-il avec le calme qui le caractérise. Le billet, c'est moi qui te l'offre. » Et le visa ? « Je m'en charge. » Avec quel passeport ? Apatride, je ne peux pas aller où je veux et sûrement pas derrière le rideau de fer. Si je suis arrêté, aucun gouvernement ne viendra à mon secours. « Ne t'en fais pas. Je m'en occupe. A propos : tu préfères un passeport suisse ou belge ? » C'est une farce de mauvais goût, me dis-je : il ose me proposer un faux passeport ! « Mais non, il ne sera pas faux. Il y aura ta photo, ton nom et ta signature. » Autrement dit, un vrai faux ou un faux vrai passeport ? Mais n'est-ce pas illégal ? « Non, ça ne l'est pas. Parfois, c'est rare mais ça arrive, on nous permet de faire ce genre de choses. Légalement. » Ah, il a répété « nous ». Nous qui ? « Je dois réfléchir », lui dis-je. Il en est offensé : quoi, je ne lui fais pas confiance ? J'essaie de l'amadouer : si, si, j'ai entièrement confiance en lui, mais il faut qu'il comprenne ma situation : je ne peux rien décider sans informer le journal. Magnanime, il com-prend : « Je t'accorde cinq jours. Si tu viens avec moi, tu auras le scoop de l'année, mieux : de la décennie. Tu seras le premier, non, le seul journaliste occidental à être admis dans les murs de Pancracz, et à interviewer Mordehaï Oren. »

A qui demander conseil ? Dov est trop loin et il serait imprudent de lui en parler au téléphone. Alors qui ? J'ai une idée : le colonel Yeoshafat Harkabi, chef des renseignements militaires israéliens (et future « colombe »), se trouvant actuellement à Paris, pourquoi ne pas lui exposer le problème ? Après tout, il doit être au courant puisque Givon travaille pour lui, ou pour un service apparenté au sien... Un ami de l'ambassade m'arrange l'entrevue. Le colonel m'écoute attentivement avant de m'avouer : « Givon ? Le nom me dit quelque chose, mais j'ai du mal à le situer. Bon, je vais m'en occuper. Appelez-moi dans 48 heures. » Je lui téléphone deux jours plus tard. Sa réponse est brève : « A mon avis, vous devriez dire non. » C'est tout ? « Oui, c'est tout. » Mais pour quelle raison ? Qui est Joseph Givon ? D'où détient-il son pouvoir ? Serait-ce un agent double ? Mais, alors, que signifie son amitié avec Yitzhak Sadé, Sharett et Ben Gourion ? Il ne peut tout de même pas mentir à ce point ! Et ses photos ? Ses voyages à Prague ? Ses relations avec des personnalités mondialement connues ? Le colonel n'est pas en mesure de satisfaire ma curiosité. Le mystère s'épaissit de plus en plus. Est-il possible que Givon soit un agent israélien tellement secret que le chef des renseignements militaires lui-même ne soit pas habilité à connaître son identité ? Par ailleurs, si ce n'est pas pour Israël, pour qui travaille-t-il ? De quelle institution ou organisation obscure est-il l'agent ? Au nom de qui fait-il ses promesses extravagantes ? Est-il mêlé à des activités illégales, répréhensibles, ce qui expliquerait qu'on me déconseille de l'accompagner ?

« Alors, tu viens ? » s'enquiert Givon quand je le retrouve dans un café des Champs-Élysées. J'invente mille excuses : un apatride n'a pas le droit de ne pas faire attention, il se doit d'être prudent. Excessivement prudent. Si l'on m'attrape avec un faux passeport, je risque la prison ou l'expulsion... « Tu as peur, c'est ça ? » Je passe aux aveux : oui, c'est ça. J'ai peur. Oui, je suis lâche. Je ne veux pas risquer ma liberté et mon avenir pour un scoop, fût-ce un scoop sensationnel. Givon a l'air déçu. Moi aussi. Tant pis.

Il part seul, ou du moins sans moi. De Prague, il m'appelle plusieurs fois, en général pour m'annoncer en code ou en clair qu'il me rappellera plus tard. Mais cette occasion manquée me laisse amer, troublé. Dov s'efforce de m'apaiser : « Ce sont des choses qui arrivent. » N'empêche que je me sens idiot, diminué, timoré.

Je reverrai Givon, j'aurai avec lui d'autres aventures, d'autres histoires rocambolesques, incroyables. Pour le moment, le chapitre Oren est clos. L'actualité exige l'action immédiate : quelques déplacements en Europe liés à la conférence israélo-allemande sur les réparations, un voyage en Israël, et puis le Brésil.

Pourquoi le Brésil ? Dov a son idée là-dessus.

Il paraît que l'Église catholique développe une activité missionnaire suspecte en Israël, surtout auprès des Juifs récemment arrivés d'Europe de l'Est. Ils sont pauvres, désabusés, et les émissaires de Rome leur proposent un visa pour le Brésil, le prix du voyage et deux cents dollars, à condition qu'ils se convertissent au catholicisme. « Va donc y voir de plus près », me suggère Dov.

J'accepte. Pour un bon reportage, un vrai reporter irait jusqu'au bout de planètes inexplorées. Nic, plongé dans la littérature sud-américaine, se propose de m'accompagner. Mais qui paiera le voyage ? Un ami israélien débrouillard nous dépanne. Comment s'y prend-il ? Je l'ignore. L'important c'est que Nic et moi avons nos billets en poche.

Mais, avant de m'embarquer, je pense devoir revenir en arrière et reprendre un récit resté en suspens.

Rappelez-vous : c'est à ce moment-là qu'a rebondi mon aventure avec ma belle et méchante choriste, Hanna. Nous l'avons laissée en pleine nuit, devant chez elle, près du Sacré-Cœur ; il est temps de la retrouver.

« Alors, je t'ai posé une question : veux-tu m'épouser ? » me demande Hanna d'un air humble et soumis qui ne lui sied pas du tout. Nous sommes encore assis dans un café des Grands Boulevards. Et je me mets à imaginer notre avenir commun. J'essaie de nous voir en ménage, unis par nos projets et nos obligations. Le matin, nous quittons la maison ensemble, elle pour son travail (la kinésithérapie) et moi pour le mien. Nous allons dîner chez des amis. Le vendredi soir, en bons Juifs, nous célébrons le Shabbat. Bougies sur la table et chants accompagnant les repas. Notre foyer, j'essaie de voir notre foyer. De quoi aura-t-il l'air ? Ressemblera-t-il à celui de mes souvenirs ? Où nous installerons-nous ? En Israël ? En France ? Ailleurs ? Et nos enfants, je m'efforce de les imaginer. Je voudrais pouvoir, ici, tout de suite, deviner toute ma vie future. Hanna à trente ans, à cinquante. L'aimerai-je encore ? L'ai-je jamais aimée, vraiment aimée ? Étais-je seulement attiré par sa fierté, son inaccessibilité ? « Écoute, Hanna, finis-je par dire. La réponse est oui ; je suis prêt à t'épouser. Seulement, il ne faudrait pas que tu le regrettes un jour. » A-t-elle les larmes aux yeux ? « Je ne le regretterai pas. » Je n'en suis pas si sûr, mais comment le lui expliquer ? Pour rien au monde je ne me permettrais de l'humilier ni même de la décevoir. Je me sens dans une impasse et, faute de solution satisfaisante, lui propose de remettre la décision à plus tard. Elle demande : « Pourquoi ?

— Pour te donner, pour nous donner le temps de la réflexion. »

Elle remarque : « Pour moi, c'est tout réfléchi.

— Quand même... »

Elle avale sa salive, esquisse un sourire mélancolique et redevient aussi belle qu'autrefois. Je sens que je vais fléchir, mais elle a encore une question : « Tu suggères que nous remettions la décision à plus tard... C'est quand, plus tard ? »

Je lui rappelle que je pars au Brésil : « Je m'embarque dans deux jours et serai absent six semaines. Quand nous nous reverrons, tu me poseras la même question ; je te répondrai oui, et ce sera un oui sans réserve. Mais tu devras me la poser à nouveau. D'accord ? »

Oui, elle est d'accord.

Je l'accompagne. Une douceur infinie, printanière, règne sur la nuit et coule dans mes veines. Une étrange paix mêlée d'inquiétude se déverse en moi. Nous marchons la main dans la main, à la manière des amoureux, légèrement embarrassés, confus, silencieux. Comment se comporter, quelle conduite adopter ? Ni elle ni moi ne le savons. Je me sens proche d'elle, physiquement et autrement, j'aime la pression de ses doigts, j'aime son profil, j'aime ses yeux, mais... De quoi demain sera-t-il fait ? Il est tard. Rues vides, fenêtres closes, maisons muettes. Y a-t-il à Paris un couple semblable au nôtre ? Tous les amoureux de cette ville qui est faite pour eux se le demandent sûrement. Seulement nous, nous ne sommes pas comme eux. Ils pensent la même chose ? Nous sommes quand même différents. Mais ne le sont-ils pas tous ? Allons, oublions-les, pensons à nous, à nous seulement... Arrivés pour la deuxième fois en quarante-huit heures devant la porte de l'immeuble de Hanna, nous nous arrêtons. Là encore, nous ne savons que faire. Monter chez elle ? L'enlacer ? L'étreindre ? Sentir, vraiment sentir son corps ? J'en ai envie, bien sûr. Comme à Versailles ? Plus. Et autrement. En un sens, nous sommes presque fiancés. Que font les fiancés quand ils se disent au revoir ? « On s'embrasse ? » demande Hanna. On s'embrasse. Sur les joues ? Sur la bouche. Timidement. Nos lèvres se touchent à peine. C'est la première fois. En ai-je rêvé de ce moment-là ! Pendant combien de nuits sans sommeil me suis-je vu la serrant ainsi dans mes bras ? Pas de doute possible : je l'aimais.

Hanna m'appelle le lendemain. Et le surlendemain. Je lui dicte mon itinéraire et les escales où elle pourra m'écrire.

Sa première lettre m'attend à Marseille où j'embarque sur *Le Provence*. Lettre d'amour ? Elle est hésitante, prudente, évoquant surtout le passé. Versailles, la chorale, les veillées. Et, pour conclure : « Comment as-tu pu être si aveugle, pendant si long-temps ? » Quant à l'avenir : « Essayons d'être heureux pour compenser toutes les années perdues. » Pourquoi le nier ? Je suis ému. Et heureux. Et angoissé : veilleur, où en est la nuit ? Je ne suis pas certain de vouloir me marier maintenant. Comment ferai-je pour subvenir aux besoins de ma famille ?

Ces questions m'obsèdent pendant toute la traversée, avec la crainte de commettre la plus grande erreur de ma vie : un homme doit-il épouser une femme belle, intelligente, impulsive, obstinée et qui chante merveilleusement bien uniquement parce qu'il l'a aimée autrefois ? Et parce qu'elle le lui propose maintenant ? Et qu'il ne veut pas lui faire de la peine ? L'expression populaire « soupe réchauffée » domine mes pensées ; je la chasse, mais elle revient avec obstination.

Je passe tout mon temps dans ma cabine à rédiger en yiddish mon récit sur les années concentrationnaires. Commencé en hébreu, il y a quelques mois, je ne sais plus pourquoi j'en ai fait lire les premières pages à une collègue, Yaffah, qui travaillait pour une revue de cinéma israélien. Elle perdra la raison quelques années plus tard, aux États-Unis. Souffrant de paranoïa, elle finira par échapper à ses « persécuteurs » en se réfugiant dans la mort. Fiévreux et comme hors d'haleine, j'écris vite, sans me relire. J'écris pour témoigner, j'écris pour empêcher les morts de mourir, j'écris pour justifier ma survie. J'écris pour parler aux disparus. Aussi longtemps que je m'adresserai à eux, ils continueront de vivre dans ma mémoire. Mon vœu de silence arrivera bientôt à son terme : l'an prochain, ce sera le dixième anniversaire de ma libération. Il va falloir parler, ouvrir les portes de la mémoire, briser le silence tout en le sauvegardant : y parviendrai-je ? Des pages et des pages s'entassent sur mon lit. Je dors peu, je ne participe pas aux activités du bateau ; je ne fais que taper, taper sur ma petite machine à écrire portative, craignant non de déranger mes compagnons de voyage, mais d'arriver trop tôt à São Paulo.

Nous y voilà. Citoyen israélien, Nicolas est déjà sur le quai. Apatride, je suscite la méfiance. Je fais la queue pour les formalités du débarquement lorsque je crois entendre des éclats de voix en hébreu. Je me dirige vers un groupe de passagers et apprends alors avec stupéfaction qu'une trentaine ou une quarantaine d'émigrés israéliens ont fait la traversée en troisième ou quatrième classe. Je suis mécontent de moi-même : j'avais mon sujet de reportage à portée de la main et, comme un imbécile, j'ai perdu mon temps à rédiger des souvenirs qui pouvaient tranquillement attendre une semaine ou un mois. Je m'approche d'eux et les trouve consternés, ulcérés, désespérés : on leur interdit de débarquer. Un prêtre local plaide en leur faveur : « Mais ils ont des visas parfaitement en règle ! » « Désolés, répondent les officiels, leurs visas ont été annulés. Nous ne faisons qu'obéir aux ordres. » Pendant que le prêtre s'en va chercher du secours, je reste avec les émigrés menacés de refoulement. Bientôt, le bateau lèvera l'ancre. J'interroge un officier du *Provence* : « Que va-t-il arriver à ces pauvres gens ? » « Puisqu'ils ne peuvent pas débarquer, ils resteront à bord. » J'insiste : « Combien de temps ? » L'officier fronce les sourcils : « Le temps qu'ils obtiennent des visas quelque part. » Mon instinct de journaliste se réveille : si je reste à bord avec eux, je l'aurai, mon scoop.

Nous irons ainsi de port en port, parias humiliés, refusés partout, rejetés. N'ayant plus ma cabine, je voyage avec les émigrés, dans la cale. Une heure par jour, on nous permet de monter sur le pont pour respirer l'air frais. J'envie les autres passagers ; eux sont munis de passeports. Que ne donnerais-je pour obtenir la nationalité péruvienne ou salvadorienne ? Une fois de plus, je me rends compte que, pour tous les gouvernements et tous les fonctionnaires, l'apatride n'est pas seulement un non-citoyen, mais aussi un sous-homme.

Dans la cale, les enfants pleurent et les parents manifestent leur colère. Certains regrettent véhémentement de s'être laissé embobiner par les missionnaires ; d'autres éprouvent peut-être la même amertume mais n'osent pas l'avouer. Je veux comprendre : « Mais quelle idée, quelle idée de quitter non seulement la terre mais aussi le peuple d'Israël pour un peu d'argent, un visa et un billet de bateau ? Étiez-vous tellement malheureux ? Comment des Juifs comme vous, avec le passé qui est le vôtre, avez-vous pu accepter de vous convertir ? Vos ancêtres ont choisi la mort par l'épée ou le feu plutôt que de renier la foi de leur peuple, de notre peuple, et vous y avez consenti pour un voyage au Brésil ? » Ils protestent : « Hé, attention ! Ne nous traitez pas de renégats ! Nous n'avons pas

renoncé à notre foi ! Le Dieu d'Israël est toujours notre Dieu. »
Mais ne se sont-ils pas engagés à se convertir ? « Engagés ? Qui
parle d'engagement ? Nous avons promis, oui, nous avons promis,
et après ? On n'a plus le droit de promettre ? » Haim'ke le tailleur
se souvient alors que c'est l'anniversaire de la mort de sa mère : on
constitue un *minyan* pour qu'il puisse réciter le kaddish. Boroukh,
cordonnier de son état, croit utile de se justifier : « J'ai connu deux
années de ghetto et quatorze mois dans le maquis avec les
partisans : je n'ai plus la force de rester en Israël ; la vie y est trop
dure. » D'autres voix se joignent à la sienne : « Trop subi... trop
souffert... On n'en peut plus... Ne nous jugez pas trop sévèrement... Nous ne sommes pas des traîtres à notre peuple... Nous
sommes de bons Juifs... »

A l'escale de Montevideo, je contacte un journaliste juif et lui
raconte la tragique odyssée de mes compagnons. Il me promet
d'alerter la communauté. A Buenos Aires, mes cousins — Voïcsi et
son mari Moïshe-hersh Genuth — viennent prendre de mes
nouvelles. Je leur confie des articles pour *Yedioth Ahronoth*,
ignorant qu'ils seront repris ou cités dans la presse juive américaine.

Yehudit Moretzka — une chanteuse yiddish amie des Leneman
— monte à bord, accompagnée de l'éditeur juif Mark Turkov.
Devenu en quelque sorte le porte-parole des exilés, je raconte leur
drame aux deux visiteurs de marque : il faut qu'on les autorise à
débarquer quelque part, n'importe où ; ils ne vont tout de même
pas errer ainsi jusqu'à la fin des temps... Turkov aperçoit alors
mon manuscrit dont je ne me sépare plus : « Qu'est-ce que c'est ?
Je peux regarder ? » Je le lui montre en précisant qu'il est
inachevé. « Cela ne fait rien, confiez-le-moi. » Mais c'est mon seul
exemplaire ! Yehudit me rassure : « N'ayez aucune crainte ; votre
manuscrit sera en sûreté chez Mark. » J'hésite encore. « Je le lirai,
me promet l'éditeur yiddish. Et si c'est bon, je le publie. » Lui faire
confiance ? J'ai confiance en Yehudit Moretzka : elle me renverra
sûrement le manuscrit à Paris. Avec un mot d'excuses de la part de
Turkov. C'est que je suis convaincu qu'il ne sera pas retenu.
Pourquoi le serait-il ? Aucun éditeur, qu'il soit juif ou chilien, ne
raffolera des souvenirs tristes d'un inconnu rencontré sur un bateau
au milieu de réfugiés dont personne ne veut. « Ne vous inquiétez
pas trop », me dit Yehudit Moretzka en me quittant. Mais, sans
mon manuscrit, je me sens doublement refoulé.

Les communautés juives sud-américaines se montrent à la hauteur : de retour à São Paulo, les émigrés-immigrants débarquent dans la joie. Le prêtre qui les accueille contient mal sa fureur en apprenant qu'ils vont être pris en charge par une association juive de bienfaisance. Boroukh m'embrasse et me demande d'aller le voir quand il sera installé : il m'offrira une paire de chaussures. Haim'ke m'embrasse et me promet un costume de qualité. Un troisième me parle d'une cousine qui cherche à se marier : pourquoi pas avec moi ? Tous sont heureux et moi aussi.

Et Hanna ? Ses lettres, que je récupère à l'American Express, trahissent son inquiétude croissante. A cause de cette aventure, je n'ai pas pu lui écrire. Elle ne comprend pas mon silence prolongé et se demande si je n'ai pas changé d'avis. Les six semaines sont presque écoulées... Et moi je dois retarder mon retour. Je lui en donne les raisons : elles sont impératives. Mais ma lettre est expédiée avec un retard considérable qu'on ne peut comprendre qu'ici, dans ce pays où la lenteur est un mode de vie, où le temps lui-même semble prendre son temps. Voilà deux mois que j'ai quitté Paris. Dov me rappelle d'urgence pour « couvrir » l'arrivée au pouvoir de Pierre Mendès France. Pour rentrer, je prends l'avion, impatient de retrouver Hanna. Je lui expliquerai : les circonstances exceptionnelles. Les pauvres émigrés, le bateau. Je trouverai le moyen de me faire pardonner. Elle comprendra. C'est qu'elle m'a manqué. Je l'aimerai. Même en pensée, je lui suis resté fidèle.

Elle me croira. Je me précipite dans le bureau de Leneman : « Pas de message pour moi ? » Il me tend une feuille de papier. Tous les messages y ont été notés. Rien de Hanna. Donc, l'espoir est permis. Tout ira bien. Peut-être. Elle m'attend. « Voici votre courrier », me dit Leneman. La première lettre que j'ouvre est d'elle : « Tu ne m'as pas écrit ; tu n'es pas revenu à temps ; je comprends ce que cela signifie ; je ne t'en veux pas. » Je cours chez elle. La concierge est désolée : « Oh, mon pauvre monsieur, mais elle est partie. » Partie ? Où ça ? « En Palestine, je crois. » Quand ? « Il y a dix jours. »

Quinze ans plus tard, je la rencontre à Jérusalem. Toujours belle et fière, un peu plus triste. « Je peux t'accompagner un moment ? » Elle me le permet. Nous parlons de choses et d'autres. Elle est mariée, elle a des enfants. Lui dire la vérité ? Que mon retard et mon silence n'étaient pas de ma faute ? Que j'étais rentré avec l'intention de l'épouser ? Je me tais, et cela pour une simple raison. De deux choses l'une, comme diraient mes amis talmudistes : ou bien elle est heureuse, et alors pourquoi rouvrir une blessure ancienne ? Ou bien elle ne l'est pas, et dans ce cas pourquoi raviver ses regrets ? Je décide : que mon silence soit mon cadeau pour la choriste admirable et méchante que j'ai si mal connue.

Je ne l'ai plus jamais revue.

Parlons une dernière fois de mon expédition brésilienne qui s'est achevée sur une aventure cocasse. Dans l'avion qui me ramenait à Paris, le hasard a voulu que je sois le voisin de l'insaisissable Assis Chateaubriant.

Dès le début de mon séjour au Brésil, des confrères m'en ont parlé : « Puisque tu fais un reportage dans notre pays, il faut que tu rencontres Assis Chateaubriant. » Pourquoi lui plutôt qu'un autre ? Son nom ne me dit rien, mais on veut bien m'éclairer : « C'est un personnage pittoresque et influent. Propriétaire de plusieurs journaux, de stations de radio, de galeries d'art, intime de ministres et de leurs conseillers, ami et confident de tout ce qui compte dans la bonne société... » Soit, je veux bien faire sa connaissance. Malheureusement lui ne veut pas. J'appelle différentes secrétaires ; impossible de joindre la sienne. Je fais intervenir diplomates et rabbins : peine perdue. Trop occupé, le grand Chateaubriant. Quand il n'est pas en voyage, il est en réunion. Quand il ne prononce pas de discours, il écrit un éditorial. Quand il ne fait rien, cela l'occupe encore plus. Bref, c'est l'éternel absent. Et si, par extraordinaire, il vient à son bureau : « défense de le déranger ».

Or il arrive que le bon Dieu soit d'humeur fantaisiste. A l'aéroport, j'observe un remue-ménage autour d'un petit bonhomme qui ne paie pas de mine : assistants et secrétaires obséquieux l'entourent et lui font la cour jusqu'à l'embarquement. Dans l'avion, le commandant de bord vient le saluer et les hôtesses rivalisent de charme auprès de lui. Poussé par la curiosité, j'en interroge une discrètement : qui donc est mon voisin ? Un ministre, un producteur de cinéma ? « Ah, vous ne le connaissez pas ? Mais c'est Chateaubriant... » Un instant, je reste éberlué. Je vais enfin la réaliser, mon interview ! Et puis non, j'ai une meilleure idée : je vais lui faire payer le temps qu'il m'a fait perdre.

Sachant qu'il parle la langue, je sors un livre français et le feuillette. « Ah, vous êtes français, remarque mon voisin qui semble en veine de conversation.

— Non, dis-je d'un ton sec.

— Seriez-vous algérien ? » Je réponds d'un air froid : « Non.

— Grec ?

— Non plus.

— Mais vous lisez le français ?

— Oui, en effet. »

Me voyant si peu enclin au bavardage, il se tait. Une heure passe. Je sors un journal israélien que j'annote avec concentration. « C'est quoi ? s'enquiert-il.

— De l'hébreu.

— Vous êtes israélien ?

— Non », dis-je sans daigner le regarder.

Une heure passe encore avant qu'il revienne à la charge : « Qu'avez-vous fait au Brésil ? des affaires ?

— Non.

— Du tourisme ?

— Non.

— En mission officielle peut-être ?

— Non plus », dis-je. Et, après un silence, j'ajoute : « Je suis journaliste. »

Il sursaute de joie : « Vraiment ? Alors, nous sommes confrères. Moi aussi, je suis journaliste. » J'ouvre des yeux étonnés : « Ah oui ? Vous êtes journaliste ? Brésilien ? Quel est votre nom ? » Il s'épanouit : « Vous avez sans doute entendu parler de moi. Je m'appelle Assis Chateaubriant... » Je fais semblant de chercher dans ma mémoire : « Chateaubriant, dites-vous ? Comme le grand écrivain ?

— Oui, oui, c'est ça. Avec un t, pas un d. Et pas René. Assis. »

Je l'examine de plus près : « Désolé, monsieur. Votre nom ne m'est malheureusement pas familier. Sans doute est-ce ma faute, mais je ne sais pas qui vous êtes. » La stupéfaction se lit sur son visage : « Ce n'est pas possible, je ne peux pas le croire. » Mais j'insiste : « Navré de vous décevoir, et surtout de vous attrister comme ça... Pourtant, j'ai vu pas mal de personnalités importantes à Rio et à São Paulo. Des sénateurs, des industriels et des hauts fonctionnaires. J'ai visité les rédactions des grands quotidiens... »

Il est au bord de l'effondrement : « Et personne ne vous a parlé de moi ? Personne ? » J'enfonce le clou : « Non, personne. » Il ferme les yeux, les rouvre, marmonne en portugais une phrase que je ne comprends pas. Son monde vient de s'écrouler. Ou du moins quelques-unes de ses certitudes. Silencieux pendant plusieurs heures, il semble ruminer sa déconvenue. Moi, j'essaie de dormir ; lui non. Je l'entends qui parle à l'hôtesse de l'air ; il me désigne du doigt. Elle essaie de le réconforter en lui proposant à boire, à manger. Il refuse tout.

Avant l'escale de Madrid, je prends pitié de lui et lui avoue la vérité. Le changement en lui est instantané. Donc, il n'est pas un inconnu dans son pays. Donc, les gens parlent de lui. Donc, il n'a pas travaillé en vain. « Merci, s'écrie-t-il en me serrant le bras. Merci de m'avoir fait marcher. Merci de la leçon. Jamais je ne l'oublierai. Désormais, quel que soit le journaliste étranger qui demande à me voir, je le recevrai. » Entre Madrid et Paris, il me propose de travailler pour l'un de ses journaux. Je lui promets de réfléchir.

Peut-être aurais-je dû accepter. Si je me mariais avec Hanna, comme je l'envisageais alors, mon maigre salaire de *Yedioth Ahronoth* ne suffirait même pas pour notre repas de noces.

D'autant qu'en cette année 1954 Paris est devenu ou redevenu un centre nerveux pour la presse internationale. Charismatique, populaire, plein d'allant et d'imagination, Pierre Mendès France intrigue le public — donc les journaux — de tous les pays du monde. Or Israël, que je sache, fait partie du monde.

PARIS

Pierre Mendès France : nom magique, légendaire, suscitant l'enthousiasme autant que la haine. Trop intellectuel pour assumer la charge de président du Conseil ? Trop intègre peut-être. D'une honnêteté extrême, obsessionnelle, déterminé à tenir ses engagements éthiques autant que politiques, il s'impose par sa vision du monde et sa philosophie de la justice sociale. François Mauriac m'en parlera souvent : il l'admire et l'aime comme il aimera et admirera de Gaulle. Parce que, chacun à leur tour, ils sauront mettre un terme à la violence sanglante et absurde des guerres d'Indochine et d'Algérie ? Parce que tous deux auront fait prévaloir leur conception du destin des hommes ?

A Tel-Aviv, on s'intéresse soudain aux nouvelles de l'étranger, et particulièrement de France. La guerre d'Indochine est entrée dans sa phase ultime : Diên Biên Phu pèse de tout son poids sur la conscience des peuples et la politique internationale. Implications et répercussions géopolitiques et stratégiques : que fera la Chine ? Et l'URSS ? Ambiance surchauffée, débats houleux à l'Assemblée nationale. Le pouvoir est à prendre. Mendès France est candidat. Hurlements des antisémites : « Quoi ? Encore un Juif ? » Dans les années trente, ils criaient : « Plutôt Hitler que Blum. » Et maintenant ? Plutôt Hô Chi Minh que Mendès France ? Non, ils ne vont pas jusque-là. Mais leur haine à l'égard du nouveau président du Conseil qui se veut homme de paix, on la perçoit dans leurs insultes, elle éclabousse toute la classe politique.

Je travaille beaucoup, je suis heureux, occupé, préoccupé, sollicité à plein temps. J'ai trouvé ma vraie vocation. Je peux enfin sortir du domaine exclusif des problèmes juifs ou israéliens. Je cours d'une conférence de presse au Quai d'Orsay à une réunion de groupe au palais Bourbon. Je peux me passer de déjeuners, mais pas de journaux : j'avale les quotidiens, j'épluche les hebdoma-

311

daires. Merci, Mendès France. Dov, mon patron et ami, me demande de l'interviewer. Naturellement j'obéis. Naturellement ma demande reste sans réponse. Naturellement Dov ne renonce pas à son idée : il m'enjoint dans ses câbles quotidiens de ne pas me résigner non plus : « Tu verras, tes efforts seront couronnés de succès. » Soit. Que ne ferais-je pas pour nos fidèles lecteurs ? J'appelle, j'assiège le service de presse de Matignon, je multiplie les demandes écrites. Toujours rien ? Toujours rien. « N'abandonne pas », me dit Dov. Il y tient, lui, à son interview exclusive. Et moi aussi. Malheureusement, Mendès France y tient moins. En désespoir de cause, je lui écris une lettre enfantine, pathétiquement naïve : « Si vous ne m'accordez pas un entretien, monsieur le président, de deux choses l'une : ou bien mon journal — qui dépense des fortunes en câbles pour me le réclamer — fera faillite, et je serai réduit au chômage, ou bien je serai renvoyé. Et vous en porterez la responsabilité... » Ne se laissant pas culpabiliser, il me répond par un petit mot écrit en hâte et à la main : pas d'interview, mais si l'un des deux malheurs devait me frapper, que je ne m'inquiète pas : il se chargera lui-même de me procurer un emploi. La réaction de Dov : « Tu vois ? Maintenant tu es en relation directe (il n'a pas dit : intime) avec lui ; tu n'as qu'à persévérer. » Heureusement que Mendès France ne restera pas longtemps au pouvoir, sinon *Yedioth* aurait vraiment fait faillite.

Là-dessus réapparaît notre ami farfelu, le médiateur d'envergure, le compagnon secret de Staline et de Mao Tsé-toung. « J'arrive de Genève », m'annonce-t-il de sa voix flegmatique. Je sais qu'il veut que je lui demande : « Qu'est-ce que tu y faisais ? » Bon, je lui fais ce plaisir. Il répond : « Oh, rien. » Maintenant il veut sûrement que je feigne l'incrédulité et je m'exécute : s'il n'avait rien à y faire, il aurait pu rester à Paris, non ? D'ailleurs, je connais ses riens. « Puisque tu insistes... J'ai dû arranger quelque chose pour, heu, pour Pierre. » Pierre ? Un clignotant rouge s'allume dans mon cerveau. Je sais bien que les Pierre ne manquent pas en France, et même hors de France, mais comment savoir avec Givon ? Je connais son jeu maintenant, il veut que je poursuive mon interrogatoire. Bon, qu'il soit heureux : « Pierre qui ? » Il me lance un regard stupéfait, comme si un idiot lui demandait si Paris n'était pas par hasard la capitale du Togo ! « Mais... Mendès France. » Et il ajoute : « Naturellement ! » Malgré mes efforts, je ne réussis pas à dissimuler ma surprise : « Quoi, tu le connais ? »

De nouveau, il me gratifie de son regard réprobateur, comme s'il disait : « Qui d'autre le connaîtrait sinon moi ! » Il continue à se parler à lui-même : « D'ailleurs, je dois le voir demain, non, après-demain. » Là, je ne maîtrise plus mon imagination : je me vois déjà avec lui dans le bureau du président du Conseil, j'entends mes questions évidemment pertinentes, je note ses réponses confidentielles qui, le lendemain, feront les manchettes de *Yedioth Ahronoth* et de tous les journaux du globe. Mais mon optimisme se refroidit : je m'ordonne le calme ; pourquoi Joseph Givon me permettrait-il de l'accompagner ? Qui suis-je pour lui ? Ne l'ai-je pas déçu en refusant d'aller à Prague ? Cependant, il continue de monologuer : « Au fond, si ça te dit, je pourrais peut-être t'emmener...

— Tu es sérieux ? Je te donnerai n'importe quoi, si tu... »

Son regard bleu clair pénètre le mien : « Ne me donne rien, je n'ai besoin de rien. »

Il est fâché, mon héros, mon sauveur, et aussitôt, sentant ma chance s'éloigner, je me reproche de l'avoir insulté en essayant de l'acheter. Mais il décide de me restituer le bonheur : « J'aime rendre service, dit-il. Tu m'accompagneras chez Pierre. » Et, sans me laisser reprendre mes esprits, il précise : « Je t'appelle demain matin. Je te communiquerai le signal d'attaque. » De quelle opération militaire s'agit-il ? Une petite voix en moi chuchote : Ah, ça recommence ! Je la fais taire très vite, de peur que Joseph ne l'entende. Je vais plutôt lui montrer ma gratitude. Mais, avant même que je puisse le remercier avec l'effusion appropriée, il me tend sa main invalide (je n'ai jamais su pourquoi il me tendait parfois la droite et d'autres fois la gauche), me dit au revoir et s'en va en clopinant. Je me secoue : il m'appelle demain — quand ? Je m'élance à sa poursuite, je lui pose la question. « Tu verras bien », répondit-il, mécontent. « Mais quand ? Le matin ? Le soir ? » Maintenant il est vraiment vexé. Vite, je me ressaisis. J'attendrai toute la matinée, toute la journée, s'il le faut. Dois-je préciser que je n'ai pas fermé l'œil de la nuit ?

Il a tenu parole, Joseph Givon. Est-il un menteur avide de crédulité comme l'aventurier l'est d'admiration ? Mon carnet me rappelle qu'il m'a téléphoné à 11 h 38. « Tiens-toi prêt pour une communication urgente. » Il continue donc à raffoler de ces simagrées, à jouer au conspirateur. Je demande en baissant la voix : « Quand ? » Dans une heure. Et, là encore, il tient parole.

Nouveau coup de téléphone : « Je suis passé chez Pierre ce matin ; nous avons pris le petit déjeuner en tête à tête. » Autrement dit, le rendez-vous a déjà eu lieu ! Sans moi ! J'ai du mal à ravaler mon amertume, mais Givon continue : « Il fallait que je lui parle de toi. Je ne pouvais tout de même pas t'amener chez lui sans le prévenir, non ? » Ah bon ! L'affaire n'est pas tombée à l'eau ? Pas du tout. Le rendez-vous tient toujours. « Pierre m'a dit qu'il serait heureux de faire ta connaissance. Je lui ai même traduit quelques-uns de tes articles ; celui qui raconte son investiture l'a ému. » Je le verrai donc demain ? « Absolument. » Un silence dramatique, puis : « Je t'appelle ce soir, tu seras là ? » Qu'est-ce qu'il imagine ? Je reviendrais de l'enfer et même du paradis pour prendre son appel. « Ce soir — quand ? » Il a raccroché. Mais... mon papier pour *Yedioth* ? Tant pis, le journal attendra, le lecteur attendra, le monde entier attendra. L'appel de Givon prime tout. Un homme qui a connu les maîtres du Kremlin et de Pékin, qui a visité Mordehaï Oren en prison, qui a été vu par un photographe au milieu d'un tas de maréchaux soviétiques, mérite que l'on sacrifie un article, dix articles sur l'autel de son bon plaisir. Je ne bouge pas de chez moi. Leneman se sert du téléphone, cela m'énerve ; on l'appelle, c'est agaçant. Comment faire pour libérer la ligne ? Lui dire la vérité ? Givon ne me le pardonnerait pas. J'invente une liaison : une amie belle et gracieuse... je l'aime... elle m'a promis de me rencontrer demain... Si je ratais son coup de fil, ce serait une catastrophe... Leneman sourit, sa femme aussi. Ils se renseignent : cette fille, qui est-ce ? Où ai-je fait sa connaissance ? Ils ne vont pas jusqu'à me demander si elle est juive, mais je me sens rougir. « La timidité vous va bien », dit Mme Leneman. Mais pas l'impatience. Je me ronge les ongles, mon cerveau est en feu. Pour changer de sujet, je fais parler Leneman de ses expériences en URSS pendant la guerre. Intarissable, il entraîne mon imagination loin d'ici, loin de Givon et de ses mystérieux exploits. Les « échelons », les « étapes », l'interminable marche vers les profondeurs de la Russie sibérienne. Les sévices, les souffrances. Puis la folie antisémite de Staline. Leneman est le premier à avoir parlé de la tragédie juive en Union soviétique. En vérité, dans mon for intérieur, je l'écoute avec quelque scepticisme. Des camps de travail là-bas ? Les tribunaux aux ordres du NKVD, des exécutions sommaires ? C'est du Victor Kravchenko en yiddish. Impossible, impensable. Pourtant, Leneman s'exprime en témoin. Originaire de Varsovie, réfugié pendant la guerre à Moscou, où il représentait l'Agence télégraphique juive, il a connu Shlomo Mikhoels, le grand metteur en scène dont l'assassinat en 1949 à Minsk donna le signal d'alarme. Les romanciers juifs tués sur l'ordre de Staline — Peretz Markish, Dovid Bergelson, Der Nister — il les a fréquentés à Moscou. Staline souffrait d'un antisémitisme fanatique, maladif, dit Leneman. Moi, je ne parviens pas encore à vraiment y croire. Malgré tout ce que je sais déjà — l'affaire des blouses blanches, la campagne antisioniste et anticosmopolite qui se poursuit à travers le monde communiste — je n'arrive pas à me faire à l'idée que tant d'intellectuels aient pu rester pendant si longtemps fidèles, dans l'adoration sinon dans l'idolâtrie, à un raciste viscéral. Certes, il y a eu le pacte infâme Ribbentrop-Molotov. Mais comment oublier l'héroïsme et les sacrifices de l'Armée rouge et des partisans soviétiques, les malheurs de tout un peuple ? Je ne discute pas, je questionne et m'interroge. Pour meubler le temps. Pour penser à autre chose qu'à Mendès France. Mme Leneman se retire ; il est presque onze heures. Leneman n'est pas fatigué, il propose de me tenir compagnie. A minuit, il se lève. Je regagne ma chambre. Je m'étends sur mon lit tout habillé. Lire ? Impossible de me concentrer. Je n'ai jamais attendu un appel avec autant de fébrilité, même quand je croyais être amoureux. Le téléphone sonnera-t-il ? Je décroche pour voir si l'appareil n'est pas cassé, si la ligne n'est pas en dérangement. Tout va bien. Tout, sauf moi. Joseph, Joseph, tu vas me rendre fou. Certes, Givon adore se faire désirer. Mais, bon Dieu, jusqu'à quand ? Il est déjà deux heures. Je ne dormirai donc pas cette nuit ? Bah, l'important c'est de rencontrer Mendès France, de le voir. Le verrai-je ? Oui. Non. Ce sacré téléphone va-t-il enfin rompre son silence ? Je lui parle, je le harcèle, et je crie victoire. Mon excitation réveille la maison : « Alors, Joseph ? » Givon, imperturbable, attend un moment interminable avant de répondre : « Je passe te chercher demain à midi pile. » Je n'ai même pas le temps de dire ouf ; il a déjà raccroché. Téléphoner à Dov ? Une toute petite voix me conseille la prudence. Avec Givon, on ne sait jamais. Demain peut signifier la semaine prochaine ou l'an prochain. Il faut vraiment que je dorme : si la rencontre a lieu, j'aurai besoin d'être en forme. Seulement, comment faire pour dormir ? J'ai envie de parler à quelqu'un. Qui réveiller à cette heure de la nuit ? Je descends au café du coin qui est encore ouvert. Debout, j'avale un café crème brûlant. Un clochard sirote son vin

315

en bougonnant. Une femme accroche sur moi son regard lourd et insistant. Je souris à Givon en lui souriant. Elle me rend le sourire. Le patron, qui sourit à tout le monde et à personne en particulier, m'examine, incrédule : il me taquine souvent, me trouvant trop sage, trop puritain. Et me voilà qui... Comment lui expliquer que j'ai rendez-vous avec Givon qui, lui, a rendez-vous avec... Entre-temps, la femme s'approche du comptoir : « Alors, mon petit ? Ça ne va pas ? Tu souffres ? » Je lui réponds qu'elle se trompe, je n'ai aucune raison de souffrir ; au contraire, tout va bien, très bien, merveilleusement bien. « Ah, ça alors ! s'écrie-t-elle. Donc, tu es heureux ? ! » Je lui dis que oui, je suis heureux. « Raconte-moi comment tu fais. » Le patron intervient : « Laisse-le tranquille. Tu vois bien qu'il n'est pas ici pour ça. » Elle n'est pas d'accord. Elle veut au moins essayer. Moi, je n'y vois aucun mal. Qu'elle essaie. Cela fera passer le temps. Je commande un second café crème, en offre un à ma voisine, et nous bavardons. De quoi ? De choses et d'autres. De la vie, quoi. Le clochard se mêle à la conversation : la vie, il connaît. Du coup, le patron a aussi son mot à dire. Nous philosophons ainsi jusqu'à l'aube. La gorge sèche, je remonte chez moi. Je me sens léger. En paix avec le monde. Mme Leneman, levée plus tôt que d'habitude, frappe à ma porte et m'invite à prendre le petit déjeuner. « Alors, ça s'est bien passé ? » s'enquiert-elle. Je la regarde sans comprendre : de quoi veut-elle parler ? « Votre amie si belle... » Ah oui, je l'avais complètement oubliée celle-là. « Merci de votre intérêt. Elle est toujours très belle, et je l'aime de tout mon cœur, mais nous avons décidé de ne plus nous revoir. » Qu'elle est malheureuse, la bonne Mme Leneman. Elle a de la peine pour moi, c'est clair. Je la console de mon mieux : « Ne vous en faites pas pour nous, Mme Leneman. Ce n'est qu'une querelle d'amoureux. » Son visage s'épanouit : « Ah bon, c'est comme ça ? Je suis contente. » Moi aussi.

D'autant que mon impossible ami tient parole. A midi, un taxi m'attend. « On y va », dit Givon, comme si le chauffeur connais-sait le chemin depuis son enfance. La voiture démarre. Silence. Je n'ose rien dire. Givon est un grand amateur de silences, je dirais presque de silences religieux. Un mystique, lui ? L'air recueilli, il semble présent et pourtant lointain, comme écoutant des voix que lui seul serait digne de capter. Et moi, je meurs de curiosité. Verrons-nous Mendès France ? Nous roulons sur les Grands Boulevards. Bon signe : c'est le chemin de l'Assemblée nationale.

Place de la Concorde : magnifique. Mon cœur fait un bond en avant. Mais pourquoi prenons-nous les Champs-Élysées ? Inquiet, je me dis : il n'y a pas lieu de m'inquiéter ; sans doute allons-nous à l'hôtel Matignon. Mais ce n'est pas la bonne direction ! Où diable m'emmène-t-on ? Et mon tortionnaire qui se tait toujours. Nous quittons la grande artère, longeons les quais de la Seine, traversons quelques carrefours, nous engageons dans la rue du Conseiller-Collignon et... Le taxi s'arrête brusquement devant un immeuble élégant et austère. En faction devant l'entrée, un agent reconnaît Givon et le salue d'un signe amical. Pendant que nous attendons l'ascenseur, Givon se décide enfin à parler : « J'ai pensé qu'il valait mieux le rencontrer chez lui, en privé. A Matignon, il y a trop de monde. » Oui, j'ai bien entendu : « J'ai pensé... » C'est donc lui, et non pas le président du Conseil, qui a décidé du lieu de l'entretien. Mendès France n'a qu'à obéir ! Je ne me suis pas encore remis de ma stupeur que Givon enchaîne : « J'ai demandé qu'on déjeune ensemble. C'est mieux. Et plus intime. » Nous voilà devant la porte. Givon sonne. Une soubrette reconnaît, elle aussi, mon ami faiseur de miracles. Elle nous introduit dans le salon où Givon se sent manifestement chez lui. La jeune femme est heureuse de le revoir : « Je vais prévenir Madame que vous êtes arrivés. » Un instant plus tard apparaît Lily Mendès France, élégante, douce et distinguée. « Je vous ai fait attendre, j'en suis désolée », dit-elle en embrassant Givon sur les deux joues. Je rêve, me dis-je. Dans mon rêve, je me vois dans l'appartement du célèbre président du Conseil. Je serre la main de son épouse. Nous allons déjeuner ensemble. Autour de la même table. Lui et nous, lui et moi. Ne t'enflamme pas trop, me dis-je, le mirage va se dissiper et c'est la voix de Dov qui te réveillera : « Alors ? Où en sommes-nous avec l'interview ? » Pour l'instant, le rêve continue et je suis en extase comme rarement je l'ai été dans ma carrière de journaliste. « Mon mari va arriver dans un moment », nous annonce notre hôtesse avec une amabilité si chaleureuse que je pourrais tomber amoureux d'elle sur-le-champ. Mais, j'ai honte de l'avouer, ce n'est pas elle qui m'intéresse, c'est son mari. Pourvu qu'il n'ait aucun contretemps, que son gouvernement ne soit pas renversé : un vote maléfique est toujours possible. « Que puis-je vous offrir en attendant ? » Rien, je n'ai pas envie d'apéritif. Givon oui. Nous prenons place sur des sièges confortables. Je n'arrête pas de bouger. Deux adolescents se joignent à nous, notre hôtesse les contemple avec fierté : ses fils. Givon leur parle en camarade. La vie au lycée. Les problèmes. Trop de mathématiques ou pas assez. Trop d'histoire ancienne, pas assez de littérature moderne. Je hoche la tête : ils ont tous raison. (Je rencontrerai l'aîné en 1993 à l'université de Bordeaux où il enseigne les mathématiques ; il m'avouera n'avoir aucun souvenir de ma visite chez ses parents.) Ambiance détendue, intime, interrompue par la sonnerie du téléphone. Mme Mendès France sort. Mon cœur bat à se rompre : bonnes nouvelles ou mauvaises ? Mauvaises. « Mon mari vous demande de l'excuser : il est retenu à l'Assemblée nationale. » Fini, le rêve. Remis aux calendes messianiques, l'entretien tant attendu. Je sens mon estomac chavirer, mais je réussis à dissimuler ma déception. Tant pis, je raconterai comment j'ai failli voir Mendès France : une sorte d'interview *in absentia*. Et, pourquoi pas, je raconterai le déjeuner chez lui.

L'article m'a valu des compliments peu mérités de la part de la rédaction — et cette remarque de Dov : « Puisque tu es un ami de la famille, pourquoi renoncer maintenant ? » Soit, je ne renonce pas. Et si je me servais une nouvelle fois de Givon qui, lui, est vraiment un ami de la famille ? Malheureusement, il doit quitter Paris. L'actualité internationale le réclame ailleurs. L'Histoire aussi. Hô Chi Minh ? Giap ? Khrouchtchev ? Je déverse sur lui une avalanche de questions qui lui font hausser les épaules : « Désolé, mais... » Cela ne fait rien, je comprends : zone interdite, défense absolue d'y pénétrer. Une affaire d'espionnage, sans doute. Croire ou ne pas croire ? Ne m'a-t-il pas conduit jusque chez les Mendès France ? S'il connaît le président du Conseil, il peut très bien fréquenter d'autres grands de ce monde, pas vrai ? Le fait est qu'il disparaît de Paris.

Il réapparaît à Orly où l'ambassadeur d'Israël et son entourage sont venus accueillir le général Moshe Dayan en visite officielle à Paris. Alors que nous sommes priés de rester dans un salon spécial, voilà que Givon, de son pas traînant, avance sur la piste et serre la main de l'illustre visiteur qui descend la passerelle... Qui lui en a donné l'autorisation ? J'interroge l'ambassadeur, il est aussi perplexe que moi, et ses conseillers n'en savent pas plus que lui.

Je reverrai Givon en 1955 à Genève, lors de la conférence au sommet qui réunit les maréchaux soviétiques Joukov et Boulganine (couverts de médailles), Anthony Eden (plus élégant que ses pairs), Edgar Faure (le plus intellectuel du groupe) et Eisenhower (sorte de parrain sinon de père de la réunion). Moi, c'est Joukov qui m'intéresse : n'est-il pas le vainqueur de Hitler, le conquérant de Berlin ? Si seulement je pouvais l'approcher, je lui demanderais de me confirmer les confidences de Givon sur leur amitié.

Givon intriguera la presse en accompagnant partout le chef des services de renseignements de l'Allemagne de l'Est. Désormais, nos contacts se feront exclusivement par courrier : cartes et lettres de Varsovie, de Pékin, de Prague et de Moscou où il deviendra producteur de cinéma. C'est également à Moscou qu'il se mariera avec la fille de l'un des médecins assassinés sur l'ordre de Staline lors du procès des blouses blanches. « Je ne reviendrai plus à l'Ouest, m'écrira-t-il. Il est trop tard pour revenir en arrière. » Les *Izvestia* (ou la *Pravda* ?) publieront un article pour dénoncer ses activités « de contrebande » : arrêté comme trafiquant, il sera condamné à dix ans de prison. « Je suis innocent, me confiera-t-il dans une lettre pathétique. La vérité finira par triompher. » La vérité ? Sous la plume de Givon, elle paraît tremblotante. Mais elle triomphera malgré tout. Libéré — « grâce à l'intervention de plusieurs ambassadeurs occidentaux » — il recevra les excuses du tribunal. Dégoûté du système soviétique, il retournera à Prague, refera surface à Paris (où il logera dans mon ancienne chambre, chez Leneman) avant d'aller s'installer définitivement en Israël. Il y mourra d'une crise cardiaque.

Les journaux et revues de Tel-Aviv lui consacreront de nombreux articles, insistant sur le côté pittoresque, rocambolesque et manipulateur du personnage. Haïm Gouri publiera un livre de souvenirs sous le titre *Qui connaît Joseph G. ?* Incrédule, fasciné mais amusé, le public tentera d'éclaircir le mystère qui l'entourait. Comment distinguer chez lui la vérité du fantasme, étant admis qu'il ne pouvait pas tout inventer ?

Souvent, je songe à lui avec affection. Grâce à lui, j'ai presque vécu quelques-unes de ses aventures. Réelles ou imaginaires ? Qu'importe. Les aventuriers ne disent pas toujours la vérité : ils l'inventent d'abord. D'ailleurs, n'ai-je pas déjeuné avec les Mendès France ?

Paris, en ces années-là, fourmillait de personnages bizarres : des vrais vagabonds et des faux guerriers, des trafiquants de devises, des princes déchus, des fous de sainteté et de débauche, des hommes aux dix métiers et sans métier. En écoutant leurs souvenirs vécus ou inventés, je cueillais des histoires pour des romans à venir.

Comme la plupart de mes confrères étrangers en quête d'excitation et de souvenirs exotiques, je passais pas mal de temps au Quartier latin (à la recherche de l'existentialisme perdu) et à Montparnasse (espérant y rencontrer quelques peintres affamés et maudits). Assis à la terrasse de La Coupole, je griffonnais idées et impressions. Comment dénicher un Soutine, un Modigliani ou même un nouveau Chagall ? Bah, je me contentais d'un sous-Picasso par-ci, d'un pseudo-Braque par-là. Certains avaient du talent et manquaient de chance ; d'autres, au contraire, pouvaient se vanter que la chance leur sourît, mais c'est le talent qui leur faisait défaut.

J'aimais me promener avec Avigdor Arikha, mon ami et peintre préféré. Né en Roumanie, il avait vécu le temps des ghettos et des camps en Transdniestrie. Souvent il m'accompagnait, autour de minuit, à Radio-France d'où j'envoyais mes dépêches. Je m'efforçais de le faire parler de Moguilev : on ne connaissait pas assez l'histoire de ce ghetto devenu lieu de massacre. Grand artiste (dessins raffinés, toiles abstraites, portraits d'un classicisme étonnant), il évolua de l'abstraction vers un impressionnisme d'une rare originalité. Il débordait de talent, d'érudition ésotérique, de connaissances philosophiques, d'imagination poétique et artistique : ami intime et confident de Samuel Beckett, tout l'intéressait, philosophie et littérature, science et histoire. A la fois naïf et arrogant, doux et inflexible, voire irascible, il était capable de s'exciter et même de s'emporter pour un rien ; il suffisait de ne pas être d'accord avec ce qu'il disait. Je l'enviais d'avoir pris part à la guerre d'indépendance en 1948 : il était arrivé en Palestine grâce à l'Aliya des jeunes. Naturellement, nous discutions souvent de la situation en Israël. Il aurait aimé pouvoir réécrire l'histoire et vivre dans un royaume juif. Il s'y voyait « prince de Jérusalem ». Magnanime, il me couronnait, moi, « prince de Galilée ».

S'il existait un « prince de Lituanie », c'était bien Izis, ce photographe de qualité exceptionnelle, inspiré, intime de Prévert et de Malraux. Nicolas, mon camarade poète d'Ambloy et de Versailles, l'avait aidé à composer les textes pour son album sur

Israël, un véritable chef-d'œuvre. Avec moi, il parlait yiddish. Il arborait un sourire yiddish.

Je fréquentais aussi Mané Katz, le vieil ami de Yehuda Mozes qui m'avait prié de le rencontrer. Petit, pétillant, d'une agilité étonnante pour son âge, il sautillait en marchant, en parlant. Il aimait raconter des anecdotes (vraies ou fausses) sur sa vague ressemblance avec Ben Gourion. Une femme se serait éprise de lui parce qu'elle le confondait avec le Premier ministre israélien. Un espion lui aurait proposé des secrets militaires arabes contre un certificat de bonne conduite adressée... au bon Dieu qui, comme chacun sait, habite quelque part à Jérusalem. Un voleur lui aurait offert une importante somme d'argent pour les caisses de l'État juif. « Dès que je révèle ma véritable identité, on me tourne le dos », ajoutait-il en s'esclaffant.

Son appartement, où il m'invitait assez fréquemment, ressemblait à un magasin d'antiquités juives. Objets rituels et livres anciens traînaient, dans un désordre indescriptible, par terre, sur le lit, et même en dessous. Pour avancer, il fallait être acrobate. Comment fait-il pour dormir, pour vivre, pour peindre ? me demandais-je. Mais il se débrouillait. Il avait toujours, cachée sous sa couverture, une bouteille de whisky ou de vodka que nous buvions dans des tasses tout en bavardant. Il me parlait de son enfance à Krementchoug, de son adolescence nomade, de ses premières années à Paris où il était lié aux plus grands noms du monde de l'art. Jaloux de Picasso, et surtout de Chagall, il connaissait d'innombrables anecdotes sur la vie amoureuse du premier et les intrigues du second pour faire carrière. Et moi j'écoutais.

Un jour où son humeur était encore meilleure que d'ordinaire, il me dit : « J'ai envie de te faire un cadeau. » Voyant ma surprise, il m'expliqua : « Je suis seul au monde, je n'ai pratiquement pas d'héritier. Mes toiles tomberont entre les mains des chacals. Alors pourquoi ne pas t'en offrir quelques-unes ? » Sans attendre ma réponse, il me les montra, et je ne sais ce qui me toucha le plus de sa générosité ou de l'atmosphère dans laquelle baignait son œuvre . ainsi ces vieux hassidim avec leurs jeunes disciples, habités par des mélodies dont ma mémoire reste pleine ; ou ces musiciens recueillis auprès d'instruments plus grands qu'eux. La chaleur qui se dégageait de ses tableaux, j'en avais besoin en ce temps-là. Elle me ramenait à un monde que l'histoire avait englouti. « Eh bien, dit Mané Katz, tu ne réponds pas ? Mon cadeau vaudra un jour des millions, et tu ne dis même pas merci ? » Il riait, alors que moi, sous le coup de l'émotion, j'avais envie de me cacher. « Merci, mille fois merci, finis-je par balbutier, mais... » Mais quoi ? voulut-il savoir. « Votre superbe cadeau, je ne peux pas l'accepter. » Pour la première fois, je le vis interloqué : « Tu es fou, ou quoi ? Je t'offre des trésors, et tu les refuses ? Serait-ce parce que tu n'aimes pas ma peinture ? Si Chagall ou Picasso t'offraient leurs toiles, les enverrais-tu promener eux aussi ? » Il trépignait de colère. Je lui dis : « J'aime votre peinture ; vraiment, je l'aime. Il ne s'agit pas de cela. Il s'agit du fait que, en tant que journaliste, je n'ai pas le droit d'accepter des cadeaux. C'est une question d'éthique, d'éthique professionnelle. » Il explosa d'indignation : « Cela n'a rien à voir. » Je lui répondis : « Si. » Il cria non, je répétai si. Finalement, il s'assit sur son lit haut perché, genoux repliés, et m'indiqua un tabouret : « Soit. Parle. Explique-moi ton éthique », m'ordonna-t-il sur un ton inhabituellement ironique. Je me fis prier, mais dus céder. Citant sources anciennes et références qui n'avaient rien à voir, puisées dans l'Écriture aussi bien que dans ma fantaisie, je parlai vite, pendant une heure ou deux, peut-être jusqu'à l'aube. Le devoir d'objectivité, les pièges de la complaisance. Le reporter est à la fois témoin et juge. Or un juge qui accepte des cadeaux, la Bible le traite de tous les noms. L'ai-je convaincu ? Je n'en sais rien. Je sais seulement que je ne lui ai pas dit la vérité. La véritable raison de mon refus, la voici : j'étais trop pauvre pour posséder des œuvres d'une telle valeur. Et puis, ses tableaux, je n'aurais pas su où les mettre. Vagabond par goût et par profession, déraciné, je ne possédais qu'une machine à écrire et une valise. On ne met tout de même pas des œuvres d'art dans une valise !

Il est un autre « cadeau » que je n'accepterai pas, et je m'en mords encore les doigts aujourd'hui.

Le poète yiddish Avraham Sutzkever et mon confrère Léon Leneman, amis proches de Marc Chagall, me transmettent un message de sa part : il semble penser beaucoup de bien de ma *Célébration hassidique* et désire que nous sortions ensemble un livre sur les grands Maîtres et leurs disciples ; il se charge de l'illustrer.

Pourquoi ai-je hésité, temporisé, remettant sans cesse ma réponse à une prochaine rencontre ? Pourquoi ai-je laissé échapper ce projet qui m'aurait permis de rencontrer l'un des plus grands peintres de ce siècle ?

Pourquoi, me demandez-vous ? Parce que j'étais stupide.

D'autres peintres, moins célèbres, m'offrirent dessins, gouaches et toiles et, j'ai honte de l'avouer, je ne sais plus ce que j'en ai fait. J'ai dû les laisser quelque part, dans un hôtel, dans une boîte abandonnée à une consigne, ou chez des amis. Les récupérerai-je un jour ? Tenez, mon manuscrit sur l'ascétisme, c'est ma sœur Hilda qui l'a gardé pendant une trentaine d'années alors que je le cherchais dans tous les tiroirs secrets de ma mémoire.

Un autre cadeau que j'ai eu l'honneur et la chance de refuser : une paire de souliers... Un soir, assistant à une réunion sioniste, je suis abordé par un homme élégant et apparemment cultivé. Il parle un français hésitant mais un yiddish parfait. Il vient de ma région, me dit-il. Si l'on prenait un café ensemble ? Nous allons nous asseoir à une terrasse de café. Ce qu'il raconte est intéressant. Il se souvient de Sighet, qu'il a traversé pendant la guerre. Mobilisé dans le Munkaszolgàlat (le bataillon de travailleurs juifs), il a suivi l'armée hongroise en Pologne et jusqu'en Ukraine. Et maintenant ? Il s'occupe d'affaires internationales. Import-export, mot magique. Il vend, achète et gagne si bien sa vie qu'il ne sait pas comment dépenser son argent. « Tenez, me dit-il, j'ai une paire de souliers tout neufs, et chers ; ils sont trop petits pour moi ; ça me plairait beaucoup si vous acceptiez de les mettre. » Je réponds : « Pas question. » Il insiste. Je dis : « Rien à faire. » Des chaussures, j'en ai. En parfait état, de surcroît (je ne suis plus étudiant). Mais il persiste, le bonhomme. On dirait que son bonheur et son avenir sont en jeu. Alors, je me rabats sur mon argument choc : déontologie, obligations et interdits professionnels. En yiddish, cela sonne moins convaincant qu'en français, mais je suis capable de m'obstiner quand il le faut. Je ne me rappelle plus comment nous nous sommes quittés mais je sais que, sur sa demande, je lui ai remis ma carte de visite : « Appelez-moi donc lors de votre prochain passage à Paris. » Et ses souliers, ce n'est pas moi qui les ai emportés.

Quelques semaines plus tard, je suis convoqué Quai des Orfèvres. Je panique : qu'est-ce que la police judiciaire pourrait bien me vouloir ? J'y vais le cœur agité ; Kafka a raison : on peut se sentir coupable tout en ignorant de quoi l'on est accusé. Vais-je être inculpé, refoulé ? Pour quels délits ?

Le commissaire chargé de mon dossier ressemble à tous les enquêteurs-inquisiteurs des films policiers : visage impassible, ton coupant, regard perçant. Il réclame mes pièces d'identité ; je lui tends ma carte de presse. « Citoyen de... ? » Apatride. « Ah bon... » En silence, la tête penchée, il étudie des documents étalés devant lui : je paierais cher pour en connaître le contenu. « Parlez-moi donc de Vargas », finit-il par me lancer en m'observant de biais, comme pour voir si je tombe dans le piège. Vargas ? Qui est Vargas ? Connais pas. Jamais rencontré. « Vous êtes sûr ? » La voix s'est faite plus nuancée, menaçante. « Vous maintenez que vous ne connaissez pas Vargas ? » Mon cerveau travaille comme au bord du gouffre : si je réponds mal, je suis perdu. Mais que faire, je ne connais pas de Vargas. Si, correction : le président brésilien s'appelle Vargas. Je le dis au commissaire. Pense-t-il que je me moque de lui et de l'autorité qu'il représente ? « Ça va, dit-il. Laissons Vargas. Parlez-moi de Jacques Rubinstein. » Quel Rubinstein ? Le tailleur de la rue Vieille-du-Temple ? Son prénom n'est pas Jacques, mais Boris. L'étudiant en médecine qui vient de perdre son père ? Il s'appelle Albert. Le commissaire a du mal à cacher son mécontentement. « Soit, dit-il. Oublions Jacques Rubinstein. Parlons un peu de Zéligman. Kurt Zéligman. Ne me dites pas que vous ne le connaissez pas, lui non plus... » Par malheur, je dois lui avouer que, en effet, je ne le connais pas plus que Vargas et Rubinstein... Ai-je employé le terme « avouer » ? Comment peut-on être aussi bête ? Mais qu'est-ce qu'il me veut, ce commissaire antisémite ? La tension en moi est telle que je vais finir par prendre sur moi tous les crimes dont parlent les journaux à sensation. Pourquoi le commissaire me dévisage-t-il comme ça ? Ai-je vraiment l'air d'un coupable ? Sans me quitter des yeux, il ouvre un nouveau dossier et le pousse vers moi : « Alors ? demande-t-il d'un ton ironique. Un inconnu, lui aussi ? » Je bondis : « Mais c'est... » Le commissaire pousse un cri : « C'est qui ? » Je réponds : « Mais c'est l'homme aux souliers... » Et je lui raconte toute l'histoire. Les souliers. Le cadeau refusé. « Souliers ? s'écrie le commissaire d'un air excité. Vous avez dit souliers ?

— Oui, il voulait que je prenne ses souliers... » Là-dessus, le commissaire se précipite sur le téléphone et donne des instructions qu'il m'expliquera plus tard : le bonhomme qui voyageait sur tous les continents muni de faux passeports était un malfaiteur recherché par Interpol ; il venait de voler des diamants qui, grâce à moi, vont être restitués à leur propriétaire. « Mais moi, dis-je au commissaire, qu'est-ce que j'ai à voir là-dedans ? » « Ah, répond-il en souriant. C'est à cause de votre carte de visite, nous l'avons trouvée dans sa poche. Si vous n'aviez pas mentionné l'histoire des souliers, nous aurions dû le remettre en liberté. » Aimable et reconnaissant, le commissaire m'a invité à assister au procès. Le voleur n'avait pas le comportement d'un accusé. Il déclara ne comprendre que le yiddish. Au prix d'efforts considérables, le tribunal réussit à mettre la main sur un interprète assermenté. La sentence : quelques années de prison. Je ne sais trop pourquoi, mais j'évitai de regarder le condamné en quittant le prétoire.

Des années plus tard, je reçois une lettre où il m'engueule : « Si vous aviez accepté de porter mes souliers, nous serions aujourd'hui millionnaires tous les deux. »

Un ancien camarade de Sighet, contrebandier lui aussi, m'apporta plus de chance. Habitant Rome, il m'appela pour m'informer de sa venue à Paris. Nous dînâmes ensemble. Que faisait-il ? Import-export, lui aussi. Le but de sa visite ? Sa réponse me parut évasive. Cependant, avant de nous séparer, il me pria de l'aider à retrouver un wagon de chemin de fer portant un certain numéro. Il ne m'expliqua pas pourquoi, mais il y tenait beaucoup : « Si tu réussis, je te paierai bien. » Que ne fait-on pas pour un ami d'enfance ? Pendant une semaine ou deux, je me rendis tous les jours à la gare de Lyon pour inspecter les trains arrivant d'Italie. Coup de chance : je finis par repérer le wagon. Le lendemain, ma fortune s'éleva de zéro à trois cents dollars.

Des années plus tard, ce même camarade, devenu homme d'affaires respectable, me raconta son secret : l'un de ses complices avait caché dans le wagon un trésor considérable pour le faire passer en Suisse. Et le wagon s'était, en quelque sorte, égaré en route...

Et Mendès France ? J'ai fini par le rencontrer à New York, lors d'une réception de l'Institut Weizmann. Mais il n'était plus aux affaires. Je le regrette, mon cher Dov. Je n'ai pas obtenu ce scoop, mais ce n'est pas faute d'avoir essayé. J'ai frappé à toutes les portes, appelé tous les numéros, remué tout Paris ou presque. En vain. Cela dit, ici-bas, tout se tient, même s'il faut du temps pour s'en apercevoir. Grâce à Mendès France, ou plutôt grâce à son refus de faire plaisir à Dov, j'ai pu faire la connaissance de François Mauriac. En vérité, à l'origine, j'avais demandé à le rencontrer dans l'espoir perfide que, avec son aide, il me serait enfin donné d'interviewer le visionnaire politique dont il était le maître à penser. Dois-je préciser que ma rencontre avec le grand écrivain fut pour moi autrement plus importante et sûrement plus féconde ?

Mauriac, je l'ai aperçu en 1955 lors d'une célébration de la fête de l'Indépendance à l'ambassade d'Israël. Très entouré, naturellement. Il dominait. Comment l'aborder ? Ma maudite timidité, toujours elle, et mes inhibitions m'empêchaient de lui adresser la parole. Pendant une éternité, je me trouvai à sa droite, à sa gauche ou devant lui sans oser ouvrir la bouche. Je le bousculai, il me bouscula, j'étais tout le temps dans ses jambes, n'arrivant pas à prononcer le moindre mot. Finalement, il prit congé de ses hôtes officiels. « Vas-y, me dis-je. C'est maintenant ou jamais ! » Trop tard, il se dirigeait déjà vers la sortie. Je le suivis. Quelqu'un se hâta de lui apporter son pardessus. Je l'aidai à le mettre. Il devait penser que je faisais partie du personnel de l'ambassade, car il me tendit la main et me remercia de notre accueil si chaleureux. « Non, non », dis-je en bredouillant. Surpris, il insista : « Je suis heureux que vous m'ayez invité. Israël me tient à cœur. J'aime participer à sa fête. Il y a droit, Dieu sait qu'il y a droit. » Surmontant mon embarras, je répondis : « Je ne suis pas diplomate ; je suis journaliste. » Il voulut aussitôt savoir pour quel journal je travaillais. Je le lui dis et, sur ma lancée, je me hâtai de solliciter un entretien. J'étais convaincu qu'il allait me répondre qu'il n'avait pas le temps, que je m'adresse à son secrétariat. « Attendez, répondit-il. Je vais consulter mon agenda. » L'instant d'après, j'étais le journaliste le plus heureux du monde : j'avais mon rendez-vous. « Vous êtes sûr que ça vous va ? Vous n'êtes pas pris ce jour-là ? » voulut-il savoir. Sûr, j'étais sûr. « Mais vous n'avez pas regardé votre emploi du temps... » « Pas besoin », dis-je en lui serrant la main. Le salon dansait dans ma tête. La ville dansait devant mes yeux. Tu vois ? me dis-je. Il s'agit d'oser, le reste est facile.

Sauf attendre : c'est toujours la même histoire dans ce métier. Pour meubler le temps, j'écris plusieurs articles sur Paris la nuit, Paris le dimanche, Paris à l'aube. Le Paris des artistes, le Paris des clochards. Avec un confrère israélien, Yerahmiel Viernik (ancien leader du parti de Jabotinsky et rédacteur en chef de la revue où j'ai publié en hébreu mon long papier sur Beethoven), nous nous promenons toute une nuit à Pigalle en discutant — ne riez pas, c'est idiot, je le sais — de la poésie de Chaïm-Nahman Bialik. (Rappelez-vous : c'est lui qui déclarait que la parole est une putain ; elle se donne à n'importe qui.) Nous achetons des frites et, appuyés aux comptoirs des cafés violemment éclairés, nous avalons un café après l'autre. Je ne vous étonnerai pas si je vous avoue qu'aucune femme ne nous a accostés : rien qu'à nous regarder, elles ont dû se rendre compte que nous n'étions pas des clients intéressants. Et heureusement qu'elles ne comprenaient pas notre hébreu : elles se seraient tordues de rire. De retour chez moi, je me heurte aux sourires étonnés des Leneman qui prennent le petit déjeuner : c'est la première fois que j'ai découché. Délicats, ils ne me posent pas de question. Moi, j'ai complètement oublié que je suis censé vivre un roman d'amour compliqué. Je leur explique : « J'étais en reportage... Pigalle... Bialik... Viernik... » « Ah bon, dit Leneman. Un reportage. » Ils doivent penser que je suis un piètre menteur.

Je passerai d'autres nuits blanches, pour des raisons vraiment romantiques, mais il s'agira d'une autre aventure à l'intérieur d'une autre histoire.

Le lendemain, je suis invité à un spectacle des ballets du marquis de Cuevas. En vérité, je ne suis pas amateur de danse. Elle est belle seulement quand elle est immobile. C'est un grand Maître hassidique qui l'affirme. Je pense comme lui. Mais ce soir-là je suis l'invité d'un parlementaire israélien — ami politique de Viernik et le mien. Shraggaï, lui, adore le ballet. Alors, pourquoi ne pas passer deux heures en sa compagnie ? Émissaire infatigable de son mouvement, ce politicien à la grosse moustache tombante et aux yeux bleus et purs possède un charme fou ; s'il ne connaît pas tout le monde, il sait tout ce que tout le monde aimerait savoir sur tout le monde. J'aime écouter ses potins, ses prédictions et ses analyses. Et puis il me dit avoir une agréable surprise pour moi. Ah bon, dans ce cas...

A vrai dire, elle est fort agréable, la surprise : c'est une jeune étudiante américaine dont la beauté me coupe le souffle. Elle s'appelle Kathleen et c'est par effraction, sur la pointe des pieds, qu'elle est entrée dans mon existence. J'ignore pourquoi, mais ce nom me plaît. Pardon : je sais pourquoi. D'abord, j'aime son accent mélodieux. Ensuite, rien en cette fille ne pourrait me rebuter. Yeux bruns, ténébreux, cheveux noirs et soyeux tombant sur ses épaules, sourire discret, mystérieux : si je baisse ma garde, je vais encore connaître un de ces coups de foudre dont je ne sais jamais comment me relever. Comme d'habitude, quoi. Mais si je peux à nouveau paraphraser Oscar Wilde, je résiste à tout sauf à la séduction féminine. Et, naturellement, je baisse ma garde.

Je fais semblant d'admirer le spectacle, et semblant de ne pas faire attention à la jeune Américaine sagement assise entre Shraggaï et moi. Du coup, j'oublie Mauriac, j'oublie même Mendès France. Givon ? Il n'existe plus. Dans ma tête, une seule question : est-elle juive ? Au fond, quelle importance ? Je ne vais tout de même pas l'épouser... Quand même, j'aimerais savoir. A l'entracte, elle nous quitte un moment. « Alors ? s'enquiert Shraggaï. Elle te plaît ? » Je mens : « Elle n'est pas mal, mais crois-moi : elle ne m'intéresse pas. » Sceptique, il veut savoir ce qui m'intéresse. Je réponds : Mauriac et Mendès France. Il ne me croit pas, j'essaie de le convaincre. Entre-temps, Kathleen est revenue. Ayant capté quelques mots de notre échange, elle m'interroge sur Mauriac, sur ma profession. Mon anglais laisse à désirer, son français n'est pas fameux et Shraggaï finit par nous servir d'interprète. Elle me demande pourquoi, à mon avis, Mauriac est « underrated » dans son pays ; le mot ne m'est pas familier. S'ouvre alors un débat incongru mais grave sur la différence entre « underrated » et « underestimated ». « Sous-estimé », en français, me suffit amplement. Soudain, Kathleen prend mon bras et me demande : « Voulez-vous que je vous donne des cours d'anglais ? » J'oublie de respirer : si je veux ? Demande-t-on à un enfant s'il veut du chocolat, à un malade s'il veut vivre ? Bien sûr que je veux ! « En échange, vous m'aiderez pour le français, promis ? » Je lui promettrais n'importe quoi. Quant à Shraggaï, il nous observe d'un air goguenard, comme si j'étais tombé dans le piège qu'il m'a tendu. Heureusement, la sonnerie nous ramène dans la salle. Je continue à feindre l'enthousiasme, applaudissant quand il le faut, admirant la chorégraphie, les danseuses : que ne ferait-on pour quelqu'un qu'on va aimer, qu'on aime déjà ? Si Kathleen me disait : « Allons sur scène, quelques entrechats nous feraient du bien », je la suivrais sans crainte du ridicule. Est-ce donc cela, l'amour : ne pas craindre le ridicule ? Mais je le crains, moi, depuis ma jeunesse, depuis mon enfance. Crainte paralysante qui, aussitôt le rideau tombé, me fait prendre congé. J'invoque un prétexte usé jusqu'à la corde, le devoir professionnel : « C'est l'heure d'envoyer mon câble ; il risque d'arriver en retard. » Shraggaï essaie de me convaincre de les accompagner au restaurant. Je résiste : « Obligation professionnelle envers le journal et ses lecteurs, vous comprenez... » En fait, je n'ai rien à télégraphier ce soir-là. Shraggaï le devine-t-il ? « Si tu restes avec nous, je te donne un scoop pour demain », dit-il. Bien sûr, je n'ai aucune envie de les quitter, mais je m'entête par peur de perdre la face. Et c'est une suggestion de Kathleen qui me tire d'affaire : « Envoyez votre câble et rejoignez-nous ; nous vous attendrons. N'est-ce pas, Shraggaï ? » « Bien sûr, nous t'attendrons, dit le parlementaire. Mais dépêche-toi. » « Faites vite », me supplie Kathleen. Serait-ce qu'elle tient à moi — déjà ? Je cours vers la station de métro, mais la voix de Shraggaï m'arrête dans mon élan : « Hé, je ne t'ai pas dit le nom du restaurant. » C'est vrai, je suis idiot. Il m'indique un café sur les Grands Boulevards en remarquant : « Ce n'est pas loin du bureau des télégrammes, rue Montmartre. » En effet, ce n'est pas loin, mais qu'est-ce que je vais bien pouvoir y faire ? Tant pis, j'enverrai un petit mot à Dov : « Projet Mendès France relancé. » A son tour de ne pas dormir. Demain matin, il m'appellera, c'est sûr. Il voudra savoir, c'est normal. Lui dire la vérité ? J'ai le temps d'y réfléchir. Pour le moment, faisons vite. Shraggaï attend. Kathleen attend. Je me répète son nom en chemin. Kath-leen. Kath-leen. C'est le plus beau nom du monde, au moins du monde anglo-saxon. Il n'est pas juif ? Et après ! Ce qui importe c'est qu'elle m'attend. Et qu'elle est jolie. Jolie ? Belle. Belle seulement ? D'une beauté foudroyante. La voilà, elle observe l'entrée, m'aperçoit, me sourit : « Merci d'avoir fait si vite. » Je sais que je devrais trouver une repartie brillante, mais mon cerveau ne me dicte qu'un mot, un nom, le sien. « Nous avons déjà commandé, me dit Shraggaï. Toi, qu'est-ce que tu prends ? » Un café. « C'est tout ? demande Kathleen. Vous n'avez pas faim ? » Non, je n'ai pas faim. Elle insiste : « Faites un effort. » Soit, je prendrai la même chose qu'elle. « Un sandwich ? » Un sandwich. « Au jambon ? » Ah non, je ne mange pas de jambon. Eh bien, la voilà ta réponse, me dis-je : elle n'est pas juive. « Au fromage, alors », me propose-t-elle. Oui, au fromage. Là-dessus, Shraggaï amorce une nouvelle discussion sur les lois alimentaires dans la tradition juive. Curieuse, Kathleen pose des questions pertinentes ; sa voix me fait rêver et son regard, lorsqu'il rencontre le mien, m'enivre. Comment lui expliquer pourquoi je mange ceci et pas cela ? Que c'est donc compliqué. Une autre fois, d'accord ? « Il y aura donc une autre fois ? » demande-t-elle d'une voix innocente et anxieuse. « Bien sûr, tranche Shraggaï. Voulez-vous demain soir ? » Kathleen répond : « Je suis désolée, mais je ne peux pas. » Je lui fais écho : moi non plus, je ne peux pas ; je suis pris. Au moment de partir, pendant que Shraggaï règle l'addition, Kathleen me chuchote : « J'ai menti. Je ne suis pas prise, j'avais envie de vous proposer de commencer nos cours d'anglais demain soir. Mais si vous n'êtes pas libre... » Je lui réponds que j'ai menti, moi aussi, et que je suis à sa disposition. Pour un peu, je lui avouerais que je suis libre tous les soirs. « Alors, appelez-moi demain matin », me dit-elle joyeusement. Elle me donne son numéro. Shraggaï revient ; il ne s'est aperçu de rien : « Je raccompagne Kathleen à Neuilly », m'annonce-t-il. Il est 2 heures du matin et je rentre chez moi à pied, porté par un bonheur inconnu vers un bonheur incertain.

La matinée est rythmée par le téléphone.

Appel (excité) de Dov : « Qu'est-ce qui se passe ? C'est encore ce farfelu de Givon ? » Je le rassure tout en l'intriguant : non, ce n'est plus Givon. « Mais qui, alors ? » Ma réponse évasive ne fait que l'exciter davantage. Je tiens bon. « Patience », lui dis-je. Il rit : « Ne me dis pas que tu n'es pas impatient, toi. » Je ne le lui dis pas. D'autant que je le suis. Mais ce n'est plus Mendès France que je brûle de rencontrer, ni Mauriac ; c'est Kathleen.

Appel (angoissé) à Kathleen : « Je ne vous réveille pas ?

— Je ne dors pas.

— Que faites-vous ?

— Je pense à hier soir.

— Je vous dois un aveu : je ne comprends rien à la danse ; en vérité, je n'ai rien vu.

— Je sais, j'ai senti votre regard.

— Mais je ne vous ai même pas regardée !

— J'ai quand même senti votre regard. »

Un long silence. « Vous voulez vraiment me revoir ? » me demande-t-elle d'une voix douce qui me bouleverse. Si je veux ! Je lui retourne sa question : « Et vous ? » Encore un long silence : « Moi, je veux. Beaucoup. » Rendez-vous est pris. J'irai la chercher à Neuilly.

Appel (amusé) de Shraggaï : « Alors, tu ne me remercies pas ? » Je réponds n'importe quoi. « Ne me dis pas que tu ne la trouves pas belle, séduisante, cultivée, en un mot extraordinaire ! » Je reste muet et il enchaîne : « Si tu as des questions à me poser à son sujet, n'hésite pas. » Je n'en ai pas. Si : comment l'a-t-il rencontrée ? « C'est une longue histoire. Viens donc prendre un café avec moi », me propose le parlementaire.

Il a l'air fatigué, Shraggaï, pâle, les traits tirés, les yeux rougis par l'insomnie. Geste et débit plus lents que d'habitude. « Elle pense beaucoup de bien de toi », me déclare-t-il d'emblée. Merci. Brusquement, je me rappelle sa promesse de la veille : « Et le scoop ? » Il rit : « Kathleen n'est-elle pas le plus beau scoop qu'un journaliste puisse désirer ? Elle m'a dit que tu lui fais peur. » Pourquoi ? « Elle pourrait tomber amoureuse de toi. » Et ça lui fait peur ? « Oui, car, vois-tu, elle n'est pas libre. » Je manque de m'étrangler. Quoi, elle est mariée ? « Non. Fiancée. » Fini, mon bonheur anticipé. Éclaté, mon rêve. Je ne sais pas comment je parviens à lui demander : « Où as-tu fait sa connaissance ? » Histoire bizarre, incroyable où se mêlent le hasard, le métro, quelques malentendus, l'intérêt national, la musique et même le Mossad.

Il l'a rencontrée un mois plus tôt en attendant au guichet de la salle Pleyel. On les a placés côte à côte mais ils ne se sont pas adressé la parole. A l'entracte, Shraggaï est abordé par un ami, officier du Mossad, qui lui pose des questions sur sa voisine : depuis quand la connaît-il ? Que sait-il d'elle ? Shraggaï répond qu'il ne l'a jamais vue de sa vie. L'homme du Mossad exprime son dépit : « Dommage. Nous pensions que tu pourrais nous aider. » Mais comment, et dans quel but ? « C'est simple. Elle est allemande et vit avec quelqu'un qui nous intéresse : un savant allemand qui travaille pour la Syrie. » Et Shraggaï de commenter : « Il arrive que le Mossad lui-même se trompe. De retour dans la salle, j'ai entamé la conversation avec ma voisine. Ainsi, j'ai appris qu'elle n'était pas allemande mais américaine, et qu'elle ne connaissait personne qui travaille pour un pays arabe. En fait, elle venait de débarquer des États-Unis et j'étais le premier étranger qui lui adressait la parole. »

Shraggaï l'a raccompagnée chez elle et, depuis cette soirée, il est devenu en quelque sorte son chaperon, son guide parisien, son garde du corps. Ils s'entendent bien. Elle le traite non pas comme son père, mais comme le vieil ami de son père. Il lui sert de confident. Mais... pourquoi a-t-il tenu à me la présenter ? « J'aime jouer le rôle du destin », me répond-il. Et c'est pour cela qu'il veut nous pousser dans les bras l'un de l'autre ? Il m'a pourtant bien dit qu'elle était fiancée. « Le propre du destin c'est d'observer », remarque-t-il. Et de manipuler ? « Non. D'attendre. Tantôt le destin ouvre une porte, tantôt il la referme ; puis il se tient à l'écart et n'intervient plus. Ayant tiré les ficelles, il devient spectateur. » Soit, me dis-je. Dorénavant, quand je songerai au destin, je verrai toujours une grosse moustache tombante.

A son tour, Shraggaï m'interroge sur sa protégée. L'ai-je trouvée assez captivante, intéressante ? Ai-je envie de la revoir ? Par chance, mon métier m'a enseigné l'art d'esquiver les questions avec un minimum d'élégance et un maximum de prudence. Le secret, ça me connaît. Pas un mot sur mon rendez-vous avec Kathleen. Pourtant, ai-je raison de le cacher à mon ami ? Après tout, ce début d'aventure, c'est à lui que je le dois. J'éprouve un léger et assez agréable sentiment de culpabilité naissante. Mais je n'ai pas le droit de trahir Kathleen. Elle seule compte et, puisqu'elle ne lui a rien dit, je dois me taire moi aussi.

L'après-midi me paraît long, interminable. Lourdes, pesantes, les heures se prolongent au-delà des heures. Rentré chez moi, je me sens poursuivi par des fantasmes inexpliqués. Migraine atroce, difficultés respiratoires. J'annule tous mes engagements. Non, je n'assisterai pas demain à la conférence de presse au Quai. La réception de ce soir ? Mille regrets, mais... Leneman me propose d'aller à une première au théâtre Antoine. « Non merci. Je suis sur quelque chose d'intéressant. » Vraiment ? Vraiment. Un scoop ? Possible. J'ignore si mes excuses et arguments passent. Je sais seulement que mon travail, soudain, ne m'excite plus. Impossible de rester assis devant ma machine à écrire, pas moyen de me concentrer. Mon esprit m'entraîne loin de chez moi, loin de moi, loin de tout.

Le soir, je prends le métro pour Neuilly. Cela fait longtemps que je ne suis plus collégien, mais c'est comme un collégien amoureux que je sonne à la porte. Kathleen m'accueille : « Cela vous ennuie si nous allons dans ma chambre plutôt qu'au salon ? » Non, cela ne m'ennuie pas du tout. Une chambre, c'est plus intime. De plus, Shraggaï m'a dit que Kathleen logeait chez une dame, et les logeuses je m'en méfie. Va donc pour la chambre. Pas trop spacieuse, mais meublée avec goût. Kathleen s'assied sur un sofa bleu et or et m'invite à côté d'elle. Par quoi commencer ? Un trou noir béant avale toutes les paroles, toutes les idées qui s'agitent dans mon cerveau déréglé. Et si je faisais appel au bon vieux Kant qui, dans le passé, s'était toujours imposé comme sujet de conversation ? « Tu recommences ? me dit la petite voix de surveillant qui m'empêche parfois de danser en rond. Ne fais pas l'idiot. Un seul mot stupide et elle te flanque dehors. » Soit, je me le tiens pour dit. Heureusement, Kathleen vient à mon secours. Elle commence à me raconter sa vie, son enfance paisible, son adolescence de métisse, turbulente. D'origine irlandaise (du côté paternel) et indienne (par sa mère), elle se sent constamment déchirée entre deux traditions, deux cultures et deux loyautés. Quand évoquera-t-elle son fiancé ? Elle parle comme si elle n'en avait pas. Shraggaï a dû se tromper. Tant mieux. Kathleen est seule. Comme moi. Pour moi ? J'aime sa voix un peu rauque qui pourrait me rappeler celle d'une grande actrice de cinéma, sauf qu'aucun nom ne franchit les portes de ma mémoire. En dehors de Kathleen, il n'y a plus aucune image féminine dans mon esprit. Vertueuse, les yeux baissés, elle parle lentement, sans me regarder, comme si elle craignait de me révéler un secret enfoui derrière son visage. A un moment, peut-être sans s'en rendre compte, sa main touche la mienne. Je m'en empare. Elle ne dit plus rien, moi non plus. Elle relève la tête et ses cheveux me frôlent. Maintenant son visage est tout près du mien. Son souffle brûle mes paupières que je me hâte de baisser. Ses lèvres cherchent et appellent les miennes. Je ne savais pas qu'un baiser pouvait durer si longtemps. Ni qu'il pouvait s'épanouir dans de telles profondeurs. Grâce à Kathleen, j'apprends beaucoup de choses sur mes capacités. Pas assez, cependant, je dois le dire. Lorsqu'elle me chuchote gentiment à l'oreille que le moment est venu de faire l'amour, l'imbécile que je suis ébauche un geste de protestation : « Il ne faut pas, dis-je sur un ton proche de l'indignation. Croyez-moi, il ne faut pas. » Elle ouvre tout grands ses yeux : « Pourquoi pas ? » Là, je sens que je me noie. C'est qu'elle a raison, Kathleen : pourquoi ne faut-il pas faire l'amour quand un homme et une femme qui s'aiment un peu, qui s'aiment déjà en ont envie ? Et quand ils sont libres l'un et l'autre ? D'autant plus que, tendu par le désir, mon corps le demande. Alors, pourquoi lui refuser ce cadeau ? A vrai dire, je n'en sais rien. Certes, Kathleen m'attire, mais je lui résiste. Manque d'expérience ? Peur d'échouer, de la décevoir ? C'est elle qui me guide. Elle se lève, je me lève. Elle me conduit vers son lit sous un baldaquin couleur pourpre. Nous nous enlaçons, nous tombons ensemble sur la couverture épaisse. Maintenant je sens la chaleur de son corps. Je donnerais n'importe quoi pour recevoir ce que lui seul peut m'offrir : un sentiment exaltant de possession dans le partage. N'importe quoi ? Non. En vérité, je ne suis prêt à rien donner. Ni à recevoir. Prisonnier de mes inhibitions, religieuses ou autres, je refuse l'offrande. Caresses, baisers, mille autres gestes sensuels, oui. Mais pas plus. Je m'arrête à la dernière limite, au seuil du bonheur. C'est que, au fond de moi-même, je suis convaincu que Kathleen est encore vierge. Je ne dis pas cela comme une plaisanterie. J'y crois. A cette époque, je suis persuadé que toutes les femmes restent vierges jusqu'à leur mariage, et jamais je n'oserais les « souiller ». A Kathleen, je murmure : « Il faut que ce que nous faisons soit pur, vous comprenez ? » Non, elle ne comprend pas. Va-t-il falloir tout lui expliquer ? Tant mieux. En avant pour une leçon de philosophie sur les vertus théologiques de l'amour. Sait-elle que, dans la Bible, les termes *kedosha* et *kedesha*, qui sont curieusement apparentés, signifient respectivement « sainte » et « prostituée » ? Connaît-elle les Gîtas ? Me voilà enfin dans mon jardin. Entre deux étreintes passionnées, je lui raconte ce que j'ai découvert en Inde en matière d'érotisme sacré. Et le mysticisme juif, en a-t-elle entendu parler ? Sait-elle que toute union est ré-union ? Y a-t-il union plus mystérieuse et plus pure que celle de deux êtres pénétrés par le même besoin devenu désir ? Je m'exprime maladroitement, je me rends ridicule, je parle beaucoup mais ne dis rien, je m'agite beaucoup mais ne fais rien de ce qu'elle attend de moi, rien de ce que j'attends de moi-même.

Vers 3 heures du matin, elle renonce. Elle est exténuée, la pauvre, moi non. « Je ne vous reverrai plus ? » me demande-t-elle. Peut-être craint-elle de m'avoir déçu. Je la rassure : je l'aime plus que lors de notre première rencontre, plus que jamais. J'aime la beauté et la grâce de son corps, autant que la pureté immaculée de son âme. Voilà pourquoi nous devons nous revoir. Nous nous embrassons une dernière fois avant de nous séparer.

Je rentre à pied : il n'y a plus de métro, et les rares taxis sont chers. Peu de monde dans les rues, même sur les Champs-Élysées. Pourtant, c'est le printemps, il fait doux. Des putains m'accostent. Une vieille, fardée et grimaçante, me touche le bras : « Viens, petit. Je suis vicieuse, tu sais. » Je me dégage d'un mouvement violent. Plus loin, près de la Madeleine, une fille beaucoup plus jeune essaie de m'avoir par les sentiments : « J'ai un bébé, et pas d'argent pour le nourrir. » En fait, pourquoi pas ? Elle pourrait me donner quelques leçons dont j'ai rudement besoin... Mais il suffit que je pense à Kathleen pour poursuivre ma marche en haussant les épaules. La jeune putain se met à pleurer. L'aurais-je insultée ? Je reviens sur mes pas et lui présente mes excuses, tout en lui disant que, malheureusement, je ne suis pas riche. Elle me lance quelques jurons et m'ordonne de déguerpir. Dommage qu'elle ne m'ait pas compris : je ne voulais pas la blesser. Au contraire, j'ai envie d'aimer le monde entier. Les passants ensommeillés, les clochards, les derniers clients des cafés encore ouverts, les arbres, les nuages et le vent qui les fait bouger : eh oui, béni grâce à une jeune Indo-Irlandaise née dans l'Ohio, j'offrirais volontiers ma bénédiction d'amour à la Création tout entière.

A Mauriac aussi. A lui surtout ?

Les quelques jours qui me restent avant ma visite chez l'illustre écrivain, je les lui consacre presque exclusivement, et Kathleen, que je vois désormais tous les soirs, ne m'en veut pas. Elle connaît l'enjeu. Je redécouvre Mauriac en me replongeant dans ses romans. J'y retrouve ses thèmes préférés : le pouvoir du péché, le poids de la haine, celui de l'amour interdit, de la grâce aussi. Je relis ses essais polémiques sur l'actualité. J'admire son style mordant, sa méchanceté féroce envers des adversaires qu'il aime démolir avant de les plaindre. Je suis en désaccord avec lui lorsqu'il déclare absoudre les écrivains collaborateurs, ceux qui ont prôné la haine et réclamé la mort des Juifs : de quel droit leur pardonne-t-il ? Je sais bien qu'il est catholique, donc prêt à tout pardonner. Mais moi, Juif, cela me dérange. Les péchés qu'on commet envers autrui, Dieu même refuse de les effacer : seul l'offensé est habilité à le faire. Interroger mon hôte là-dessus ? Je risque de le heurter... Comment va-t-il m'accueillir ? Mes vieux démons assoupis refont surface : quelles questions lui poser ? Comment vaincre ma peur de mal m'exprimer, de paraître stupide ou ignorant ? Kathleen m'observe et s'inquiète de ma nervosité ; j'ai honte de lui avouer mes doutes... et finis par le faire pour mériter sa tendresse. Compatissante, elle me remonte le moral en m'attirant à elle. Il suffit que ses lèvres se posent sur les miennes pour que j'oublie mes soucis et mes appréhensions. L'interview de Mauriac ? Un détail, un épisode politico-littéraire, sans plus. Et s'il ne m'obtient pas d'entrevue avec Mendès France ? Au pire, ce ne sera qu'un scoop raté. Allons, allons. Tout cela n'est pas bien grave. L'important ? L'important c'est qu'il m'est enfin donné de vivre un vrai roman d'amour — et quel roman, et quel amour ! Un jeune Juif féru de mysticisme follement épris d'une Chrétienne qui a du sang indien et irlandais dans les veines. Comme chaque fois que je me laisse emporter par l'exaltation, un frisson me traverse : si mon père me voyait, si mon grand-père savait...

Le jour dit, j'arrive en avance avenue Théophile-Gautier. Très en avance. Une heure avant le rendez-vous. Nerveux, je marche dans les rues du quartier, m'arrêtant devant les vitrines et les terrasses de café, fumant cigarette sur cigarette. En pensée, je répète la liste des questions que je veux lui poser. Une chose est claire : il faut que je parvienne à le faire parler de Mendès France. Le reste suivra. Je m'encourage moi-même : ce ne sera pas difficile. Laisse-le faire. Il n'arrête pas d'en parler dans son Bloc-notes.

C'est l'heure. Il faut y aller. L'ascenseur monte lentement. Tant mieux. J'ai besoin de ce répit. Je sonne. Une vieille bonne me dit : « On vous attend » ; et me conduit au salon : « Veuillez patienter quelques instants. » Qu'est-ce qui est plus poli ? Qu'est-ce qui fait le plus sérieux ? M'asseoir ou rester debout ? Griffonner dans mon calepin, le front plissé, à la manière des grands reporters ? Contempler les tableaux sur les murs ? Je vais à la fenêtre, regarde les passants : deux écolières pressées, une ménagère traînant un chien récalcitrant. Dans mon dos, une voix enrouée : « Excusez-moi de vous avoir fait attendre. » Je suis immédiatement impressionné par la simplicité, la chaleur humaine de Mauriac. Est-ce le respect que m'inspire l'écrivain autant que l'homme ? Je connais son comportement durant l'Occupation. Irréprochable, exemplaire. Le Cahier noir de Forez témoigne pour l'homme comme Thérèse Desqueyroux le fait pour le romancier. Devant lui, on ne peut que s'incliner. Comment ne pas se sentir intimidé ?

Il me met aussitôt à l'aise. Sur un ton de confidence, il me parle de son travail de journaliste. Une lueur féroce éclaire son regard lorsqu'il raconte des « méchancetés » sur tel agitateur de droite ou tel éditorialiste de gauche. En dix minutes, j'en apprends plus sur le monde politique parisien qu'en cinq ans. Et Mendès France ? J'ai envie de l'interroger sur le sujet qui, ce jour-là, me préoccupe le plus. Respectueux, je n'ose pas lui couper la parole. D'autant que son monologue me fascine. Il a tout lu, tout approfondi. Il a fréquenté les grands qui, en ce siècle, ont sculpté le destin politique ou le visage littéraire de l'histoire. Mais son thème préféré est la vie et plus encore la mort d'un jeune Juif de Nazareth et de Jérusalem : en prononçant son nom — Jésus — son sourire se fait plus doux, mélancolique et inspiré. Une fois sur sa lancée, il n'a plus envie de changer de sujet. Ses propos sont brillants, mais... j'ai rapporté ailleurs ma réaction, mon indignation [1]. Par la suite, je serai furieux contre moi-même. Je me reprocherai de lui avoir rétorqué que j'avais connu des enfants juifs qui avaient souffert plus que Jésus, et que nous n'en parlions pas. Je n'avais pas le droit de le blesser. Pas lui. Il ne cherchait pas à utiliser sa foi comme un glaive contre la nôtre. Au contraire : c'est parce qu'il aimait Jésus qu'il prenait notre défense. Parce que la souffrance de Jésus le faisait souffrir, il s'efforçait d'atténuer la nôtre. Mais cela, je ne le compris que plus tard. Certes, il ne m'obtint pas d'audience chez Mendès France (pour la simple raison que, finalement, je ne le lui avais pas demandé), mais entre-temps nous devînmes amis et cette amitié compta bien plus pour moi que tous les scoops du monde.

Homme intègre et personnage bourré de contradictions, il ne cessait de me fasciner. Tour à tour humble et ironique, acerbe et compatissant, grand bourgeois mais ami des dépossédés, charitable mais polémiste mordant, profondément croyant mais comprenant ceux qui mettent en doute la foi elle-même... Un jour, il me confia d'un air chagrin : « Nous aurions dû nous rencontrer plus tôt. Je suis vieux maintenant, trop vieux pour repartir de zéro. »

Il évoqua notre première rencontre dans son Bloc-notes du samedi 14 mai 1955. Il y fait référence à un « jeune Israélien qui fut un enfant juif dans un camp allemand ». Je n'étais pas israélien. Peut-être, dans son esprit, Juif et Israélien se confondaient-ils.

---

1. « Une interview pas comme les autres », in *Un Juif aujourd'hui*, Paris, Le Seuil, 1977.

Je lui dois beaucoup. Il fut le premier lecteur de *La Nuit* et le proposa à ses propres éditeurs, en vain. Il leur promit de préfacer le livre, d'en parler dans la presse, de le défendre par tous les moyens dont il disposait, et ils étaient puissants. Rien à faire. « Les camps de la mort, lui répondit-on, ça n'intéresse plus personne. Ça ne se vendra pas. » Il se rendit alors aux éditions de Minuit et remit mon manuscrit à Jérôme Lindon. Audacieux, comme toujours, Lindon négligea les considérations commerciales et donna sa chance à mon modeste récit.

Sans Mauriac, que serais-je devenu ? Il veilla sur ma « carrière ». Lors de chacun de mes voyages en France, je venais lui rendre visite. Pour faire le point. J'avais besoin de son approbation, de sa confiance. Il commençait toujours par un tour d'horizon de ce dont on avait parlé en France pendant mon absence. Je n'oublierai jamais son récit du suicide manqué d'une grande journaliste (pour qui il nourrissait une vraie tendresse) à cause d'un amour déçu... Ou du mariage de sa petite-fille avec un réalisateur de cinéma... Sur un autre registre, il me raconta sa dernière conversation avec le général de Gaulle... Ou encore, la volée de bois vert qu'il venait d'infliger à un écrivain insolent... Il me parlait fréquemment de son confesseur, un prêtre jésuite ou dominicain, en qui il voyait un véritable confident. Et de son frère Pierre qui, pétainiste fervent accusé de collaboration, avait été arrêté et emprisonné à Bordeaux en 1944 .. En évoquant son sort, il se mettait à pleurer.

Conversations avec François Mauriac :

— Mais vous-même... Vous étiez parmi les rares à discerner le mal... à ne pas transiger...

— Pas au début, pas au début. Comme tout le monde, j'ai cru que Pétain voulait le bien de la France... J'ai cru... J'ai même publié deux articles en ce sens-là...

— Vous n'étiez pas le seul...

— Non, je n'étais pas le seul... D'autres sont allés plus loin... Plus loin dans le temps, et dans l'erreur .. Mais ce n'est pas une excuse...

— N'empêche... vous vous êtes arrêté à temps... Ensuite c'était *Le Cahier noir*...

— Bien sûr, bien sûr... Mais disons les choses comme elles sont, comme elles étaient... En ce temps-là nul n'était innocent, je veux dire : entièrement innocent...

— Sauf les résistants... et les victimes...

— Oui, les victimes... les victimes... Leur innocence était entière...

*

— Vous m'avez dit qu'il fallait parler, écrire.

— Oui, je vous l'ai suggéré. Vous appartenez à un peuple qui a survécu par et dans la parole.

— Laquelle ?

— La parole du Seigneur.

— Le Seigneur aurait-Il besoin des hommes pour communiquer sa volonté ?

— Il semble que oui. Autrement Il ne l'aurait pas fait. Le peuple juif n'est-il pas investi de Sa parole ?

— Nous sommes censés témoigner pour Lui. De quelle manière ? Les Chrétiens disent : par la souffrance. Nous, nous déclarons : par la fidélité.

— Est-ce suffisant ? Vous n'êtes pas les seuls à souffrir, ni à rejeter l'hérésie. En quoi le peuple juif est-il différent des autres ?

— Tous les peuples le sont. Chacun à sa façon.

— Mais le peuple juif est le seul à avoir offert au monde et à son histoire l'homme capable et désireux de les sauver d'eux-mêmes.

— Jésus de Nazareth ? Vous y tenez, je le sais. Mais, pour moi, pardonnez-moi de le répéter, il n'est pas le Sauveur.

— Pour moi, il l'est. Je le reconnais à sa souffrance. A son agonie. Je lui appartiens parce qu'il est Amour.

— Le Juif en moi est obligé de vous dire qu'il n'appartient qu'à Dieu. Et Dieu est unique.

— Tout Chrétien croyant vous dira la même chose. Pour nous aussi, Dieu est Dieu, et Il est unique. Mais Jésus est Son fils.

— Tous les êtres humains le sont.

— Dans ce cas, comment expliquer le mal ?

— Je me méfie des explications.

— Et les bourreaux nazis ? Ceux qui ont massacré les enfants juifs que vous avez connus ? Étaient-ils, eux aussi, les fils de Dieu ?

— Il appartient à Dieu de se prononcer.

— Il arrive que Dieu préfère interroger.

— Je ne saurais répondre, Maître. Mais je sais que les tortionnaires et les tueurs nazis étaient baptisés.

Un long silence.

— Ne blâmons pas Jésus, dit Mauriac en baissant la voix. Ce n'est pas de sa faute si nous, ici-bas, trahissons son amour pour nous...

— Je ne blâme pas Jésus. Il a été crucifié par les Romains et, à présent, ce sont des Chrétiens qui le torturent.

*

Au restaurant La Méditerranée :

— Je vous ai amené ici parce que vous pourrez enfin manger : on n'y sert pas de viande. Seulement des poissons.

— Je vous remercie.

— Alors, un peu de langoustine ?

— Pas kasher.

— Mais ce n'est pas de la viande !

— Il y a aussi des poissons interdits...

— Je ne comprends pas.

— C'est compliqué, une affaire d'écailles.

— Les crevettes ?

— Interdites.

— Quelques fruits de mer ?

— Pareil.

— Que c'est compliqué d'être juif !

— Pas seulement au restaurant.

J'ai fini par commander un sandwich au fromage.

*

— Comment avez-vous fait...

— ?

— Comment avez-vous fait pour survivre ?

— Je ne sais pas.

— C'est Dieu... La volonté de Dieu... Le Seigneur vous a élu...

— Non. Ne dites pas cela.

— Ne croyez-vous pas en Dieu ?

— Si.

— C'est votre foi qui vous a sauvé.

— Ne dites pas cela, je vous en supplie.

— La foi peut servir d'appui... De confort... Elle peut être une sorte de nourriture... de nourriture supérieure... Elle incarne la vie, la foi... La puissance de la vie... C'est peut-être la foi qui vous a rendu fort...

— Il ne s'agit pas de force...

— Mais de Dieu ?

— De Dieu non plus.
— De quoi s'agit-il alors ?
— Je ne sais pas.

Un long soupir suivi de son petit sourire rituel :
— C'est quand l'on ne sait pas que la foi arrive...

Je sens que je dois répondre :
— Et quand la foi arrive, est-ce qu'on sait ?

Esprit tolérant, Mauriac n'essaya jamais de susciter en moi le désir de m'approcher du christianisme, de m'en pénétrer... Il n'eut, à mon égard, aucune tentative de prosélytisme. Dans un de ses Blocs-notes, il raconte une conversation que nous avions eue sur Jésus. Je lui disais que, pour moi, Jésus était, sûrement au début, un Juif pieux qui mettait les phylactères tous les jours et que c'était parce qu'il était juif que les Romains l'avaient condamné à mort et crucifié...

Au fond, une fois n'est pas coutume, citons le texte tout entier, d'autant qu'il réclame quelques commentaires :

> Mercredi 29 mai 1963.
> Je n'ai jamais eu tant de joie à couronner un livre, ou plutôt une œuvre. Ce prix de l'Universalité de la langue française (si fâcheusement appelé Rivarol), et qui récompense chaque année un auteur étranger écrivant dans notre langue, est allé cette année à mon ami Élie Wiesel, né dans une communauté juive de Transylvanie, aujourd'hui citoyen américain, correspondant à New York d'un journal israélien, et romancier français.
> J'ai raconté dans une préface à son premier livre, *La Nuit* (aux éditions de Minuit), ce que fut notre rencontre. Comme je décrivais à ce jeune journaliste d'Israël venu m'interviewer ce train bourré d'enfants juifs que, pendant l'Occupation, ma femme avait vu un jour, en gare d'Austerlitz, il me dit : « J'étais l'un d'eux. » Notre amitié est née de ces quelques mots. Élie Wiesel était revenu des camps après avoir vu brûler tous les siens — lui, l'enfant mystique, après avoir perdu, ou plutôt après avoir cru perdre la foi au Dieu d'amour et de consolation.
> Ses quatre romans : *La Nuit, L'Aube, Le Jour, La Ville de la chance* (les trois derniers aux éditions du Seuil) se distinguent de tout ce qui compte aujourd'hui dans le roman en ceci : le problème technique ne s'y pose pas comme sa propre fin. La technique y est liée à l'exigence de ce qu'a à nous crier cet innocent échappé au massacre d'Hérode. Au vrai, il s'agit beaucoup moins d'une déposition portant sur des faits d'histoire que de l'aventure intérieure d'une âme qui a pu croire durant

quelque temps que Dieu avait été massacré Lui aussi, Lui l'innocent éternel... Les quatre livres d'Élie Wiesel commentent le retour de ce voyage d'un enfant au bout de l'horreur.
Que j'aime les mystiques juifs, ces témoins du premier Amour ! Peut-être en existe-t-il beaucoup encore, mais non parmi l'Israël auquel nous avons affaire et dont le génie est tout tourné à la conquête et à la domination...
Élie Wiesel m'amènera un jour en Terre sainte. Il le désire d'un grand désir, ayant du Christ une connaissance très singulière ! Il l'imagine sous des phylactères, comme l'a vu Chagall, fils de la synagogue, Juif pieux et soumis à la Loi — et qui ne serait pas mort « parce qu'étant homme il s'était fait Dieu... » Élie Wiesel se tient sur les confins des deux testaments : c'est la race de Jean-Baptiste...

Je l'ai remercié pour la chaleureuse amitié dont ce texte est imprégné. Mais, lors de notre rencontre suivante, j'ai attiré son attention sur certaines inexactitudes. Premièrement, *La Nuit* n'est pas un roman. Deuxièmement, n'ayant pas été à la gare d'Austerlitz pendant l'Occupation, je n'ai pas pu dire que je me trouvais dans le train bourré d'enfants juifs : j'ai sans doute remarqué que j'avais été dans un camp avec des enfants juifs. Troisièmement, sa critique d'Israël (qui, chose étrange, n'a suscité aucune réaction négative au sein de la communauté juive : on lui faisait confiance) n'était pas justifiée. Quatrièmement, il m'attribue concernant Jésus-Christ une pensée qui n'était pas la mienne, mais la sienne : n'est-ce pas Basile de Césarée qui déclarait que le but de l'homme est de devenir Dieu ? Dans la tradition juive, nous aspirons à davantage d'humilité : le but de l'homme est d'être humain. Et cinquièmement, il ajoute, je ne sais pourquoi, que « Élie Wiesel se tient sur les confins des deux testaments : c'est la race de Jean-Baptiste ». Eh bien, j'ai tenu à lui faire comprendre ma position (comme j'aurai à le faire avec mon ami le cardinal archevêque de Paris, Jean-Marie Lustiger) : de là d'où je viens, et là où je me situe, on ne peut être à la fois juif et chrétien. Jésus était juif, mais ceux qui se réclament de lui aujourd'hui ne le sont pas. Cela ne signifie nullement que les Juifs sont meilleurs ou pires que les Chrétiens, cela veut dire tout simplement que chacun de nous a le droit sinon le devoir d'être ce qu'il est.
Ce dernier point, nous en avions déjà discuté quelques années auparavant, lorsqu'il me fit l'honneur de me dédier son livre sur Jésus : « A Élie Wiesel qui fut un enfant juif crucifié. »

Mais, dans l'ensemble, notre relation s'est développée sans heurt. J'ai répondu à son amitié par l'amitié.

Mauriac s'intéressait au judaïsme, aux Juifs et à leurs ennemis. L'antisémitisme chez certains de ses pairs le déroutait... Nous parlions souvent, très souvent d'Israël, de ses épreuves et de sa mission. Je l'invitai à visiter la Terre promise :

« Allons ensemble là où tout a commencé, et pour vous et pour moi. » Il me donna tout de suite son accord. J'intervins alors auprès de l'ambassadeur d'Israël qui lui fit parvenir une invitation officielle, et il l'accepta en principe. Mais il craignait le déplacement, l'émotion, l'effet que feraient sur lui les lieux où le Christ avait vécu son agonie et sa mort. Chaque fois, il remettait le projet à plus tard.

Un seul désaccord troubla brièvement nos rapports lorsque le général de Gaulle prononça sa « petite phrase » sur le peuple sûr de lui et dominateur. S'inspirait-il de Mauriac qui avait parlé de génie tourné à la conquête et à la domination ? A ceci près : Mauriac se référait à l'État d'Israël, et de Gaulle au peuple d'Israël, donc au peuple juif. Je crus nécessaire de critiquer le président de la République, Mauriac le défendit. « Personne ne me convaincra que de Gaulle est antisémite », disait Mauriac. A quoi je répondis : « Un homme dans sa position est responsable non seulement de ce qu'il dit, mais aussi de la manière dont ses paroles sont interprétées. Or sa petite phrase est interprétée comme antijuive. » Notre brouille fut de courte durée. Mauriac n'était pas seulement un grand écrivain, c'était aussi un humaniste sincère : il trouva le moyen de se démarquer de la « petite phrase » sans toutefois s'éloigner du Général. (Jean Mauriac me dira plus tard l'admiration affective que le Général portait au peuple juif.)

Dans mon journal, j'ai conservé de nombreuses notes sur mes conversations avec François Mauriac. Elles touchent toutes à la religion, la politique, l'histoire et la littérature.

Je me trouvais par hasard à Paris le jour de ses obsèques. Paul Flamand et moi sommes allés à Notre-Dame. Il y avait trop de monde. Nous restâmes dehors.

Silencieux.

Mon amitié avec Mauriac se prolongea jusqu'à sa mort, alors que ma « liaison » avec Kathleen ne dura que le temps d'une désillusion. D'abord, il y avait son « fiancé » : eh oui, il existait bel et bien. Il était grec et elle le rencontrait fréquemment en Belgique, à Louvain où il faisait ses études de médecine. Il y avait aussi les cours de français qu'elle était censée suivre à l'Alliance française. Le reste du temps, elle avait besoin d'autre chose que de mes monologues philosophiques sur la « pureté essentielle » de l'amour. Pendant que nous étions « ensemble », si l'on peut dire, elle « voyait » d'autres hommes. Pour me rendre jaloux ? Pour m'obliger à changer ? Notre rupture eut lieu durant l'été de 1955 et j'en souffris.

Je la revis des années plus tard, aux États-Unis. Elle avait lu la critique de *La Ville de la chance* dans *Time Magazine*. Excitée, elle m'appela à la rédaction du *Jewish Daily Forward* (en yiddish : le *Forverts*). Elle était de passage à New York et m'invita à la rejoindre à son luxueux hôtel, le Sherry Netherlands, sur la Ve Avenue. Convertie à la religion juive grâce à son mariage avec un riche industriel juif du Middle West, elle me raconta avec humour sa nouvelle vie : les repas de Pâque, les coutumes de Yom Kippour, les collectes de fonds pour Israël ou les œuvres locales. Et les réceptions, les cocktails, les dîners somptueux. Si je le lui permettais, elle était prête à acheter tout de suite mille exemplaires de mon roman pour l'aider à figurer sur la liste des meilleures ventes. « Tu as donc tant d'amis ou tant d'argent ? » lui demandai-je. Elle baissa les yeux, comme si elle se sentait en faute. Pleine de tact, elle me parla de son mariage, mais pas de son mari. « Tu l'aimes ? » voulus-je savoir. Elle rougit et ne répondit pas. Elle n'avait donc pas changé, Kathleen. Elle jouait bien. Allure pudique, innocente. Je répétai ma question. En vain. Pour changer de sujet, elle me décrivit sa conversion par un rabbin libéral. Elle me fit un compliment : « En devenant juive, je me suis sentie plus proche de toi. » Autrement dit, c'est pour me faire plaisir qu'elle avait épousé son richissime industriel. Et son fiancé grec ? Là encore, elle se montra discrète. Elle me prit la main. Eh bien, ça recommence, me dis-je. Oui, ça recommençait. Toujours séduisante, Kathleen. Et belle. Et moi, toujours sensible à sa beauté. Et son mariage, et son mari ? Notre « amour » retrouvé ne dura qu'un long après-midi qui, en fait, ne fut pas vraiment long.

Pour me remettre et me changer les idées, je partis pour Israël. J'avais réservé une place dans un avion d'El Al mais l'offris à une amie de Béa qui, venue de Montréal avec ses deux enfants, n'arrivait pas à obtenir trois sièges sur ce vol. L'avion fut abattu au-dessus de la Bulgarie.

Je pris la voie maritime. Malgré le mal de mer, j'aime voyager en bateau, suivre le combat violent, exaspéré, que livre chaque vague pour être la plus haute — la septième — avant de disparaître dans le silence des profondeurs. L'attrait de la mer est tel qu'il explique le suicide des êtres désespérés qui y cherchent du repos. Bien que la noyade soit une mort atroce, la mer peut facilement susciter un désir d'union par la mort. Dès ma première traversée, j'en avais subi l'attirance. Maintenant encore, appuyé au bastingage, je me sentais envahi par l'idée puissante et sombre de tout laisser tomber, de me défaire de tous les liens, d'en finir une fois pour toutes. J'étais convaincu que, bercés par les vagues, mon corps et mon être connaîtraient enfin le sommeil sinon la paix.

Je passe plusieurs semaines en Israël. Je loge chez Dov et Léa, mais je me déplace beaucoup dans le pays. Je passe quelques soirées avec Paula et Noah et vais au concert avec le docteur Rosenblum.

Je me rends à Bnei Brak, le faubourg le plus religieux de Tel-Aviv, que certains décrivent comme la ville la moins religieuse d'Israël. Pourquoi ce désir impulsif que j'éprouverai de nouveau quelques années plus tard en rendant visite à un Rabbi de Wizhnitz qui représente tout un pan de mon passé auquel j'ai besoin de m'accrocher ? J'ai raconté l'amour que je portais à son père, Rabbi Israël.

Tassé dans son fauteuil, comme écrasé sous le poids des années, il m'examine d'un air où tendresse et dépit s'entremêlent. Il voudrait retrouver en moi l'adolescent qui venait passer un Shabbat exaltant sous son toit. Et moi aussi je le cherche, cet adolescent — à moins que ce ne soit lui qui s'efforce de retrouver mes traces.

« Je te regarde, dit le Rabbi, et je me demande qui tu es. Je sais qui tu étais, mais je ne sais plus qui tu es maintenant. » Je ne réponds pas. Je songe à son père. Ai-je donc tellement changé ?

Pourtant, pareil à l'adolescent qui allait en pèlerinage à Grossvardein, je contemple le Rabbi avec respect et dévouement.

« Je te vois, dit le Rabbi. Bien sûr, tu es là, devant moi, et je te vois. Mais je ne sais plus qui je vois. » Du coup, j'oublie tout ce que j'ai appris en philosophie sur l'être et le paraître, les formes immanentes de la transcendance. Je me sens fautif, et je sais pourquoi. Autrefois, je rendais visite au Rabbi afin qu'il m'interroge ; à présent, c'est moi qui aimerais le questionner. Le questionner sur la place du destin dans l'existence et sur la toute-puissance du Créateur devant Sa création saccagée. Mais je ne sais comment formuler mes doutes, mes appréhensions : mes lèvres restent closes. D'ailleurs, pour me détendre, le Rabbi se met à sourire, comme son père le faisait jadis. Il m'invite à lui expliquer pourquoi j'ai changé. Je lui dis : « Les temps aussi ont changé, Rabbi.

— Et après ? Si les temps changent, c'est leur affaire, pas la tienne. Les temps changent parce que Dieu, béni soit-Il, les fait changer. Mais toi, tu es toi-même responsable de ce qui t'arrive. Et de ce dont tu as l'air. La dernière fois que je t'ai vu, tu me plaisais davantage. »

La dernière fois, c'était où ? Dans sa *yeshiva* à Grossvardein ? Non, à Anvers. Il arrivait de Roumanie. Il était seul, presque seul. Un hassid m'avait raconté que c'était mon cousin Avrom Feig d'Arad qui, en 1944, l'avait sauvé de la déportation en envoyant un passeur lui faire traverser la frontière, lui et les siens. A Anvers, il était seul et mélancolique. Et moi aussi. J'étais orphelin. Sans doute évoque-t-il l'époque lointaine d'avant.

« Je vous plaisais davantage autrefois, Rabbi... Pourquoi ? Parce que je portais des papillotes ? Et que je vivais dans la crainte du ciel ? »

Le Rabbi ne répond pas. Il se penche en avant, comme pour mieux m'examiner : « Dis-moi, quel est le rapport entre l'homme que tu es et celui que je vois ? »

Je me rabats sur un semblant d'aphorisme littéraire :

« L'Être n'est pas nécessairement visible, et ce qui l'est ne relève pas toujours de l'être. »

Il se tait. Il est mécontent, il me désapprouve. Sa voix baisse d'un ton : « Où as-tu appris cela ?

— Dans les livres, Rabbi.

— Lesquels ? »

A quoi bon répondre ? Il comprend. Il devine. Sur ma table, les œuvres profanes ont chassé les textes sacrés sans pourtant les remplacer. Le Talmud n'est plus ma seule préoccupation.

« Et si ton grand-père, qu'il reste en paix, te voyait, que penses-tu qu'il dirait ? »

Le coup fait mal : « Et vous, Rabbi ? Vous qui me voyez, qu'avez-vous à me dire ? »

La question suivante, c'est à moi-même que je la pose : qu'aimerais-je entendre de sa bouche ? Qu'il me bénisse ? Il ferme les yeux, les rouvre : « Le grand Rabbi Nahman de Bratzlav raconte l'histoire d'un enfant qui s'est égaré dans la forêt. Pris de panique, il crie : Père, père, viens à mon secours ! Tant qu'il crie, il peut espérer se faire entendre de son père. S'il s'arrête, il est perdu. »

Toute trace de sévérité a disparu de son visage et de sa voix. Je le retrouve, je songe à son propre père et soudain je me sens mieux.

« Rabbi, dis-je. Croyez-moi : je n'arrête pas de crier. »

Un sourire illumine alors ses yeux. Il paraît apaisé. Heureux ? Heureux de m'avoir ramené ?

« Loué en soit le Seigneur, dit-il en hochant la tête. Il y a donc de l'espoir. »

La conversation se déroule maintenant dans un climat détendu. Il me fait parler de mes travaux. Il veut savoir si les histoires que je raconte dans mes livres sont vraies, c'est-à-dire si elles sont vraiment arrivées. Je lui réponds : « Rabbi, en littérature, c'est ainsi : il y a des choses qui sont vraies, et pourtant elles ne sont pas arrivées ; et d'autres qui ne le sont pas, alors qu'elles sont arrivées. »

J'aurais tellement souhaité recevoir sa bénédiction.

A Jérusalem, fidèle à mes habitudes, je monte sur la tour de Notre-Dame et de l'YMCA pour voir la vieille ville. A travers les jumelles, j'observe les soldats jordaniens se promenant dans la cité de David. Ensuite, Yehuda Mozes et moi revisitons la Galilée : Safed et Tibériade font désormais partie de nos pèlerinages communs.

Par Paula, je me tiens informé de ce qui se passe au journal. Elle est la confidente des journalistes. Si quelqu'un a besoin de secours ou de conseil, c'est vers elle qu'il se tourne. Le poète Ouri-Zvi Grinberg lui doit le confort de ses dernières années.

C'est une femme exceptionnelle, Paula. Courageuse, téméraire.

Pendant l'Occupation, elle s'évada de sa ville natale, Janov-Lubelsky, jusqu'a Smolensk où elle rejoignit une unité de partisans russes. Déguisée en paysanne, elle faisait le ménage dans les bureaux de la Kommandantur locale. Prétendant ne pas comprendre l'allemand, elle était présente lorsque des officiers bavardaient entre eux. Combien de fois a-t-elle risqué sa vie ? Ses renseignements contribuèrent à la réussite de nombreuses opérations de sabotage, surtout de voies ferrées. Après la guerre, elle se retrouva à Budapest, puis à Vienne. Elle emmena quatre cents orphelins avec elle en Palestine.

Aujourd'hui, lorsque je pense à Paula et à Noah, aux tragédies qu'ils ont vécues, une grande tristesse m'envahit. Leur fils d'une douzaine d'années, Adi, fut écrasé sous une voiture à Ramat-Gan. L'année suivante, ils eurent un autre fils, Nonni. Jeune adolescent, il conduisait une voiture qui, dérapant, tua un garçon du voisinage à l'endroit même où Adi était mort. Et, bien des années plus tard, Noah fut à son tour écrasé par un camion près de la rédaction du journal, à Tel-Aviv. Une ambulance l'emmena à l'hôpital. Le médecin qui l'opéra était celui qui avait essayé de sauver les deux adolescents. Il me manque, Noah. Il souriait même quand il était fâché. Intelligent et dynamique, il aimait parfois se donner l'allure de l'hurluberlu qui se promène sans un sou en poche. Les journalistes lui étaient attachés. Il était la bonté même. Et Paula, morte début 1994. La veille de Pessah. Endeuillée, la fête.

Dov me propose d'aller passer quelque temps en Amérique. Pas en reportage, mais en tant que correspondant permanent. Pourquoi cette mutation ? « Ainsi nous pourrons visiter les États-Unis », me dit-il avec un sourire espiègle. Le problème, c'est que je n'ai pas du tout envie de quitter la France. Que ferai-je si loin de ma base ? Je ne connais personne en Amérique. Et, d'ailleurs, de quoi vivrai-je là-bas ? Dov me dit : « Nous allons passer ton salaire à 160 dollars par mois. » Timidement, je lui demande s'il pense qu'avec cette somme j'arriverai à me débrouiller, il me répond : « Non, mais tu feras comme tout le monde. » Je lui demande ce que tout le monde fait sans argent. « Tu feras des discours », me répond-il. Des discours ? Moi qui me couvre de sueur chaque fois que je dois ouvrir la bouche en public ? « Tu apprendras », conclut

Dov. Il n'est pas sérieux, me dis-je. Il ne peut pas l'être. Bah, attendons. Nous verrons bien.

A quel moment me suis-je rendu compte que je ne maîtrisais pas mon destin ? C'est par hasard que j'ai survécu, c'est par hasard aussi que j'ai suivi telle voie plutôt que telle autre. C'est par hasard que je suis devenu journaliste, que je cédai aux tentations de l'inconnu. Des événements ne sont déroulés loin de moi et en dehors de ma volonté. Très souvent, je laissais faire, je voyais venir. Je ne prenais pas de décision, d'autres s'en chargeaient à chaque étape, à chaque carrefour.

De retour à Paris, je commence à préparer mon départ. Ayant fait la connaissance de Shaike Ben Porat, jeune intellectuel israélien qui représente un hebdomadaire idéologique du Mapaï, je lui propose de « couvrir » Paris en mon absence. A la demande de Dov, je constitue un réseau européen de correspondants du journal. A Genève, je nomme Edwin Eytan, épicurien sympathique qui abandonnera pour cela ses études de médecine. Alfred Wolfmann garde le poste de Bonn et Abraham Rosenthal celui de Londres. Tous sont heureux ; moi aussi. En ma qualité de correspondant en chef pour l'étranger, je leur rends visite. Je me sens non seulement utile, influent (auprès de Dov), mais vaguement supérieur. Supérieur en quoi, à qui ? Je n'ai jamais donné d'ordre à qui que ce soit : je ne sais pas comment faire.

En décembre, je reçois de Buenos Aires le premier exemplaire de mon témoignage en yiddish, achevé sur le bateau qui m'emmenait au Brésil : *Et le monde se taisait*. La chanteuse Yehudit Moreczka et son ami éditeur Mark Turkov ont tenu parole, à ceci près qu'ils ne m'ont pas renvoyé le manuscrit. Pour célébrer l'événement, Israël Adler m'invite à prendre un café crème au bistrot du coin. Il porte mon imperméable. Explication ? Un jour, je suis entré dans un magasin pour acheter un maillot et, le timide en moi ne pouvant rien refuser à la vendeuse, j'en suis ressorti avec un imperméable que je n'aimais pas et qui ne m'allait pas. Je l'ai donc cédé à Israël Adler, à moitié prix. « Et ce soir, m'annonce-t-il, tu viens avec moi écouter des chants brésiliens. » Je ne peux pas, lui dis-je. La soirée est déjà retenue par Amos, jeune journaliste au visage de bois que l'on considère comme l'enfant terrible de la presse israélienne. Je sais pourquoi il tient à me voir. Il souhaite que j'intercède en sa faveur auprès de Yehuda Mozes. Il aimerait écrire des papiers pour *Yedioth*, mais le Vieux, pour des raisons mi-idéologiques mi-personnelles, ne veut pas de lui. « Venez donc tous les deux », suggère Israël Adler, grand seigneur. Bon, je le lui demanderai. Amos accepte, à condition que l'on serve à boire chez les Brésiliens. Grand buveur, gros mangeur, Amos est un bavard impénitent qui devient brillant quand il s'enivre. Soûl ou non, il a toujours un sourire forcé. On dirait que chez lui tout est forcé. Il suscite le malaise comme d'autres répandent la chaleur. D'une susceptibilité extrême, tout l'irrite. Les garçons, le chanteur et ses musiciens, les plats, les boissons, les cigarettes : il ne cesse de rouspéter, Amos. Vers deux heures du matin, il est morose plus que mauvais, gris, incohérent. Dans la rue, derrière le boulevard Saint-Germain, il hurle des obscénités aux fenêtres aveugles. Soudain, il aperçoit deux jeunes femmes au coin de la rue. « On les enlève ? » crie-t-il. Lâchement, je me dégonfle : « Je suis épuisé. » Amos, sur un ton de défi, lance vers Israël Adler : « Et toi ? » Israël n'est pas fatigué. Amos accoste les deux jeunes femmes et tous les quatre me quittent sans même me dire bonne nuit. L'une deviendra la compagne d'Amos et connaîtra plus tard de nombreux succès littéraires. L'autre — Michelle — épousera Israël à Jérusalem.

Mon intervention auprès du Vieux porte ses fruits. Il retire son veto contre Amos. Celui-ci fera carrière dans le journal qui ne voulait pas de sa signature. Ses chroniques sont originales dans la mesure où elles blessent. Dans *Yedioth Ahronoth*, il écrira des articles populaires sur la cuisine chinoise, la pornographie politique ou autre, la peinture abstraite, la grandeur de ses amis (qui le redoutent) et la bêtise de ses ennemis (ils sont nombreux), les ambitions des dirigeants et les frustrations de leurs critiques. Il aime frapper, et il frappe dur. Souvent il lui arrive d'avoir raison, mais il se sert d'un marteau plutôt que d'un scalpel. Pourquoi déteste-t-il tous ceux qui écrivent sur l'Holocauste, alors que lui-même s'y réfère plus fréquemment qu'eux ?

Au cours des années suivantes, lors de ses visites à New York, il venait parfois chez moi vider une bouteille de whisky et me demander de lui trouver un éditeur américain. Une fois, il mentionna dans un article qu'il ne m'avait jamais vu rire. Il est vrai qu'en sa compagnie on n'en a pas vraiment envie.

J'aurai l'occasion, plus tard, de revenir à cet éternel adolescent qui vieillit si mal. Depuis 1986, l'année de mon Nobel, nos chemins ne se sont plus croisés. Mon amitié avec Israël Adler, quant à elle, a résisté à toutes les épreuves.

Mais, revenons à mes préparatifs de voyage. Je compte rester absent une année seulement. Shaike Ben Porat est prévenu. Poliakoff aussi, mon ami comédien. Je lui dis : « Ne soyez pas triste, soyez fier : après tout, notre mensuel va ouvrir un bureau aux États-Unis. » Je lui promets de lui envoyer des articles de Broadway. A mon retour, tout reprendra comme avant. Je réintégrerai toutes mes fonctions de correspondant de *Yedioth* et de rédacteur en chef du *Miroir du théâtre*. Quant aux Leneman, ils me promettent de me reprendre comme sous-locataire. Je peux partir tranquille.

La veille de mon départ, Amos et Israël insistent pour que je les rejoigne dans un café. Israël boit un peu, Amos beaucoup. Moi, je me méfie de l'alcool. Je sais qu'un reporter doit tolérer sinon aimer le whisky et le cognac, mais la boisson ne me réussit pas. Cependant, ce soir-là, je bois quand même un peu. Pour moi un peu, c'est déjà trop : je rentre en titubant. Je suis malade. Je n'ai même pas la force de me déshabiller. Je m'endors la bouche pâteuse, me réveille plusieurs fois, nauséeux. Que va penser la femme de ménage qui viendra faire mon lit le lendemain ? Et les Leneman ? J'ai honte de moi.

Dans un éclair de lucidité, je me dis : voilà mon adieu à l'Europe.

NEW YORK

Dans l'avion d'El Al, durant l'interminable traversée (ponctuée de plusieurs escales), je lie conversation avec un journaliste juif d'origine polonaise, S. L. Schneiderman, qui écrit dans un quotidien yiddish et travaille à mi-temps pour le Fonds social juif américain (United Jewish Appeal). Je lui demande : est-il vrai que cette organisation philanthropique organise des conférences et rémunère les orateurs ? Oui, c'est vrai. Et qu'elle paie pour les discours ? Vrai encore. Peut-être pourrait-il me présenter à quelqu'un ? Oui, il pourrait. Quand ? Quand je veux. Le plus tôt possible ? Le jour même de l'arrivée ? Le lendemain. De ma chambre d'hôtel, je l'appelle à la rédaction de son journal : oui, il a pris rendez-vous pour moi avec le secrétaire du bureau des conférenciers. Dov aurait-il raison ? Je cours à l'adresse indiquée. La secrétaire du secrétaire me reçoit après m'avoir fait attendre une heure. La quarantaine, cheveux noués en chignon, regard perçant, sans doute habituée et habilitée à refuser les requêtes en tout genre, elle me soumet à un interrogatoire en règle. Age, profession, titres, goûts avoués et secrets. « Schneiderman m'a informée que vous pourriez ou souhaiteriez parler en yiddish à nos contributeurs de vos expériences dans les camps, c'est ça ? » Je me hâte de corriger son information : non, ce n'est pas ça ; je n'ai nullement l'intention de traiter ce sujet-là. « Mais Schneiderman me dit que vous avez écrit un livre en yiddish sur les camps. Se trompe-t-il ? » Non, il ne se trompe pas. Mais écrire est une chose, parler en est une autre. « Je ne vous comprends pas, reprend-elle en hochant la tête. Vous êtes auteur, oui ou non ? Votre ouvrage est autobiographique, oui ou non ? Vous tenez à ce qu'on vous connaisse et à gagner un peu d'argent, oui ou non ? » Comme je suis incapable, avec mon pauvre anglais, de lui faire un exposé en cinq phrases sur les limites du langage et les théories des silences,

355

elle m'annonce froidement son verdict : « Remarquez, je vous pose ces questions comme ça, pour rien... De toute façon, je ne pense pas que vous pourriez nous être utile... » J'ai compris : elle a pour fonction de dire non ; je ne suis pas un écrivain célèbre, je ne suis même pas israélien, je n'ai rien fait d'héroïque, ni de spectaculaire, je manque d'ambition, d'agressivité et de charme. Alors, pourquoi des braves gens plus ou moins aisés, plus ou moins motivés et qui ont autre chose à faire se dérangeraient-ils pour venir m'écouter et faire des dons à l'UJA ? J'encaisse. Cela commence bien, mon voyage en Amérique. De retour à l'hôtel, j'appelle Schneiderman et lui raconte mes déboires. Il est désolé. « Bah, lui dis-je, il y a pire. Je me ferai une raison. » Mais... j'aimerais savoir : si la secrétaire avait vu en moi un Démosthène yiddish, un orateur vibrant de talent ou un propagandiste convaincant, combien cela m'aurait-il rapporté ? Mon confrère yiddish réfléchit un instant et répond : « Cinquante dollars par conférence, un peu plus peut-être. » C'est mon premier échec, mais je ne me sens pas humilié. J'ai mal, c'est tout. Cinquante dollars, pour moi, représentent plus que mon salaire d'une semaine. Comment vais-je tenir toute une année ? Qu'est-ce que je vais dire à Dov ? Lui réclamer une augmentation ? Les finances, c'est le Vieux, Yehuda Mozes, qui s'en occupe et il m'expliquera que le journal n'est pas encore riche, patience, attendons que...

Qu'on veuille bien me pardonner de revenir si souvent sur mes préoccupations d'ordre matériel. Quand on n'a pas le sou, il est difficile de ne pas y penser...

Je ne peux résister à la tentation de faire un nouveau saut dans le temps. En 1972, peu après l'assassinat des athlètes israéliens par des terroristes palestiniens lors des Jeux olympiques de Munich, les grands patrons du United Jewish Appeal souhaitent m'entretenir d'un sujet urgent. N'ayant quasiment pas de contact avec leur organisation, je me demande ce qu'ils peuvent bien vouloir de moi. Je les reçois dans mon bureau. Leur porte-parole, Irving Bernstein, m'impressionne : sérieux, simple, éloquent, il va droit au but : « Quelque chose nous préoccupe depuis longtemps ; vous n'êtes jamais venu chez nous. Nos sections vous réclament et vous refusez toutes leurs invitations. Qu'avez-vous à nous reprocher ? N'êtes-vous pas favorable à l'État d'Israël qui a besoin de notre soutien ? N'êtes-vous pas disposé à défendre la communauté juive américaine dont les hôpitaux, les maisons de retraite, les écoles ne pourraient subsister sans notre aide financière ? » Je trouve une échappatoire : emploi du temps surchargé, fatigue, trop d'engagements. La vérité est autre : j'ai pour principe de me tenir à l'écart de toute collecte de fonds. Je n'aime pas la manière à la fois théâtrale et quasi scientifique avec laquelle on la pratique en Amérique. Mais je préfère avancer l'argument du calendrier. Cependant, Irving ne lâche pas prise : « Nous préparons notre conférence nationale et la tragédie de Munich y occupera une place centrale. Soyez des nôtres le Shabbat après-midi. Nous vous paierons deux fois, cinq fois vos honoraires habituels. Mieux : indiquez-nous une somme, n'importe laquelle. Cinq mille dollars ? Dix mille ? » Pendant qu'il plaide, une image ancienne et désagréable surgit dans mon esprit ; je me revois assis en face de la secrétaire spécialiste des refus, je l'entends m'annoncer froidement que je ne suis pas assez qualifié pour figurer sur sa liste de conférenciers. Elle m'a refusé cinquante dollars, et voilà que ses patrons m'offrent cent fois, deux cents fois plus ? Inconsciemment, je me mets à sourire : « Soit, dis-je à Irving Bernstein. Je viendrai le Shabbat après-midi. » Tous me regardent d'un air ahuri : ils doivent se demander ce qui a bien pu m'influencer ou quelle somme je vais leur réclamer. Sûr de mon effet, j'attends un moment avant d'enchaîner : « C'est un cadeau. Je ne tiens pas à être rémunéré. » Naturellement, ils ne peuvent saisir l'humour de la situation ; c'est leur châtiment. Et ma récompense.

Après deux nuits à l'hôtel Alamac (qui me coûtent les yeux de la tête), je décide de louer un studio. Pas facile. Les uns sont trop chers, les autres trop sales ou trop éloignés du centre. Par chance, un parent — du côté paternel — accepte de m'héberger le temps de mes recherches.

Samuel Wiesel et son épouse, tous deux originaires de Sighet, résident *uptown* Manhattan. Gens modestes, ils travaillent pour une entreprise de cravates. Ils ne jurent que par leur syndicat qui, pour eux, est une espèce de religion laïque. De stricte observance, ils croient néanmoins aux bienfaits de l'émancipation. Le vendredi soir, après le kiddoush, Sam me raconte l'histoire de son immigration aux États-Unis : « C'est grâce à ton père que je suis ici, m'explique-t-il de sa voix curieusement aiguë. Il avait obtenu un visa américain, oui, un visa pour vous tous, mais il ne voulait pas s'en servir tout de suite. Il préférait attendre, disant qu'il espérait ne pas venir les mains vides. Seulement, tu connais l'adage : l'homme pense et Dieu rit. L'armée roumaine me réclamait, et moi je n'avais pas envie de faire son bonheur. Alors, j'ai demandé à ton père de me " prêter " son visa. Il avait bon cœur, ton père. Toujours prêt à aider n'importe qui, et plus encore les membres de sa famille. Tu comprends maintenant ce que je lui dois ? » Voûté sous le poids des ans et du labeur, mon « oncle » lointain me semble à présent plus proche.

Ma pensée m'empoigne et m'emporte chez nous, là-bas, de l'autre côté. Tout le monde vantait l'intelligence et la générosité de mon père. Comment pouvait-il être si aveugle ? Avec un visa américain en poche, pourquoi s'était-il acharné à vouloir rester sur place ? Est-il possible qu'il ait pensé au bien des autres au lieu de se préoccuper des siens ?

Mon oncle Sam n'est pas mon seul parent new-yorkais. J'en ai un autre, du côté maternel celui-là. Ma sœur Béa, qui habite maintenant Montréal, a repris contact avec lui et insiste pour que je lui rende visite. Comment est-il au courant de ma présence dans sa ville ? Il a lu un entrefilet dans un journal yiddish et a aussitôt appelé Montréal. Béa me supplie de ne pas offenser un membre de la famille. Moi qui ne peux rien lui refuser, je lui promets de passer une soirée chez l'« oncle » Morris, comme elle l'appelle. Quand ? Dimanche soir. Ces « retrouvailles », j'en ai gardé un souvenir cuisant.

En premier lieu, il est riche, l'« oncle ». Très riche. Et le moins qu'on puisse dire est qu'il ne s'en cache pas. Sa personnalité se limite à ce qu'il possède. Sans sa fortune, il n'existerait pas. Or je n'ai rien contre la richesse, elle me gêne seulement quand elle brille et s'exhibe pour humilier les moins fortunés. Ainsi mon cher « oncle » américain va-t-il susciter en moi une antipathie qui, plus tard, me paraîtra peut-être injuste. Il habite un appartement luxueux, dans un immeuble luxueux, dans un quartier luxueux. Deux portiers habillés en huissiers ou en « suisses » des romans russes m'accueillent et me guident dans le hall. Le garçon d'ascenseur, lui aussi en uniforme et épaulettes argentées, est d'une politesse appuyée ; est-il payé pour ça ? Il me demande si je vais bien ; si l'hiver new-yorkais ne me gêne pas trop ; il me souhaite de passer une agréable soirée en m'indiquant la porte de mon oncle. Merci, merci beaucoup. Je sonne. Une bonne me fait entrer et, le doigt sur la bouche, me fait signe de ne pas parler trop fort. Y aurait-il un malade dans la maison, un visiteur imprévu, une manifestation artistique ? Défense de faire du bruit. Il faut avancer sur la pointe des pieds. Où est « l'oncle » Morris ? Dans le salon. Mais il ne faut pas le déranger : il joue aux cartes avec une dizaine d'invités. Je le salue tout bas. Il me répond sans lever les yeux de la table : « Est-ce que tu joues au poker ? » Non, je ne sais pas jouer. Il est déçu, l'« oncle ». Avec un haussement d'épaules, il lâche : « Alors, ça te sert à quoi d'écrire dans les journaux ? » Je ne vois pas le rapport, mais ses invités, plus raffinés que moi, rient de bon cœur. Ah, ce cher oncle Morris : outre sa fortune considérable, il possède un admirable sens de l'humour. Qu'ils rient si ça leur fait plaisir. Moi je n'apprécie pas la plaisanterie. Décidé à bouder, je vais m'asseoir à l'écart. Plus aimable que ses employeurs, la bonne m'offre à boire. Whisky ? Non, eau gazeuse. Cigarette ? J'ai les miennes. Une demi-heure s'écoule avec une luxueuse lenteur. Personne ne fait attention à moi. Trop préoccupés par le jeu, les invités n'ont pas le loisir de s'intéresser à ma personne. Comme si ma présence avait pour seul but d'attester qu'ils existaient, eux. Une heure passe et je commence à trouver la situation pesante. Faire un éclat ? Ce n'est pas mon genre. Et puis je ne voudrais pas faire de peine à Béa. Bon, patientons. Ils ne vont tout de même pas me laisser poireauter et bouder ainsi sur le sofa ultra élégant jusqu'à l'aube ! Ils vont se fatiguer, avoir faim, se lever. Je m'approche respectueusement de la table et chuchote à l'oreille de l'oncle Morris que, à mon vif regret, je ne peux plus attendre, car une obligation professionnelle réclame ma présence aux Nations unies (c'est un mensonge, mais il fait de l'effet). « Encore un moment, dit l'oncle Morris en s'agitant sur sa chaise. Je suis en train de gagner gros. Les Nations unies ne vont pas s'envoler, non ? » Vingt minutes plus tard, il crie victoire, empoche ses gains, interrompt la partie et se lève. Tous l'imitent. Alors, sur un ton solennel, l'« oncle » devenu tribun me demande d'approcher. « Regardez-le, dit-il en jetant un regard circulaire sur l'assemblée. Vous savez qui c'est ? Il écrit dans les journaux ; des milliers de Juifs le lisent en Israël. En France aussi. Et même en Afrique du Sud. C'est ce qu'on m'a raconté et, notez-le, j'y crois. C'est mon neveu, ou mon cousin, ou quelque chose d'approchant, peu importe. Ce qui importe, c'est qu'il est ici. Il est ici pour vous dire à qui il doit sa carrière. Allons, dis-leur. Dis-leur qui t'a aidé, qui t'a envoyé des dollars, qui a payé tes études, qu'est-ce que tu attends ? »

Je me sens rougir de honte et de colère. Je me rappelle soudain qu'à Ambloy j'avais en effet reçu de lui une lettre suivie d'un colis. Dans la lettre, il me disait son bonheur d'avoir retrouvé la trace d'un membre de sa famille et m'annonçait un envoi qui me ferait sûrement plaisir. Dans le colis, il y avait une paire de phylactères... Je lui écrivis pour le remercier de se soucier de mon bien-être spirituel et lui apprendre que j'avais déjà des téphilines. Là s'arrêta notre correspondance.

Morris n'a pas fini son discours. Et ses invités de se pâmer : ah, qu'il est généreux, qu'il a bon cœur, ce cher Morris, qu'il est charitable, c'est un saint ! Eh oui, j'ai un oncle saint, un vrai, qui fait honneur à Dieu lui-même.

A bout, près d'éclater, je finis par interrompre le saint : « Je suis désolé, mais il se fait tard ; je dois partir. Les Nations unies, séance d'urgence, crise internationale... » Morris n'est pas impressionné : « Dis au moins quelques mots, montre ce que tu es capable de faire. Un journaliste, ça se sert des mots ; qu'importe s'il les écrit ou s'il les dit. Alors, qu'est-ce que ça te coûte de faire un petit discours ? Ne serait-ce que pour prouver à mes amis que j'ai eu raison d'investir tant d'argent dans ta carrière. Allons, allons, tu ne vas pas filer comme ça ; je te l'interdis ! Tu me dois bien ça, non ? » Je réponds : « Je regrette, vraiment, une autre fois peut-être, le Conseil de sécurité, la guerre de Troie, la paix du monde... », provoquant çà et là des murmures : quel manque d'éducation ! Ça n'est même pas capable de dire merci. Bah, qu'ils pensent ce qu'ils veulent. Moi, je n'ai qu'une hâte : déguerpir. Sinon, je ne garantis plus rien. « Viens », m'ordonne l'oncle. Je veux savoir où. « Dans ma chambre. » Une sueur froide coule sur mon front et sur ma nuque : je parie qu'il va me proposer de l'argent ! En fait, j'en aurais bigrement besoin, mais... comment lui faire comprendre qu'il est trop tard pour ce genre de geste ? Mais je songe à ma sœur et d'un pas vacillant j'accompagne l'oncle. Il va droit à l'armoire, l'ouvre et se met à fouiller parmi les chemises et les costumes. Je pense : il se croit encore à Sighet... Il garde son argent caché sous le linge, au fond d'un tiroir, dans les poches de son manteau... Comment refuser son aumône sans chagriner Béa ? Morris, lui, n'arrête pas de marmonner : « Mais où c'est, où c'est... » Puis, sur un ton triomphant : « Voilà, j'ai trouvé ! » Dans sa main, il tient un pantalon kaki. « Prends-le, me dit-il. Regarde. Il est presque neuf. Il t'ira à merveille... » Là-dessus, la porte s'ouvre et sa femme arrive, essoufflée. La crainte qu'il ne se montre trop généreux se lit sur son visage. Apercevant le « cadeau », elle s'écrie, enthousiaste : « Il est superbe, ce pantalon, prends-le donc, ne sois pas bête... » Entre le dégoût et le rire, je choisis le rire.

Dans l'ascenseur, je compose le début d'un article : « Tout le monde a un oncle d'Amérique. Moi aussi, hélas. » Dans la rue, les passants doivent me prendre pour un ivrogne. Et moi je les prends pour des Martiens.

Je préfère Sam qui est tout sauf riche. J'aime son existence modeste et austère et je savoure son esprit sarcastique. Il adore contester et dénigrer ce qu'il aime. Le vendredi soir, je participe au repas de Shabbat. Il en profite pour lire mes articles, mais on dirait que c'est dans le seul but de les démolir.

Rien ne semble lui plaire. Ni le choix des sujets, ni mon style : « Où donc es-tu allé chercher ça ? » Je ne m'explique pas ses méchancetés. Est-ce chez lui une façon de conjurer le mauvais sort ? A-t-il peur que je me prenne trop au sérieux ? En tout cas, mieux vaut qu'il ne soit pas rédacteur en chef : il m'acculerait au chômage ! J'ai malgré tout une réelle affection pour lui. Est-ce parce qu'il se souvient de mes parents, de ma maison, de ma ville ? A son enterrement, j'ai rencontré ses amis de la synagogue où il se rendait les samedis et pour les fêtes. Tous m'ont dit combien il était fier de moi. Allez comprendre...

Après une semaine de lecture fiévreuse des petites annonces, de recherches et de démarches inlassables, accompagné de confrères israéliens qui me servent d'experts immobiliers, je trouve une chambre au rez-de-chaussée d'un immeuble de quatre étages, 76e Rue, entre West End Avenue et Riverside Drive. La rue est paisible, l'immeuble tranquille. Le bail, limité à une année, je le signe les yeux fermés. Seulement mes oreilles ne sont pas bouchées. Le lendemain matin, je me réveille croyant entendre une voix féminine qui vocalise. Serait-ce la radio ? Je vais à la fenêtre. Rien. La voix vient du premier étage. J'aime la musique, mais ces gammes ininterrompues finissent par m'agacer et m'empêchent de me concentrer. Je tape plus fort sur ma petite machine à écrire, et dérange à mon tour la chanteuse qui vient se plaindre. Je lui propose un marché : qu'elle cesse de vocaliser et je m'arrêterai de taper. Désolée, réplique-t-elle. Repoussée, ma proposition d'armistice. La jeune chanteuse, je ne lui en veux pas. Elle est étudiante à l'école de musique Juillard et il faut bien qu'elle s'entraîne. Et elle ajoute : « Mais, vous, pourquoi n'écrivez-vous pas vos articles à la main ? » Que ne ferait-on pas pour Euterpe ? Je déménage, perdant ainsi le loyer que j'ai payé d'avance. Je m'installe, pas loin de l'appartement, dans une modeste chambre d'hôtel, au dixième étage, avec ma valise et ma machine à écrire. Dans ma nouvelle résidence, la plupart des tiroirs restent vides. L'important c'est de pouvoir travailler. Dans une ambiance convenable, confortable. Et calme.

Je déménagerai une troisième fois à l'hôtel Master (Riverside Drive et 103e Rue) où j'habiterai jusqu'à mon mariage, en 1969, un petit studio dans la tour. Vue imprenable, belle à vous couper le souffle, sur l'Hudson et son humeur changeante, l'autoroute et son rythme, les lumières de Manhattan et les villages du New Jersey. Il m'arrivera de rester longtemps planté devant la fenêtre. J'écrirai en contemplant la ville lorsqu'elle s'éveille à l'aube ou se noie dans le crépuscule qu'anime le fleuve lumineux des voitures. Envoûtés par le spectacle, combien de visiteurs en oublieront l'objet de leur visite ?

Comment fait-on pour s'installer dans un pays inconnu ? Je m'étais à peu près enraciné à Paris. Vais-je y parvenir ici aussi ? Combien de temps me faudra-t-il pour m'acclimater ? Tous ces gens qui, à Times Square, courent dans tous les sens, qu'est-ce qui les incite à courir ainsi ? Pour gagner du temps ? Qu'en feraient-ils ? Moi, c'est retenir le temps qui m'importe.

Il va me falloir trouver un cadre, un milieu où le réfugié en moi se sente suffisamment à l'aise pour échapper à l'angoisse sans pour autant succomber aux tentations d'une société qui n'est pas encore la mienne.

David Gédaïlovitch, devenu Gedalya puis Guy (pour paraître plus américain), est mon compagnon de chaque instant. Né à Slatina, un village tchèque qui, sur l'autre côté de la Tissa, fait face à Sighet, il était, lui aussi, à Buna. Petit, trapu, visage triangulaire, optimiste, débrouillard comme dix diables, il sait réparer un rasoir électrique et préparer un dîner avec une égale maîtrise. Et s'il ne sait pas, il connaît celui qui sait. Marchand de parfum, restaurateur, amateur de grands crus, exportateur et importateur d'articles divers, il me présente à son cercle d'amis et à ses associés. C'est lui qui organise ma vie quotidienne, lui qui me dénichera mon troisième studio.

Je retrouve deux ou trois copains de Sighet ; ils habitent Brooklyn, mais travaillent à Manhattan. Mon air « sérieux » leur déplaît. Il paraît qu'on ne vient pas à New York pour refaire le monde ; il faut se divertir, s'amuser. Ils m'initient à une tradition américaine : le *blind date* ou « rendez-vous aveugle » ou « d'aveugles ». On vous remet un numéro de téléphone, et vous vous débrouillez avec. En ai-je dépensé des dollars précieux à essayer de séduire des beautés lointaines... Échecs sur toute la ligne.

Jacob Baal-Teshuva — représentant un hebdomadaire de cinéma israélien — dont j'ai fait la connaissance l'année précédente à Paris m'initie au travail de correspondant de presse étrangère. Rien de plus simple : je me rends vers 21 h 30 à la rédaction du *New York Times* pour y glaner les nouvelles « qui valent d'être imprimées » (c'est le slogan du quotidien) et me permettront de rédiger une dépêche. Par chance, le bureau de télécommunications n'est pas trop loin : à minuit, je suis libre de rentrer chez moi.

Richard Yafé (correspondant du quotidien israélien gauchiste du Mapaï) m'aide à obtenir un desk dans la salle de presse des Nations unies. Un peu plus âgé que moi, visage ouvert, lunettes d'écaille, sourire chaleureux, il me prend sous son aile, me parraine pour devenir membre de l'Association des correspondants à l'ONU et me fait remplir les formulaires d'assurances (que, faute d'argent, il m'est impossible de remettre à qui de droit). Excellent reporter, homme généreux, avide de vérité plutôt que de scoops, Richard me refile ses tuyaux et m'apprend à éviter tous les pièges qui guettent ici les représentants de l'opinion publique internationale. Il connaît de nombreux délégués et a ses entrées partout. Se doute-t-il que ma situation n'est pas florissante ? Il m'emmène à des cocktails et à des réceptions où, grâce aux petits fours et aux sandwiches au fromage, je peux économiser un déjeuner. (Aux toilettes, il m'arrive même de chiper du savon.) J'aime écouter ses commentaires émaillés d'anecdotes. Pourtant, il parle peu de lui-même, et c'est par des confrères que j'apprends son histoire. Vedette de CBS en Europe de l'Est pendant les années cinquante, il dut comparaître devant la Commission sénatoriale des activités anti-américaines en raison de ses opinions progressistes. Comme il refusait de fournir des renseignements sur ses amis, il fut licencié et ne put retrouver de travail nulle part ; l'hystérie paranoïaque propagée par le démagogue Joseph McCarthy était telle que ses anciens collègues lui tournèrent le dos. Pendant quelques années, il eut du mal à subvenir aux besoins de sa famille. Finalement, c'est le *Jewish Chronicle* de Londres et l'*Al-Hamishmar* de Tel-Aviv qui l'engagèrent. Un jour, je lui demande pourquoi il ne parle jamais de cette période dramatique de sa vie. « Pourquoi rouvrir des blessures ? me répond-il. J'ai honte. Honte pour mon pays. Honte aussi pour le milieu professionnel auquel je pensais appartenir. »

Puisque je viens de lâcher le mot honte, retenons-le un instant encore. Sur les instructions de Dov, qui a sans doute lu un reportage sur le sujet dans *Time Magazine*, je prépare une enquête sur les bas-fonds en Amérique, la Mafia, et tout particulièrement sur les tueurs à gages de Murder Incorporated. En fouillant les archives des différents journaux et de la bibliothèque municipale, c'est avec stupéfaction que je découvre des noms juifs. Eh oui, dans les années vingt et trente, des tueurs professionnels juifs offrirent leurs services à cette société criminelle. Ils acceptaient d'assassiner des hommes ou des femmes qui ne leur avaient rien fait, qu'ils ne connaissaient même pas. On dit que l'un d'entre eux se vantait d'être juif pratiquant, portait la kippa pendant son « travail » et respectait scrupuleusement le repos du Shabbat... On dit aussi qu'en 1947 deux membres du gang auraient proposé à un dirigeant sioniste palestinien d'éliminer les délégués qui s'apprêtaient à voter contre le plan de partage de la Palestine à l'ONU. Et il est malheureusement prouvé que des gangsters juifs se considéraient comme « patriotes » juifs. L'écrivain Ben Hecht raconte ainsi dans ses Mémoires qu'« enlevé » par des inconnus il fut conduit dans un garage où, devant la pègre réunie, on lui remit, pour le compte de l'Irgoun, une valise bourrée de dollars. J'avoue que mon enquête me laissa choqué, scandalisé, écœuré. Comment concevoir qu'un Juif puisse devenir tueur à gages ou tueur tout court ? Peut-être ai-je une conception trop idéalisée du Juif, mais le fait est que, en Europe de l'Est, on pouvait tout reprocher à mon peuple sauf d'être mêlé à des assassinats. Chez nous on disait : il y a certaines choses qu'un Juif — quel qu'il soit et d'où qu'il vienne — ne fera jamais. Il se laissera tuer, mais il ne tuera pas. Cela, même nos ennemis durent le reconnaître. Certes, je ne parle pas ici des

« meurtres rituels » dont, au cours des siècles, des chrétiens fanatisés nous ont si souvent accusé. Je parle de crimes réels. On pouvait reprocher aux Juifs mensonges, tricheries, fraude, contrebande, vol, parjure — mais pas d'être des assassins. Un seul Juif de ma région fut, il y a bien longtemps, arrêté, inculpé de meurtre et condamné à mort. Il s'appelait Reinitz et son nom est resté célèbre : les malfaiteurs, on prit l'habitude de les traiter de « Reinitz ». Comment expliquer cette quasi-absence de crimes de sang dans nos communautés ? J'aime penser que cela est lié aux commandements datant de la révélation au Sinaï : « Tu ne tueras point. » La voix de Dieu résonne et résonnera dans notre souvenir collectif. Mais alors, comment comprendre l'actualité ? Pourquoi, aujourd'hui, en Israël, des Juifs sont-ils condamnés pour meurtre ? Il paraît même qu'il y a une mafia juive là-bas, avec des « branches » en France et en Californie. Cas peu nombreux ? Un seul serait de trop. Ainsi faut-il admettre l'impensable : comme en toutes choses, nous sommes en train de devenir un peuple comme tant d'autres, ni meilleur ni pire, avec ses Justes et ses impies, un peuple capable de violence, de haine et de laideur autant que de bonté, de sacrifice et de grandeur. Ne sommes-nous donc pas le « peuple élu » ? Oui, nous le sommes. Dans le sens qu'Israël Zangwill confère à cette expression : « le peuple qui élit (son destin, sa mission) ou s'élit lui-même », et plus encore dans la mesure où nous pouvons enseigner à tous les peuples qu'eux aussi sont « élus », qu'ils doivent aspirer à se dépasser, à s'élever, à se vouloir uniques.

On ne doit pas comparer un peuple aux autres peuples ; on ne doit le comparer qu'à lui-même : correspond-il à l'image exaltante que ses Maîtres spirituels et ses prophètes se faisaient jadis de lui et de son destin ? Voilà la question.

C'est en Amérique que je rencontre David Ben Gourion. Je suis chargé de « couvrir » sa visite chez le président Dwight D. Eisenhower. Le voyant pour la première fois, je ne peux m'empêcher de me rappeler l'épisode tragique de l'*Altalena*. Est-ce bien le même homme obstiné, le même dirigeant irascible, impitoyable, qui parle maintenant d'éthique prophétique autant que de géopolitique ? Et de la mission d'Israël de servir de « lumière pour les nations » ? Malgré ces pensées, je finis par tomber sous son charme.

A la Maison-Blanche, côtoyant les journalistes américains et étrangers qui y sont accrédités, je découvre la puissance de la presse écrite ou parlée. On a l'impression que l'immense appareil de l'État ne fonctionne que pour l'amadouer. Certes, le pouvoir des médias est incomparablement plus grand aujourd'hui. Mais c'est le signe des temps : à présent tout est « plus » qu'avant.

Avec les conseillers du Premier ministre, dont Teddy Kollek et Itzhak Navon, respectivement futur maire de Jérusalem et futur président de l'État juif, nous attendons sur le perron de la Maison-Blanche que le Premier ministre émerge du bureau ovale. Nous parions sur la durée de son entretien avec Eisenhower. Les deux chefs devaient rester une demi-heure ensemble ; une heure s'est déjà écoulée. De quoi peuvent-ils s'entretenir si longuement ? Finalement, ils apparaissent. Ben Gourion est petit, Eisenhower, à ses côtés, paraît gigantesque. Cependant, sans doute parce que je suis juif, c'est Ben Gourion qui me paraît retenir l'attention. Quoi qu'il en soit, les voyant côte à côte, on ne peut que réfléchir « plus haut », pour employer une expression hassidique. Du coup, on sort de la politique pour s'immerger dans l'Histoire. Bien sûr, l'Amérique est une nation dynamique et riche, une superpuissance, mais Israël est et doit rester une communauté humaine porteuse de message sinon de lumière.

Être journaliste étranger en Amérique exige un travail constant de recherche et de vérification. Plus qu'en France, l'actualité américaine m'absorbe du matin au soir. Sur ce vaste continent agité, les événements de toute nature se succèdent à un rythme effréné. A peine arrivé, je « couvre » le combat des Noirs pour les droits civiques. Tous les journaux du monde parlent de la jeune étudiante Autherine Lucy, la première Noire à être admise à l'université d'Alabama. Pour avoir orchestré le boycottage des autobus à Montgomery, Martin Luther King est condamné à une peine de prison. *My Fair Lady* remplit les salles de Broadway. Arthur Miller épouse Marilyn Monroe : cela justifie un papier, non ? Mais je constate avec une sorte de regret que leur mariage intéresse le lecteur américain autant que la maladie d'Eisenhower.

Et puis il y a la vie juive aux États-Unis. Elle me semble plus animée, plus variée qu'en France. Parfaitement organisée, elle nous rend la tâche facile. Chaque organisation est présidée par une personnalité influente dans le monde des affaires et souhaite se faire connaître à l'extérieur. D'où l'importance accordée aux chargés de relations publiques. Ici, on nous sollicite sans cesse, on nous flatte, on nous cajole. Déclarations politiques, programmes pour Israël, projets et contre-projets abondent. On nage dans le surplus ; le travail consiste à trier. Par chance, le journal se développe : le nombre de pages augmente ainsi que celui des lecteurs. Et puis c'est désormais à Washington bien plus qu'à Londres que se prennent les décisions. Le président Eisenhower tient le Moyen-Orient à l'œil. John Foster Dulles et ses collaborateurs en ramènent rapports, propositions et accords dont dépendra le destin d'Israël. Le moindre incident de frontière entraîne des réactions dans la capitale aussi bien qu'aux Nations unies. Les conférences de presse de Dag Hammarskjöld sont des performances grandioses. Éloquent, autoritaire, parlant de lui-même à la troisième personne, il envoûte les journalistes. Moi, il me plaît parce qu'on le dit admirateur de Martin Buber. Le serait-il aussi du hassidisme ? Son mysticisme ne se révélera vraiment qu'après sa mort tragique au-dessus du Congo. Pour lui, la mission des Nations unies est d'ordre théologique et, parce qu'il se prend pour une sorte de messie ou de souverain planétaire, Israël le redoute. En général, d'ailleurs, Israël redoute tout ce qui vient des Nations unies : c'est le seul pays à n'appartenir à aucun bloc, le seul qui n'a jamais siégé au Conseil de sécurité. Une caricature présente un délégué israélien invité à un cocktail ; seul dans un coin, n'ayant personne avec qui trinquer, il lève sa coupe de champagne et dit : « *Le'haïm*, à la vie, Seigneur ! » Pour comprendre la signification de la solitude d'Israël dont parle la Bible, il suffit d'écouter les discours prononcés au Conseil de sécurité ou à l'Assemblée générale.

Au début, j'aime les journées que je passe dans le palais de verre des Nations unies, cette caisse de résonance de la diplomatie mondiale. Dans l'immense salon des délégués — d'où l'on téléphone gratuitement —, il est possible d'accoster un Krishna Menon et un Andrei Gromyko ou d'interviewer au pied levé un visiteur de marque sur les problèmes du Moyen-Orient : je sais qu'alors mes papiers mériteront la une.

Naturellement, le délégué que je fréquente le plus est Abba Eban, le jeune ambassadeur d'Israël. Enfant prodige de l'establishment de son pays, il frappe et abasourdit par son intelligence aiguë et ses dons de tribun. Sa maîtrise de la langue anglaise est légendaire. (Golda Meir en fera son ministre des Affaires étrangères, et dira en riant au président Nixon, à propos de Henry Kissinger, son homologue américain : « Le mien a un meilleur accent anglais que le vôtre. ») Il s'en sert admirablement pour défendre la politique et l'honneur de sa nation. La communauté juive l'adore. Moi aussi je l'admire, malgré ses faiblesses : ses adversaires, en Israël, lui reprochent l'élégance de son hébreu, sa façon de s'écouter parler, de se répéter parfois — mais il est difficile de rester original quand on prononce trois discours par jour. A force de les prendre en note, je commence à connaître ses tics, ses tournures de phrase et ses mots d'esprit. Plus tard, nous aurons une confrontation déplaisante et pénible que je regrette encore aujourd'hui. Pour l'instant, nos rapports sont corrects, et même bons, mais peu fréquents : pour lui, je ne suis qu'un correspondant fraîchement débarqué, timide et représentant un journal pauvre, donc moins influent que les autres.

Pour améliorer ma situation financière, je travaille comme pigiste au quotidien yiddish *Morgen Journal* : j'y remplace son correspondant aux Nations unies lorsqu'il doit s'absenter. L'hebdomadaire *Der Amerikaner* accepte quelques-uns de mes articles mais préférerait un roman qui serait publié en feuilleton. Le problème est que je n'en ai pas. « Dommage, me dit le rédacteur en chef et grand amateur de fiction, David Mekler. Je dispose d'un budget respectable pour un roman. » Je l'observe : petit, nerveux, regard ironique derrière des lunettes épaisses. Se moque-t-il de moi ? Apparemment non. « Ah bon, dis-je d'un air flegmatique, dans ce cas, je pense que j'en ai un dans mes tiroirs. » Le soir même, après avoir envoyé mon câble quotidien à *Yedioth*, je me mets à la machine à écrire. En une semaine ou deux je fignole (sous le pseudonyme Elisha Carmeli) un roman d'espionnage et d'amour (sûrement sans intérêt) dont je ne me rappelle que le point de départ : un homme et une femme, tous deux agents de renseignements israéliens, sont désespérés parce qu'ils s'aiment et que l'un ou l'autre doit se rendre en mission en Égypte. L'opération réussira-t-elle ? Je n'en sais plus rien. Mais je me souviens qu'à la fin tous mes personnages meurent : je ne savais plus que faire d'eux. Aussi dérouté que moi, Mekler intitula mon roman *Les Héros silencieux*. Je note en passant qu'il ne l'a certainement pas lu jusqu'au bout; quant à moi, je ne l'ai plus revu. Mais Shimon Weber, le directeur des informations du quotidien yiddish *Forverts* (*The Jewish Daily Forward*), en a lu des extraits. Il connaît également les articles que j'écris dans le journal concurrent et m'invite à déjeuner. Journaliste brillant, cultivé, il est fier de son métier. Et fier d'appartenir à une équipe prestigieuse (Léon Crystal, Isaac Bashevis Singer, R. Abramowicz, Haïm Ehrenreich) dirigée par Hillel Rogoff. Nous sympathisons. Accepterais-je de travailler pour le *Forverts*? Je lui donne mon accord sans même réfléchir. Le *Forverts* n'est-il pas, à travers le monde, le plus grand, le plus riche, le plus lu des quotidiens yiddish? Je commence par faire du rewriting : je traduis et réécris les nouvelles pour les pages d'informations générales. Ensuite, on verra.

J'aime la langue yiddish. Je la parle avec l'accent lituanien que je tiens de Shoushani. Avant lui, c'est un garçon de Kovno qui, à Buchenwald, me racontait ses expériences de vieillard, et j'aimais le ton chantonnant de sa voix. J'ai oublié son nom, et cela me fait mal. Mais je me souviens de son visage osseux, de ses joues creuses, de ses yeux fiévreux, et cela aussi me fait mal.

J'aime parler le yiddish. Il y a des chants qu'on ne peut chanter dans aucune autre langue ; des prières que seules des grand-mères juives savaient murmurer au crépuscule ; des histoires dont le yiddish seul peut communiquer le charme et le secret, la tristesse et la nostalgie. Il y a un temps qu'on peut nommer le temps du yiddish. Il y a un amour que je ne porte qu'à cette langue. Comment l'expliquer? L'amour se moque des explications.

J'aime le yiddish car il m'accompagne depuis le berceau. C'est en yiddish que j'ai prononcé mes premiers mots, exprimé mes premières craintes : il constitue pour moi un pont vers mes années d'enfance. C'est un royaume à lui tout seul, où vivent amitié et envie, grandeur et bassesse, savoir et ignorance, joies et deuils.

Pourtant, le yiddish est une langue comme les autres. Ses mots sont semblables aux hommes : tantôt riches, tantôt pauvres ; grands et petits, majestueux et suffisants, vieux et jeunes, droits et voûtés. Il y en a qui vieillissent et meurent, et d'autres qui meurent sans vieillir. Et puis il y a les mots immortels. Dieu? Les noms de Dieu. « Je », lui aussi, est immortel dans toutes les langues. Mais Dieu écrit en hébreu et entend en yiddish, disait-on autrefois.

J'ai besoin du yiddish pour rire et pleurer, célébrer et regretter. Et pour me plonger dans mes souvenirs. Existe-t-il une meilleure langue pour évoquer le passé avec son poids d'horreurs ? Sans le yiddish, la littérature de l'Holocauste n'aurait pas d'âme.

Est-ce parce que cette langue est ancrée dans une tradition qui consigne dans ses chroniques le destin vertigineux de notre peuple ? Je sais en tout cas que, si je n'avais pas écrit mon premier récit en yiddish, les livres qui lui succédèrent seraient restés muets.

Encore aujourd'hui, et peut-être plus que jadis, j'éprouve la nostalgie du yiddish.

A ma grande surprise, mon oncle Sam se montre soudain fier de moi. Il paraît que, à la synagogue, des hommes mentionnent mes papiers et que leurs épouses vantent mon roman. Dans son enthousiasme, il me conseille brusquement de me marier. Avec qui ? La fille d'un ami à lui est charmante et n'attend qu'un garçon comme moi. « Elle est institutrice, dit Sam, tout excité. Intellectuelle et de bonne famille. Bref, elle est faite pour toi. » Il paraît qu'elle assiste souvent à l'office du Shabbat. « Pourquoi ne m'accompagnerais-tu pas au service, vendredi soir ? » Pour ne pas discuter pendant trois heures, j'accepte. « J'espère que tu as un chapeau », me dit Sam. Non, je n'en ai pas ; je ne porte que le béret. « Impossible, s'indigne Sam. Il faut que tu t'en achètes un. Tu ne peux pas venir à ma synagogue sans chapeau. » Et, toute affaire cessante, il m'emmène chez un chapelier du quartier. Coiffé proprement, en bon Juif orthodoxe qui cherche une fiancée, je me présente le vendredi soir à la synagogue. Sam a bien préparé les choses. Le président de la congrégation me prie d'officier. Pour faire impression ? Malheureusement, l'assistance est peu nombreuse et la galerie des femmes presque vide. Mais « elle », où est-elle assise ? Je chantonne les psaumes en essayant de l'imaginer. Brune, blonde ? Ai-je échoué ? La jeune fille non de mes rêves mais de ceux de mon oncle, celle qui dans sa tête allait devenir ma future épouse, n'est pas venue, ou bien elle est partie au milieu du service. N'a-t-elle pas apprécié ma façon de prier ? Il se peut aussi que mon chapeau lui ait déplu.

Je ne retourne plus à la synagogue de Sam. D'abord, elle est trop éloignée. Ensuite, sauf pour les grandes fêtes ou l'office de Yizkor, j'évite maintenant les prières en commun. Je suis en pleine crise religieuse. Je ne m'en ouvre à personne — je n'ai personne avec qui discuter de ces questions-là : Shoushani a disparu, André Neher est loin, et je ne connais pas encore le Rabbi de Lubavitch et Saul Lieberman — mais le Dieu de mon enfance me tourmente. Je l'ai noté plus haut : cela a commencé lors de mon premier voyage en Israël. C'est alors que, pour la première fois, j'ai « oublié » de mettre les téphilines. Et c'est à Jérusalem, la plus sacrée et la plus spirituelle des cités, que pour la première fois j'ai éprouvé un besoin de protester, par des gestes à la fois concrets et symboliques, contre la justice et l'injustice divines.

Reste que, dans l'immédiat, j'ai déçu mon oncle Sam : il était persuadé qu'un grand bonheur naîtrait, pour moi et pour toute notre famille, de ma rencontre avec la jeune institutrice. Or, plutôt que d'en vouloir à l'absente, c'est à moi qu'il s'en prend. Il m'accable de reproches, avant de tourner en dérision mon « échec » d'homme et de Juif célibataire : c'est sa manière de me consoler, de me remonter le moral. Moi, je ne suis pas déprimé du tout. Je n'ai pas encore oublié Kathleen. Et puis, comme présence féminine, innocente il est vrai, il y a Aviva, la secrétaire particulière du Vieux, Yehuda Mozes. Grande, blonde et svelte, elle est au centre de l'administration du journal. Le Vieux ne cesse de chanter ses louanges. Elle sait tout faire, tout arranger, avec vivacité et délicatesse. J'ai fait sa connaissance lors de mon dernier séjour à Tel-Aviv, et voilà qu'elle vient en vacances à New York. Nous nous voyons souvent : musées, concerts, promenades dans Central Park, dîners hâtifs dans un *deli* (sorte de bistrot) du coin.

Un soir, elle vient me chercher pour m'accompagner aux bureaux du *Times*. Nous sommes en juillet. Il règne une chaleur étouffante, écrasante : elle pénètre les os, les veines, les poumons. Nous prenons le bus plutôt que le métro. A Times Square, le tableau semble irréel : c'est le tourbillon humain habituel des passants, mais ils marchent, rient et mangent au ralenti. J'achète le *Times* et le *Herald Tribune*. J'ai appris à lire vite et je les parcours en diagonale. Certains mots, certains noms accrochent mon regard. En Égypte, Nasser agite des bannières nationalistes sur des foules fanatisées. Discours d'Adlaï Stevenson qui se représentera vraisemblablement comme candidat démocrate à l'élection présidentielle en novembre. Concernant le Moyen-Orient, appel au calme de James Hagerty, porte-parole de la Maison-Blanche.

Hammarskjöld prépare un voyage à l'étranger. Bref, rien qui bouleverse l'ordre des choses, comme disent les éditoriaux. *No news, good news* : pas de nouvelles, bonnes nouvelles. Allons envoyer mon câble, ne serait-ce que pour dire bonjour au Vieux. Ensuite, nous irons au cinéma. Mais, une fois de plus, le proverbe yiddish a raison : les plans, l'homme les fait, et Dieu les défait.

Je ne me rappelle plus quel film nous avions décidé de voir — *Les Frères Karamazov* ? — je sais seulement que nous n'y sommes pas allés.

En traversant Times Square, au croisement de la VIIe Avenue et de la 45e Rue, je suis renversé par un taxi. Le choc soulève mon corps et, pareil à un personnage de Chagall, je vole jusqu'à la 44e Rue. C'est là que, vingt minutes plus tard, l'ambulance viendra me ramasser pour m'emmener à l'hôpital. Aviva me racontera que, pendant le trajet, je me suis réveillé plusieurs fois pour lui donner des consignes : que dire à Dov, qui appeler pour me remplacer, quels rendez-vous décommander, comment prévenir ma sœur Béa, chez qui emprunter l'argent pour le loyer. Puis, je perdis connaissance pour de bon. Par Aviva, j'apprendrai aussi qu'un premier hôpital refusa de me recevoir : ayant examiné mon portefeuille, un employé s'était aperçu qu'il était scandaleusement, désespérément vide. Sans argent ni assurance, je ne méritais pas d'être soigné, ni même sauvé ; après tout : *business is business*. Et, de toute façon, j'étais déclaré quasiment irrécupérable. A quoi bon me garder ? Des infirmiers me remirent donc à l'ambulancier qui, dans un hurlement irrité de sirènes, reprit sa route à la recherche d'un hôpital plus charitable. Il finit par le trouver. Grâce au chirurgien orthopédique de service, je fus admis au New York Hospital. C'est le docteur Paul Braunstein qui me sauva la vie.

Tout mon côté gauche avait été fracassé. Il fallut dix heures d'opération pour le recoller et me laisser dans le plâtre jusqu'au cou, seulement capable de bouger la tête. Allongé et condamné à l'immobilité, on songe, on pense et on voit le monde différemment. Un simple analgésique vaut plus que dix poèmes extraordinaires. Quant à l'infirmière qui me retournait sur le dos ou le ventre, je lui étais plus reconnaissant qu'à la plus ravissante des femmes dont j'aurais reçu l'offrande suprême ; et la plus stupéfiante des informations m'aurait moins importé que le sourire bienveillant du médecin. Ainsi, j'appris que, pendant que j'étais dans le coma, Nasser avait nationalisé le canal de Suez. En temps normal, cette nouvelle m'aurait fait bondir. Je me serais précipité sur le téléphone, j'aurais ouvert la radio. Maintenant, elle me laissait indifférent.

Au bout de quelques jours, je retrouvai ma curiosité. Des confrères me tenaient informé. Il y avait même des moments drôles dans l'hôpital. Tous ces visiteurs qui venaient me consoler, me disant : « Tu as de la chance ; cela aurait pu être pire ; tu aurais pu perdre la vue, les jambes, la raison... » Je souffrais de toutes les fibres de mon corps châtié, emprisonné, et eux me répétaient que cela aurait pu être pire ! Une histoire me revint à l'esprit : un homme débite la litanie de ses malheurs à son ami : il a perdu son emploi, sa maison, son portefeuille, sa fiancée. Chaque fois, son ami répond : « Cela aurait pu être pire. » A la fin, n'en pouvant plus, le bonhomme s'écrie : « Mais qu'est-ce qui aurait pu être pire ? » Et son ami de murmurer : « Cela aurait pu m'arriver, à moi. »

Cette histoire, je la tiens d'Alexander Zauber, rédacteur d'un journal israélien spécialisé dans le sensationnel. Grand amateur d'humour noir, il me raconta aussi celle de l'homme blessé souffrant de multiples fractures à qui l'on demande s'il a mal. Sa réponse : « Seulement quand je ris. »

Haïm Isaac, le correspondant du quotidien travailliste *Davar*, me remplace pour les dépêches quotidiennes. Craignant que le lecteur ne m'oublie, je décide de reprendre mon travail. D'abord un « reportage » malheureusement vécu sur l'accident. Puis des commentaires et des articles de fond que je dicte. Pas facile. Manque d'habitude. Je ne sais pas dicter. Pas plus que je ne sais faire travailler, diriger, donner des ordres. Or dicter c'est tout cela. Pourtant, Dov me félicite. Qu'est-ce qui lui plaît le plus : ma détermination ou mon écriture ? D'après lui, je mériterais le prix Pulitzer. Mais le journal ne me dit pas un mot des frais d'hôpital que je vais devoir régler.

Avec le temps, ma chambre deviendra un lieu de rendez-vous privilégié. Les infirmières de l'étage s'y retrouvent pour suivre les matches de base-ball diffusés en direct à la télévision : avant qu'on installe un poste (pour elles plus que pour moi), il était impossible de les joindre ; maintenant, elles ne me quittent plus. Béa et Aviva me rendent visite tous les jours. Le bon Noah arrive de Los Angeles où il était censé assister au concours de Miss Univers. Souvent des confrères tiennent des conciliabules dans ma chambre plutôt que de se rendre au club de l'ONU. On discute politique, on échange informations et potins, on se moque des célébrités du jour. Le sujet principal reste Gamal Abdel Nasser, ce jeune colonel égyptien qui ose défier la Grande-Bretagne et la France. Le Conseil de sécurité siège presque en permanence. Israël est sur ses gardes. Nasser a mauvaise presse en Occident, mais pas dans le tiers monde. Les pays musulmans le portent aux nues, c'est leur héros glorieux destiné à reconquérir l'ancien empire, le nouveau Saladin. La presse, elle, s'interroge : va-t-on permettre à Nasser de violer impunément les accords entre l'Égypte et les grandes puissances européennes ? Le secrétaire d'État John Foster Dulles conseille modération et patience. Dag Hammarskjöld prêche la morale. Qu'est-ce qui va arriver ? Une nouvelle guerre ? Du coup, le centre de gravité de l'actualité se déplace de Washington au Moyen-Orient. Guerre ou paix ?

Un matin, je reçois un avocat qui me dit représenter une compagnie d'assurances. Il a une proposition à me faire : que je signe un document, une simple feuille de papier, et j'encaisse 250 000 dollars sur-le-champ. J'ai dû mal entendre : les relations entre les chiffres et moi n'ont jamais été excellentes. Je le prie de répéter ce qu'il vient de dire. L'énormité de la somme me donne le vertige. Je suis prêt à signer le document, et tous les papiers qu'il a amassés dans sa sacoche. Mais Zauber veille : « Tu es inconscient ou quoi ? Tu ne signes rien ! » Je lui réponds : « Pense à la fortune que je vais recevoir ; en vingt ans, en cent ans, je n'en gagnerai jamais autant. » Il se fâche : « Tu veux sérieusement laisser cet escroc nous ruiner ? Envoie-le au diable. Moi, je vais te présenter à un avocat, un avocat qui défend les victimes au lieu de les rouler, pas le mien, mais celui d'un ami à moi, très riche ; il va faire de toi aussi un millionnaire. C'est vrai ce qu'on dit de l'Amérique : les dollars y traînent dans les rues ; il suffit de se faire écraser pour les ramasser ! » Il éclate de rire, et enchaîne : « Tu vas les ramasser, les dollars, je te le garantis ! » Comment refuser pareil trésor ? Zauber chasse l'émissaire de la compagnie d'assurances et téléphone en hongrois à son riche ami. L'après-midi même, je fais donc la connaissance de l'éminent avocat. L'air sérieux, professionnel, il m'examine comme s'il était médecin. D'ailleurs, il s'entretient avec le docteur Braunstein qui lui confirme que je suis vraiment mal en point. Traduit en termes financiers, conclut l'avocat, ce diagnostic vaut un million de dollars au moins. Au moins, renchérit Zauber, jubilant : « Tu vois ? Je te l'avais bien dit. Et tu allais te laisser voler par ce salaud de l'assurance ! Tu as de la chance que je sois là pour te protéger. » Si je n'étais pas dans le plâtre, il me sortirait du lit pour me faire danser, tant il rayonne de bonheur. Quant à moi, je suis préoccupé par le présent plus que par l'avenir : il va falloir payer l'hôpital. La chambre privée coûte cher et le journal, pourtant responsable de ce qui arrive à ses représentants, continuera à m'envoyer mon maigre salaire, mais rien de plus. Où vais-je trouver les fonds nécessaires pour les mois à venir ? Si, pour l'instant, j'ai droit à cette chambre privée en raison de la gravité de mon état, et grâce à l'amitié que le docteur Braunstein me manifeste, dans quelques jours, quand j'irai mieux, je vais devoir la partager avec un ou plusieurs malades. Perspective effrayante : depuis la guerre, je panique à l'idée de dormir dans la même pièce qu'un étranger. Ma sœur Béa ferait tout pour m'aider, mais elle est presque aussi démunie que moi. Aucun de mes camarades n'est riche. Pour des raisons qui lui sont propres, Dieu en a décidé ainsi : aucun de mes confrères n'est millionnaire. Reste l'espoir du premier avocat. Si j'accepte sa proposition, je reçois l'argent tout de suite ; avec l'autre, je vais devoir attendre des mois sinon des années. Zauber s'énerve, crie, hurle que je commets la bêtise de ma vie et de la sienne ; ma décision est prise. J'inviterai le premier avocat à venir tard dans la soirée, quand Zauber sera parti. Mieux vaut un oiseau doré dans la main qu'un mirage dans le cerveau.

Mais c'est compter sans la possibilité d'un miracle. Parmi les visiteurs, ce jour-là, il y a Hillel Kook. Il demande à Aviva et à d'autres amis de nous laisser seuls. Curieux bonhomme. Le type même de l'intellectuel d'Europe centrale : myope, maigre, tendu, curieux. Je l'ai rencontré pour une interview quelques semaines auparavant. Il venait de créer une organisation politique pour combattre l'ingérence soviétique au Moyen-Orient. Je le connaissais de réputation. Membre du haut commandement de l'Irgoun, sous le pseudonyme de Peter Bergson, il dirigea pendant la guerre, avec l'écrivain célèbre Ben Hecht, le Comité hébreu de libération nationale dont l'objectif principal était de sauver les Juifs européens. Nul n'a autant fait pour alerter l'opinion publique américaine sur la tragédie des Juifs victimes des nazis. En conséquence de quoi l'establishment juif américain ne cessa de le détester, de le combattre et de le diffamer. Durant l'affaire de l'*Altalena*, il fut emprisonné sur ordre de Ben Gourion, mais n'en conserva aucune amertume. « J'ai appris ce qui t'est arrivé, me dit-il sans préambule. Sans doute le sais-tu déjà : pour être malade à New York, il faut en avoir les moyens. Tu n'as pas d'argent ; moi j'en ai. Je t'ai apporté quelques chèques en blanc ; tu les rempliras toutes les semaines et quand tu n'en auras plus tu me le feras savoir ; je t'en apporterai de nouveaux. »

Hillel a dit tout cela simplement, sans emphase, comme s'il faisait ce genre de geste plus d'une fois par jour.

Ahuri, abasourdi, bouleversé, je ne parviens même pas à le remercier. Le nœud dans ma gorge refuse de se défaire. Je le contemple — comme s'il était un Juste, l'émissaire d'Élie, le plus imprévisible des prophètes — et finis par lui demander : « Mais... comment vais-je vous rembourser ? » Insouciant, sur le ton du banquier qui parle à un collègue, il répond : « Ne te fais pas de soucis ; j'ai de quoi vivre ; et puis, ce que je te prête, tu me le rendras le jour où tu recevras tes indemnités de la compagnie d'assurances. »

Là-dessus, il fait un geste pour me serrer la main, se ravise (il ne va tout de même pas serrer un morceau de plâtre), me lance un au revoir rapide et s'en va.

Mes amis reviennent dans la chambre. Je leur raconte le miracle. Zauber, fou de joie, se met à applaudir sa propre sagesse : « C'est un signe du ciel, s'écrie-t-il. Dieu veut que tu m'obéisses. Que tu n'agisses pas comme un imbécile. Que tu puisses rester dans *ta* chambre. Que tu engages *mon* avocat. » Il s'interrompt pour reprendre son souffle, fait un saut vers le lit, dépose un baiser bruyant sur mon front et me dit sur un ton de bénédiction : « Tu seras millionnaire, *mon* ami, millionnaire, c'est moi qui te le promets ; et si tu sabotes mes plans, c'est simple : je te tue. Et *mon* avocat sera mon défenseur. »

Admirable Hillel. Toutes les semaines, il m'appelle pour savoir si j'ai besoin de chèques supplémentaires. Entre-temps, mon avocat a entamé le processus légal qui, selon lui et Zauber, ne manquera pas de changer ma vie. Je multiplie les déclarations, signe documents et dépositions divers. Un mois s'écoule, un an passe. Zauber rentre en Israël, Béa à Montréal. De temps en temps, j'interroge l'avocat : « Alors, où en sommes-nous ? » Il est patient et me conseille de suivre son exemple. Dix-huit mois après l'accident, il m'accompagne au palais de Justice. Nous sommes reçus par un juge. Ce n'est pas encore le procès mais un simple acte de procédure. Deux ans nous séparent de l'accident ; toujours rien. Un jour, je reçois un appel de Hillel. Nous prenons le café ensemble. Il me demande des nouvelles du procès. C'est que Wall Street ne lui a pas été favorable et il aurait besoin d'espèces. Mais je ne dois rien brusquer, me dit-il. Si je suis forcé d'attendre, il se débrouillera. Le jour même, j'exige de mon avocat qu'il règle l'affaire dans le courant de la semaine. Il n'est pas d'accord : la compagnie d'assurances n'attend que cela ; nous sachant dans le besoin, elle ne nous abandonnera que des miettes. Je lui réponds que cela m'est égal : s'il tergiverse, je le congédie et je le remplace par un confrère plus habile. Le lendemain, il m'informe du résultat de ses négociations : lui-même recevra trente pour cent de mes indemnités et Hillel sera remboursé.

Voilà comment je ne suis pas devenu millionnaire.

Mais j'ai tiré de l'aventure quelques souvenirs. Et un roman, *Le Jour,* qui commence ainsi :

> L'accident survint un soir de juillet, au cœur même de New York, alors que nous traversions la rue, Kathleen et moi, pour aller au cinéma voir *Les Frères Karamazov*.

Le Jour ne s'inspire qu'en partie de la réalité. Le personnage de Kathleen, d'abord : il ne correspond pas à la Kathleen avec qui j'avais rompu (pardon : c'est elle qui avait rompu) l'année précédente. Pourtant, si je l'ai introduite dans le roman, peut-être était-ce pour mieux élucider nos rapports révolus. Ensuite, j'y décris certes mon état et mes sentiments pendant les semaines qui suivirent l'accident (je me rappelle que, retrouvant ma lucidité, je m'étais esclaffé : avoir survécu aux camps de la mort pour me faire écraser dans les rues de New York, quelle ironie !) ; mais, dans le roman, l'« accident » est une tentative de suicide.

En revanche, un autre épisode est directement tiré du réel : ma rencontre avec Sarah. J'ai fait sa connaissance dans un autobus entre l'Hôtel de Ville et la place de la République. Petite, blonde, un pli désabusé autour de sa bouche, elle semblait égarée dans sa propre existence autant que dans la mienne. Elle s'invita chez moi. Je lui dis : « Racontez-moi une histoire. » Elle répondit : « Je m'appelle Sarah. » Comme ma mère, pensai-je. « Ce n'est pas une histoire », remarquai-je. Elle se rebiffa : « Si, c'en est une. » Je m'assis à ma table de travail ; mais elle resta debout, appuyée contre la porte, comme pour empêcher un intrus d'entrer, ou pour m'empêcher, moi, de sortir. Je m'enfermai dans un silence que je sentais devenir hostile. S'attendait-elle à des questions qui ne venaient pas ? Soudain elle se rembrunit et s'écria : « Vous ne comprenez pas ? Je m'appelle Sarah et je suis née à Wilno. » J'allais répliquer que ce n'était pas une histoire non plus, mais je décidai de rester muet. Maintenant elle paraissait hors d'elle, possédée. Elle se mit à me raconter en criant ses expériences dans un camp de concentration. Les tortures que les Allemands avaient infligées à son corps jeune, faible et innocent. La solidarité des autres déportées. Elle avait douze ans. Je n'aurais pas dû écouter ; j'aurais dû me boucher les oreilles. Penser à autre chose. Faire l'amour avec elle. Lui dire que son corps était une invitation à l'amour. N'importe quoi, pourvu qu'elle se taise.

Ce qui me reste de cette expérience ? Le besoin de l'intégrer dans *Le Jour*, peut-être pour transcender le thème de l'accident-suicide. J'ai pris comme épigraphe un extrait du livre de Nikos Kazantzakis, *Alexis Zorba* : « Une fois de plus m'apparaissait la justesse de l'antique légende : le cœur de l'homme est une fosse remplie de sang ; sur les bords de cette fosse les morts bien-aimés se jettent à plat ventre pour boire le sang et se ranimer ; et plus ils vous sont chers, plus ils vous boivent de sang. »
Autrement dit : pour le survivant des camps, la vie devient un combat non seulement pour les morts, mais aussi contre eux. Prisonnier des morts qui le tiennent sous leur emprise, il redoute, en se libérant, de les abandonner. D'où son impossibilité d'aimer, de croire en l'homme, de retrouver confiance en lui-même.
La Nuit n'a pas encore paru, mais je connais déjà le thème du *Jour*.

Sorti de l'hôpital en fauteuil roulant, je retrouve ma chambre d'hôtel. Visites fréquentes de David, et quotidiennes d'Aviva. Pendant quelques jours je travaille chez moi puis, à bout de patience, je retourne aux Nations unies en marchant avec des béquilles. On me traite avec commisération, ce qui me déplaît, mais je m'y habitue : je n'ai pas le choix. Des confrères m'apportent leur soutien. Shalom Rosenfeld (brillant chroniqueur à *Maariv*, il est de passage à New York) m'aide à rédiger mes comptes rendus. Dick Yafé aussi. Des événements majeurs font l'actualité et le travail ne manque pas. Il y a l'élection présidentielle : le gouverneur Adlaï Stevenson contre le général Dwight David Eisenhower, l'intellectuel humaniste défiant le père héroïque. Il y a le soulèvement en Hongrie et les chars russes qui écrasent les insurgés. Et puis, d'un intérêt capital pour mes lecteurs, les conséquences diplomatiques de la fulgurante campagne du Sinaï qui marque le début de la légende du général borgne Moshe Dayan. J'assiste aux interminables séances du Conseil de sécurité et, malgré l'inconfort physique, je tiens le coup. Il m'arrive de me moquer de moi-même : « Tu espères recevoir la médaille du courage ? Si l'on érige un jour un monument sur la tombe du " journaliste inconnu ", ce sera sûrement la tienne. » Peut-être devrais-je me ménager, commenter les débats en regardant les émissions en direct à la télévision, mais ce ne serait pas la même chose...

Les débats me passionnent. Après tout, il s'agit d'Israël, donc de l'histoire juive, du destin de mon peuple. Y a-t-il eu collusion entre Israël et les deux grandes puissances occidentales ? Dans les milieux qu'on dit bien informés, il n'y a guère de doute : un accord a été conclu au plus haut niveau. Ben Gourion serait venu à Paris incognito, dans une villa bien gardée, pour rencontrer en secret des officiels français. D'autres sources démentent ces rumeurs. Reste que les interventions d'Abba Eban sont plus éloquentes que jamais et que celles des représentants français et britannique frappent par leur nouveauté : on n'a pas l'habitude qu'Israël soit défendu par eux avec tant de vigueur. Cependant, les autres nations restent fidèles à leurs traditions de neutralité hostile ou d'hostilité maquillée. Indignés, Soviétiques et Américains tonnent contre l'alliance d'Israël avec les colonialistes. Le président Eisenhower convoque un diplomate israélien et le prévient : « Dites à vos Juifs ici de ne pas mêler les événements du Moyen-Orient à la campagne électorale. » Avertissement peu diplomatique ? L'émissaire passe la consigne et les dirigeants juifs, dans leur grande majorité, se soumettent : peu de voix s'élèvent pour défendre Israël. David Ben Gourion ne cachera pas son dépit. Déçu par le silence timoré du judaïsme américain, il proposera au baron Guy de Rothschild de créer une association mondiale des amis d'Israël qui se substituerait au mouvement sioniste.

Avec le recul, ce chapitre autrefois considéré comme glorieux pose problème : n'était-ce pas une erreur tactique et surtout morale de la part d'Israël de combattre aux côtés de colonialistes, pour une cause qui ne le concernait pas directement ? D'autre part, n'était-ce pas une opportunité rêvée de se défaire d'un ennemi devenu puissant, arrogant et dangereux ? Il demeure que, sur le plan politique, l'opération s'acheva en débâcle. Ayant reçu du Kremlin un message menaçant l'État juif de représailles incalculables, Ben Gourion ordonna à Dayan d'évacuer le Sinaï. Eisenhower lui promit en contrepartie des garanties que ses successeurs refusèrent de respecter.

Entre-temps, mon visa américain a expiré. Muni de mes béquilles et de mon fauteuil roulant, je me rends aux bureaux de l'Immigration. Un fonctionnaire aimable étudie longuement mon titre de voyage français d'apatride et me le rend : « Vous êtes accrédité aux Nations unies, donc, en principe, aucun problème. Mais votre document n'est plus valable ; où voulez-vous que je mette le visa ? » Il me conseille d'aller au consulat de France pour faire valider mon titre de voyage. Au consulat, une secrétaire moins aimable me répond que c'est impossible. Je lui demande pourquoi. Parce que, dit-elle. Parce que quoi ? Parce que, suivant le règlement, ce genre de document ne peut être validé qu'en France. Retour aux bureaux de l'Immigration. Le même fonctionnaire me reçoit. Et me fournit une note à l'intention des autorités françaises certifiant qu'un visa me sera accordé dès que je lui présenterai un document en règle. Une autre secrétaire persiste à vouloir me renvoyer à Paris. Nouveau passage chez l'officier d'Immigration. Me revoyant appuyé sur mes béquilles, le brave homme me lance : « Cela va durer encore longtemps, cette navette entre mon bureau et le consulat ? » Je me fais tout petit : je mérite son reproche, mais je ne sais pas comment m'en sortir. Je ne peux pas retourner en France, je n'ai pas d'argent, ces allers et retours en taxi m'ont coûté quelques repas, et puis, de toute manière, je ne suis pas en état d'entreprendre un voyage transatlantique : mes médecins me l'interdiraient. Que faire, mon Dieu, que faire ? Je sens que je vais sombrer. Va-t-on me refouler, me mettre sur une liste noire quelconque ? Je sens l'angoisse qui me gagne, lorsque le fonctionnaire se penche vers moi et me dit en souriant : « Mais pour l'amour du ciel, pourquoi ne devenez-vous pas résident ? Et ensuite citoyen des États-Unis ? » Je le regarde sans comprendre . est-ce possible ? L'apatride que je suis peut-il cesser de l'être ? Son sourire me donne la réponse. J'arrive à murmurer : « Devenir résident, moi ? Avoir droit à un vrai passeport ? » En bon mentor, mon interlocuteur m'indique la marche à suivre, et c'est ainsi que, cinq ans plus tard, je suis devenu citoyen américain.

Dirai-je assez ce que je dois à ce fonctionnaire anonyme du bureau de l'Immigration ? Surtout quand je me remémore mes visites annuelles à la préfecture de Police, les attentes prolongées, les interrogatoires humiliants. Devant le guichet, l'apatride que j'étais s'efforçait de faire la conquête de l'employée qui, de mauvaise humeur, ne daignait même pas le regarder. Son bon vouloir m'était plus précieux que le consentement de la plus belle femme de Paris. J'étais pathétique, peut-être même ridicule, je n'y pouvais rien. Cela fait partie de la condition même du réfugié. Il se sent partout de trop. Son temps se mesure en visas et sa biographie en tampons. Il n'a rien fait d'illégal, mais il est sûr d'être poursuivi. On le reconnaît à ses yeux cernés, sa démarche rapide, ses vêtements usagés. Il sourit pour amadouer, pour susciter le sourire. Il demande pardon à tout le monde : pardon de vous déranger, de vous importuner, de prendre votre place au soleil. Comme je comprenais Socrate qui, après son procès, préféra la mort à l'exil. La vie de l'exilé ou, comme on l'appelle au XXe siècle, de l'apatride ou du réfugié politique n'est pas nécessairement romantique. J'en sais quelque chose. J'étais apatride, donc par définition sans défense. De surcroît, j'étais apatride pauvre.

Dans *La Ville de la chance*, un personnage aura des choses à dire là-dessus :

> En France, la loi sur les réfugiés est faite pour les millionnaires. La France veut bien être la patrie des déracinés, à condition qu'ils soient bourrés d'argent. Un réfugié sans ressources a le sort d'un sous-homme. La concierge, l'épicier, le commissaire de police, surtout le commissaire de police, tous lui sont supérieurs, tous sont juges de son droit de vivre. Pour faire prolonger sa carte de séjour, le réfugié doit en premier lieu prouver qu'il ne travaille pas et qu'il possède des moyens d'existence. Comment subvient-on à ses besoins si l'on n'a pas le droit de gagner sa vie ? Défense de poser des questions. Les questions, c'est le commissaire qui les pose.

Cinq ans plus tard, je demande la nationalité américaine. Pas de problème. Aux États-Unis, l'administration coopère. Elle est là pour aider, non pour décourager. Formalités simples, rapides. J'attends avec impatience que l'on me notifie la date de la cérémonie.

Quelques jours auparavant, je trouve un message chez le concierge de l'hôtel : je dois appeler un agent du FBI au numéro... Le réfugié en moi se réveille. Je tremble de peur. Qu'est-ce que j'ai bien pu faire pour attirer sur moi l'attention du tout-puissant et omniscient service du terrible Edgar J. Hoover ? Je compose le numéro indiqué. Un homme me répond que l'agent en question vient de quitter son bureau ; il ne sera pas de retour avant le lendemain. Je me prépare à une nuit blanche.

Le soir, c'est l'agent qui m'appelle : « Je ne veux pas que vous soyez inquiet, donc je vous téléphone de chez moi... » Il enchaîne : « Je dois vous poser une question : vous allez devenir citoyen américain, avez-vous songé à vous inscrire pour le service militaire ? » Une sueur froide me couvre. Je balbutie : « Non, je n'y ai pas pensé... » L'agent veut connaître la raison. Je dis : « Je suis trop âgé... et puis, il y a des raisons médicales... j'ai eu un accident grave... » Silence sur la ligne. Dans mon esprit, je me vois déjà rejeté, puni, répudié : plus question de naturalisation... Je pourrai toujours rêver d'un passeport américain... J'aurais dû me renseigner, j'aurais dû... « Eh bien, reprend l'agent. Pour la forme seulement, allez vous inscrire quand même... Et l'affaire sera classée. »

Elle le fut. Quelques jours plus tard je me promenais avec un passeport américain tout neuf et beau et utile...

En 1981, après l'élection de François Mitterrand à la présidence de la République, un haut fonctionnaire me demanda si je ne souhaitais pas obtenir la nationalité française, car, après tout... Tout en disant merci, non sans émotion, je déclinai l'offre : quand j'avais besoin d'un passeport, c'est l'Amérique qui me l'avait délivré. Je le garderai donc.

« Vous avez eu tort, me dira un Jean Mauriac désolé quand je le rencontrerai en 1993 au château de Malagar. C'est impensable que l'écrivain français que vous êtes ne soit pas citoyen français. Ah, les fonctionnaires, la bureaucratie... »

Comme prévu, Dov et Léa débarquent à New York en 1957. Théâtre, concerts, restaurants : je marche appuyé sur une canne et, je ne sais pourquoi, je me convaincs que cela me donne un air distingué. N'empêche que je me fatigue vite.

Ils louent une voiture et m'invitent à les accompagner dans leur voyage, de la côte Est à la côte Ouest. La traversée du continent durera six semaines.

Nous découvrons une Amérique inconnue, différente de New York ou de Washington. Routes interminables, allant se perdre dans un horizon bleu qui encercle de hautes montagnes incrustées dans des cieux aux couleurs changeantes. Parfois, le paysage est tellement spectaculaire qu'il vous oblige à vous arrêter. Et vous vous apercevez que c'est vrai : l'Amérique est plus vaste que le monde et plus belle que la beauté elle-même.

Fleuves bruyants et ruisseaux paisibles, vallées vertes et collines jaunes, orages violents et crépuscules angoissants : l'homme n'est nulle part aussi proche de la nature. Sur les hauteurs de San Francisco, vous admirez les petits bourgs voltigeant dans la brume comme dans un rêve.

Dans les montagnes Rocheuses, il vous semble qu'une couronne de neige est posée sur les nuages et que, pour la toucher, vous devrez vous hisser jusqu'au trône de Dieu. Mirages enchanteurs, ils vous troublent tellement que vous ne savez plus ce qui est proche et lointain, réel et irréel ; impression d'élévation et de chute, de tristesse et du bonheur d'être là, simplement d'être présent à une sorte de recréation du monde.

On raconte que le grand chef d'orchestre Arturo Toscanini, au cours d'un voyage en train dans l'Ouest, alla visiter le Grand Canyon. Resté respectueusement en arrière, un compagnon le vit immobile, contemplant le miracle des gorges du Colorado. Soudain, après une longue méditation muette, le maestro se mit à applaudir.

Découvrir l'Amérique profonde était, pour lui, comme assister à un concert ; pour moi, c'est une invitation constamment renouvelée à des spectacles surprenants. Le Sud et la courtoisie de ses citoyens. Le Sud et la tragédie humiliante des Noirs. Chaque fois que mon regard tombe sur une affiche « interdit aux Noirs » j'ai honte. Honte d'être blanc.

Las Vegas et ses machines à sous ; on les trouve jusque dans les lavabos et les toilettes. Dans les casinos exagérément illuminés, des hommes et des femmes misent le salaire d'une vie, la leur, sur la petite boule qui sautille et danse aveuglément avant de s'arrêter sur un numéro indifférent, pour ne pas dire stupide. Visages tendus, lèvres serrées, mains nerveuses, tremblantes. Le casino de Monte-Carlo est fréquenté par des riches que leur richesse semble accabler ; ici l'on voit des gens ordinaires ; ils en ont assez de ne pas être riches.

Au Sands, nous dînons avec Henk Greenspun, le propriétaire du quotidien local, *Sun*. C'est l'homme puissant de la ville. Il nous raconte ses activités clandestines en faveur d'Israël : en 1948, il a participé à une opération de transport illégal d'armement. Il fut inculpé et condamné à quelques années de prison. Il en est fier.

Les *highways* de New York, les *thruways* du Connecticut, les *freeways* de Californie, les *skyways* du Sud... Ennuyeuses, ces autoroutes ? Pas du tout. Pour vous tenir éveillé, et amusé, on vous montre des affiches publicitaires surprenantes, drôles, fantaisistes...

Beaucoup insistent sur la prudence. Dans les États du Sud, on peut lire : « Nous aimons nos enfants ; conduisez prudemment. » En Californie, on n'évite pas le message religieux : « Cette terre est à Dieu. Ne la traversez pas comme si elle était l'enfer. » En Arizona, on est bref : « Conduisez lentement. Les funérailles coûtent cher. » Au Nevada, on s'épanche : « Conduisez lentement et vous admirerez notre fleuve ; conduisez vite et vous vous retrouverez devant le juge. »

Une autre catégorie d'affiches traite de nourriture. Un restaurant du Colorado ne se gêne pas pour annoncer : « Si vous n'entrez pas casser la croûte chez nous, ce sera notre perte commune. » A Reno (qui se vante d'être la plus grande petite ville du monde), les restaurants vous préparent un petit déjeuner à n'importe quelle heure du jour ou de la nuit. Si vous avez un peu trop bu, on vous offre un menu spécial : « Deux œufs à la coque, un café noir, un cachet d'aspirine et... la sympathie du patron. » Quelque part dans l'Ouest, dans un bar, j'ai lu l'avertissement que voici : « Si la table commence à tourner, arrêtez de boire. » Stanton vous accueille ainsi : « Soyez le bienvenu dans cette ville où habitent trois mille amis (et quelques salauds). » Sur le frontispice d'un supermarché, en lettres gigantesques : « La viande que vous achetez ici, vous ne la trouverez nulle part au monde — ni ailleurs. » Au-dessus d'un garage : « Nous sommes ouverts 26 heures par jour. » Sur une pierre tombale : « Ci-gît un homme qui a traité Bill de menteur. »

Comme ni Léa ni moi ne savons conduire, Dov reste tout le temps au volant. Secrètement, je me reproche mon égoïsme autant que mon infériorité vis-à-vis des chauffeurs ; je décide de prendre des leçons. Et, le jour où, à ma grande surprise, j'obtiendrai mon permis, j'aurai envie de le montrer au monde entier.

Un matin, sous le soleil de l'Arizona, nous apercevons une immense affiche : « Réserve indienne. 100 miles. » Nous nous écrions au même moment : « Allons-y. » C'est un détour ? Et après ? Nous sommes libres. « Comme les Indiens », dit Léa. Ironique ? Une discussion s'amorce. Problème : aucun de nous n'a rencontré d'Indien. Sauf au cinéma, bien sûr. Mais, sur l'écran, jeunes et sauvages, vieux et sages, agiles et résignés ne sont que des images stéréotypées de western. Ce sont toujours les Indiens qui attaquent, qui hurlent, qui tuent. Au fait, pourquoi ne le feraient-ils pas ? L'homme blanc représente à leurs yeux un envahisseur armé et rapace qui cherche à les chasser de leurs terres, à les arracher à leurs racines, à les réduire à un état inférieur en leur imposant sa langue et sa culture moderne, alors que les leurs sont plus anciennes sinon éternelles. Et tout cela avec une bonne conscience révoltante. En fait, la nation américaine devrait solennellement leur demander pardon. « Tu pourras le faire dans une heure et demie », dit Léa, décidément en verve.

L'homme qui nous accueille sous sa tente décorée avec les plumes et autres insignes de sa tribu pourrait faire du cinéma, lui. Démarche lente, digne. Il est grand, droit, impassible, majestueux. Visage ridé, anguleux ; sourcils épais, gestes mesurés. Il nous explique la conception indienne de la vie et de la mort, et nous sommes attentifs à chacune de ses paroles. Respectueux, il inspire le respect. A un moment il nous demande de bien vouloir signer son livre d'or. Tourisme oblige. Dov m'invite à commencer. Je ne sais pourquoi, je signe en hébreu. Et l'Indien de m'honorer d'une vigoureuse tape à l'épaule : « *Sholem Aleï'hem* » (en yiddish : bonjour ou paix sur vous). Bien qu'il ne les ait pas touchés, Dov et Léa manquent de s'écrouler. De stupeur d'abord, de rire ensuite.

C'est que notre hôte est juif. Originaire de Galicie et survivant des camps, il a émigré au Mexique. Mais les affaires allaient mal. Alors, pour gagner sa vie, il a décidé de devenir indien le jour tout en restant juif la nuit.

Dans mon journal, j'ai écrit : « L'Amérique est réellement un pays merveilleux. Ici, même les Indiens parlent yiddish. »

Dans mon nouvel appartement, quelqu'un s'intéresse à moi. Si, dans mon premier studio, j'avais un problème avec une chanteuse, ici je suis confronté à… un voleur. Je m'aperçois fréquemment que des objets disparaissent : eau de Cologne, chaussettes, cigarettes. Qui peut être ce voleur sans cœur ? Exaspéré, je lui laisse une « note » sur la table : « Je sais qui vous êtes… Si vous n'arrêtez pas, j'avertirai la police. » Piètre défense : ou bien mon voleur ne sait pas lire, ou bien il ne me prend pas au sérieux, mais il continuera ses larcins jusqu'au jour où il trouva sans doute un locataire plus riche.

C'est à cette époque (toujours en 1957) que je fais la connaissance de Golda Meir. Succédant à Moshe Sharet, jugé trop modéré par Ben Gourion, elle devient ministre des Affaires étrangères et se rend aux Nations unies pour négocier les conditions politiques de l'évacuation du Sinaï. D'abord connue des seuls milieux juifs, elle le sera bientôt dans tout le monde politique qu'elle impressionne par sa force de caractère, la profondeur de ses convictions et une obstination qu'amis et adversaires sont unanimes à reconnaître. Elle n'a ni la culture ni l'éloquence d'Eban, mais en échange elle possède le don suprême de la sincérité et de la simplicité, d'où son talent de persuasion. Sévère sinon impitoyable avec ceux qu'elle n'aime pas, elle est d'une générosité illimitée envers ceux qui lui plaisent. Et j'ai la chance d'en faire partie, non parce qu'elle me croit plus intelligent ou plus doué que les autres correspondants, mais parce que, maternelle, elle me prend en pitié : me voyant avec mes béquilles, elle se met en tête de me ménager. Et de m'aider. Me prend-elle pour un blessé de guerre, un vétéran aux faits d'armes glorieux ? Elle m'interroge sur mon service militaire : où ai-je combattu, sur quel front, sous les ordres de qui ? Rougissant, j'émets un petit rire en rétablissant les faits : je ne suis pas un héros de la guerre du Sinaï ; je n'ai jamais porté l'uniforme ;

je ne suis même pas israélien mais un simple correspondant juif étranger qui travaille pour un journal d'Israël. Ma blessure ? Un accident banal survenu un soir banal à cause d'un taxi banal dans la ville peu banale de Manhattan. D'abord elle se montre incrédule : « Mais tu parles un hébreu parfait ! » Je lui explique : ma connaissance de l'hébreu, je la dois à mon père qui... « Et tu n'es pas israélien ? » Non, je ne le suis pas. « Mais pourquoi ? Tu es juif, que je sache. » Je balbutie des mots désordonnés, maladroits. Devant mon embarras, Golda m'annonce sa décision : « Cela ne fait aucune différence, dit-elle doucement. Tu es jeune, tu représentes un journal de mon pays et tu n'as personne pour s'occuper de toi. Eh bien, c'est moi qui te le dis : je ne veux plus te voir traîner dans les couloirs de ce palais. Il faut que tu fasses attention à ta santé. » Et elle me propose un marché : que je vienne moins souvent aux Nations unies et, en échange, elle-même me fournira les informations dont elle dispose. Peut-on souhaiter meilleure source ? Marché conclu. Le soir même, je me présente à l'hôtel Essex où elle a sa suite et ses habitudes. Elle m'accueille chaleureusement, m'offre à dîner et me permet de consulter ses dossiers. Même chose le lendemain. Et le surlendemain. Gidéon Raphaël, l'un de ses conseillers et futur ambassadeur à l'ONU, me surprend un soir penché sur des documents confidentiels ; il s'étonne, mais Golda le rassure : « Laisse-le. Je lui fais confiance. » Me voilà donc mieux informé que mes confrères. Mais ils sont plus efficaces que moi : c'est que, par excès de prudence, pour ne pas embarrasser Golda, je pratique l'autocensure. Et mon concurrent de *Maariv*, bénéficiant de fuites inévitables, publie des informations que je possède mais que j'ai gardées pour moi. Golda apprécie. Voit-elle en moi un complice fiable ? Je deviens l'un de ses proches.

En 1967, pendant sa traversée du désert, je serai parmi les rares New-Yorkais à lui rendre visite à l'hôtel. Les officiels israéliens eux-mêmes la considéreront comme « has been » et seront trop occupés pour venir la saluer. Me désignant les fleurs sur la table, elle sourit : « Devine qui me les a envoyées... » Le consulat ? Non. La délégation à l'ONU ? Non. L'UJA ? Non plus. Je donne ma langue au chat. « La direction de l'hôtel », répond Golda en riant. Notre amitié se renforce. Cela se sait. Et lorsqu'elle succède à Lévi Eshkol à la présidence du Conseil, les courtisans ou les flatteurs qui l'entourent se montrent aimables, fort aimables à mon égard. Je suis bien vu dans leur milieu. Conséquence : lors de mes visites en Israël, je constate avec joie et fierté qu'on me connaît, et qu'on m'aime bien en haut lieu ; toutes les portes me sont ouvertes. La lune de miel durera jusqu'en 1973.

C'est aussi en 1957 que j'apprends la mort du Vieux, Yehuda Mozes, emporté par une crise cardiaque. Il avait soixante-quinze ans. Désormais, j'irai seul à Safed visiter les tombes des kabbalistes. Ce ne sera pas pareil.

Sa veuve, Manya (petite figure renfermée, discrète, tenace), me raconte les dernières semaines, les derniers jours de son mari. « Il t'aimait beaucoup, me dit-elle. Et parce qu'il t'aimait, moi je t'aime aussi. » Elle baisse la voix : « Je dois t'avouer qu'au début cela m'irritait : mon mari vous a trop aimés, Dov et toi, j'étais jalouse. Pas pour moi, pour mes enfants. Mais je l'ai toujours suivi, dans tout ce qu'il a fait. Oui, en tout. » Aussi a-t-elle exprimé le désir que ses héritiers me fassent cadeau d'une action fondatrice du journal, à titre symbolique : « C'est ce que mon mari aurait souhaité. » Elle n'a pas obtenu gain de cause. Bah, ce n'est pas cette action qui m'aurait enrichi. De toute façon, je parle du journal comme de « mon » journal. Noah et Dov le dirigent avec dévouement et perspicacité. Il mord sur le public de *Maariv*, trop snob pour les nouveaux immigrés qui ne cessent d'arriver, du Maroc et d'ailleurs.

L'actualité juive alimente maintenant mon travail de façon satisfaisante ; je ne peux plus me plaindre. Je « couvre » la seconde visite quasi officielle de Ben Gourion à Boston, Washington et Ottawa. J'assiste à sa rencontre historique avec Konrad Adenauer. Un incident dont il se souviendra des années plus tard : mitraillé par les photographes, assailli par les reporters, le vieux chancelier n'eut qu'un mot à dire à un fonctionnaire allemand : « Raus ! » (dehors) et, en une minute, la presse fut évacuée. Chaque fois que je reverrai Ben Gourion, il me rappellera cet épisode : « Te souviens-tu quand ?... »

Je « couvre » également l'entretien de Ben Gourion avec le

nouveau président américain John F. Kennedy. Le jeune leader, à la veille de son départ pour Vienne, où il allait rencontrer Nikita Khrouchtchev, semblait avoir mieux préparé son dossier que son vieux et illustre visiteur. On disait que Kennedy l'avait fait exprès : il était trop pris pour recevoir le leader israélien, mais ses amis juifs l'y avaient contraint. Mécontent, il se serait vengé en allant droit au but et en exigeant de Ben Gourion une réponse immédiate à la question : « Combien de réfugiés arabes Israël est-il prêt à accepter ? » Bref, le courant ne passa pas entre les deux hommes.

A Ottawa, le vendredi soir, Ben Gourion assiste au repas de Shabbat chez son ambassadeur Yaakov Herzog. Après le dîner, les correspondants de presse sont invités à prendre le café avec le Premier ministre. Comme il a l'air fatigué, je lui suggère d'abandonner la discussion politique au profit de la philosophie, espérant lui faire plaisir : en Israël tout le monde sait que, après la Bible, c'est son sujet préféré, qu'il aime visiter les librairies à la recherche d'ouvrages philosophiques, qu'il lit Platon dans le texte. Ma suggestion semble lui plaire : « Tu connais la philosophie ? » me demande-t-il. Je rougis : « Connaître... c'est beaucoup dire. J'ai fait des études, c'est tout... » « Des études de quoi ? » « De lettres... De philosophie aussi... » Il évoque Spinoza (qu'il vénère), je cite Maïmonide (qu'il connaît moins), quelqu'un mentionne Kafka (qu'il ne connaît pas du tout), un autre rappelle une parole talmudique. La conversation devient gênante, pénible. Ben Gourion n'aime pas le Talmud car il le lie à l'exil ; il n'aime que la Bible.

Ben Gourion, philosophe ? Je le préfère homme d'État. Je comprends pourquoi ses conseillers et assistants lui manifestaient une fidélité totale : il les élevait à son niveau, les inspirait, les rendait sensibles à la marche et à la démarche de l'histoire. Il avait avec eux un rapport paternel que ses ennemis lui reprochaient à tort.

Son aide de camp, un nommé Néhemia, lui était tellement attaché, tellement dévoué, qu'il avait toujours refusé de se marier. Or il tomba amoureux d'une belle étrangère, mais le chef du Mossad lui apprit que c'était une espionne. Désespéré, bafoué, il se tira une balle dans la tête. Il fallait maintenant empêcher que Ben Gourion apprenne la nouvelle : elle risquait de trop le secouer. Alors, les rédacteurs en chef de tous les journaux israéliens, y compris l'organe communiste, décidèrent d'imprimer à son intention un exemplaire unique qui ne faisait pas mention de la mort de Néhemia.

Outre les grands événements, il y a aussi le quotidien. Le combat incessant pour les droits civiques des Noirs, les premiers triomphes américains dans l'espace, la malheureuse tentative d'invasion de Cuba, la visite de Khrouchtchev aux Nations unies : image inoubliable du successeur de Staline se déchaussant en pleine séance, se servant de son soulier pour protester...

Je me rappelle aussi un petit déjeuner avec l'ancien commandant en chef de l'armée israélienne, le général Haïm Laskov, lors d'une visite aux États-Unis : tandis que je l'interroge sur la situation en Israël, lui s'obstine à m'expliquer la pensée d'Alexis de Tocqueville.

Jackie Kennedy et ses enfants... Le scandale des jeux télévisés truqués... Les débuts de la conquête de l'espace... Le Nobel de John Steinbeck... Betty Friedman et sa prophétie féministe... Je réalise beaucoup d'entretiens, presque autant que de commentaires politiques.

Une interview m'a laissé un goût amer. La fille d'un général célèbre vient de publier son premier roman — quelque chose comme *Les Yeux dans le miroir* — et le *Forverts* me demande de rencontrer celle qu'en France, pays des exagérations, on surnomme la Françoise Sagan israélienne. Elle fait une tournée de conférences pour l'United Jewish Appeal.

Je la retrouve dans sa chambre d'hôtel. Elle pleure à chaudes larmes : la critique hébraïque déteste son livre alors que la presse américaine est complaisante. Je lui dis ce qu'on dit en pareille circonstance : il ne faut pas faire attention, les critiques passent, l'œuvre demeure. Ai-je réussi à la consoler ? Elle m'appelle, je la revois. Pourquoi m'a-t-elle choisi comme confident ? Elle me raconte son enfance perturbée, ses amitiés, son séjour en Grèce où elle vécut une histoire malheureuse avec un cinéaste célèbre. Elle m'écrit des lettres ; je les relis avec un sentiment de gêne. La fille du célèbre général publiera d'autres livres, aussi bons ou aussi mauvais que le premier, qu'importe. Pourquoi paraît-elle toujours de mauvaise humeur ? On lui attribue de nombreuses aventures, mais apparemment elle n'a pas réussi à transformer sa vie en art. Heureusement pour la littérature, elle la quittera pour la politique où elle se fera beaucoup d'ennemis. En raison de son non-

conformisme, de son fanatisme antireligieux peut-être ? Étrange :
on ne la prend pas au sérieux. Est-ce ce qui explique ses écrits
déplaisants sur son père et sa propre vie de famille ? Drôle de
femme : elle voulait vivre de grandes passions et finit par se laisser
porter par de grandes haines. J'ai quand même écrit pour le
Forverts un papier, disons, gentil sur son livre.

Tous les soirs, je retourne à Times Square pour acheter le *New
York Times* du lendemain. Si je manquais de sujets à Paris, ici, j'en
ai trop. Comment condenser tant d'événements en quelques
phrases ? C'est que les câbles coûtent cher ; et le temps est
précieux : je dispose d'une heure, peut-être moins, pour tout
expédier...

Octobre 1962 : la crise dite des missiles. L'URSS bougera-t-elle
ou ne bougera-t-elle pas ? Guerre véritable ou fausse paix ? John
F. Kennedy prononce un discours télévisé. Ce soir-là, une
migraine inhabituellement douloureuse m'aveugle : difficile de
regarder et d'écouter le jeune président relevant le défi de Moscou,
et de réfléchir, d'analyser les options, d'imaginer les possibilités,
d'élaborer des synthèses. L'avenir de l'humanité est en péril.
Gromyko et ses mensonges : dans le bureau ovale, assis en face de
Kennedy, il ose nier la présence des missiles soviétiques à Cuba.
Adlaï Stevenson exhibe les photographies aériennes qui prouvent
le contraire. Le général de Gaulle, magnanime, se range aux côtés
des États-Unis. Face-à-face nucléaire. Un faux pas d'un côté ou de
l'autre, une imprudence, une décision mal calculée, et ce sera la
conflagration à l'échelle des continents. Des millions de parents
retiennent leurs souffles. Les bombardiers du Strategic Air Com-
mand sont en alerte. En Floride, me dit-on, la population vit dans
la terreur : on aménage des abris où l'on stocke produits alimentaires et bouteilles d'eau potable. On raconte que des habitants
quittent leurs foyers et se replient jusque dans les Carolines.

Je me souviens des nuits agitées, dramatiques, durant lesquelles
chacun se demandait si, à l'aube, la planète ne se retrouverait pas
plongée dans son cauchemar ultime. J'écrivais, j'écrivais avec hâte,
dans la fièvre, comme si chaque dépêche allait être lue par les chefs
de guerre du Kremlin et de La Havane... Kennedy gagne,
Khrouchtchev cède... Le péril nucléaire est écarté, le monde
respire, tout va s'arranger. Washington décide le blocus naval de
Cuba qui n'entraînera aucun incident sauf anecdotique : les

Marines américains qui inspectent les vaisseaux russes sont accueillis avec du champagne de Crimée.

L'assassinat de Kennedy survient un an plus tard... Comme si c'était hier. C'était un vendredi et je venais de quitter la rédaction du *Forverts*. Dans la voiture, je mets la radio... « Nous interrompons notre émission... » A peine suis-je arrivé à mon appartement que, déjà, la nation américaine endeuillée, paralysée par le choc, est dirigée par un nouveau président...

« Les dieux étaient jaloux... » ainsi commence le long reportage que je publie le surlendemain dans *Yedioth Ahronoth*. Assistant à la destruction de l'histoire et à sa reconstruction, j'écris, j'écris, je n'arrête pas d'écrire. Comme tout le monde, je me sens personnellement interpellé et marqué par chaque aspect du drame, depuis les images en direct d'un certain Jack Ruby abattant à bout portant Lee Harvey Oswald, l'assassin présumé de John Kennedy, jusqu'au défilé funèbre au cours duquel le petit John-John salue le cercueil de son père. Comme tout le monde, je ne ferme pas l'œil jusqu'après les funérailles.

Jaloux, les dieux ? Ce jour-là, les hommes pleurent.

Ma dernière dépêche sur l'assassinat de Dallas rend compte d'une conversation avec Golda Meir qui, comme tant de chefs d'État, de chefs de gouvernement et de ministres, est venue rendre hommage au président mort et exprimer à sa jeune veuve les condoléances de la nation israélienne. Impressionnée et émue par le comportement et le courage de Jackie Kennedy, Golda me livre ses impressions sur la cérémonie au cimetière militaire d'Arlington, l'atmosphère qui règne à la Maison-Blanche, le nouveau président Lyndon Johnson. Excellente observatrice, elle me permet de raconter ces événements comme si j'y avais assisté moi-même. (En écrivant ces lignes, en 1994, je n'ignore pas que des livres et un film soutiennent la thèse d'une prétendue conspiration visant à l'élimination du président, et accusent de hautes personnalités politiques, juridiques et morales d'activités criminelles, de mensonge et de complicité. Je refuse d'y croire.) « Pendant les obsèques, me confie Golda, je me revoyais avec Kennedy à Palm Beach... »

Un souvenir : Golda rentre de Palm Beach, en Floride, où le président John F. Kennedy passe ses vacances. Fumant cigarette sur cigarette, jetant les mégots dans plusieurs cendriers placés à des points stratégiques, Golda est visiblement bouleversée ; elle ne tient pas en place. « Il faut que je te raconte, me dit-elle, encore rouge d'émotion. Kennedy m'a reçue en grand secret. Et quelque chose est arrivé. Quelque chose que je ne comprends pas encore... »

Nous sommes en 1961 : l'Amérique est encore charmée par son président si exubérant, si éloquent. Entouré d'intellectuels libéraux, il croit en la puissance des idées et des idéaux. Il est convaincu que l'humanité, foncièrement généreuse, peut se donner de « nouvelles frontières ». Réduction des tensions internationales, désarmement, paix : avec un peu de bonne volonté, tout est possible. Idéaliste, utopique, il ne veut ni ne peut comprendre pourquoi Israël insiste tant sur ses besoins de sécurité. A un certain moment, il explose : « Tous vos émissaires officiels ou officieux que j'ai reçus dernièrement exigent des fusées ; tous les Juifs qui plaident votre cause ne m'entretiennent que d'armement. Et vous-même, madame Meir, au lieu d'évoquer le message intemporel de la morale biblique, les prophètes, les problèmes spirituels ou culturels, que sais-je, vous êtes là depuis un bon moment, et de quoi me parlez-vous ? De missiles ; ne pouvons-nous donc pas discuter d'autre chose ? » Émue, remuée jusqu'au tréfonds de son être, inspirée, Golda répond à peu près ceci : « Vous avez raison, monsieur le président : pour nous, la sécurité est une obsession. C'est que nous sommes un peuple ancien. Deux fois déjà dans notre histoire, nous avons perdu notre Temple et notre souveraineté ; mais nous sommes restés vivants. Dispersés mais vivants ; vivants mais dispersés. Nous avons survécu parce que le savant de Wilno et le marchand de Lodz, l'industriel de Chicago et le commerçant de Salonique, un même rêve puissant et irrésistible les animait : qu'un jour notre Temple soit rebâti. Eh bien, monsieur le président, ce Temple, il n'est pas encore reconstruit. Nous n'avons fait que commencer. Mais si ce commencement lui-même est détruit, les Juifs de Salonique et de Kiev, l'industriel de Detroit et le commerçant de Marseille ne seront même plus capables de rêver. » Golda a fini ; maintenant elle se tait, gagnée par une angoisse inexplicable. Kennedy la contemple longuement, très longuement. Puis, sans dire un mot, il appuie sur un bouton et ordonne à l'un de ses proches conseillers de mettre en marche le mécanisme administratif qui permettra au Pentagone de fournir les premiers missiles Hawk à l'armée israélienne.

« Que dis-tu de cela ? » me demande Golda, radieuse. Je lui réponds : « Vous voyez ? Avec une bonne histoire, on peut tout obtenir. Même des missiles. »

Nos contacts ne cessent de se renforcer. Les années passent. En Israël, je lui rends visite soit à son bureau à Jérusalem, soit chez elle près de Tel-Aviv. Comme elle tombe souvent malade (elle raconte à tout le monde qu'elle souffre de migraines, mais ses intimes savent qu'elle a un cancer), je viens la voir à l'hôpital.

Un souvenir encore. 1965 : le parti de Golda — dirigé maintenant par le Premier ministre Lévi Eshkol — connaît un violent conflit avec son fondateur David Ben Gourion. Il s'agit du rebondissement d'une affaire ancienne et lamentable, l'affaire Lavon : des agents secrets israéliens et plusieurs Juifs égyptiens ont été arrêtés et condamnés en 1954 en Égypte et il est impossible de déterminer qui leur a donné l'ordre insensé d'agir, provoquant ainsi l'exécution de deux inculpés, Moshe Marzouk et Shlomo Azzar. Plusieurs hommes politiques et officiers supérieurs, ainsi qu'une secrétaire rapidement expédiée aux États-Unis, sont mêlés à cette affaire politiquement stupide, professionnellement inepte et moralement aberrante. Les agents israéliens ont fait exploser une bombe dans un cinéma américain du Caire pour perturber les relations entre l'Amérique et l'Égypte. On parle de forfaiture, de parjure, de complot. De sa retraite prématurée à Sdé Boker, Ben Gourion exige une enquête judiciaire rigoureuse à laquelle s'oppose la majorité du parti travailliste. Guerre intérieure qui aboutira à l'éclatement de ce dernier. Golda en est ulcérée. Elle est loyale et fidèle à Ben Gourion, mais le parti est toute sa vie. Entre l'un et l'autre, elle choisit le Mapaï. « Pourquoi Ben Gourion nous fait-il toutes ces misères ? se plaint-elle devant moi sur son lit d'hôpital. Se rend-il compte du danger qui nous menace ? S'il persévère, nous risquons de voir Begin au gouvernement — et je n'aimerais pas être en vie ce jour-là... »

Deux ans plus tard, Begin fera partie du gouvernement d'unité nationale créé juste avant la guerre des Six Jours. Dix ans après, il sera Premier ministre. Et c'est lui, le dur, le faucon, qui fera la paix avec le premier pays arabe, l'Égypte.

Pourquoi Golda Meir haïssait-elle tant Begin ? Elle détestait la droite qu'elle avait combattue depuis le début de sa carrière sioniste. La droite, à ses yeux, comme à ceux de Ben Gourion, ne pouvait qu'être fasciste. Conditionnés par leur propre propagande, injustes, tous deux se trompaient : en matière de politique intérieure, Begin n'était pas moins démocrate qu'eux. Mais Golda était souvent têtue, inflexible, difficile à convaincre de changer d'avis ou d'attitude. Il m'arrivait de plaider pour tel ou tel des gens qu'elle méprisait ; en vain. Lorsque je lui faisais l'éloge de Shimon Peres, elle répondait : « Tu ne le connais pas. » Quand je vantais l'intelligence d'Eban, elle ricanait méchamment. Dois-je signaler que j'aurais souhaité qu'une femme comme elle, si magnifique dans son rôle de mère d'Israël, s'élève au-dessus des petites querelles de politique ou d'ambition ? Malheureusement, pareille à d'autres grands personnages, Golda avait ses défauts. Quand un ambassadeur lui déplaisait, il risquait de se retrouver du jour au lendemain à l'autre bout de la planète. Et puis elle n'était pas immunisée contre la flatterie...

Anticipons. Vers le début des années soixante-dix, à la Knesset, Golda prononce un discours important mais prodigieusement ennuyeux. Marion et moi, assis dans la galerie, observons Moshe Dayan qui somnole. Tout le monde en est témoin. Des députés, et pas seulement dans l'opposition, bavardent ou se passent des notes pour dissimuler leur envie de faire autre chose ou d'être ailleurs. N'empêche que, aussitôt la séance levée, un proche collaborateur de Golda se précipite vers elle pour la féliciter : « C'était, s'exclame-t-il, tout mielleux, le meilleur discours que cette Chambre ait jamais entendu ! » Et, chose étonnante et pénible, Golda l'a cru. Et le flatteur, récompensé, obtint une promotion étonnamment rapide.

Mais nous sommes encore au milieu des années soixante. J'aimais voir Golda, l'écouter raconter son enfance en Russie, son adolescence à Milwaukee, ses expériences en Palestine. En politique, j'évitais de la contredire. En histoire, moins. Son intuition compensait son érudition limitée. Je l'ai raconté plus haut : elle me reprochait ma position à l'égard des Juifs palestiniens pendant la guerre. Je les trouvais trop passifs, elle me jugeait trop critique. A plusieurs reprises, nous sommes revenus sur ce thème. Désaccord total. Symbolisant la direction politique du Yishouv (c'est ainsi qu'on désignait alors la communauté juive palestinienne) en ces années-là, elle refusait de se culpabiliser, et moi de l'innocenter.

Malgré nos divergences de vues, nous avons toujours conservé des rapports d'amitié. Après l'une de ses interventions fort remarquée devant l'Assemblée générale des Nations unies, elle fut l'invitée d'honneur d'une réception que j'avais donnée chez moi, dans ma tour de l'hôtel Master. Devenue chef du gouvernement, elle fut reçue à la Maison-Blanche et, le lendemain, elle accepta de venir prendre un café chez nous avec quelques amis. Pourtant, elle redoutait les intellectuels. Avant de l'emmener du Waldorf Towers à la maison, j'ai dû passer une heure éprouvante à lui décrire chacun des écrivains et professeurs qui l'attendaient avec impatience et affection. « Qu'est-ce que je pourrai leur dire, demandat-elle, moi qui n'ai jamais mis les pieds à l'université ? » Je la rassurai : « Soyez sans crainte, Golda. Tous vous sont acquis. Vous avez bonne presse, vous le savez bien. » Rien à faire. Elle était sceptique, réticente, complexée : « Quand même, dit-elle, tous ces professeurs, qui suis-je, moi, face à eux ? » Cette timidité ne lui ressemblait pas. Comment faire pour la dissiper ? « Golda, lui disje. Il existe cinquante mille ou cent mille professeurs dans les universités américaines, des millions peut-être dans le monde entier ; mais il n'y a qu'une seule Golda Meir. » Enfin un argument qui la convainquit.

Assise comme une reine mère adorée au milieu d'un cercle d'intellectuels curieux, elle évoque ses impressions sur le président Richard Nixon. Elle lui manifeste une affection débordante. « Mais le Vietnam ? lui demande un professeur de sciences politiques. Comment pouvez-vous défendre sa politique au Vietnam ? » Au lieu de répondre qu'elle a suffisamment de problèmes avec le Moyen-Orient et l'URSS pour s'aventurer dans le marécage sud-asiatique, elle mobilise toute son éloquence pour défendre son ami de la Maison-Blanche. Du coup, elle se met à dos son auditoire, composé principalement d'universitaires et d'écrivains de la mouvance gauchiste. Pour rompre la tension, l'humoriste Herbert Tarr lève la main pour poser une question : « Madame Meir, voulez-vous m'épouser ? » A travers les rires qui fusent de partout, on entend la réponse de Golda : « Vous seriez bien embarrassé si je répondais oui. »

Je me propose de revenir sur nos rapports plus tard, mais c'est à elle, à elle aussi, que va ma pensée en ce lundi 13 septembre 1993 où, à la Maison-Blanche, oscillant entre l'espoir et la crainte, j'assiste à la signature de l'accord entre Israël et l'OLP. « Il n'y a pas de peuple palestinien », avait-elle dit avec assurance. Vingt ans après la guerre du Kippour, et quinze après la mort de Golda Meir, le monde entier reconnaît avec Yitzhak Rabin et William Clinton qu'un peuple palestinien existe, et qu'il a le droit de vivre son destin.

Parole de Rabban Gamliel, fils de Rabbi Yehuda-le-prince : « Faites attention dans vos rapports avec (ceux qui détiennent) l'autorité ou le pouvoir. Commentaire ? Ils vous attirent (ou vous permettent de les approcher) seulement lorsqu'ils ont besoin de vous. Ils sont vos amis si votre amitié leur est utile (et leur procure du plaisir), mais ils vous oublient si vous êtes dans le malheur. »

J'y songe souvent. Est-il bon, est-il sage pour un écrivain d'évoluer trop près du pouvoir ? Est-ce prudent d'être l'ami des princes ? Cela dépend de l'écrivain, naturellement, de ce qui l'intéresse, de ce qui compte pour lui. J'en ai connu qui cherchaient le succès et la célébrité, et d'autres qui les fuyaient. La célébrité vous confère des titres. On répond à vos appels. On prend note de vos interventions. Vos protégés, on leur donne une chance de s'affirmer, de faire leurs preuves. Les médias sollicitent votre opinion, les hommes d'État vous invitent à dîner. Autrement dit : on vous prête influence et efficacité. Mais l'écrivain, que donne-t-il en échange ? Que se passera-t-il lorsque viendra le moment — inévitable — où il devra payer le prix des honneurs qui lui sont faits ? Ira-t-il jusqu'à bâillonner la voix de sa conscience dont lui seul est le maître, et jeter son intégrité et son honneur à la poubelle ?

Le pouvoir, qu'est-ce que le pouvoir ? Avec François Mitterrand nous en discuterons souvent. Et plus encore avec Saul Liberman.

Selon la tradition religieuse juive, il existe trois pouvoirs, ou trois formes de pouvoir, détenus par le roi, le prophète et le prêtre. Dans les temps anciens, leur élection était inspirée par Dieu et aucun n'a survécu à la destruction du Temple. Aujourd'hui, chaque dirigeant se croit roi, chaque membre du clergé se prend pour le grand prêtre, et, quant aux « prophètes », ils font trop de politique, et ils ne sont pas les seuls : serait-ce le premier pas qui conduit au fanatisme ?

Autant le pouvoir spirituel m'intrigue, autant le pouvoir politique me fait peur. Il est dangereux car il comporte trop de pièges. Je m'en méfie comme je me méfie de ceux qui le détiennent (ou qu'il asservit). Certes, tous les politiques ne sont pas endurcis et mégalomanes ; j'en ai connu qui, dans l'exercice de leurs fonctions, savaient rester intègres et humains. Mais ils sont rares. C'est qu'il y a dans le jeu et la tentation du pouvoir une espèce d'orgueil qui vous éloigne de vos semblables. Dès que vous avez acquis le droit de les administrer, de les diriger, de parler en leur nom, de leur imposer votre conception ou votre volonté, vous ne respirez plus à leur niveau. L'orgueil c'est de l'idolâtrie, dit un sage talmudique. La vanité chasse Dieu de son trône pour vous mettre à sa place.

Je me souviens : à Sighet, sous la domination hongroise, les écoliers faisaient leur service obligatoire dans les Leventes, sorte de mouvement d'éclaireurs dirigé par l'Éducation nationale et l'armée. On nous faisait exécuter divers travaux pénibles mais pas trop durs. Nous creusions des tranchées dans la cour de la caserne, assistions les pompiers, déblayions les rues ensevelies sous la neige. Un jour, c'était un vendredi, je ne sais plus pourquoi je me retrouvai chef d'équipe. Dispensé de manier la pelle, je devais surveiller, commander, crier fort, très fort. Je pris mon rôle au sérieux, courant d'un groupe à l'autre, m'énervant contre les récalcitrants : il fallait faire vite, il fallait achever le déblayage avant la tombée du jour, avant le Shabbat. Soudain, je me retrouvai en face du petit-fils du Rabbi de Borshe. C'était mon ami intime. Souvent nous étudiions ensemble, nous priions aux mêmes heures. Il me dévisagea d'un air non pas désapprobateur mais triste, désolé. Allais-je le harceler aussi ? Lui faire sentir mon pouvoir, ma supériorité ? Du coup, je restai pétrifié, incapable de bouger. Accablé d'un lourd sentiment de remords, je me mis à balbutier des excuses en tremblant. Là-dessus, notre commandant surgit devant nous. Avait-il compris que je n'étais pas fait pour cette tâche ? Il me secoua en hurlant : « La prochaine fois, espèce d'imbécile, tu bûcheras, tu sueras sang et eau comme les autres. » Je préférais cela et, du coin de l'œil, j'aperçus le sourire de mon ami.

Aristote a raison : « Qui peut le plus peut le moins. » Plus tard, je verrai des hommes jeunes et moins jeunes qui, dans des situations extrêmes, exerceront brutalement leurs lamentables privilèges sur leurs compagnons d'infortune. Parfois, je m'interroge : si l'on m'avait nommé kapo ou Vorarbeiter, leur aurais-je ressemblé ? Aurais-je cogné comme eux ?

Attention. Il ne faut pas que l'imagination et la mémoire galopent trop vite trop loin. Le pouvoir là-bas était une chose, ici c'en est une autre. Dois-je répéter ce que je ne cesse de déclarer : qu'on n'a pas le droit de juger ni de comparer ?

En fin de compte, le seul pouvoir auquel l'homme devrait aspirer est celui que l'on exerce sur soi-même.

En tant que journaliste, il m'a été donné d'observer nombre d'hommes politiques. Spectacle trop souvent décevant : l'ambition les hisse sur la scène, ils y interprètent le rôle du tribun, du réformateur social ou de l'idéologue révolutionnaire. Il y en a trop qui jouent, qui font du théâtre. Et le journaliste qui reproduit leurs propos — quand il ne les amplifie pas — participe à la comédie, leur amène un public plus large. Ce jeu-là a fini par me déplaire : je n'étais plus moi-même, je craignais de me laisser contaminer par le cynisme facile et les promesses mensongères des détenteurs du pouvoir. Or jouer — lorsqu'on n'est pas acteur professionnel — me déplaît. Vouloir paraître ce que l'on n'est pas est arrogant. C'est insulter le Créateur Lui-même ; c'est Lui dire qu'Il s'est trompé. Pour plaire, les prêtres du pouvoir se déguiseraient en clown ou en pape. Mon Maître Saul Lieberman dit : « Pour un brin d'honneur, ils accepteraient de subir mille humiliations. » Flatteurs, ils souhaitent qu'on les flatte. Ambitieux, ils alimentent les ambitions des autres pour en tirer bénéfice. Ils vous poursuivent, vous charment et vous embobinent sans honte, pourvu que cela leur vaille trois lignes dans votre journal. Et, malheureusement, il arrive que le journaliste se laisse prendre. Pour éviter ce genre de tentation, les critiques de théâtre, de cinéma et de musique du *New York Times* s'interdisent toute vie mondaine : ni cocktails ni dîners en ville offerts dans le cadre du monde des lettres et des arts. Mais les éditorialistes et correspondants politiques ont plus de mal à résister à la tentation : leurs interlocuteurs tout-puissants ne sont-ils pas des sources d'information indispensables ? Il faut aussi reconnaître que les exigences éthiques ou déontologiques de journaux comme le *New York Times* ou le *Washington Post* les protègent contre ces risques. D'où leur puissance inégalable, inégalée. Quant à moi, je représentais un journal beaucoup plus pauvre et de loin moins influent mais, pour un politicien israélien, j'étais presque aussi utile que le correspondant du *Times*. C'est simple : les électeurs de Ramat-

Gan et d'Arad lisent *Yedioth Ahronoth* ou *Haaretz*, et non le *Washington Post* ou le *Los Angeles Times*.

A bien y réfléchir, ce n'était pas moi que le politicien israélien ou le dignitaire juif essayait de conquérir ; c'était le représentant de *Yedioth Ahronoth*. Moi je comptais seulement dans la mesure où je reflétais le jugement collectif de mon journal. A la limite, je n'existais pas. Mais alors comment quelqu'un qui n'existe pas pourrait-il exercer ne serait-ce qu'un simulacre de pouvoir sur celui qui cherche avant tout à faire savoir qu'il existe, lui ?

Certains voient dans le journalisme une convention sociale, d'autres une branche essentielle des structures communautaires. Naturellement, la presse mérite certaines critiques liées à son excès de pouvoir. Mais avouons-le : mieux vaut faire avec elle que sans elle.

C'est à cette époque qu'un vieux rêve aussi fou que vaniteux réapparaît dans mes activités de journaliste : fonder une revue juive. Michel Salomon, rédacteur en chef de *L'Arche*, et Shuka Tadmor, correspondant américain du quotidien israélien de centre gauche *Lamerhav*, deviennent mes complices, ou moi le leur.

Je les ai rencontrés à peu près à la même date. Shuka dans la salle de presse des Nations unies et Michel à Stockholm, grâce à Teddy Pilley. Connaissant mes difficultés financières, celui-ci m'avait persuadé de faire à nouveau partie de son équipe d'interprètes simultanés. Michel s'y trouvait en sa qualité de journaliste.

Une parenthèse : c'est également à Stockholm que j'eus une série d'entretiens avec un personnage disons pittoresque que me présenta un dirigeant juif local, le docteur Hillel Storch. Son nom — Félix Kersten — me semblait familier (Joseph Kessel lui consacrera une biographie) : j'avais lu quelque part que ce kinésithérapeute finlandais avait compté Heinrich Himmler parmi ses patients. Il le voyait donc souvent ? Très souvent, parfois quotidiennement : Himmler souffrait d'atroces maux d'estomac. De quoi le SS Reichsführer parlait-il pendant que son guérisseur massait son corps endolori ? De tout, dit Kersten. Par exemple ? De la guerre ? Bien sûr. Et des Juifs ? Aussi. De leur extermination ? Rarement. Précisons :

« Monsieur Kersten, est-ce que Himmler vous faisait confiance ?

— Oui.

— Dormait-il durant les séances de massage ?

— Parfois.

— Il vous était donc possible d'appuyer sur sa nuque un peu plus fort, puis très fort, pas vrai ?

— Oui, j'avais cette possibilité. Bien que...

— Bien que ?

— Le couloir, les bureaux d'à côté pullulaient de SS...

— Mais vous auriez pu le tuer.

— Oui.

— Pourquoi lui avez-vous épargné la vie ? Parce que vous teniez à la vôtre ? »

Kersten proteste : « Non, non... Ce n'est pas la raison... Chaque fois, je me disais que je pouvais avoir de l'influence sur lui... En fait, j'ai sauvé des vies humaines... C'est moi qui, vers la fin de la guerre, ai réussi à le convaincre de ne pas anéantir les derniers prisonniers des camps, mais de les évacuer... C'est moi qui ai arrangé la rencontre entre Himmler et le délégué du Congrès juif mondial, le docteur Michael Mazur... »

Drôle de bonhomme. Il se plaint : il a fait tant de bonnes choses, et personne ne l'en a remercié. Son rêve le plus glorieux ? Recevoir un doctorat *honoris causa* de l'université hébraïque de Jérusalem.

Bon, revenons à notre rêve à nous trois : l'hebdomadaire qui apportera le salut à ses promoteurs, sinon à l'humanité. Laquelle, soyons sérieux, s'en moque éperdument.

Nous sommes comme des ivrognes qui s'encouragent mutuellement à boire, à ceci près que nous ne possédons même pas la première bouteille. Qu'à cela ne tienne : on peut vivre de mots, si j'ose dire.

Dans notre esprit, tout est clair. Et prometteur. Notre projet est indéniablement exaltant. Un hebdomadaire juif, genre *Time Magazine*, en trois langues : anglais, français et espagnol. En couleur, s'il vous plaît. Nous ferons appel aux signatures les plus prestigieuses. Walter Lipmann pour la politique, Leonard Bernstein pour la musique et Saul Bellow pour la littérature. Rien de moins. Ressources financières et publicitaires infinies. Influence politique et culturelle. Découverte de jeunes talents. Lancement d'idées originales, d'initiatives sociales. Que le projet se réalise et la vie juive ne sera plus la même. Il ne nous manque que la modeste somme de cent mille dollars pour le lancer. J'essaie d'intéresser Nahum Goldmann ; il me conseille de taper le richissime Samuel Bronfman (le père d'Edgar) de Montréal. Avec Michel, qui fait la navette entre Paris et New York, nous tentons notre chance auprès de Philip Klutznik, ancien président de B'nei Brith et ambassadeur de John Kennedy aux Nations unies ; il nous conseille, avec tact et sincérité, d'aller voir Nahum Goldmann.

Un jour, Shuka m'annonce une nouvelle qui me fait sursauter : il a trouvé le mécène de nos rêves. Il s'appelle... bon, peu importe comment il s'appelle : César ou Dupont, ça le regarde (en fait, il s'appelle Oscar). Mais est-il riche ? Oui, il l'est. Et prêt à nous aider ? Il est prêt. Quand peut-il nous recevoir ? Quand nous voulons. Je préviens Michel ? Oui, absolument. Michel arrive par le premier avion. Nous passons une longue, très longue soirée à préparer le rendez-vous décisif. Shuka explique : il a connu son richissime ami à Londres, dans les années cinquante ; c'est un Juif émigré de Tchécoslovaquie, sioniste militant, financier heureux et intellectuel malheureux parce qu'il n'arrive pas à se faire éditer. Donc ? Pour nous, c'est le candidat idéal. Nous l'aiderons à nous aider, et réciproquement.

Monsieur Oscar habite à une heure de New York, à Westchester. Nous nous y rendons dans ma vieille Chevrolet qui ne paie pas de mine mais dont, en revanche, le moteur fait un vacarme de bolide. Michel ne cache pas son appréhension : Monsieur Oscar ne nous prendra pas au sérieux ; on ne vient pas discuter d'une affaire d'envergure planétaire avec « ça »... Je le rassure : dès que nous recevrons les premiers cent mille dollars, nous achèterons une voiture respectable. Discussion : quelle marque choisir, quelle année, quelle couleur, avec ou sans climatiseur ? Ne nous disputons pas, car nous sommes arrivés. Belle maison entourée d'arbres. Piscine, jardin. Sonnerie discrète.

Notre mécène — vieillard frileux, crinière argentée, allure distinguée — nous accueille avec la courtoisie et le respect dus à de futurs patrons de presse. Bibliothèque lambrissée, cheminée, échiquier sur une petite table : le lieu respire le calme et la réussite.

Thé ou café ? Très anglais, Monsieur Oscar prend du thé. Naturellement. Les trois visiteurs préfèrent le café. Tasses trop petites ? La cafetière est grande.

Et Dieu aussi.

Car Monsieur Oscar, que le ciel le bénisse, est son messager.

Messager d'espérance, annonciateur de félicité, véritable ange gardien : notre projet le tente. Mieux : il l'excite. Voilà longtemps qu'il songe à créer une revue juive qui dirait, qui ferait, qui alerterait, qui secouerait, qui... Pourquoi ne sommes-nous pas venus le voir il y a vingt ans, il y a dix ans?... Mais il n'est pas trop tard... C'est Dieu Lui-même qui nous envoie sur son chemin... L'argent? Il en fait son affaire... Notre tâche à nous, c'est de préparer la revue... Réunir une équipe qui... Choisir des commentateurs qui... Et des critiques qui... A peine avons-nous fait connaissance que déjà nous volons ensemble vers le ciel des illusions suprêmes : « Faites votre travail, je ferai le mien », nous dit Monsieur Oscar. « D'ailleurs, vous allez me préparer un budget. Moi, je m'engage à trouver les moyens de le financer. » Timidement, nous essayons de clarifier un point délicat : qu'attend-il de nous en contrepartie? Des éloges dans la revue, le droit ou la possibilité de s'y exprimer? Absolument rien, répond-il. Sa proposition est totalement désintéressée, il la fait pour le plaisir. Et par pur idéalisme. En pensée, je remercie le Seigneur de l'avoir créé dans la seconde moitié du XXe siècle.

Ayant vidé ma cinquième tasse de café et exprimé à notre hôte toute notre reconnaissance, je pose une question pratique : la prochaine étape, c'est quoi? Nous revoir. Quand? Nous décidons que désormais nous tiendrons des réunions mensuelles.

Une fois dehors, dans ma vieille bagnole, Michel remarque de son air flegmatique habituel : « Nous avons oublié le principal. » Quoi donc? « Eh bien, l'argent. » Je m'énerve : « Comment peux-tu dire cela? N'a-t-il pas demandé un projet de budget? N'a-t-il pas déclaré qu'il s'occupait de tout? » Michel sourit : « Mais entre-temps qui va payer mes billets d'avion? » Et après un silence : « Et la voiture? Qui va payer la voiture que nous devons acheter au plus vite pour ne pas perdre la face devant ce Rockefeller juif qui pourrait donner des leçons de journalisme au vrai Rockefeller? »

Michel prendra un emprunt pour ses déplacements et moi pour la voiture : une Oldsmobile d'occasion. Nous n'avons pas encore de revue, mais nous sommes déjà endettés.

Avec trente ans de recul, je me dis que nous étions tous dangereusement stupides, et moi le premier. Avais-je oublié les impostures de Joseph Givon? Comment pouvions-nous être sûrs que Monsieur Oscar ne nous menait pas en bateau? Pensions-nous vraiment que le projet était réalisable? Comment trois journalistes inconnus et désargentés, l'un israélien, l'autre français et le troisième apatride à peine naturalisé américain, se croyaient-ils capables de créer un hebdomadaire en anglais alors qu'aucun ne maîtrisait cette langue ? Pour nous, Monsieur Oscar était l'homme de toutes les solutions. Allons, ne soyons pas pessimistes. Dieu est bon et Monsieur Oscar secourable.

Commence une période d'intense activité. Nous nous partageons les tâches. Shuka s'occupe des pages israéliennes, Michel des rubriques culturelles et moi de la vie juive. Qui signera les éditoriaux ? Chacun de nous, à tour de rôle. Magnanimes, tout en sauvegardant la sacro-sainte objectivité de la revue, nous proposons à Monsieur Oscar d'être le quatrième, il le mérite, pas vrai ? Nous préparons aussi un budget annuel de 250 000 dollars que nous soumettons à notre mécène. Il le critique sévèrement : trop modeste pour ses ambitions. A moins d'un million, ce n'est pas la peine d'en parler. Mais où irons-nous chercher une telle somme ? Notre prudence l'irrite : quoi, oserions-nous douter de sa parole ? S'il peut trouver 250 000 dollars, il peut tout aussi bien en dénicher quatre fois plus. Logique. En le quittant, je ne peux m'empêcher de taquiner Michel : « Et toi qui voulais lui parler de tes malheureux frais de voyage... »

Une année après notre première réunion de Westchester, nous présentons solennellement une maquette à Monsieur Oscar. Théoriquement, nous pourrions rapidement ouvrir des bureaux, engager des secrétaires, élaborer une politique publicitaire. Il ne nous manque que le compte en banque. « En effet, dit Monsieur Oscar approuvant notre analyse. C'est faisable. » Il sombre dans une profonde méditation, puis déclare : « Un million de dollars, c'est ça ? » Oui, c'est ça. « Bon. Je vous les remettrai en quatre tranches. Ça vous va ? » Cela nous va. « Mais... » Mais ? Soudain, je suis sur mes gardes : je me méfie des mais. Cette fois j'ai tort, car Monsieur Oscar enchaîne : « ... il faut que vous veniez à Londres. J'y serai la semaine prochaine. Au Dorchester. Je vous remettrai le premier chèque. » Nous sortons nos agendas, tombons d'accord sur une date et, dans mon imagination, je nous vois déjà à la tête d'une gigantesque entreprise de presse. Le cœur en liesse, Michel, Shuka et moi-même rentrons à Manhattan pour fêter l'événement. Levita, la femme de Shuka, se moque gentiment de nous et de notre optimisme exagéré, mais nous nous moquons de son pessimisme non moins exagéré.

Michel reprend l'avion pour Paris. Shuka et moi, plus fauchés que jamais, décidons que, par souci d'économie, Michel ira seul à Londres : nous n'avons pas besoin d'être trois pour récupérer quelques dollars. Le jour convenu, Michel s'envole pour la capitale britannique, se rend en taxi au Dorchester, demande au concierge de l'annoncer à Monsieur Oscar. Le concierge ouvre de grands yeux : « Monsieur Oscar ? Il n'est pas à l'hôtel. » Se disant qu'il est sans doute sorti, Michel demande : « Quand revient-il ? » Le concierge n'en sait rien : Monsieur Oscar n'est pas descendu au Dorchester. Michel se précipite vers le téléphone pour nous prévenir. Shuka et moi n'y comprenons rien. Monsieur Oscar serait-il tombé malade ? Shuka appelle Westchester. Pas de réponse. Michel exige que je le rejoigne à Paris. Et le prix du billet ? La banque me fera crédit. Entre-temps, Michel vérifiera dans les autres grands hôtels si, par un hasard béni, notre mécène ne s'y trouverait pas. Il n'est nulle part, n'a rien réservé, n'est pas attendu. Au téléphone, je suggère à Shuka de prendre « notre » Oldsmobile et de filer à Westchester : imaginons, il se peut que ce bon Monsieur Oscar ait été victime d'une crise cardiaque. Shuka le trouve en bonne santé. Calme, serein. « Mais vous devriez être à Londres », s'écrie Shuka. L'autre n'essaie même pas de s'excuser. Au contraire, il reproche à Shuka notre naïveté : « Quoi ? Vous avez vraiment cru que j'allais vous donner un million de dollars ? » Mais alors pourquoi ce jeu ? Eh bien, il était tout seul dans sa belle propriété, et nous le divertissions... Je l'enverrais volontiers passer une année dans une réserve au fin fond de l'Afrique.

Il nous a volé notre temps, notre énergie, notre enthousiasme simplement pour s'amuser ! Pour exercer son pouvoir sur les imbéciles crédules que nous étions. En effet, je n'ai rien appris de mes mésaventures avec Joseph Givon. Nous aurions mieux fait de nous adresser à un politicien, un banquier ou un patron d'industrie : leur goût du pouvoir est plus franc et plus honnête.

Il nous a fallu longtemps pour rembourser nos dettes.

Et pour revendre l'Oldsmobile.

ÉCRIRE

Pendant ma convalescence, en 1957, Mauriac m'annonce la bonne nouvelle : Jérôme Lindon publiera *La Nuit*. Une lettre des éditions de Minuit me le confirme. Un nouveau chapitre s'ouvre ainsi dans le livre de commentaires qu'est ma vie.

Lindon n'aime pas le titre : « Et le monde se taisait » ne sonne pas bien à ses oreilles. Il préférerait un verset biblique, peut-être tiré du Livre de Jérémie. Après diverses suggestions, nous finissons par nous mettre d'accord sur « La Nuit ». Mais il n'est pas encore satisfait : il me demande de reprendre le récit pour le resserrer. Pourtant la version française qu'il a reçue de Mauriac, celle qu'avait retravaillée mon ami Nicolas en Israël, je l'ai moi-même élaguée et considérablement abrégée. Il me propose de nouvelles coupures au début, au milieu, à la fin. Résultat : une différence de volume considérable entre les versions successives. Le manuscrit original compte 862 pages. En édition yiddish, le livre est ramené à 245. Et chez Lindon à 178.

Voici quelques extraits supprimés dans la version définitive. En yiddish, le récit s'ouvre sur des réflexions désabusées :

> Au commencement fut la foi, puérile ; et la confiance, vaine ; et l'illusion, dangereuse.
> Nous croyions en Dieu, avions confiance en l'homme et vivions dans l'illusion que, en chacun de nous, est déposée une étincelle sacrée de la flamme de la *shekhinah*, que chacun de nous porte, dans ses yeux et en son âme, un reflet de l'image de Dieu.
> Ce fut la source sinon la cause de tous nos malheurs.

Cette entrée en matière, probablement trop abstraite, ne trouva pas grâce aux yeux de Lindon. Pas plus que les deux pages suivantes : elles tentaient de décrire les phases préparatoires, les prémices de la tragédie. Tous les témoignages de survivants commencent par ce genre de description. Démarche naturelle ayant pour but d'évoquer, comme pour leur redonner vie une dernière fois, leurs proches, leur maison, leur cité, leur village avant l'anéantissement.

Voici ces deux pages :

Je me rappelle :
En l'an 1942, le gouvernement hongrois publia un décret ordonnant le refoulement (la déportation) des Juifs incapables de produire des preuves de leur citoyenneté hongroise.
Nous résidions à Sziget (Sighet en roumain), la ville la plus importante, avec la plus grande communauté juive, de la province de Marmaros (en roumain, Maramures). Appartenant à l'empire austro-hongrois jusqu'à la Première Guerre mondiale, Sighet fut annexée au royaume de Roumanie. En 1940, elle fut rendue à la Hongrie.
Le décret maléfique apporta trouble et angoisse à de nombreuses familles juives. Comment pouvait-on prouver sa nationalité ? En premier lieu, il eût fallu posséder des actes de naissance hongrois. Mais qui pensait utile, autrefois, d'inscrire sur les registres officiels la naissance d'un garçon avant sa circoncision ? (Après, on oubliait.)
Un temps limité fut accordé aux Juifs pour se munir des documents nécessaires. Aussi furent-ils nombreux, particulièrement dans les villages avoisinants, à voir venir le jour du Jugement les mains vides.
On les condamna à la déportation.
J'étais encore jeune, à peine treize ans, mais les images de leur départ en exil demeurent à tout jamais gravées dans ma mémoire.
Des centaines de Juifs arrivèrent dans notre ville. Avec peu de bagages. Visages soucieux, baignés de larmes. La communauté s'organisa vite pour leur porter secours. Des hommes offrirent de l'argent, des femmes collectèrent des vêtements, jeunes garçons et filles apportèrent du pain et de l'eau à la gare.
Les condamnés furent enfermés dans un long train, noir et endeuillé, qui les emporta pour toujours, laissant derrière lui une fumée épaisse et sale.
Le train disparut. Nul ne revit ses passagers.
Des bruits variés circulèrent en ville : ils ne se trouvent pas loin, quelque part en Galicie ; ils travaillent ; ils sont satisfaits de leur sort.
Nul n'essaya de vérifier ces bruits. On se fia à leur authenticité.

C'était plus commode. A quoi bon mettre en doute des nouvelles hypocritement apaisantes ?

Nul parmi nous, et moins encore moi, encore jeune, presque un enfant s'accrochant aux rayons de la vie et du soleil, n'essaya de se demander : et si le diable était plus noir qu'on ne le peint ? Et si les Juifs étaient menés à l'abattoir ?

Nul parmi nous, et moins encore moi, trop jeune pour avoir le sens du réel, ne s'imaginait que viendrait le jour, jour assombri, où nous aussi serions déportés vers une destination inconnue.

L'illusion, la maudite, avait conquis notre cœur.

Et des jours s'écoulèrent. Des jours, des semaines, des mois.

En ville, on oublia les « autres » Juifs. Un vent calme et apaisant chassa vieux soucis et appréhensions. Les marchands marchandaient, les étudiants étudiaient le Talmud, les enfants apprenaient la Bible et le commentaire de Rachi, les mendiants erraient de maison en maison pour rapporter aux leurs un peu de nourriture pour le Shabbat.

La vie habituelle, normale, éternelle de Sighet la juive.

Puis la rue fut secouée par une nouvelle : Moïshele est revenu ; il est revenu de « là-bas ».

Jérôme Lindon préféra ouvrir le récit par le portrait de ce Moïshele, le petit bedeau de notre synagogue, et insista sur d'autres coupures.

En yiddish, voici comment je décris la mort de mon père :

« Eliézer, mon fils, viens... Je veux te dire quelque chose... A toi seul... Viens ! Ne me laisse pas seul... E-li-é-zer... »

J'ai entendu sa voix, saisi le sens de ses paroles et compris la dimension tragique de l'instant, mais je suis resté à ma place.

C'était son dernier vœu — m'avoir auprès de lui au moment de l'agonie, lorsque l'âme allait s'arracher à son corps meurtri — mais je ne l'ai pas exaucé.

J'avais peur.

Peur des coups.

Voilà pourquoi je suis resté sourd à ses pleurs.

Au lieu de sacrifier ma sale vie pourrie et le rejoindre, prendre sa main, le rassurer, lui montrer qu'il n'était pas seul, qu'il n'était pas abandonné, que j'étais tout près de lui, que je sentais son chagrin, au lieu de tout cela je suis resté étendu à ma place et ai prié Dieu que mon père cesse d'appeler mon nom, qu'il cesse de crier pour ne pas être battu par les responsables du block.

Mais mon père n'était plus conscient.

411

Sa voix pleurnicharde et crépusculaire continuait de percer le silence et m'appelait, moi seul.

Alors, le SS se mit en colère, s'approcha de mon père et le frappa à la tête : « Tais-toi, vieillard ! Tais-toi ! »

Mon père n'a pas senti les coups du gourdin ; moi, je les ai sentis. Et pourtant je n'ai pas réagi. J'ai laissé le SS battre mon père. J'ai laissé mon vieux père seul dans son agonie. Pire : j'étais fâché contre lui parce qu'il faisait du bruit, pleurait, provoquait les coups...

« Eliézer ! E-li-é-zer ! Viens, ne me laisse pas seul... »

Sa voix me parvenait de si loin, de si près. Mais je n'ai pas bougé.

Je ne me le pardonnerai jamais.

Jamais je ne pardonnerai au monde de m'y avoir acculé, d'avoir fait de moi un autre homme, d'avoir réveillé en moi le diable, l'esprit le plus bas, l'instinct le plus sauvage.

Après l'appel, j'ai sauté au bas du box et couru vers lui. Il respirait encore, mais ne disait plus rien.

Les yeux fermés, scellés, baignant dans la sueur, ses lèvres remuaient. J'étais convaincu qu'elles murmuraient quelque chose. Je me penchai sur son visage pour mieux écouter et capter les mots inaudibles — ses derniers mots.

Trop tard.

Mon père ne me reconnaissait plus.

Je suis resté auprès de lui quelques heures et j'ai contemplé son visage pour l'incruster dans mon cœur, pour me le rappeler toujours, quand des vagues de joie tenteront peut-être de m'entraîner loin du passé.

Il n'y avait pas de *minyan* pour réciter le kaddish. Il n'y avait pas de tombe sur laquelle allumer une bougie. Il n'y avait rien. Sa tombe : le ciel. La bougie : moi, son fils. Mon kaddish était et restera tous les mots que je dirai, que j'entendrai.

Orphelin.

Sa dernière parole fut mon nom. Un appel. Et je n'ai pas répondu.

Le dix-huitième jour du mois de Shvat.

Quand une bougie s'éteint, la bougie reste ; seule la flamme disparaît.

Le dix-huitième jour du mois de Shvat une bougie s'éteignit ; la flamme et la bougie disparurent.

Mais je n'ai pas pleuré ; et c'est ce qui me faisait le plus mal : l'incapacité de pleurer. Mon cœur se transforma en pierre. Tarie, la source des larmes. Je n'ai même pas ressenti un véritable chagrin. Au contraire : eussé-je fouillé dans les abîmes de mon âme, j'aurais sans doute trouvé une étincelle diabolique et terrifiante de contentement...

Et voici comment, en yiddish, le récit s'achève :

> Je me regarde dans le miroir. Un squelette me renvoie mon regard.
> Rien que la peau et les os.
> J'ai vu l'image de moi-même après ma mort. A ce moment-là se réveilla en moi la volonté de vivre.
> Sans savoir pourquoi, j'ai levé mon poing et cassé le miroir, cassé l'image qui y vivait.
> Je perdis connaissance.
> A partir de ce moment-là, mon état de santé s'améliora.
> Je suis resté alité plusieurs jours au cours desquels j'ai noté l'esquisse de cet ouvrage que, cher lecteur, tu tiens entre tes mains.
> Mais...
> ... Maintenant, dix ans après Buchenwald, je me rends compte que le monde oublie. L'Allemagne est un État souverain. L'armée allemande a ressuscité. Ilse Koch, la femme sadique de Buchenwald, est mère de famille, et heureuse. Des criminels de guerre se promènent dans les rues de Hambourg et Munich. Le passé est effacé, enterré.
> Allemands et antisémites déclarent au monde que l'histoire de six millions de victimes juives n'est qu'un mythe, et le monde, dans sa naïveté, y croira, sinon aujourd'hui, demain ou après-demain.
> J'ai donc pensé : ce serait peut-être utile de publier en forme de livre ces notes prises à Buchenwald.
> Je ne suis pas assez naïf pour croire que cet ouvrage changera le cours de l'Histoire et qu'il secouera la conscience de l'humanité. Un livre ne possède plus le pouvoir dont il était investi autrefois. Ceux qui se sont tus hier garderont le silence demain.
> Voilà pourquoi, dix ans après Buchenwald, je me pose la question :
> « Ai-je bien fait de casser le miroir ? »

... Ce que j'ai dit, en 1955, sur l'oubli, l'indifférence et les néfastes ambitions des négationnistes, je pourrais le répéter, sans y toucher, aujourd'hui, en 1994.

Avec le recul, je reconnais que Lindon avait raison. Je n'ai jamais regretté d'avoir raccourci un texte. Les passages supprimés n'en sont pas absents. Dans le cas d'Auschwitz, le non-dit pèse plus que le reste.

Je songe déjà aux ouvrages suivants. Je les porte en moi. Paradoxalement, chacun constituera à la fois une remise en question et une justification des précédents. Un critique (René Lalo) dira sa surprise : il était convaincu qu'après *La Nuit* je n'écrirais plus rien. En un certain sens il avait raison. Chaque livre est pour moi le premier et le dernier. Tout autant qu'Auschwitz, la parole qui tend à saisir la réalité d'Auschwitz signifie rupture et défaite. Que faire de toute cette connaissance acquise ? Comment écrire sur le désespoir afin de lutter contre le désespoir ? Peut-on parler du silence de Dieu autrement que par le silence humain ? Doit-on témoigner pour laisser une trace ? Pour qui ? A quoi bon ? De toute façon, nul ne la déchiffrera. Et pourtant.

Est-ce que j'aime écrire ? Disons que c'est un plaisir pénible ou une peine agréable, indispensable dans la mesure où elle est inévitable. Le plus difficile, c'est l'ouverture, l'entrée en matière. Quand la première phrase surgit sur le papier, le reste suit. La voie est dégagée. Tout devient facile. « Quelque part un enfant se mit à pleurer... » C'est *L'Aube*. A partir de ces quelques mots, je savais que mes personnages allaient vivre et mourir en Palestine. « Dehors le crépuscule s'est abattu sur la ville, tel le poing lourd d'un malfaiteur. » Ainsi s'ouvre mon retour vers *La Ville de la chance*. Je commence à raconter *Les Portes de la forêt* par une phrase qui suggère rencontre et arrachement, le gouffre de l'oubli et l'éblouissement des partages : « Il n'avait pas de nom, aussi lui donna-t-il le sien. » Quant à *L'Oublié*, c'est une prière ou une litanie, celle d'Elhanan, qui sert d'appât : « Dieu d'Abraham, d'Isaac et de Jacob, n'oublie pas leur fils qui se réclame d'eux. » Règle générale, jamais démentie : si les premiers mots sonnent faux, le roman portera peut-être une vérité en lui, mais ce sera une vérité morte.

Ma grande difficulté : il y a des mots que je n'arrive pas à employer ; chargés d'un sens autre, ils me paralysent. Je ne peux pas écrire « concentration », « nuit et brouillard », « sélection » ou « transport » sans en retirer une sensation de sacrilège.

Une autre difficulté, à un niveau différent : j'ai appris le français dans les livres plus que dans la rue. L'argot et moi ne faisons pas bon ménage. Aujourd'hui encore, je ne me sens pas suffisamment libre pour dire « chialer » plutôt que pleurer, « pisser » plutôt qu'uriner, « bouffer » au lieu de manger.

Le style haletant et volontairement dépouillé de *La Nuit*, je le conserve pour les récits suivants ; je m'y attache. C'est celui des chroniqueurs des ghettos où il fallait tout faire, dire et vivre rapidement, dans un souffle : on ne savait jamais si l'ennemi n'allait pas frapper à la porte pour tout arrêter, pour tout emporter vers le néant. Chaque phrase était un testament : il fallait dire et redire l'essentiel, rien de superflu.

Les mots, il faut donc les respecter. Ce ne sont pas des ombres qui se chevauchent les unes les autres. Chacun possède sa propre raison d'être, chacun abrite son propre secret.

La parole ne doit être ni emprisonnée ni jugulée, pas même dans le silence de la page ; il faut la libérer pour la capter. Ensuite, il s'agit de la tenir fermement. Pour que la corde du violon vibre, il faut la tendre au risque de la casser ; relâchée, elle n'est que de la ficelle.

C'est pareil pour une phrase écrite. Il faut qu'elle contienne une page, et la page un chapitre, et le chapitre une vie. Derrière chaque mot, il y a d'autres mots. Et derrière eux, d'autres mots encore, et d'autres, tous intangibles, invisibles, mais chargés d'attente et d'anticipation. Chaque mot est étonnement et, aux moments de grâce, découverte et émerveillement.

Pour écrire, on descend dans les profondeurs insondables de l'être. Écrire tient du mystère. Entre deux mots, l'espace est plus grand qu'entre le ciel et la terre. Pour le franchir, on ferme les yeux et on saute. Dans la Torah, dit une tradition hassidique, les blancs aussi sont donnés par Dieu. A la limite, écrire est un acte de foi autant que de ferveur.

Printemps 1958. La guerre d'Algérie bat son plein. Des deux côtés, la haine redouble de vigueur et de fantaisie destructrices. Pourquoi des hommes mettent-ils plus de passion à tuer ou à mourir qu'à vivre et faire revivre ? Aux Nations unies, la France est sur la défensive. Israël fait partie des rares nations qui la défendent ou du moins lui offrent (ou lui prêtent) leur vote. Pourtant, parmi les intellectuels juifs américains, la tendance est généralement proalgérienne. L'aspiration nationale à l'indépendance, les Juifs savent ce que c'est. Conseiller politique du docteur Nahum Goldmann, Joseph Golan, l'homme qui a joué un rôle prédominant dans le départ des Juifs marocains pour Israël, me fait rencontrer des Algériens dans les couloirs des Nations unies, ce qui mécontente la délégation israélienne. Golda punira Joe en lui retirant son passeport israélien. Plus généreux, le président Léopold Senghor l'appellera à ses côtés pour l'aider à résoudre les problèmes économiques de son pays.

C'est à cette époque que je reviens en France pour le lancement — terme, pour moi, tout à fait nouveau — de *La Nuit*. L'émouvante préface de Mauriac — reproduite en première page du *Figaro littéraire* — a fait du bruit et son parrainage suscite l'intérêt des critiques. L'accueil est favorable : ce genre de littérature n'est pas encore à la mode. Débutant anxieux, j'ai envie de lire et de relire tous les comptes rendus. Et de remercier individuellement leurs auteurs. Et d'acheter dix exemplaires de chaque publication pour informer tous mes amis proches et lointains. Je me retiens : l'ascète en moi n'a pas encore abdiqué. Je me dis : attention, il ne faut pas que ces éloges te montent à la tête. D'ailleurs, Mauriac, à qui je rends visite le jour de mon arrivée, m'immunise à sa façon : « Un jour, ils nous feront payer la joie qu'ils nous ont eux-mêmes procurée. » Il a raison, naturellement. Ce jour aussi viendra. En littérature, nul n'est intouchable. D'abord, on vous hisse très haut ; puis on vous pousse en bas. Dès que vous êtes visible, vous devenez une cible. Souvent les flèches sont plus nombreuses que les compliments. Je me souviens de ma première critique négative : ce jour-là, comme un gamin, j'eus envie de parcourir tous les kiosques de la ville, d'acheter tous les exemplaires du journal... pour les brûler.

Plus tard, je m'y habituerai.

Je fais enfin la connaissance de Jérôme Lindon. Dans son bureau qui ne paie pas de mine, il m'explique ses engagements, sa conception de la responsabilité individuelle, son opposition à la politique du gouvernement : il se bat courageusement pour une Algérie indépendante. Pour me mettre à l'aise, il me parle de sa famille (son père était procureur au procès de Nuremberg), de son enfance.

Il m'offre sa belle traduction commentée du Livre de Jonas. Bref, nous sympathisons. Plus tard, il adoptera des positions qui provoqueront un éloignement entre nous. Sa préface du livre *Pour les Fedayin* me blessa comme elle blessa ses proches, tout comme son adhésion quasi inconditionnelle à la cause palestinienne. Mais jamais le contact humain entre nous ne sera rompu.

Je le revois à plusieurs reprises. Toujours dans son bureau. De tous mes éditeurs, c'est le seul avec qui je n'ai jamais dîné.

Je lui dois ma rencontre avec Samuel Beckett. « Il aimerait faire votre connaissance », me dit-il. Le sang afflue dans mon cerveau. Beckett ? Beckett souhaite me rencontrer, moi ? Que vais-je pouvoir lui dire sans perdre la face ? Nous fixons un rendez-vous : Chez Francis. Comme d'habitude, pour ne pas être en retard, j'arrive une demi-heure avant et m'assieds dans un coin sans remarquer l'homme beau et sage assis à l'autre bout de la terrasse. Une heure s'écoule ; me serais-je trompé de jour, d'heure ? Je consulte ma montre ; c'est alors que je l'aperçois : lui consulte la sienne. Nos regards se croisent. Nous sourions au même moment. Je me lève et viens le rejoindre. Poignée de main. Je prends place en face de lui. Respectueux, j'attends qu'il entame la conversation ; lui aussi attend. Je ne sais plus combien de temps dure le silence. Je sais seulement que c'est lui qui le brise. Délicatement, comme en murmurant, il se met à me parler : de lui, de moi ? Il vient de retrouver le manuscrit de son *Molloy* et s'est rendu compte que l'épigraphe a été omise lors de l'impression du livre. « C'était une phrase. Une simple petite phrase : en désespoir de cause. » Beckett retombe dans le silence. Nous restons une heure ensemble. Pas muets, silencieux. Nous nous reverrons. Et il me parlera du rôle dramatique du témoin.

Dans les années soixante, Lindon m'enverra un message d'amitié par l'intermédiaire de Marguerite Duras en visite éclair à New York. Elle est déjà connue mais pas encore célèbre. J'ignore tout de sa personne, sauf qu'elle est proche des cercles du nouveau roman. J'aime son *Barrage contre le Pacifique*, mais je ne sais comment le lui dire.

Nous nous promenons dans Central Park, sur la Ve Avenue. Je l'emmène aux Nations unies. Elle essaie de me faire parler de mon dernier livre, de mon travail et surtout de mes expériences décrites dans *La Nuit* ; timide, je me renferme. Nous ne nous sommes plus revus. Je ne sais pas pourquoi.

Pour la première fois de ma vie, je bénéficie des lumineux bienfaits de la télévision. Pierre Dumayet doit m'interroger dans son émission « Lectures pour tous », et Israël Adler m'emmène

417

aux studios sur sa motocyclette dont il est si fier. Il est tellement excité qu'il a failli nous renverser. « Tu n'as pas le trac ? » Bien sûr que si. « Tâche de penser à autre chose. » Bon, je tâcherai. « La chorale. Essaie de penser à la chorale. » Bon, j'essaierai. « Ou à l'hôpital. » Soit, je me souviendrai de l'hôpital. « Mais fais attention, me dit-il. Fais attention à tes mains. Dans ce programme, on montre les mains autant que le visage. » Les mains peuvent donc être interrogées ? Bah, je ferai attention.

Le lendemain, des gens me reconnaissent dans la rue. Ils ne savent pas qui je suis, ni ce que j'ai écrit, ils savent seulement que j'ai été interviewé, sur le petit écran, par l'une de ses vedettes. C'est mieux que rien. Je n'ai pas l'impression que *La Nuit* se vende, mais on en parle un peu, çà et là. Il se peut même que le livre soit lu.

On raconte que Borges, au début de sa carrière, tenait à remercier par lettre tous ceux qui avaient acheté son premier livre. Je pourrais en faire autant.

Une anecdote pour écrivains débutants : Franz Kafka, malade, vint passer ses vacances d'été à Marienbad. Jetant un coup d'œil sur la fiche, l'aubergiste lui dit : « Votre nom me semble familier.

— Impossible, répondit Kafka. C'est la première fois que je descends chez vous. »

L'écrivain prit sa valise et monta se reposer dans sa chambre. A peine assoupi, il perçut des petits coups à la porte. C'était l'aubergiste : « Pardonnez-moi de vous déranger, mais j'ai une question à vous poser : seriez-vous écrivain ? »

Ahuri, Kafka répondit : « Pas vraiment... Mais pourquoi me demandez-vous cela ?

— Parce que mon fils me dit que vous l'êtes.

— Dites-lui qu'il se trompe sur mon identité. »

L'aubergiste sortit et Kafka essaya de se rendormir. De nouveau, des coups à la porte le réveillèrent : « C'est encore mon fils, dit l'aubergiste. Il prétend que vous êtes un très grand écrivain... Il souhaite vous saluer... C'est important pour lui. Si vous tenez à votre repos, dites oui, et qu'on en finisse. »

Kafka accepta et l'aubergiste alla chercher son fils. Celui-ci, ému et intimidé, ne put que bafouiller : « Quel honneur... quel bonheur...

— Mais pourquoi ? demanda Kafka.

« — Parce que... parce que vous êtes Kafka...

— Et après ?

— Comment et après ? Monsieur Kafka, ne savez-vous donc pas qui vous êtes ? Vous êtes un grand écrivain, l'écrivain que j'admire le plus au monde...

— Auriez-vous lu quelque chose de moi ?

— Quelque chose, vous dites quelque chose ? Votre ouvrage a changé ma vie...

— Lequel ?

— *La Métamorphose.*

— Vous l'avez lu ?

— Bien sûr que je l'ai lu, et relu.

— Où l'avez-vous trouvé ?

— Mais je l'ai acheté... »

Et Kafka de s'écrier : « Non... c'était donc vous ? »

Malgré les félicitations et les éloges, pas tous mérités, qui pleuvent sur l'écrivain d'un premier livre que je suis devenu, je me sens rongé par un doute qui ne me quittera plus jamais : ai-je dit ce qu'il fallait, comme il le fallait ? Plus les critiques sont enthousiastes, plus je suis angoissé. Je finis par penser que, si l'on aime ce que j'ai écrit, c'est qu'on n'y a rien compris. Un témoignage comme le mien devrait provoquer colère et panique. La mort qui l'habite devrait susciter le silence des vivants.

A la même époque (printemps 1958), Béa se trouve à Londres où l'une de ses connaissances est gravement malade : tous ses amis se sont donné rendez-vous à son chevet. Songeant à une réunion à trois, avec Hilda, je l'invite à Paris. Un beau matin, elle m'appelle pour me proposer de venir plutôt à Londres. Pourquoi ? Parce qu'elle s'est fiancée. Convaincu qu'elle s'apprête à épouser le mourant, je m'écrie : « Tu es folle ? » C'est que je n'arrête pas de l'inciter — affectueusement — à se trouver un mari. Elle me rassure en riant : c'est le médecin qu'elle va épouser. J'ai un peu d'argent et m'envole aussitôt pour Londres. Je dîne avec elle et son fiancé, le docteur Leonard (Len) Jackson. Je suis tellement heureux de voir Béa heureuse que, mû par une impulsion subite, j'enlève mon bracelet-montre et l'offre à mon futur beau-frère en cadeau de fiançailles. A Montréal, Béa vivra dans le bonheur — avec son mari et leurs deux enfants — jusqu'au jour où le cancer commencera à ronger ses poumons.

Aux États-Unis, Georges Borchardt, agent littéraire dont l'influence va croissant, se démène désespérément, mais en vain, pour qu'un éditeur publie mon petit livre.

Georges est d'origine française, ancien enseignant, d'une intelligence aiguë, faussement cynique et sincèrement sceptique, délicat et, ce qui est rare dans sa profession, et dans toutes les professions, absolument fiable et intègre. L'avoir pour agent est une gageure, l'avoir pour ami une joie réconfortante.

Discret, avare de confidences sur son passé, notamment son enfance et son adolescence pendant la guerre, il se rabat sur l'humour dès qu'on en parle.

A l'époque de notre première rencontre, il occupe un petit appartement, 100 West 55e Rue. Deux pièces dont l'une lui sert de bureau. Anne, jeune fille juive du New Jersey, est son assistante et secrétaire. Voici comment ils m'annoncèrent leur mariage. Un jour, alors que nous nous rendons à l'aéroport, Georges laisse tomber une petite phrase : « Vous ai-je dit qu'Anne a décidé de changer son nom ? » Ils ont fait du chemin depuis.

Georges Borchardt s'efforce donc de me dénicher un éditeur américain. Nonobstant la préface de Mauriac et l'accueil de la presse française, belge et suisse, les grandes maisons hésitent, discutent, gémissent, rechignent, puis expriment leurs regrets. Pour les uns, l'ouvrage est trop mince (le lecteur américain semble raffoler des gros volumes), et trop déprimant pour les autres (le lecteur américain semble préférer les livres optimistes) ; ou bien il traite d'un sujet trop connu, à moins qu'il ne le soit pas assez. Bref : pourquoi ne pas frapper à la porte à côté ? Sans perdre courage, Georges frappe à toutes les portes. Les réponses ne varient pas, sauf dans leur forme plus ou moins courtoise, sincère ou intelligente. (Cela fait longtemps que je conseille à Georges de les publier. Pour rappeler un état d'esprit.)

Finalement, c'est une modeste maison d'édition, Hill and Wang, qui acceptera de prendre le risque. Arthur Wang veut m'en parler. Le plus humaniste des éditeurs, de dix ans mon aîné, il me conquiert par sa jeunesse autant que par son dédain des contraintes commerciales. Pareil à Paul Flamand, mais laïque, c'est quelqu'un qui croit encore en la chose littéraire comme d'autres croient en Dieu. Bien qu'invalide (de naissance ?), il frappe par son agilité autant que par son goût de la vie. D'une sensibilité attachante, il fait confiance et inspire confiance. Il écoute en profondeur comme on dit lire en profondeur. S'il n'aime pas, il le dit, mais gentiment. Il ne joue pas, il ne triche pas. Rien en lui n'est mesquin. Rien en lui n'est factice. « Je ne vous promets pas des millions, me dit-il. Je vous promets seulement de faire du bon boulot, je veux dire : de faire de mon mieux. » Il tiendra sa promesse. Là encore, le livre se vendra plus ou moins bien (plutôt moins : deux mille exemplaires en deux ans), mais il attirera l'attention de certains milieux littéraires et religieux. Aussi, lorsque de grandes maisons nous offriront de meilleurs contrats pour *L'Aube* et *Le Jour*, Georges et moi déciderons tout naturellement de rester fidèles à Hill and Wang, c'est-à-dire à Arthur.

A Paris, Paul Flamand me fait rencontrer George Steiner : brillant, incisif, diablement érudit, divinement cinglant, béni de mille dons d'orateur, d'enseignant et d'écrivain en plusieurs langues, aimant choquer et provoquer, c'est un grand intellectuel qui s'amuse à susciter l'hostilité plutôt que l'affection. A l'aise dans les cultures anciennes et modernes, il dérange les Israéliens en faisant l'éloge de la diaspora. « L'homme n'est pas un arbre », déclare-t-il. Image frappante : l'homme bouge, se déplace, cherche en plus d'un lieu les racines de son savoir.

Un jour, à Haïfa, lors d'une conférence sur l'Holocauste, il réussit à polémiquer avec certains survivants : selon lui, l'expérience d'Auschwitz pouvait mieux être transmise en allemand, la langue des tueurs, qui est aussi celle de Paul Célan. Tout en lui gardant mon affection, je lui fis remarquer que c'est en yiddish et en hébreu que les grands documents sur la Tragédie ont été écrits. Cela dit, j'admire la manière éclatante dont il traite les sujets les plus complexes. George Steiner est une âme inquiète qui n'arrête pas de se chercher.

Professionnellement, dans mon travail de journaliste, je m'évertue à rechercher informations et sujets d'articles, mais les scoops se font rares. En 1962, la chance finit par me sourire et me permet de battre mes concurrents. Je n'ai pas honte d'avouer que j'en suis fier et passablement heureux.

Il s'agit d'un garçon nommé Yossele Shuchmacher. Pour « sauver son âme » son grand-père l'a kidnappé, estimant que ses parents négligeaient son éducation religieuse. Histoire qui mit la terre d'Israël sens dessus dessous. On fouilla les demeures de supposés suspects, on surveilla les groupuscules extrémistes, tout l'intérieur du pays fut passé au peigne fin. Rien. L'opinion publique s'énervait et Yossele devenait une obsession nationale. Sur ordre du Premier ministre David Ben Gourion, les services secrets israéliens furent mis à contribution aux quatre coins de la planète : enquêtes poussées dans toutes les communautés juives et infiltration des milieux ultra-orthodoxes. L'opération fut dirigée par Issar Harel, le chef légendaire du Mossad, le même qui avait supervisé l'enlèvement d'Adolf Eichmann à Buenos Aires. Efforts vains. Le jeune garçon le plus célèbre d'Israël avait bel et bien disparu, avalé par les gardiens du fanatisme. Naturellement, la presse israélienne et juive suivait l'affaire, constamment sur le qui-vive. Dix pistes n'ont mené nulle part.

Dov m'appelle une fois par semaine : « Rien de ton côté ? » Rien. « Il paraît qu'il est à Brooklyn. » Où ça ? Brooklyn est grand. Plus grand que Manhattan. « Mobilise tes contacts à Lubavitch. Les hassidim là-bas sont en train de mijoter quelque chose. » Bon, je mobilise. Mes contacts me rient au nez : ils mènent leur propre enquête, aussi soucieux que Ben Gourion de retrouver Yossele dont la disparition embarrasse la communauté religieuse modérée. Un vendredi après-midi, alerte plus agitée de Dov : « On nous informe qu'il est dans tes parages. Tu peux vérifier ? » Je peux. J'appelle un ami, Israël Gur-Aryé, descendant du Besht et consul israélien dont on chuchote qu'il est le correspondant du Mossad à New York. Il me rassure : « Encore une fausse rumeur. » Sûr ? « Absolument sûr. » Parole d'honneur ? « Je te la donne. — Si quelque chose arrive, tu me préviens ? — Évidemment. » Je rappelle Dov : « J'ai confiance en Gur-Aryé. Pourquoi me mentirait-il ? » Mais Dov insiste : « Méfie-toi. Si tu ne fais pas attention, tu laisseras filer la nouvelle la plus sensationnelle de ces dernières années. » Bon, je les doublerai, mes gardes. De toute façon, demain c'est Shabbat et d'ordinaire rien d'extraordinaire ne peut se passer à Brooklyn pendant le Shabbat. Mais... j'ai oublié que des choses peuvent parfaitement et facilement se passer le soir du Shabbat.

Le dimanche matin, la voix de Dov est ironique plus que fâchée : « Alors, tu as toujours confiance en ton ami ? » Il me faut un moment pour comprendre de quoi et de qui il parle. « Ah, tu ne sais pas ? s'étonne Dov. Les agents du Mossad ont récupéré le petit Yossele. A Brooklyn. » Je raccroche, incapable de réagir. Il faut absolument que je joigne Gur-Aryé chez lui. Il est 5 heures du matin ? Je risque de réveiller sa femme, la douce et gentille Shula ? Tant pis, je lui présenterai mes excuses, à elle, mais sûrement pas à son menteur de mari... C'est elle qui répond : « Israël n'est pas ici. Mais je sais qu'il veut vous parler. Voici le numéro où vous pourrez l'appeler. » Ligne occupée. La dixième tentative est la bonne. Bouillonnant d'indignation, je m'apprête à dire à mon ancien ami ce que je pense de son comportement, mais il me devance : « Je ne pouvais pas agir autrement, comprends-moi. C'était trop risqué. La moindre indiscrétion pouvait faire échouer l'opération. Le petit n'était pas encore entre nos mains. Il l'est depuis deux heures seulement. Nous savions où il se cachait, mais il nous fallait l'accord des autorités américaines... J'allais t'appeler... » Je refuse de pardonner, je refuse de comprendre : il m'a trompé, il m'a fait perdre la face aux yeux de Dov et privé d'un scoop. « Crois-moi, je le regrette. » Je n'ai que faire de ses regrets. Il n'aurait pas dû me mentir ; on ne ment pas à un ami, même si l'on appartient au Mossad. « Laisse-moi t'expliquer, dit Gur-Aryé. On ne sait jamais quand et sur quelle table d'écoute on est branché. » Oui, mais au lieu de parler de fausse rumeur, il aurait pu me dire qu'il n'était pas au courant. Pourquoi m'a-t-il dupé ? « Je n'avais pas le choix. J'ai dû te mentir. Pour t'empêcher de chercher. Sans le vouloir, en contactant des gens à Brooklyn, tu risquais de torpiller notre plan... » Il explique, il explique, mais je n'ai que faire de ses explications. Il en est conscient : « Tu as raison de m'en vouloir, reprend-il d'une voix sourde. Écoute, disons que j'ai contracté une dette d'honneur à ton égard. Laisse-moi trouver le moyen de te la payer. »

L'après-midi même, il me promet une interview exclusive avec le petit Yossele. Le descendant du Besht ne peut tout de même pas ne pas respecter sa seconde promesse. « Mais tu me jures que tu ne révéleras pas où il se trouve. » Je le jure. « Et que tu ne lui poseras pas de questions sur les conditions de son enlèvement. » Je le jure. « Et que tu ne diras pas que c'est moi qui... » Je le jure. « Et que tu feras attention ? » Je le jure encore. « De quoi vas-tu lui parler ? » Du Talmud. « Du Talmud ? » Oui, pourquoi pas ? « Tu es sérieux ? » me demande Gur-Aryé. Tout à fait sérieux.

Yossele me rappelle les garçons juifs de ma ville. Kippa et *péyot*. Il se lave les mains avant de dire ses prières du matin et du soir, il récite la bénédiction d'usage avant de boire le verre d'eau qu'on lui tend. J'aime son sourire mélancolique et innocent (j'aime tous les sourires d'enfants mélancoliques) ; je lui dis que, quand j'avais son âge, j'étais aussi pieux que lui. Pas impressionné, le petit bonhomme. Comment a-t-il passé ses journées à Brooklyn ? « J'étudiais. » Qu'étudiait-il ? « Quelle question, la *parsha* de la semaine, le passage hebdomadaire de la Bible. » Et quoi encore ? « Rachi. » Et puis ? « Le Talmud. » Quel traité ? « Brak'hot, les Bénédictions. » Par chance, il y a dans l'appartement toute la série du Talmud babylonien (édition de Wilno). On m'apporte le traité en question. Et tous les deux, oubliant les agents du Mossad et du FBI, nous plongeons dans l'étude de textes qui nous lient aux temps anciens, lorsque la vie était plus simple. Avant que nous nous quittions, Yossele me demande qui je suis. « Devine.

— Un messager.

— Pourquoi un messager ?

— Parce que tout homme porte en lui un message. »

(Quelques années plus tard, je lis dans *Yedioth Ahronoth* un reportage sur Yossele : il n'est plus fanatique, il n'est même plus pratiquant.)

La publication de l'entretien fait du bruit. Pourtant je n'ai rien révélé de sensationnel. Je n'ai pas raconté qu'une ancienne danseuse de cabaret convertie au judaïsme et future épouse de Reb Amram Blau, le chef des Neturé-karta antisionistes et anti-israéliens, a servi d'instrument pour le faire sortir illégalement du pays. Ni que Yossele était déguisé en fille. Ni qu'une secte ultrafanatique s'était chargée d'organiser l'enlèvement, la fuite et l'entrée en Amérique. Je n'ai fait que décrire notre leçon talmudique.

Dov est heureux. Quant à moi, je dois une fière chandelle à Gur-Aryé, redevenu mon ami. On ne se fâche pas avec un descendant du Besht, fût-il agent du Mossad.

En France, j'ai été obligé de changer d'éditeur : parce qu'il a trop aimé *La Nuit*, Lindon n'aime pas *L'Aube*. Il me le dit carrément, ajoutant qu'il a pour habitude de ne publier que des ouvrages qu'il aurait aimé avoir écrits. Amusante, sa franchise n'est nullement offensante. Il me suggère de modifier le dénouement du roman. D'adopter un ton plus sec, plus détaché.

Par chance, Georges Borchardt, lors d'un de ses voyages annuels à Paris, passe un matin au Seuil où Monique Nathan lui dit avoir lu *La Nuit*. Par pure curiosité, elle lui demande si j'ai fait autre chose. « Oui, répond Georges. D'ailleurs, il se trouve que j'ai le manuscrit sur moi. » Il le tend à Monique qui s'enferme dans son petit bureau pour le lire. Heureusement pour elle, et pour moi, le récit n'est pas long. Georges est encore en pleine conversation avec Paul Flamand lorsqu'elle arrive en courant pour lui proposer un contrat si Minuit ne veut pas de l'ouvrage. Elle ne comprend pas le refus de Jérôme Lindon. Honnête jusqu'au bout des ongles, elle n'est pas prête à chiper un auteur à une maison concurrente et appelle Lindon pour lui dire sa conviction qu'il est en train de commettre une erreur. Mais, comme Jérôme est têtu, Monique retient le manuscrit.

A l'exception d'une interruption de six ans (et de quatre titres), survenue pour des raisons de conscience, je resterai au Seuil. Je m'y sens chez moi. François Wahl, mon tuteur et ami de Versailles, Serge Montigny qui dirige le service de presse, l'ancien déporté de Mauthausen Jean Cayrol, Anne Zuber la plus dévouée des attachées de presse, le romancier Paul-André Lesort, Simonne et Jean Lacouture qui, plus que quiconque, ont su dans leur collection retentissante évoquer « l'histoire immédiate » : nous faisons partie du même orchestre. Paul Flamand, qui (avec Jean Bardet) le dirige, est plus qu'un éditeur sage et audacieux ; c'est un interlocuteur superbement intelligent et sensible, homme de vaste culture, capable de guider et d'éclairer l'auteur sans le froisser, scrupuleusement humaniste et ouvert à la ferveur. Passer une heure dans son bureau, ou deux heures au restaurant avec lui, justifiait à mes yeux un déplacement en France. Il sait rassurer le cœur tout en stimulant l'esprit. Impossible de ne pas s'attacher à ce genre de patron devenu ami. Les contrats qu'il enverra à Georges seront d'un genre spécial : il nous laissera le soin de remplir le montant de l'à-valoir.

La remise d'un manuscrit à Paul s'accompagnait d'un rituel immuable : il le palpait, le caressait, le humait, le posait pour aussitôt le reprendre et le feuilleter. A la fin, il le fourrait dans la serviette bourrée qu'il emportait chez lui, cour de Rohan ou à

Saint-Chéron. Un jour ou une semaine, parfois six mois plus tard, en dînant en compagnie de Marguerite (femme douce, regard blessé, à la fois infiniment bonne et extrêmement lucide) et de Marion, il pouvait revenir sur le thème du livre, sa construction, et chaque personnage qu'il analysait, comment dire, pour son propre bien. Quand il ne comprenait pas un épisode, il essayait de me montrer gentiment que moi-même je ne le comprenais pas assez.

J'aimais nos discussions. Catholique sincère mais éclairé, il s'intéressait à la tradition et à la culture juives pour mieux comprendre les siennes. J'aimais sa manière d'interroger ou de commenter un auteur ou un texte : avec tact et délicatesse, il vous poussait dans vos retranchements. Il suffisait qu'il laisse tomber ses « Tiens, tiens », pour que vous vous sentiez obligé d'aller plus loin, toujours plus loin. Avec lui, on ne pouvait jamais rester à la surface.

Je me souviens de notre voyage à quatre pour visiter la cathédrale de Chartres. Nul n'en parlait, nul ne la regardait comme lui. A travers lui, c'étaient les pierres qui racontaient leurs histoires.

Je me souviens d'une Marguerite grave et recueillie, s'exprimant lentement, intelligemment, en peu de mots, pour dire l'essentiel ; je me souviens d'elle déclinante mais stoïque, luttant contre son mal avec une force et une grâce qui accentuaient son humanité féminine, serrant des lèvres qui n'arrivaient plus à sourire.

Je me souviens de Paul qui, interrogé sur l'état de sa femme, ouvrit la bouche et la referma sans dire un mot.

« Qu'est-ce qui ne va pas ? Tu as une mine de... » C'est Saul. Saul Friedländer. La dernière fois que nous nous sommes rencontrés, c'était chez une amie commune à Manhattan en 1958-1959. Il travaillait pour Nahum Goldmann. Je ne l'ai jamais vu aussi déprimé.

Assis à la terrasse d'un café, boulevard Saint-Germain, il avale un Valium. Il me raconte ses ennuis : tout en préparant sa thèse sur la diplomatie du Troisième Reich, il buta sur des documents sensationnels sur Pie XII et sa politique à l'égard de l'Allemagne nazie. Son problème, je le connais ; je l'ai vécu : les éditeurs ne s'intéressent plus à cette période-là. Je lui promets d'en parler à quelqu'un de bien.

Le lendemain j'emmène Saul au Seuil. Je le présente à Paul

Flamand. Pour Saul, c'est la fin d'une dépression et le début d'une carrière.

Pendant dix ans, jusqu'à sa mort précoce, c'est Monique qui s'occupe de mes manuscrits. Juive convertie au catholicisme, lectrice hors pair, éditrice de talent, remarquablement sévère mais nullement obstinée, d'une grande culture, d'une franchise redoutable, avide de spiritualité, elle est soit tout à fait pour, soit tout à fait contre. La voie d'or, celle de Maïmonide, elle s'en écarte. Monique Nathan, c'est quelqu'un, dit-on dans le milieu de l'édition. C'est avec un scalpel qu'elle examine *L'Aube* et *Le Jour*. Elle me fait retravailler un chapitre de *La Ville de la chance* : trop réaliste, trop sensuel. Elle a raison. Elle me fait supprimer un chapitre entier des *Portes de la forêt*. Là encore, elle a raison. Harmonie parfaite entre nous. Comme elle, je pense qu'un passage éliminé n'est pas forcément absent du texte : le lecteur le sent et l'absorbe. Trois versions successives du *Mendiant de Jérusalem* n'ont pas fait le bonheur de Monique : elle jugeait l'une pas assez poétique, l'autre trop ésotérique, la troisième pas assez romanesque. La quatrième eut la chance de lui plaire. Elle travaille aussi sur *Entre deux soleils* (titre suggéré par Manès Sperber ; moi, je préfère celui de l'édition américaine : « Une génération après »).
En son absence (peu sont au courant, mais elle souffre d'un cancer), c'est Claude Durand qui s'occupe du *Chant des morts*. (Dois-je anticiper et dire combien il m'a troublé et déçu dans l'affaire Attali ? Un éditeur soucieux de l'honneur littéraire et historique aurait arrêté la diffusion d'un ouvrage qui comportait un si grand nombre d'inexactitudes et de faits déformés : nous y reviendrons.) Les Lacouture ont retenu *Les Juifs du silence* pour leur collection « L'Histoire immédiate ». Luc Estang et Paul-André Lesort veillent sur *Zalmen ou la Folie de Dieu* et *Le Serment de Kolvillag*. Puis c'est Bruno Flamand qui prend la relève. C'est mon complice et mon confident. En retrait, sobre, méticuleux, équilibré, d'humeur égale, il sait ce que de nombreux éditeurs ignorent : s'identifier au livre plutôt qu'à l'auteur. Comment fait-il pour si bien comprendre mes travaux sur la Bible et ses interprétations, le Talmud et ses commentaires, le hassidisme et ses Maîtres pittoresques et mystérieux ? Il finira par mieux assimiler un texte hébraïque (en traduction, bien sûr) que certains penseurs juifs prétendument érudits qui vantent leur « retour aux sources ». Une

427

complicité fructueuse nous unit. Même quand je me sens contraint de quitter (provisoirement) Le Seuil, nos rapports n'en sont pas affectés.

C'est à cause de la guerre du Liban que je me suis trouvé en conflit avec Le Seuil. Successeur de Paul Flamand, Michel Chodkiewicz publie dans *Le Monde* une lettre que je trouve outrageante : il accuse Israël de génocide. Nous sommes en été 1982, au début de la guerre du Liban. Dans la mesure où il fait état de sa qualité d'éditeur, Chodkiewicz engage la maison. Du moins, c'est mon avis. Je lui demande non de se rétracter, mais de se corriger en s'expliquant. Non pas de changer sa philosophie politique ou religieuse à l'égard d'Israël et des Palestiniens (né catholique, il s'est converti à l'Islam), mais de préciser sa pensée. D'envoyer au journal quelques lignes où il dirait à peu près que, dans le feu de la passion, il a employé un mot qui heurtait la sensibilité de certains... Michel refuse catégoriquement. Il est pour la liberté d'expression, dit-il. Je reviens à la charge : le mot génocide, lui dis-je, ne peut être employé qu'avec une prudence extrême. On n'a pas le droit de l'utiliser à la légère. Pense-t-il réellement que le but d'Israël est d'exterminer le peuple palestinien tout entier ? L'obstination de Michel me surprend et m'attriste. Nos relations ont toujours été excellentes. Nous avons l'amour des choses mystiques en commun. J'admire son savoir et respecte son intégrité. Pourquoi se montre-t-il soudain si inflexible ? Il sait pourtant que, faute d'une solution, je vais devoir me séparer du Seuil. François Wahl me suggère alors de participer à une séance du comité éditorial. J'en connais tous les membres, et je leur explique : « Depuis plus de vingt ans que je suis dans la maison, et malgré mon ancienneté, je n'ai jamais rien réclamé. Maintenant, c'est différent, car il s'agit de l'honneur de mon peuple ; je vous demande de vous prononcer, d'intervenir. » A part une jeune femme, juive, tous sont d'accord. Ils essaient de persuader Michel qui reste inflexible. Après sept mois de discussions pénibles, je décide donc de m'en aller. Sans faire de bruit : je suis trop attaché au Seuil pour lui nuire.

Deux possibilités : Antoine Gallimard et Bernard-Henri Lévy (Grasset) viennent me voir à New York, à une semaine d'écart. Le prestige du premier m'importe. D'autant qu'Antoine et moi sympathisons dès le premier contact. J'aime sa droiture, sa fougue, son dévouement à ses auteurs, sa vision du rôle de la littérature dans la société, sa conception de l'amitié. Mais sa maison m'effraie un peu par sa taille. Et puis, Grasset pour moi, à ce moment-là, c'est Bernard-Henri Lévy. Et Bernard, je le connais depuis notre rencontre à la frontière cambodgienne, où nous avons participé à la Marche contre la faim. Lors de sa première visite chez moi, je lui montre les épreuves de *Paroles d'étranger*. Son compliment me touche : c'est influencé par le recueil qu'il écrira son premier roman. Bernard me présente à Jean-Claude Fasquelle dont j'apprécie la force de caractère et la discrétion. Il parle peu, mais se tait bien. Sa femme, Nikki, a le meilleur sens de l'humour du petit monde littéraire parisien. Marion et moi passons des heures à discuter avec Georges des mérites des deux maisons. Le trio de Grasset (Fasquelle, Bernard et Yves Berger) fait un travail sobre et fructueux. Je leur confie *Le Cinquième Fils*. Lettre brève, pénible, de Paul Flamand, une phrase seulement : « Je suis atterré. » Je n'y peux rien. Entre Le Seuil et moi, il y a le mot de Chodkiewicz. Mais ce n'est pas un divorce. Si Le Seuil reste ma famille, Grasset devient ma famille adoptive. Si Le Seuil est ma maison, Grasset est ma maison de campagne. Bernard vient souvent à New York : brillant comme philosophe aussi bien que comme observateur de la scène sociale, il me raconte les dernières intrigues du Paris littéraire. Je ne connais personne qui soit aussi bien informé de tout ce qui se trame dans les cercles qui nous touchent. Je reste avec Grasset jusqu'au jour où le scientifique Claude Cherki succède au mystique Michel Chodkiewicz.

Le Seuil est une bien étrange maison, dit-on dans Paris. Trois hommes l'ont dirigée jusqu'à présent. Le premier était catholique, le deuxième musulman et le troisième est juif...

Avec Claude, l'atmosphère est détendue. Mes retrouvailles avec Le Seuil se passent bien.

En Amérique aussi, à plusieurs reprises, je change d'éditeur. Mais là-bas c'est chose courante. Peu d'écrivains publient toute leur œuvre dans la même maison. Après *Le Jour*, Arthur Wang, toujours chaleureux, me conseille de porter mon prochain roman chez un éditeur plus important : « Ma maison est trop petite pour vous offrir le soutien que ce livre mérite. » Attitude exceptionnelle, je la respecte. Conseil utile, je le suis. Par Paul Flamand, j'ai fait la connaissance de Mike et Cornelia Bessie (Atheneum) ; je leur confie *La Ville de la chance*. *Les Portes de la forêt*, *Légendes d'aujourd'hui* et *Les Juifs du silence* paraissent chez Holt ; *Le Mendiant de Jérusalem* et les *Célébrations* chez Random House ; *Le Testament d'un poète juif assassiné* et *L'Oublié* chez Summit-Simon and Schuster.

Changements utiles, souvent nécessaires, mais ils me dérangent. J'aime la stabilité. Dans la plupart des cas, ce sont des considérations d'ordre personnel qui m'aident ou qui me poussent à prendre ma décision ; c'est simple : je suis mes amis. S'ils changent de maison, je pars avec eux.

Arthur Cohen est à l'époque éditeur chez Holt, Rinehart et Winston. Il se passionne pour la théologie et mes rencontres avec Shoushani l'intriguent au point qu'il s'en inspire pour son roman sur un faux messie moderne. Nos déjeuners sont consacrés aux problèmes métaphysiques plus qu'aux choses littéraires. Un jour, il me paraît déprimé. « J'ai quitté ma femme, me dit-il au bord des larmes. Je n'en pouvais plus. Je suis amoureux. » Confession trop intime pour que je ne la trouve pas gênante. Les épanchements sentimentaux m'ont toujours mis mal à l'aise. Comme Arthur poursuit son monologue interminable, je suis sur le point de lui dire : « N'en fais donc pas un drame... Ces choses-là arrivent... On quitte une épouse pour une femme qui vous sort de la routine... » Mais je n'en ai pas le temps, car il laisse tomber une phrase qui m'empêche d'avaler mon fromage : « D'ailleurs, tu le connais... » Son patron tout-puissant n'apprécie pas son orientation sexuelle, il le convoque dans son bureau et lui dit : « Vous avez une heure pour vider les lieux. »

C'est Jim Silbermann, le patron de Random House, qui entre en scène. Quand il partira, je le suivrai. Mais c'est une histoire pour plus tard.

Peter Mayer est un jeune éditeur brillant et farfelu. Compliqué, noué, secret. Aussi ambitieux que ses pairs, mais plus imaginatif. Tout ce qu'il entreprend lui réussit. Pendant un temps, il est l'enfant prodige de l'édition. Il s'occupe de mes éditions de poche et l'univers de mes livres l'intéresse au point qu'il m'accompagne à Sighet et à Jérusalem où, un vendredi soir, il va assister à un office devant le Mur. Il n'y était pas préparé le moins du monde et a éclaté en sanglots. Sa carrière le conduit d'Avon Books à Penguin. Devenu tsar de l'édition britannique, il m'écrit un jour pour m'expliquer pourquoi il lâche *L'Oublié* : le livre ne se vend pas. Les affaires sont les affaires.

430

Pour Jim Langford, qui dirige la maison officieusement catholique de l'université de Notre-Dame (dans le Michigan), les impératifs commerciaux comptent moins. Je lui confie deux livres sur la Bible et le hassidisme.

Arthur Kurzweil était mon élève à City College. Il voulait écrire un livre sur mes travaux mais je le lui déconseillai, lui suggérant d'écrire quelque chose qui le concerne vraiment, lui. Du coup, il se lança dans la recherche généalogique avant de diriger une très belle petite maison d'édition.

Chez Hill et Wang, tout allait bien. Je n'avais jamais à me plaindre. Parce qu'elle était petite, la maison ne dispersait pas ses efforts, et, pendant les mois qui suivirent la parution de mon premier livre, elle le soutint exclusivement, je dirais presque fanatiquement. Non sans succès, d'ailleurs. Pas une note discordante dans les pages littéraires. Les critiques, pour la plupart, situèrent bien le récit et en dégagèrent les thèmes essentiels. Les grands organes de presse vantaient son style austère et dépouillé ou son poids de vérité. En lisant, que dis-je, en relisant les comptes rendus, il m'arrivait de me demander si c'était bien de moi qu'on parlait. Comble du triomphe : Le *Times Book Review* (le supplément littéraire du *Times*) m'invita à faire de la critique littéraire. (Pour mon oncle Sam, cela équivalait au moins au prix Nobel.) En d'autres termes : c'était la lune de miel. Autant dire qu'elle ne dura pas plus de quelques années et quelques livres.

Lors de la parution de *La Ville de la chance* à Paris, un reporter de la radio belge me demanda textuellement : « Combien de temps allez-vous encore vous vautrer dans la souffrance ? » En France comme aux États-Unis, des critiques commencèrent à insinuer qu'il convenait d'en finir avec le sujet. Leurs objections étaient moins littéraires que personnelles. S'ils avaient dit que j'écrivais mal, que mes personnages étaient trop transparents ou trop opaques, que le choix de mes images ou de mes verbes n'était pas satisfaisant, je m'en serais accommodé. Mais presque tous placèrent le débat sur un autre plan : celui du sujet, de la thématique et de l'auteur. En somme, ouvertement ou par allusion, ils m'en voulaient d'avoir vécu un passé différent du leur, et d'être le témoin juif que je suis. Même quand je prenais pour thème la Bible, le Talmud, le Moyen Age et le hassidisme, des mécontents trouvèrent le moyen de tout ramener à l'Holocauste pour dire que cela suffisait : pour leur plaire, j'aurais dû m'enfermer dans l'ascèse d'un mutisme total. Certaines revues passèrent mes romans sous silence ou leur accordèrent un intérêt mitigé, sinon de complaisance. Le prix Médicis me fut décerné pour *Le Mendiant de Jérusalem*, alors que trois ou quatre journaux seulement avaient cru bon de s'y intéresser : ce ne fut qu'après que la critique lui reconnut quelques qualités. Dans les interviews — en France et aux États-Unis — on ne reprochait pas encore aux Juifs de « tirer les dividendes d'Auschwitz », mais la question revenait souvent : « N'allez-vous donc pas arrêter d'écrire sur la tragédie juive ? Ne croyez-vous pas que d'autres drames, tirés de l'actualité, eux, méritent que l'on s'y intéresse ? » (Un juré Goncourt, dans les années quatre-vingt : « Nous lui décernerons le prix le jour où il nous apportera un roman sur un thème différent. ») Je répondais rarement, répétant une parole de Manès Sperber qui, lui, para-phrasait une parole talmudique : même si je n'écrivais rien d'autre, sur rien d'autre, ce ne serait pas suffisant ; même si tous les survivants ne faisaient qu'écrire sur leurs expériences, ce serait insuffisant. Puis, je cessai de réagir, d'autant qu'ici et là des potins malveillants m'arrivaient : il paraissait que mes confrères et moi, dont l'œuvre traitait de l'Holocauste, nous enrichissions. Manès, à qui je demandai conseil dès le début, au milieu des années soixante, enrageait : « Ce qu'on dit des uns, on le dira des autres. Il faut arrêter ces calomnies, sinon elles nous atteindront tous ! » Il ignorait comment, et moi aussi. Plus tard, est-ce trop tard ? Aurait-il fallu démentir, clarifier, préciser que, sur mes trente-six ouvrages, deux seulement avaient figuré — brièvement — sur les listes de best-sellers ? Et que tous deux (*Le Mendiant de Jérusalem* et *Célébration hassidique*) n'avaient pas grand-chose à voir avec Auschwitz ? On ne répond pas à la laideur ; on s'en détourne. De toutes les critiques, celle-là est la plus scandaleuse, précisément parce qu'il serait indigne d'y répondre. De même qu'il est humiliant de devoir répéter, pour combattre les négationnistes, que la Tragédie a eu lieu, que nos parents et grands-parents ont effectivement été assassinés, il est avilissant d'avoir à se défendre et de dire qu'on ne témoigne pas pour faire fortune... Tous les auteurs (romanciers, philosophes ou historiens) qui ont écrit sur l'Holocauste ont dû, à un moment de leur vie, se défendre contre ce genre de procès d'intention. Situation déprimante, déshonorante ; on se sent souillé, impuissant. Et pourtant, il est nécessaire de dénoncer une malveillance dont l'effet le plus pervers serait de condamner au silence tous ceux qui, de loin ou de près, font référence à l'Holocauste. Les historiens qui consacrent des ouvrages à mettre en garde contre les théories négationnistes ne reçoivent-ils pas des droits d'auteur ? Et les chroniqueurs ? Et les chargés de cours ? Et les libraires ? Et les réalisateurs des documentaires si essentiels à la sauvegarde de la mémoire ? Et les professeurs qui enseignent le sujet ?

Dans mon *Plaidoyer pour les survivants*, je dirai : « Vous qui n'avez pas vécu leur agonie, vous qui ne parlez pas leur langue, vous qui ne pleurez pas leurs morts, attendez pour les mutiler et les trahir que s'en aille le dernier témoin... »

Eh oui, ces censeurs lâches et mesquins si soucieux de nous attribuer leur propre bassesse, qui leur dira d'avoir la décence de ne pas fouiller dans nos pensées secrètes, de ne pas douter de nos mobiles, en un mot de se taire ? Et que nous n'avons pas de leçons à recevoir d'eux ?

Cependant, j'ai honte de l'admettre, ce soupçon de mercantilisme m'avait blessé, depuis le début, comme il avait blessé nombre de mes frères écrivains venus, eux aussi, d'horizons lointains. Complexé, culpabilisé, je décidai, en un geste de rachat ou d'expiation, de partager le montant de mes deux prix français avec Piotr Rawicz et Arnold Mandel. Et, en 1970, dans un épilogue à *Entre deux soleils*, j'annonçai mon intention de fermer le chapitre : « Et maintenant, conteur, tourne la page. Parle-nous d'autre chose. Tes prophètes fous, tes vieillards ivres de nostalgique attente, tes possédés, qu'ils regagnent leur enclave nocturne. Ils ont survécu à leur mort pendant plus d'un quart de siècle, cela devrait leur suffire. S'ils refusent de s'en aller, du moins fais-les taire. A tout prix. Par tous les moyens. Dis-leur que le silence, plus que la parole, demeure la substance et le signe de ce qui fut leur univers et que, comme la parole, il s'impose et demande à être transmis. » Texte qui me valut une « lettre ouverte » déchirante de l'historien juif Joseph Wulf qui se suicidera quelques années plus tard à Berlin. On imagine son contenu : « Vous n'avez pas le droit de vous retirer... le devoir de dire, de raconter, de rappeler... » En vérité, je ne comprenais pas alors et je ne comprends toujours pas :

433

pourquoi tient-on tant à ce que l'écrivain fasse taire en lui le témoin ? Préfère-t-on vraiment imposer silence aux survivants pour ne pas devoir se boucher les oreilles ? Comment peut-on ne pas voir qu'un témoin rendu muet trahit les vivants autant que les morts ?

Un critique juif français, venu du froid domaine juridique, se distingue particulièrement par la virulence des attaques qu'il lance contre ma personne. Dans un article publié en 1980, il m'ordonne carrément de me taire à nouveau pendant dix ans. Il confirme la prédiction de Mauriac : après m'avoir couvert d'éloges pour mes premiers écrits, il me manifeste une antipathie qui chagrine mes amis. Depuis New York, je ne m'en rends pas compte et c'est lui-même qui revendique le plaisir douteux de m'en informer.

Il vient me voir dans un petit hôtel parisien. Nous sommes en 1966. J'arrive à peine de Moscou où la police a failli m'arrêter pour avoir écrit *Les Juifs du silence*. J'ai autre chose en tête que la littérature. Lorsque mon juge m'appelle, je présume qu'il veut m'interroger sur la tragédie des Juifs soviétiques. Je me trompe. Il tient à me dire pourquoi il a changé d'attitude à mon égard : « Vous êtes trop attaché à Dieu et à Israël, me dit-il. Cela me déçoit. » Sans doute est-ce vrai, mais ceux qui le fréquentent pensent qu'il y a autre chose : ma « célébrité » ou ma « renommée » le gêne et l'irrite. Et pas seulement la mienne. Celle d'André Neher, d'Emmanuel Levinas et de Léon Ashkenazi (Manitou) aussi. Ses articles dénonçant notre influence — qui, selon lui, se traduit en idolâtrie — sont violents et irrationnels. Lui répondre ? Oui, par le silence.

Ce genre de désagréments, on dit ici que « cela vient avec le territoire » : cela fait partie du « jeu ». Une fois de plus, je me rappelle l'avertissement de Mauriac : d'abord, on vous élève des statues ; ensuite, on les déboulonne. C'est ainsi, on n'y peut rien.

D'autres écrivains vous le diront. Qu'ils soient philosophes ou romanciers, c'est pareil. Dès que vous êtes plus ou moins connu, on vous envie votre « richesse », votre « succès », vos droits d'auteur, votre position, vos titres, vos relations. Normal. L'envie littéraire, cela existe depuis des siècles. Le Talmud évoque la *kin'at sofrim*, la jalousie des écrivains. Tolstoï traite Shakespeare de graphomane, tandis que Strindberg accuse Tolstoï de plagiat. Victor Hugo voit en Goethe un « monstre ». Max Nordau dénonce Ibsen comme un dramaturge sans talent. Je ne prétends pas mériter de figurer en leur compagnie, mais l'envie se retrouve à tous les niveaux.

A la fin de l'Amidah quotidienne, nous prions le Seigneur de nous épargner la jalousie : « Fais que je ne l'éprouve pas à l'égard d'autrui, et que d'autres ne la ressentent pas envers moi. » Prière que je comprends mieux depuis que j'ai commencé à écrire. Trop mystique pour les uns, je ne le suis pas assez pour les autres. Que ne dit-on pas ? Trop juif ou pas assez, trop croyant ou pas assez, trop accessible et trop obscur... On vous sourit si vous dites oui, on vous maudit si vous ne dites rien. On vous croit puissant. On prétend avoir des droits sur vous. Puisque vous avez « réussi », il vous incombe d'aider ceux qui réclament votre concours. Combien d'écrivains m'en veulent parce que je n'ai pas fait l'éloge de leurs œuvres, leur ai refusé — gentiment, bien sûr — une petite phrase publicitaire pour la couverture de leur livre, ou n'ai pas réussi à placer leur manuscrit chez un éditeur, grand ou modeste ? Un journaliste yiddish de second ordre — appelons-le Shulamish — me supplia un jour de rendre compte de son ouvrage humoristique. Des confrères me conseillèrent d'inventer une excuse : ce n'était pas quelqu'un qui méritait qu'on l'aide. Je ne les écoutai pas et j'eus tort. Le bonhomme est plus petit qu'il n'en a l'air. Sournois, plein de morgue, il ne vous regarde pas dans les yeux. Détestable, ce journaliste, qui a passé les années de la guerre en Australie, se permet de donner de leçons aux survivants de Treblinka qui le détestent. Ayant écrit un mauvais livre sur l'Holocauste, il se venge sur ceux dont le talent surpasse le sien. N'est pas écrivain qui veut.

C'est ainsi : le témoin n'écrit ni pour plaire ni pour se faire un nom. Et certainement pas pour ramasser des sous. Et tant pis pour ceux qui refusent de comprendre.

Je le sais bien : je ne devrais pas m'attarder sur ce sujet plutôt déplaisant, d'autant plus que je m'étais promis de ne pas procéder ici à des règlements de comptes personnels. Mais je n'ai pas encore parlé d'Alfred Kazin, et son cas dépasse le domaine privé. Ce critique plus redouté que respecté, inconnu en France mais écouté en Amérique, constitue un cas à part, et je l'évoque non sans mélancolie : il demeure l'une de mes grandes déceptions. Je ne sais plus qui a dit : « L'écrivain que les dieux veulent démolir, ils en font l'ami de Kazin. » Il compte parmi les rares personnes dont je regrette d'avoir croisé le chemin. Lorsque j'étais inconnu, son éloge de *La Nuit* dans un hebdomadaire intellectuel (*The Reporter*) a contribué à me faire connaître. Quand certains de mes livres seront enfin lus, il fera tout pour qu'ils le soient moins. Rancune d'ordre personnel ? On me dit qu'il s'est comporté de la même manière envers d'autres écrivains. Sa générosité est de courte durée. Dernièrement, il a provoqué un petit scandale dans la presse en accusant son ancien ami Saul Bellow de... racisme. En ce qui me concerne, je crois qu'il n'aime pas les survivants ; il s'insurge contre le « pouvoir » moral que leur confère leur passé.

Voici ce qu'il vient d'écrire sur un grand écrivain qui a laissé une œuvre remarquable derrière lui : « Jerzy Kosinski s'est suicidé — de manière sensationnelle, bien sûr — assis dans la baignoire, en mettant sa tête dans un sac en plastique. » L'auteur de *L'Oiseau bariolé* est désespéré et se donne la mort : selon Kazin, ce n'est qu'une autre façon de se faire de la publicité. « Je n'ai jamais pu croire un seul mot de ce qu'il disait, raconte-t-il dans un article paru dans le *New Yorker,* il se produisait toujours en public. Sans doute, tout cela était lié au fait qu'il était un survivant de l'Holocauste... » Une fois de plus, il laisse tomber son masque : il se méfie de Kosinski, il le répudie, il condamne l'écrivain parce qu'il était un survivant.

Au début, nous nous voyons ou nous téléphonons régulièrement. Il fait partie d'un jury littéraire fondé par les survivants de Bergen-Belsen dont un certain Yossel est le président : je parlerai de celui-ci plus loin. Kazin nous accompagne à Belsen, puis à Jérusalem, et Yossel le comble : chambre d'hôtel plus que confortable, argent de poche, cadeaux pour lui et sa femme. Il l'invitera même chez lui. Et tout ce que cet intellectuel new-yorkais a trouvé à dire de cette visite, dans un article pompeux et suffisant, c'est que l'épouse de Yossel était propriétaire non seulement d'un appartement luxueux mais aussi d'un numéro démesurément grand tatoué sur le bras : comme si elle se l'était fait faire exprès chez Cardin. Il finira par m'en vouloir d'avoir un visage trop triste, un corps trop maigre (comme si c'était volontaire ; comme si son rictus l'était aussi). Pire que tout le reste : dans un texte où il essaie de rappeler « ce qu'il doit » à Primo Levi et à moi-même, il écrit qu'il ne serait pas surpris d'apprendre que j'ai inventé l'épisode de la pendaison dans *La Nuit.* (Aura-t-il l'audace de manifester sa surprise à Yaakov Hendeli de Salonique qui y assista ? Et à mon compagnon Freddy Diamond de Los Angeles ? Son frère Léo-Yehuda était le plus jeune des trois condamnés à mort ; les deux autres étaient Nathan Weisman et Yanek Grossfeld.) De toutes les bassesses que cet intellectuel, qui vieillit mal, a pu écrire dans sa vie celle-là m'est la plus insupportable.

Le témoin n'a que sa mémoire ; si on la récuse, que lui reste-t-il ? A la limite, un homme comme Kazin apporte son soutien à ceux qui nient l'Holocauste : s'il refuse de me croire, moi, pourquoi les négationnistes croiraient-ils d'autres survivants ? L'attaque de Kazin les vise tous. En légitimant ce genre de doute, il autorise n'importe qui à se dresser du haut de sa bonne conscience pour les insulter en les jugeant.

Il est plus facile et plus commode de se dire que l'Événement n'a pas eu lieu ; qu'il ne s'agit que d'une abstraction. D'une production hollywoodienne. D'un cauchemar. Comment expliquer à ces essayistes qu'il s'agit d'une expérience qu'on ne peut pas imaginer et qu'on ne doit pas montrer ?

D'ailleurs, allons jusqu'au bout : imaginer pour obtenir quoi ? Une meilleure compréhension de la vérité implacable, ineffable, que fut Auschwitz ? Pour démontrer qu'on pouvait « faire de la littérature » avec Birkenau ? Pour faire carrière ? A ce niveau, je le répète, le débat me paraît humiliant. S'expliquer serait s'abaisser. Patience. Tout passe. Et puis, de quoi me plaindrais-je ? Ai-je vraiment pensé que tout le monde me lirait et aimerait ce que j'écris ? Ou que j'allais changer la nature et la mentalité des hommes ? L'Holocauste ne les a pas transformés : il a eu sur eux un effet cristallisant ; les bons sont devenus meilleurs, et les mauvais pires. De même pour les livres sur l'Holocauste : ils s'adressent à ce que les bons ont de meilleur, ou à ce que les méchants ont de pire. Il s'agit de persévérer. Mais, sur le moment, l'ignominie fait mal, même à petite dose.

Je serai clair : loin de moi l'idée de blâmer les critiques. Ils font leur métier. Certains sont de bonne foi, d'autres non. Et après ? Il faut bien vivre avec. Et passer outre. Un auteur qui ne s'attend qu'à des éloges est soit inconscient soit stupide. Mais il a le droit d'interdire les offenses, les insultes personnelles. Moi, je mets ma confiance dans le lecteur, sachant qu'il me comprendra. Mais, de son côté, il doit savoir que la vérité que je lui présente n'est pas maquillée. Si j'écris, c'est parce que je ne peux pas faire autrement ni autre chose. Chante ou meurs, disait Heine. Persévère ou coule. Écris ou disparais. Kazin et moi n'appartenons pas à la même école. Notre conception de l'écriture n'est pas la même. Notre mobile non plus. Pour lui et ses semblables, la littérature est un fait en soi ; pour moi, non. Je ne crois plus à l'art pour l'art. Eux pensent peut-être que l'écrivain n'a qu'un devoir, qu'une mission : sortir un livre à succès. Moi non. Pour moi, la littérature doit comporter une dimension et une exigence éthiques. Je souhaite dépasser le littéraire. Je veux aider. J'aspire à sensibiliser. Je n'ai pas vécu ou survécu pour « faire du roman ». Le but de la littérature que je nommerais de témoignage n'est ni de plaire ni de rassurer, mais de déranger ; d'autres l'ont dit et je ne fais que le répéter, avec insistance. Je dérange le croyant parce que, à l'intérieur de ma foi, j'ose interroger Dieu qui est la source de toute foi. Je perturbe le mécréant parce que, malgré mes doutes et mes questions, je refuse de rompre avec l'univers religieux et mystique qui a façonné le mien. Je dérange surtout ceux qui se sont installés dans un système — politique, psychologique, théologique — où ils se sentent confortables. Moi, si j'ai appris quelque chose dans ma vie, c'est à me méfier du confort intellectuel.

Aussi je comprends que le survivant puisse gêner certains écrivains, scénaristes et cinéastes. Ils voient en lui (en moi ?) non plus un individu mais un symbole, une sorte de gardien du flambeau. Le Talmud raconte que, au temps du Temple, l'original des parchemins du Livre sacré y était exposé pour que les scribes puissent le consulter et corriger des fautes possibles. Pour le survivant, c'est un peu pareil. Tant qu'il est là, tant que les derniers rescapés sont en vie, les autres savent — même sans se l'avouer — qu'ils ne peuvent se permettre de violer le sanctuaire. Ainsi, j'ai violemment critiqué les programmes de télévision, films et pièces de théâtre qui banalisent la mémoire juive : William Styron ne m'a jamais pardonné d'avoir trouvé déplorable et indécent le film tiré de son roman *Le Choix de Sophie*. Des réalisateurs et des auteurs dramatiques hollywoodiens m'accusent de considérer l'Holocauste comme une chasse gardée. Ah, si seulement je m'étais tu, ou si j'avais prononcé quelques paroles aimables sur les fantaisies nées de leurs bonnes intentions ; si seulement j'avais écrit un papier élogieux et hypocrite. Je me serais fait un grand nombre de défenseurs puissants. Mais aurais-je survécu pour être populaire ? Et pour m'enrichir ? Pour devenir auteur ou conférencier « à succès » plutôt que pour témoigner, pour arracher à la mort quelques bribes, quelques larmes, quelques regards des victimes que la mémoire seule protège des ténèbres ?

Et puis il y a aussi la politique et l'idéologie : une certaine gauche ne me pardonne pas mon amour pour Israël et pour le peuple d'Israël. Là encore, c'est son droit et son choix. Je reviendrai sur ce sujet aussi.

Pour l'instant, disons que j'ai plutôt de la chance. Je travaille, je fais ce que j'aime faire. Il m'arrive d'éprouver de la colère — ou de la reconnaissance ; de l'amertume, jamais. Je me suis fait des amis. Et j'en suis fier. J'aime la présence des amis. Ils sont ma véritable récompense : c'est aussi pour eux que j'écris ; ils m'aident dans les moments de doute. Certains sont des universitaires, d'autres des écrivains, des étudiants, des artistes. Leurs commentaires sont devenus ouvertures et liens. Grâce à eux, il m'est donné de mieux comprendre, ou de me comprendre. Tous m'ont procuré des moments de grande joie, et de vraie fraternité.

Cependant, la plus profonde émotion m'est offerte par les lettres que je reçois de jeunes. Des centaines d'écoliers m'écrivent chaque année. Des enfants de survivants tiennent à me parler de leurs parents ou grands-parents. Une phrase ici, une allusion là. Un signe. Une simple lettre de lecteur. Un message anonyme. Un murmure dans la rue. Une prière inconnue. Une vieille femme m'accoste : « Merci d'avoir survécu. » Une femme plus jeune, dans une file d'attente, à l'aéroport La Guardia, après un débat télévisé avec savants et experts sur le péril nucléaire : « Vous avez représenté l'échantillon humain. » Message d'un survivant : « Merci pour nos enfants. » Un autre : « Merci pour mes parents. » Pourquoi mentir ? Ces messages de Juifs et de Chrétiens, jeunes et moins jeunes, je les apprécie ; ils m'aident à me ressaisir aux moments de lassitude. Et ils contrebalancent les insultes et menaces de mort qui s'accumulent de plus en plus sur ma table de travail. Encouragé, je ferme les yeux et je persévère.

La table est mise comme pour un repas de fête. Est-ce Rosh-Hashana ? Sans doute, puisque mon grand-père est là pour présider. Je lui demande de chanter ; il semble ne pas vouloir m'entendre. Je demande à mon père de parler ; absorbé dans ses pensées, il refuse d'entendre. Alors ma petite sœur se tourne vers moi et me dit : « Vas-y toi, chante. » Je dis : « Oui, je vais chanter pour toi. » Mais je me rends compte avec effroi que j'ai oublié tous les airs que j'avais appris. Et ma petite sœur de continuer : « Puisque tu ne veux pas chanter, raconte-moi une histoire. » Je dis : « Oui, c'est ça, je vais te raconter une histoire. » Mais les histoires aussi, je les ai oubliées. J'ai envie de hurler : « Grand-père, grand-père, aide-moi, aide-moi à retrouver la mémoire. » Ai-je crié ? Mon grand-père me regarde d'un air étonné : « Mais tu n'es plus un enfant ; regarde-toi bien ; tu es presque aussi vieux que moi. » Je manque d'étouffer : moi, vieux ? Je cherche un miroir, mais il n'y en a pas. C'est normal. Dans une maison en deuil, on couvre les miroirs d'un drap noir ou bien on les décroche. Mais qui donc est mort ? Du regard, j'interroge les miens. Et leurs yeux semblent me répondre avec pitié.

Au milieu des années soixante, un consul israélien me présente à un couple de diamantaires franco-américains qui, à son tour, me présente à leur amie, jeune maman d'origine autrichienne, en instance de divorce.

« Mes amis m'ont parlé de vous, me dit-elle. Ils souhaitaient depuis longtemps que nous nous rencontrions. C'est moi qui refusais. »

Qu'est-ce qui me frappe le plus en elle : la finesse et la symétrie de ses traits, l'éclat de ses propos, l'étendue de ses connaissances en matière d'art, théâtre et musique ?

La semaine suivante, pour l'impressionner, je l'invite à déjeuner au restaurant italien, face au palais des Nations unies. J'ai commandé une omelette à laquelle je n'ai pas touché.

Je n'ai fait qu'écouter.

J'ignorais encore que, comme moi, elle aurait des histoires à raconter sur son enfance à Vienne, ses vacances chez son grand-père à Lvov, sa fuite en Belgique, puis en France, et de là en Suisse...

Dans l'immédiat, dissimulant ma crainte de m'en éprendre tout de suite, je l'écoute et, timidement, je la regarde.

Nous nous revoyons. Échange de confidences, rapports d'amitié, pas encore d'amitié amoureuse, d'amitié seulement. Je lui conseille des lectures : Robert Musil, Elio Vittorini, Cesare Pavese. Thomas Mann, elle le connaît mieux que moi. Le théâtre aussi : elle a suivi des cours d'art dramatique à l'université. De temps à autre, nous allons à des concerts. David Oïstrakh à Carnegie Hall. Soirée particulièrement belle dans la salle du Metropolitan Museum avec Rudolf Barshai et son orchestre de chambre de Moscou. Maîtrisant quatre ou cinq langues, elle se prépare à fonder une société de traducteurs professionnels. Nous ne le savons pas encore, mais elle deviendra ma femme.

Elle s'appelle Marion.

Et sa petite fille, Jennifer, est la plus belle et la plus sage petite fille de New York, que dis-je : du monde entier.

Pour l'instant, dans ma tour de Riverside Drive, je mène en célibataire une existence disciplinée, souvent puritaine, consacrée au journalisme et à mes travaux divers.

Levé à 6 heures du matin, je travaille jusqu'à 10 heures sur le roman en cours. Puis commencent rendez-vous, visite aux Nations unies, conférences de presse, rédaction de mes dépêches. Rentré dans mon appartement, je me remets au travail. J'écris en écoutant de la musique de chambre ou chorale, des chants hassidiques. Les disques sont mon luxe.

Mon métier de journaliste me permet, entre autres, de refuser poliment les invitations mondaines ou de quitter un dîner en prétextant un câble à expédier... Je préfère prendre un sandwich (quand je peux me le permettre) au *deli* kasher au coin de la 100ᵉ Rue et de Broadway.

Parfois, s'il ne fait pas froid, je me promène sur Riverside Drive. Seul ou avec un collègue (le Shabbat, c'est avec Heschel). A cette époque, il n'était pas encore dangereux de se promener seul dans les rues de Manhattan.

Extrait de *Un Juif aujourd'hui* :

— Tu regrettes ?
— Pas du tout.
— Et si c'était à refaire ?
— Je le referais.
— Pourtant tu le sais bien : les hommes ne changent pas ; ils détestent se souvenir.
— Cela les regarde. Moi je n'oublierai pas.
— Ils se vengeront.

— Ce qu'ils peuvent me faire, d'autres me l'ont fait déjà. Je n'ai pas peur.

— Moi oui, j'ai peur pour toi. Tu as mon âge et tu vieilliras ; mais je resterai plus vieux que toi. Les gens, je les connais. Je sais de quoi ils sont capables. Ils n'aiment pas être dérangés ; ils n'aiment pas les témoins.

— Là encore, cela les regarde. Je continuerai. Je n'ai pas le choix. Tu ne m'as pas donné le choix.

— Je sais, fils. Je sais. C'est pourquoi j'ai peur.

— Je t'ai souri... Tu t'en souviens ?

— C'était une heure ou deux avant... Je t'avais offert un peu de soupe chaude et tu m'as souri.

— Pas à cause de la soupe. Je t'avais demandé si tu saurais te rappeler et tu as répondu : oui, je me rappellerai. Je t'ai demandé : tout ? Et tu as répondu : oui, tout. Alors, je t'ai demandé : sauras-tu raconter ? Et tu as répondu : oui, je saurai. Je t'ai demandé : tout ? Et tu as répondu : oui, tout. Et tu t'es corrigé : j'essaierai, je ferai de mon mieux. C'est à ce moment-là que je t'ai souri.

— Parce que tu ne m'as pas cru ?

— Au contraire. Je t'ai cru. Je t'ai souri parce que je te croyais.

— Et maintenant ?

— Maintenant quoi ?

— Tu me crois toujours ?

— En un sens, oui.

— En un sens seulement ? N'ai-je pas tenu ma promesse ?

— En un sens, oui. En un sens seulement. Tu as cru raconter, tu as essayé. Tu as remué les lèvres. Le vent de la nuit a emporté tes paroles, leur histoire et ses héros. Il a tout emporté, le vent de la nuit.

— Mais pourtant... j'ai crié !

— Tu as cru crier.

— J'ai hurlé !

— Tu as cru hurler.

— Ça n'a donc servi à rien ?

— Pas tout à fait. Je t'ai entendu. Nous t'avons entendu.

— Est-ce suffisant ?

— Non. Rien ne sera jamais suffisant.

— Dois-je y voir une consolation ?

— Qui a parlé de consolation ? Au contraire, je suis triste pour toi. Peut-être avions-nous tort de voir en la survie la bénédiction suprême. Si nous n'avons pas réussi à changer les hommes, qui y parviendra ? Dis-moi, fils : qui changera l'homme ? Qui le sauvera de lui-même ? Dis-moi, fils : qui parlera pour l'homme ? Qui parlera pour moi ?

— Nous essayons. Il faut me croire. Nous essayons. Nous

sommes fatigués, père. Fatigués d'essayer, de lutter, de parler.
— Pauvre génération. Pauvre humanité. Pauvres enfants. Nous vous avons laissés en arrière et nous sommes tristes pour vous.

Depuis *Entre deux soleils,* j'essaie de trouver un nouveau langage pour raconter. Un langage inédit, seulement fait de dialogues. Et de mots dépouillés d'identité et de corps.

Le lecteur ne comprendra pas? Tant pis. Les survivants, les rescapés comprendront. Leurs enfants chercheront à comprendre.

En vérité, mon principal souci a toujours été les rescapés. C'est à eux que j'ai destiné mes premiers ouvrages. Ai-je tenu à parler pour eux, en leur nom? J'ai tenu à les faire parler.

C'est que, depuis trop longtemps, ils vivaient renfermés, isolés, voilant leur regard de peur qu'il ne blesse et brûle les autres. Dès qu'on évoquait 1939-1945, ils serraient les dents ou changeaient de sujet. Impossible de les inciter à se livrer, à rouvrir des blessures mal cicatrisées. Méfiants, ils pensaient qu'on ne s'intéressait pas à ce qu'ils avaient à dire et que, de toute façon, on ne les comprendrait pas. En écrivant, j'ai essayé de les convaincre de la nécessité et de la possibilité du témoignage : « Faites comme moi, leur disais-je. Déposez, racontez, même s'il vous faut inventer un langage ; communiquez vos souvenirs, vos doutes, même si personne ne consent à les recevoir. » Je leur répétais : « Notre devoir est de raconter, celui du lecteur d'écouter ; si le lecteur ne fait pas le sien, sommes-nous dispensés de faire le nôtre ? » Je leur rappelais ma conviction qu'il appartient aux survivants d'essayer de tout retenir, de tout dire, même le silence : « La mémoire du silence, leur disais-je, je la célèbre ; mais le silence de la mémoire, je le récuse. »

Efforts de longue haleine, mais couronnés de succès. Je commençais à recevoir des manuscrits : Mémoires, récits, journaux intimes. Je les préfaçais, les commentais, mobilisais connaissances et relations. Ai-je fait assez ?

Les survivants, c'est mon milieu. Ils constituent une famille à nulle autre pareille : une espèce humaine en voie de disparition. Je me sens bien en leur compagnie. Ils savent ce que je sais, ils craignent ce que je redoute ; nous nous comprenons à demi-mot. Le même passé nous hante, les mêmes problèmes nous préoccupent, la même mission nous stimule. Nous avons les mêmes amis et les mêmes ennemis. Pourtant, tous ne se ressemblent pas ; il y a parmi eux des sages et des rouspéteurs, des optimistes et des pessimistes, des cœurs chaleureux et des cerveaux enflammés. Certains ont consacré leur survie à faire fortune. Normal. Ayant tout perdu, ils tenaient à se refaire une famille, une existence, de préférence aisée. Riches, souvent très riches, il leur a fallu de nombreuses années pour prendre conscience de leur mission, participer au combat contre l'oubli. Ils se rattrapent maintenant.

Mes articles dans la presse yiddish et *La Nuit* m'ont valu l'amitié d'un dénommé Yossel Rosensaft et de son groupe.

De petite taille, d'une vitalité débordante, l'œil pétillant, malicieux, bouillonnant d'imagination, aimant raconter histoires grivoises et anecdotes hérétiques, Yossel m'a d'abord frappé par l'éclat de son langage primitif et son style de vie princier : il habitait un appartement luxueux, rempli de toiles de maître. Originaire de Pologne, ancien d'Auschwitz et de Belsen, il en discourait sans arrêt et sans la moindre inhibition. J'avoue qu'au début cela m'indisposait. Je ne marchais pas. Ce n'était pas mon style ni ma nature. J'avais l'impression qu'il désacralisait notre expérience commune au lieu de l'extraire du quotidien, et je ne comprenais pas pourquoi. Et pourtant le personnage irradiait un charme auquel on résistait difficilement. C'était un self-made man qui respectait écrivains et intellectuels et essayait de se les attacher. En peinture, il manifestait un goût sûr dont témoignaient ses Picasso, Chagall, Renoir et Manet. Il savait rire et faire rire, taquiner et célébrer, pleurer et émouvoir, chanter et faire chanter. Ses intimes l'adoraient.

Venu l'interviewer pour *Yedioth Ahronoth* (à propos de Belsen que quelqu'un avait insulté), il m'en raconta la transformation dans l'immédiat après-guerre. Président de ce camp devenu centre pour personnes déplacées, il réussit à y établir miraculeusement une sorte de cité juive provisoire mais autonome, presque indépendante avec son service d'ordre, ses tribunaux, ses hôpitaux, ses écoles, ses synagogues, ses théâtres, ses journaux, ses clubs, ses partis politiques... Mon papier dut lui plaire, car il me réinvita chez lui. A l'heure convenue, je pris l'ascenseur et montai dire bonjour à ses Cézanne et Chagall : lui n'était pas à la maison. J'attendis cinq minutes, dix minutes. Monet me conseilla de me montrer patient, Picasso s'insurgea : trop c'était trop, il y allait de ma dignité professionnelle. Sur une page de mon carnet, je gribouillai quelques mots méchants : « L'argent vous donne certains droits, mais pas celui de me faire perdre mon temps. » Et je partis en claquant (mentalement) la porte du palais.

Bien sûr, il m'appela aussitôt pour s'excuser : c'était un malentendu, une erreur, un message mal transmis ou mal reçu, que je revienne, que j'accepte qu'il m'envoie sa limousine. Je lui répondis que j'étais trop occupé — et le restai quelques années.

Son meilleur ami, Sam Bloch, un ancien partisan, était le plus sympathique et le plus dynamique du groupe. Conciliateur-né, il s'efforça d'arrondir les angles. C'est un rôle qui allait à merveille à ce Litvak souriant. Comme le grand prêtre Aaron, il ne supportait pas les brouilles. J'ai rarement approché quelqu'un qui investissait autant d'énergie et de temps à rechercher l'harmonie entre ses semblables. Mais avec moi il échoua : je refusais de revoir son ami. Mon argument : mon temps n'appartient qu'à moi. Sam ne parvint à ses fins qu'en 1965. Cette fois, c'est Yossel lui-même qui demanda à me voir. Pour m'informer que son groupe allait partir en pèlerinage à Belsen. Et m'inviter à l'accompagner. Quelque chose dans ses paroles et dans son intonation me fit fléchir. J'acceptai de me joindre aux « Belsener », comme il appelait ses camarades. Et de tourner la page. Ensuite nous nous sommes souvent revus. A Jérusalem, à San Remo, à Manhattan. Il était toujours entouré de ses copains de Belsen. Toujours à évoquer avec eux des souvenirs drôles ou pathétiques : « Tu te souviens du type qui s'est amené avec sa vache ? Et de l'officier britannique qui venait nous embêter à cause de l'aide que nous apportions à l'émigration illégale vers la Palestine ? Et des remous que notre délégation a suscités au Congrès sioniste de Bâle ? » Il adorait prononcer des discours en yiddish (son anglais était tout sauf correct) qui commençaient par « Lorsque nous regardons en arrière... »

Sous l'égide de son association, il réalisait mille et un projets : dîners annuels, réunions, déclarations plus ou moins politiques, publication (luxueuse) et diffusion (maladroite) d'ouvrages yiddish traitant de l'Holocauste : nul ne l'a jamais vu inactif ou résigné.

Je rencontrais chez lui des célébrités juives et non juives : politiciens israéliens et écrivains yiddish, Nahum Goldmann, Meyer Weisgall, Lévi Eshkol et... l'actrice Angie Dickinson. Certains venaient solliciter des fonds (je l'ai vu remettre mille dollars en espèces à un émissaire du Rabbi de Guèr), d'autres (dont des grands connaisseurs et historiens d'art) admirer ses tableaux.

Comme tout le monde, il avait des ennemis qui prétendaient avoir maintes raisons de le détester (ils le détestaient surtout pour sa richesse, dont il se vantait), et des amis qui en avaient autant pour le défendre (ils l'admiraient pour sa dévotion à la mémoire de l'Holocauste).

Dévoué aux « Belsener », dont il était le banquier, l'avocat et le thérapeute, il l'était plus encore à son épouse et à leur fils, Menahem. Que ne faisait-il, que ne faisait-il faire pour celui-ci ? « C'est un enfant juif de Belsen, disait-il souvent, trop souvent peut-être. Aidez-le à... » Argument irrésistible ? A mes yeux oui : pour des raisons évidentes et irraisonnées, les enfants des survivants me sont tous précieux.

Nul ne le savait, mais un jour ce brasseur d'affaires généreux se retrouva ruiné. Il mourut dans le hall du Claridge à Londres, foudroyé par une crise cardiaque. Des rumeurs méchantes circulèrent : il se serait suicidé... Je n'en crois rien. Ce n'était pas son genre.

La nouvelle m'est parvenue chez le docteur Jacob Robinson, historien de l'Holocauste, associé de Gidéon Hausner lors du procès Eichmann. Nous étions en pleine conversation lorsque le téléphone sonna. C'était Marion : « Rentre tout de suite... »

Les obsèques eurent lieu dans la synagogue de notre ami commun, le rabbin Joseph Lookstein. C'était la veille du Kippour. Dans mon oraison funèbre, je me séparai de lui en yiddish : « Lorsque votre âme montera au ciel, six millions de nos frères et sœurs viendront vous accueillir... »

Je restai en contact avec les Belsener. Manès Schwarz : né à Auschwitz, il est d'une douceur bouleversante. Berl Laufer : un rouquin exubérant. Max Zilbernik : un géant tranquille. Itzik Putterman : petit, timide, n'osant élever la voix de crainte de se faire remarquer ; la chute de Yossel provoqua la sienne. Mendel Butnik : réfugié à Paris après Belsen, il commença une carrière théâtrale, en yiddish, naturellement. Sa femme, la belle Dora, fut victime d'une embolie et resta dans le coma ; nous étions convaincus qu'elle ne survivrait pas longtemps et nous demandions comment Mendel allait supporter la mort de sa compagne. De New York, ma secrétaire me transmit à Paris un bref message : les obsèques de Butnik auront lieu en tel endroit, à telle heure. Le soir même, je réussis à joindre Sam Bloch : « C'est dur pour Mendel, non ? » Il me répondit : « Ça ne l'est plus. » Ainsi j'appris que c'était Mendel qui venait de disparaître. Dora resta dans le coma encore un an.

Dans un cercle plus élargi, je fis la connaissance de Vladka et Ben Meed. Vladka avait servi d'agent de liaison pour la Résistance juive (bundiste) dans Varsovie occupée. Dans son autobiographie (que j'ai préfacée), elle rapporte les rêves socialistes de son adolescence. En 1944, dans la capitale polonaise écrasée, en pleine clandestinité, elle célébra le 1er Mai, avec un groupe de camarades, en envoyant un message de solidarité aux ouvriers et prolétaires du monde libre. Détail inouï et combien significatif : c'étaient les hommes traqués, les femmes pourchassées, les humiliés, les opprimés qui encourageaient leurs camarades libres et armés, et non l'inverse... La guerre à peine terminée, Vladka et Ben se marièrent et décidèrent d'émigrer en Amérique où Ben, avec quelques dizaines de dollars en poche, réussit à fonder une société d'import-export. Au milieu des années soixante, le couple fut parmi les premiers à organiser une cérémonie de commémoration du soulèvement du ghetto de Varsovie qui, depuis, se renouvelle chaque année. Lisant les Mémoires d'Antek, le héros de l'Organisation juive de combat dans le ghetto de Varsovie, je suis surpris de la place insignifiante qu'ils y occupent.

Joe (Yossele) Tennenbaum de Toronto : sa bonne humeur chasserait le plus noir des cafards. Sa passion, c'est la poésie hébraïque qu'il récite de mémoire. Sa femme, Genie, fait de la sculpture.

De Toronto aussi, Rita et Johnny Bressler, des parents de Marion. Johnny et moi étions dans le même camp. Dans la même baraque. Nous avons travaillé dans le même kommando. Sociable, il se sent aussi à l'aise avec des Irlandais bruyants qu'avec des Juifs mélancoliques. Il est capable d'aborder aussi bien un clochard qu'un milliardaire et d'en faire ses amis. Il aime rire et son rire est contagieux.

Le docteur Hillel Seidman : historien, journaliste, polémiste passionné. Ancien secrétaire général de la communauté juive de Varsovie. A connu le ghetto. Ces dernières années, il consacre son talent à défendre le bien-être et les idéaux d'Israël et à dénoncer la banalisation de la mémoire juive.

Sam Halperin et ses associés du New Jersey : les Pantirer, les Wilf, les Bukiet, promoteurs immobiliers d'envergure internationale, sont dévoués corps et âme à l'État juif et au peuple juif. Le fils de Joe Bukiet est un jeune écrivain plein de promesses.

Félix Lasky, organisateur de la première association d'anciens concentrationnaires en Amérique, ne semble vivre que pour eux : combien d'appels ai-je reçu de lui, à toute heure de la journée, pour intervenir en faveur d'untel et d'untel qui étaient malades ou dans le besoin. Son combat le plus récent : obtenir de Bonn le financement d'une maison de retraite pour les vieillards venus de là-bas...

Al Ronald : un vrai héros. Cet homme humble et discret, originaire d'Allemagne, a reçu l'entraînement nécessaire (en 1944-1945) pour se faire parachuter près de Buchenwald avec mission d'y pénétrer. Ses souvenirs méritent l'attention du lecteur, donc d'un éditeur.

Mais, parmi tous les survivants, c'est surtout Sigmund Strochlitz qui deviendra mon ami et confident intime. Habitant à New London, dans le Connecticut, où il est l'éminence grise de la vie politique, ce propriétaire d'une agence de voitures Ford sera mon collaborateur le plus proche et le plus précieux. Depuis notre rencontre (en 1965), rien ne nous a séparés. Qu'il s'agisse d'entreprendre une action en faveur d'une cause juive ou une protestation contre les ennemis d'Israël, nous ne faisons rien sans nous consulter. Bon sens, vivacité d'esprit, loyauté : Sigmund les possède au plus haut degré. Il ne cesse de m'impressionner par son altruisme. Bien entendu, il jouera un rôle central dans mes projets futurs.

Les années soixante, riches en aventures, je les passe à la rédaction du *Jewish Daily Forward* (le *Forverts*). Comme dans les bureaux de *Yedioth*, on y vit dans le passé. La nostalgie domine. Où sont les matins ensoleillés où le journal, dirigé par le légendaire Abe Kahan, tirait à des centaines de milliers d'exemplaires... On me dit que Trotski lui-même y collabora, et je me souviens d'avoir croisé dans les couloirs un vieux monsieur distingué et silencieux au visage énergique : un ancien ministre menchevik de Lénine.

Mon travail consiste à rédiger des dépêches d'agence, à traduire des nouvelles du *Times* ; parfois j'écris des éditoriaux, sans les signer. On me dit que des lecteurs les lisent quelquefois. Je n'en suis pas convaincu.

Le journal est encore, à l'époque, le quotidien yiddish le plus influent du monde. On y rencontre poètes et comédiens, militants sionistes et activistes bundistes. Chacun vient quémander qui une critique, qui un entrefilet au sujet d'un livre récent, d'un spectacle ou d'une manifestation qui se prépare. Dans l'ascenseur, un poète habillé en poète m'attrape par le bras et m'oblige à écouter son dernier (ou malheureusement son avant-dernier, voire son avant avant-dernier) chef-d'œuvre qu'il déclame avec fougue... Une actrice entre deux âges, toujours dans le même ascenseur, m'explique son rôle d'ingénue... Un tribun nihiliste anarchiste veut me convaincre que son essai (inédit) est essentiel pour la survie du peuple juif... Un humoriste essaie de me faire rire, si possible aux éclats, avant d'arriver au neuvième étage...

Je m'entends bien avec mes confrères : le rédacteur en chef, Hillel Rogoff, est un homme doux et doué, capable de grandes indignations : à mon vif étonnement, il préfère s'adresser à ses collaborateurs en anglais plutôt qu'en yiddish. Son adjoint, Lazar Fogelman, rêveur traversé de brusques sautes d'humeur, n'a de sens pratique que dans ses rêves. A plusieurs reprises, je l'ai vu se parler à lui-même avec contentement. Le numéro 3 est mon ami Shimon Weber. Quand je travaille au bureau des informations, c'est lui mon supérieur, même si c'est à Rogoff et Fogelman que je remets mes articles pour correction et approbation.

Weber : homme cultivé, passionné de politique juive et américaine, excellent journaliste, intelligence acerbe, sens de l'ironie. Il a commencé sa carrière dans l'organe du parti communiste juif qu'il quitta dès qu'il en démasqua les mensonges et les horreurs. De ses collègues il accepte tout, sauf le manque de talent. Durant mon séjour à l'hôpital, j'appréciais ses visites quasi quotidiennes. Par la suite, il m'invita souvent chez lui. Je me souviens de sa fille Liliane — à juste titre sa fierté : elle est brune, radieuse, admirablement douée — qui faisait de brillantes études secondaires à Brooklyn. Plus tard, je lui ferai découvrir le musée Rodin à Paris.

Il est petit le monde littéraire et culturel yiddish. Il vit les dernières heures de sa gloire. Les uns après les autres, les phares s'éteignent. Si la langue ne meurt pas, ceux qui la parlent vivotent à peine. Comme la nostalgie et tout le reste, le théâtre juif de Second Avenue n'est plus ce qu'il était ; la presse juive non plus. Pourtant, dans *Morgen Journal*, *Der Tog* et le *Forverts*, on rencontre encore des signatures prestigieuses. J'admire Jacob Glatstein dont le poème « C'est au Sinaï que la Torah nous a été donnée, et c'est à Lublin qu'elle nous a été reprise » a bouleversé toute une génération de lecteurs. J'aime les réminiscences (judéo-roumaines) de Shlomo Bikel et les polémiques religieuses de Chaïm Lieberman. S. Margoshes et ses éditoriaux politiques, Chaïm Grade et ses essais sur l'univers du Moussar, H. Leyeles et ses vers lyriques, Almi et sa philosophie pessimiste, Itzik Manger et ses poèmes aussi beaux et envoûtants que ceux des troubadours : je m'imprègne de leur savoir, de leur sagesse. J'apprends, j'ai soif d'apprendre. En vérité, j'ai beaucoup à apprendre. Au début, j'écrivais des articles en yiddish sans vraiment connaître les géants de cette littérature, que dis-je, de cette culture. Ainsi, pour rehausser le prestige de Bashevis Singer, ai-je employé un ton de condescendance impardonnable à l'égard de ses pairs. Je n'aurais pas dû. J'ai eu tort de leur faire de la peine. D'autant que...

Romanciers, essayistes, penseurs, idéologues, théoriciens : certains se connaissent et tous se jalousent. Comme je suis plus jeune qu'eux, j'ai l'avantage d'être tout à fait inconnu : je deviens leur confident. J'aime les écouter parler de leur passé.

Un grand romancier yiddish et hébreu dont la conversation me déroute en même temps qu'elle me divertit : Zalman Shnéour. Ses poèmes, on les étudie dans tous les lycées israéliens. Comme Bialik et Tchernikowski, c'est un classique. C'est grâce à Yehuda Mozes que j'eus l'occasion de le rencontrer. Barbiche soignée, moustache tombante, nœud papillon : un vrai écrivain du XIXe siècle. Avec son épouse, il converse en français. Jusqu'au jour où il se rend compte que cette langue ne m'est pas étrangère.

D'une intelligence féroce, il brille surtout en égratignant les célébrités. Je passe tout un après-midi à l'entendre se plaindre (ou se moquer) de Ben Gourion qui, dans un moment de distraction, a dû lui manquer de respect.

De lui, on disait qu'il voulait être non seulement le premier, mais aussi le deuxième de la classe. Pourtant, il prétendait détester la flatterie : « C'est comme si l'on me versait un pot de miel sur la tête ; ça colle, et c'est désagréable. »

Après sa mort et celle de Yehuda Mozes, j'ai eu l'occasion de lire leur correspondance. Yehuda Mozes, dans ses lettres, évoque le ciel bleu de Jérusalem, le romantisme mystique de Safed ; il s'exprime en poète. Shnéour, lui, ne cesse d'exiger ses honoraires : le chèque n'est pas encore arrivé, pourquoi ce retard, quand va-t-on enfin l'expédier ? Son fils Élie, scientifique de renommée internationale, fait honneur à son père ; mais lit-il son œuvre dans le texte ?

Une fin de semaine à Montréal : le rabbin de ma sœur, David Hartman, organise un colloque sur le principe de la tolérance dans la religion juive. Parmi les invités : rabbins, professeurs et intellectuels des trois branches de la communauté : orthodoxes, conservateurs et réformés. Le but de la réunion : essayer de les rapprocher dans une atmosphère de tolérance et de camaraderie en mettant l'accent sur l'aspect pluraliste du judaïsme. Ainsi je fais la connaissance du jeune théologien Yitz Greenberg, du philosophe Emil Fackenheim et du grand spécialiste de Martin Buber, Maurice Friedman. Pendant trois journées et trois soirées, je les écoute discuter sur tous les sujets possibles : rapports aux Lois du Sinaï, relations avec le monde non juif, les limites de l'interprétation de la tradition.

Pas un mot n'a été prononcé sur l'Holocauste.

Les choses changeront très vite. Depuis, tous les trois ont fait figurer l'Événement au centre de leurs méditations.

Muni d'abord d'une « carte verte » bénie et ensuite d'un passeport américain, je me déplace beaucoup durant les années soixante. Au Canada, j'interviewe un dentiste qui s'est proclamé prétendant au trône du roi David. Il me présente son fils, jeune étudiant qui, apparemment, rêve d'un titre autre que royal.

Invité par Fidel Castro avec deux confrères israéliens, je découvre Cuba. Déjà communiste, Castro ? Il le deviendra. Au début, il se déclare révolutionnaire, rien d'autre. D'où sa popularité. Son message « passe ». Des hommes jeunes — on les dirait à peine sortis de l'adolescence — nous accueillent et nous guident. Tous sont des hauts fonctionnaires : ambassadeurs, directeurs de cabinet ou de département. Nous restons trois semaines, allant à la rencontre de tous ces jeunes révolutionnaires charmants qui se sont débarrassés de Batista et de son régime corrompu, et qui n'ont que le mot « *Venceremos* » à la bouche. Dans les usines, les ouvriers nous accueillent avec ce cri : « Nous vaincrons ! » Dans les musées, c'est la même promesse. Et le même espoir dans les discours de Fidel qui peuvent durer toute une nuit. Et la foule attentive, excitée, hypnotisée, hurle : « *Venceremos !* » Magnifiques, ces jeunes miliciennes armées de mitraillettes qui le répètent en souriant. A l'entrée des bureaux gouvernementaux ou des grands hôtels, elles arrêtent qui veut entrer ; les personnes suspectes, elles les fouillent avec un sérieux qui ne l'est pas ; ah, comment faire pour éveiller leur soupçon ? Peut-être, si je restais plus longtemps, aimerais-je bien être « vaincu » par l'une d'elles : c'est qu'elles sont bien jolies, les miliciennes de Castro... Mais je brûle de m'en aller : je tiens à revenir à New York pour Rosh-Hashana. Malheureusement, le bureau compétent (ou incompétent) qui s'occupe de nous au ministère des Affaires étrangères m'informe que tous les vols sont complets. Plus une place disponible. Inquiet, je demande jusqu'à quand. Comment savoir ? Deux ou trois semaines au minimum. Je proteste, je m'emporte, je supplie. Rien à faire. Même l'ambassade d'Israël s'avoue impuissante. Un « officiel » cubain me propose une place sur le vol La Havane... Prague ! Aurait-il perdu la raison ? Le pays tout entier serait-il devenu fou ? L'ancien réfugié en moi se révolte. Conséquence de la guerre ? Souffrant de claustrophobie, je me sens enfermé, menacé ; je suis au bord de la panique. Finalement, après quelques péripéties rocambolesques, je rentrerai quand même à temps pour célébrer Rosh-Hashana dans « ma » synagogue, avec Heschel, chez les hassidim de Guèr.

Cette synagogue, je la fréquentais avec le sentiment de me retrouver chez moi, à Sighet. Tous les fidèles étaient originaires d'Europe et avaient connu les camps. Ils priaient avec une ferveur tenace que je n'ai rencontrée nulle part ailleurs : c'est comme s'ils essayaient de convaincre le Seigneur de redevenir le Père de son peuple, au lieu d'être son Juge.

Je me souviens de Shimon Zucker. Je me rappelle ses récits du ghetto de Lodz. Les rafles. Les chasses aux enfants juifs. Les cris, les lamentations des parents. Il s'efforçait de retenir ses larmes en évoquant son petit garçon qui voulait vivre.

Et Reb Avraham Zemba, de lui aussi je me souviens. Le grand rabbin de Varsovie était son oncle. Il lui arrivait de m'attirer dans un coin et de me demander si je connaissais la métaphore talmudique selon laquelle nous ne serions pas les seuls à apporter des sacrifices à Dieu ; l'ange Michaël, qui est au ciel, en apporte lui aussi. Mais les siens sont les âmes des Justes... Cela continue donc là-haut ? s'écrie Reb Avraham Zemba.

Tous ont des histoires à raconter. Leurs larmes sont des prières.

Ayant retrouvé la trace de Menashe Klein, mon ancien camarade de Buchenwald, Ambloy et Taverny, je viens le voir régulièrement. Je l'ai mentionné plus haut : il habite Brooklyn où il dirige une *yeshiva*.

Il a vieilli, mon ami Menashe. Mais je l'aurais reconnu parmi cent rabbins. Son regard bleu et déterminé, son entrain, sa manière de se pencher sur un traité du Talmud, comment les aurais-je oubliés ?

Ne pas céder, ne pas se laisser dominer, telle est sa devise. Notre peuple en a vu d'autres. Certes, l'épreuve que nous avons subie reste unique, mais il nous incombe de la surmonter comme nos ancêtres l'ont fait. Qu'ont-ils donc fait, eux ? Ils rebâtissaient leurs sanctuaires, rouvraient leurs écoles, s'entraidaient pour résister aux porteurs de malheur. Soyons dignes de leur force et de leur foi... Sinon, c'est l'ennemi qui sera victorieux... Viens, ouvrons les Livres qui nous ont nourris, ils nous attendent...

Aujourd'hui encore, je vois Menashe tous les mois, et parfois plus souvent encore. Nous avons un projet en commun : construire à Jérusalem un Béit-hamidrash (maison d'étude) qui portera le nom de mon père.

> Voici comment il m'arrive de parler au Dieu de mon enfance. Je Lui demande : « Pourquoi donc as-tu créé l'homme ? Aurais-Tu besoin de lui ? Que peut-il faire pour Toi ? En quoi ses pauvres triomphes et ses défaites absurdes peuvent-ils avoir une signification pour Toi ? » J'ai cherché dans les livres que Menashe m'a proposé d'étudier, dans d'autres également ; je n'ai pas trouvé de réponse.
>
> Et pourtant, n'ai-je pas dit dans mes propres commentaires bibliques qu'il n'est pas donné à l'homme de commencer, mais de recommencer ?

Plusieurs déplacements en France, en Israël et à Londres où mon éditeur m'annonce que *La Nuit* lui donne des soucis : il ne se vend pas bien. Plus précisément : il se vend mal. A Paris, j'assiste à la conférence au sommet où de Gaulle réunit Eisenhower, Macmillan et Khrouchtchev. Fureur de celui-ci au sujet du survol de l'URSS par l'avion supersonique U-2. Au Seuil, mes nouveaux amis semblent contents ; moi, je suis surpris : *L'Aube* ne marche pas trop mal. Luc Estang m'invite à son émission culturelle. J'instaure une tradition : lors de chacun de mes passages à Paris, j'irai voir François Wahl dans son bureau. La maîtrise avec laquelle il analyse mes écrits me rappelle nos leçons de Versailles. Je l'interroge sur le long essai qu'il consacre à Platon. J'en ai lu une version : il est bon, très bon même. Mais pas assez selon son auteur. Plus de rigueur, dit François. Toujours plus de rigueur. La complaisance est l'ennemie de la littérature. Ainsi, avec François, je continue d'apprendre.

François, Monique et Paul me parlent d'un roman qui fera du bruit. C'est *Le Dernier des justes*, le chef-d'œuvre d'André Schwarz-Bart. Première rencontre dans les couloirs. Déjeuner quelque part. Je commande une omelette, lui aussi. Nous n'y touchons pas. Je découvre enfin un romancier plus timide que moi. Une alliance immédiate est forgée. J'admire son talent d'écrivain, son intuition de poète. Mélange curieux de ferveur et de prudence dans sa manière de parler, de se confier. Puristes et jaloux lui font un faux procès de plagiat et d'ignorance. Il en souffre, j'essaie de le calmer en lui disant ce que des amis me diront après la parution d'un article malveillant à mon égard : « Il ne faut pas faire attention, le livre survivra aux critiques. » André sourit d'un air sceptique. Mais l'impression d'être attendu, suivi, est pour l'écrivain plus importante que, pour le critique, le désir d'être craint. Je lui demande : « Et maintenant ? » Que prépare-t-il, à quoi travaille-t-il ? Oh, il n'en sait rien encore. Il aimerait étudier. Étudier quoi ? Des textes juifs. Il sent qu'il ne les connaît pas assez, que l'accès aux sources lui manque. Je lui propose de venir à New York ou de se rendre à Jérusalem. Je lui suggère quelques Maîtres : ils seraient heureux de s'occuper de lui. L'idée le tente. Mais, entre deux rendez-vous, il rencontre Simone dans le métro. Il la suivra en Guadeloupe.

En Israël, je « couvre » le procès Eichmann. J'écrirai des reportages pour le *Jewish Daily Forward* et un essai pour *Commentary* et *L'Arche*. Jour après jour, je viens à la « maison du peuple » écouter les dépositions des rescapés. Consciencieux dans les détails, implacables dans leur démarche, le procureur Gidéon Hausner et ses collaborateurs évoquent le Crime et la Tragédie avec une intensité frémissante qui se répercute sur l'auditoire. Certains sanglotent, d'autres semblent ailleurs. Les trois juges sont des illustrations vivantes de la modération et de la dignité qui s'imposent à la justice. Ils savent écouter.

Je n'arrête pas d'observer l'inculpé. Dans sa cage de verre, il se comporte en homme ordinaire. Impénétrable, imperturbable, il prend des notes. Les crimes contre l'humanité et contre le peuple juif dont on l'accuse semblent glisser sur ses traits sans les écorcher. On me dit qu'il mange avec appétit, qu'il dort normalement. C'est étonnant, mais il paraît se défendre assez habilement, résistant aux pressions accablantes du procès. Ni le procureur ni les juges n'arrivent à le briser, à le pousser aux limites de ses raisonnements.

Je pense me souvenir de lui : il était à Sighet pour superviser la déportation. Est-ce lui que j'avais vu à la gare, sombre, triste parce qu'il n'y avait plus de convois à faire partir de cette ville vidée de ses Juifs ?

Les soirées, je les passe avec des correspondants israéliens qui « couvrent » le procès en permanence : Haïm Gouri (poète lyrique du Palmach, il traduira *La Nuit* et *Les Juifs du silence* en hébreu), Shmuel Almog (futur patron de la télévision), Eliyahu Amiqam (pour *Yedioth*) : leurs reportages sont des morceaux choisis. Naturellement, il y en a aussi de moins bons, pseudo-intellectuels, pseudo-philosophiques, trop fleuris, au ton peu inspiré. Si j'en fais état, c'est pour montrer que le sujet, aussi grave soit-il, n'élève pas nécessairement celui qui s'en occupe.

Avec les Israéliens, nous parlons du destin d'Israël et de ses soubresauts. Il n'y a rien à dire, l'Histoire juive possède une étonnante puissance d'imagination. Qui aurait cru en 1941-1945 qu'Adolf Eichmann devrait un jour répondre aux questions des juges, dans un État juif indépendant ? Et puis qu'impose aux Juifs leur souveraineté retrouvée ? Le devoir éthique de donner un nouveau rythme à l'Histoire en l'inventant au lieu de la subir ? De concilier justice et vérité, pouvoir et humanité, afin de forger la mémoire des générations futures? Et le procès Eichmann là-dedans?

Hannah Arendt a sa coterie. J'ignore ce qui se dit autour d'elle. Les journalistes israéliens semblent l'éviter : ils la trouvent arrogante, condescendante. Elle sait tout avant tout le monde, et mieux que tout le monde. Je ne ferai sa connaissance que plus tard, chez elle, pour discuter ses théories sur « la banalité du mal » que des survivants trouvent simplistes, offensantes, et qu'on m'a proposé de réfuter dans une grande revue. Accueil aimable, amical. Elle dit m'avoir lu. Compliments sincères? Politesse? Son regard me déconcerte. Trop froid. Comment peut-on plonger dans la Tragédie et conserver cette froideur dans les yeux? La question que je lui pose est simple : « Moi j'étais là-bas, et je ne sais pas; comment faites-vous pour savoir, vous qui étiez ailleurs? » Sa réponse : « Vous êtes romancier, vous pouvez vous accrocher aux questions; moi, je m'occupe de sciences humaines et politiques, je n'ai pas le droit de ne pas trouver de réponses. » Mon *Plaidoyer pour les morts* est une tentative de réfuter ses accusations contre Israël et de s'élever contre le dédain qu'elle manifeste pour les morts. Dans une correspondance fameuse, Gershom Scholem lui reprochera de manquer d'*Ahavat-Israël*, d'amour pour le peuple juif.

Souvent, après les séances du tribunal, je me joins au groupe d'intellectuels qui entoure son roi couronné, Joseph Kessel, à la terrasse du King David. Les meilleurs reporters de la presse française en font partie. Kessel évoque d'autres procès, d'autres aventures. J'aime sa force mêlée de tendresse comme j'aime sa fulgurante sensibilité, son humanité. Eichmann pour lui, pour nous? Une énigme. Un défi.

Ce sont toujours les mêmes questions qui m'obsèdent : comment expliquer la puissance du mal? Et la complicité des pays « neutres »? La passivité du judaïsme américain et celle de la communauté juive palestinienne? Et aussi : si seulement l'on pouvait déclarer l'inculpé irrévocablement inhumain, n'appartenant pas à l'espèce humaine! Cela m'agace de penser qu'Eichmann est humain; j'aurais préféré qu'il ait une tête monstrueuse, à la Picasso, trois oreilles et quatre yeux.

Je le regarde, je le regarde des heures durant; il me fait peur. Pourtant, dans l'état où il est, dans sa cage de verre blindé, il ne présente aucun danger. Pourquoi m'inspire-t-il cette peur? Existe-t-il un mal ontologique incarné par un être qui n'aurait même pas besoin d'agir, de sortir de lui-même pour faire sentir sa puissance maléfique ?

Dans l'univers des juristes, on entend de longs débats techniques sur la nécessité du procès, sur son déroulement aussi bien que sur son issue possible. N'aurait-il pas mieux valu qu'Israël confie à un tribunal international la tâche de juger Eichmann ?

Et puis le châtiment : en existe-t-il un pour des crimes de cette envergure ? Après tout, en tuant son frère Abel, Caïn avait exterminé la moitié du genre humain. Il ne fut pourtant condamné qu'à porter la marque de son crime sur son front. Donc, à rester en vie. Mieux : à demeurer intouchable. Nul n'avait le droit de lui faire du mal. Et Eichmann ? Martin Buber se prononce contre la peine capitale, suivi par plusieurs personnalités dont l'autorité morale est indéniable. Moi, je fais confiance à la justice d'Israël.

Des années plus tard, lors d'un pèlerinage de jeunes à Birkenau, je me trouve près d'un ancien officier de police israélien, originaire de ma région et ancien déporté. C'est un homme tranquille au regard intense. Nous récitons le kaddish ensemble. C'était l'exécuteur d'Eichmann.

La Ville de la chance paraît en 1962. En épigraphe je place une parole inquiétante de Dostoïevski : « J'ai un projet : devenir fou. » Le mien est différent : combattre la folie. Je veux dire par là : la seule manière d'échapper à la folie qui émane d'un être et qui menace de nous frapper à notre tour, c'est d'essayer de l'en guérir, lui. Roman d'aventures lyrico-mystique : j'y raconte l'itinéraire d'un survivant. L'enfance religieuse, la déportation, l'arrivée en France. La foi, la colère, l'amitié. Il rêve de retourner dans sa ville natale, et il s'y retrouve en prison, dans une cellule qu'il partage avec un fou muet. Je ne peux pas me plaindre : mon quatrième livre est favorablement accueilli. Unanimes, les éloges. Le roman obtient le prix Rivarol que Le Seuil préfère nommer le prix de l'Universalité de la langue française. Ce prix est décerné à un romancier étranger qui écrit directement en français. Le jury est composé de sept membres de l'Institut, parmi lesquels plusieurs académiciens français. François Mauriac, Gabriel Marcel et Jean Schlumberger se sont battus pour moi. Jules Romains hésitait à couronner l'apatride que j'étais encore.

Au cours de la réception, un couple m'aborde : Anna et Piotr Rawicz. Anna, blonde et dynamique, est productrice de cinéma. Piotr, voûté, regard désespéré et ironique, a reçu ce même prix l'année précédente pour son roman magistral *Le Sang du ciel*.

En écrivant ces mots aujourd'hui, je revois Piotr et un nœud se forme dans ma gorge. Je parlerai de lui et de sa mort. Quel écrivain, quel homme. Oui, j'en parlerai. Plus loin. Pas encore, pas encore, Piotr.

De plus en plus occupé par mes romans, je réduis progressivement ma collaboration à *Yedioth*. Au *Forverts*, en revanche, je continue à écrire sur l'actualité politique et juive. Aux Nations unies, il m'arrive de remplacer le correspondant permanent Shlomo Ben Israël, auteur de remarquables romans policiers.

Avec le temps, Rogoff et Fogelman me permettent aussi d'écrire sur Albert Camus et Nikos Kazantzakis, Ernest Hemingway et André Schwarz-Bart, Shmuel-Joseph Agnon et Nelly Sachs : je n'ai pas honte des papiers que je leur ai consacrés. Mais j'ai aussi publié des comptes rendus sur des auteurs mineurs dont j'ai puérilement cru judicieux ou impératif d'éreinter les ouvrages. Je le regrette. J'aurais dû me montrer plus rigoureux. Plus circonspect. Mais j'étais jeune. Afficher mon « pouvoir » sur des écrivains doués mais malheureux ou, inversement, qui se croyaient « arrivés » dans le monde yiddish ne pouvait que m'amuser. Mieux : chaque article méchant me valait clins d'œil et compliments de mes confrères, alors qu'un éloge ne faisait plaisir qu'à son bénéficiaire. Normal ? Oui. La jalousie existe dans toutes les langues. Elle existe même au ciel, dit le Midrash ; les anges en sont atteints.

Or les collaborateurs du *Forverts* n'étaient pas des anges. Poètes, romanciers et essayistes, plus ou moins bons, tous cherchaient à se faire une place au soleil. Avoir du succès ne suffisait pas ; encore fallait-il que les autres n'en aient pas.

La vedette ? Isaac Bashevis Singer (nous l'appelons simplement Bashevis) dont quelques nouvelles ont été traduites en anglais, notamment par Saul Bellow (qui, aujourd'hui encore, aime bavarder avec moi en yiddish). Ses collègues ne l'aiment pas. Ils lui reprochent son avarice, son égocentrisme et sa vanité. On l'envie, et c'est naturel, mais on se moque de lui derrière son dos. La manière dont il introduit la sensualité et l'érotisme dans l'expérience juive choque les puritains mais trouve grâce auprès de la majorité des lecteurs déjudaïsés ou non juifs.

Un universitaire, spécialiste d'histoire juive contemporaine, a écrit sur lui un essai qui, heureusement, n'a pas été publié. Il démontre que les personnages juifs de Singer correspondent aux archétypes et stéréotypes antisémites classiques : tous raffolent d'argent et de jouissance sexuelle. Leur description est caricaturale. D'où sa conclusion purement rhétorique, bien entendu : si les Juifs polonais étaient tels que Bashevis Singer les décrit, leurs ennemis n'avaient-ils pas raison de les haïr, de les persécuter et de vouloir s'en débarrasser ? Et, dans ce cas, pourquoi pleurer leur disparition ?

Mes rapports avec Bashevis sont corrects voire cordiaux. Il nous arrive de prendre le même métro pour rentrer *uptown*. Parfois nous sommes invités ensemble chez les Weber. Pour Bashevis, je suis une sorte de débutant un peu perdu, un cadet inoffensif et sûrement sans intérêt puisque je n'écris pas mes romans en yiddish. D'ailleurs, il y a peu de chances qu'il les ait lus. Quant à mes articles, il n'en parle jamais. De mon côté, je lis les siens mais, dans nos conversations, je ne les mentionne pas non plus. Le drame éclate le jour où Rogoff me demande de faire un compte rendu de l'un de ses ouvrages. L'article, que je crois plus que favorable, m'attire des commentaires déplaisants de la part de ses ennemis, ce qui ne me surprend pas. Mais lui-même me manifeste son mécontentement : il s'attendait à un panégyrique. Il se vengera en consacrant aux *Juifs du silence* une critique disons mitigée. Shimon Weber est outré. Ma réplique : un portrait satirique du « deuxième fils de la Aggadah » où je prends soin de ne pas le nommer. Il s'agit de l'impie, le *rasha*, qui s'interroge sur le sens de la fête de Pessah, et il le fait d'une façon arrogante. Le texte lui est hostile. Dans la tradition, personne ne l'aime car il n'aime personne.

J'appelle Weber et je lui lis mon papier au téléphone ; il s'esclaffe : « C'est lui, exactement lui ; il faut remettre l'article à Fogelman. — Mais ne va-t-il pas reconnaître Bashevis ? » Weber est d'avis que ça vaut le coup d'essayer. Sans le prévenir ? Surtout pas. L'air innocent, je tends mon texte à Fogelman, comme s'il s'agissait d'un reportage inoffensif. L'a-t-il lu ? Quoi qu'il en soit, l'article sort une semaine après. Les ennemis de mon ennemi jubilent. Je m'attends à des reproches de Fogelman, mais je l'ai sous-estimé ; il m'en félicite sans pour autant se référer à mon modèle. D'ailleurs, quelqu'un a dû attirer l'attention de ce dernier sur mon papier ; cette fois, il l'a lu. La preuve : nos rapports s'espacent, puis s'interrompent. Plus de communication. Plus de sourires courtois dans l'ascenseur. Nous échangeons peu de paroles. A la fin, son attitude deviendra franchement hostile lorsque, cette fois dans le *New York Times*, je ferai l'éloge de son concurrent Chaïm Grade que j'appelle (avec sincérité et conviction) « le plus grand écrivain yiddish contemporain ».

Expliquons l'article mentionné plus haut : la Haggadah présente quatre fils et leurs attitudes face au mystère de la sortie du peuple d'Israël d'Égypte. Le sage, l'impie et l'innocent connaissent la question mais pas la réponse ; le quatrième ne connaît même pas la question. En analysant le texte, on apprend que les trois premiers fils posent à peu près la même question, mais la formulent différemment. Pourquoi le deuxième est-il traité d'impie ? La Haggadah juge nécessaire de préciser : le deuxième fils est un impie car il emploie un langage qui le retranche de la communauté.

Là-dessus, je brosse un portrait de l'impie ; je dis entre autres :

> ... Nous entendons sa voix et savons qu'elle est grincheuse. Nous voyons son visage et savons qu'il est rouge de colère et de jalousie. Involontairement, il se révèle tel qu'il est, sans fard. Dans son petit monde, il est ébahi par sa propre laideur.
> Étrange : le terme impie, dans la conception juive, est lié non à l'action mais à l'être. Il y a une différence entre commettre un péché et être impie. Un pécheur n'est pas nécessairement impie. Mieux : on peut ne commettre aucun péché et cependant être impie.
> On peut être impie en étudiant le Talmud, et même en ne faisant rien. Un impie est mauvais, impur et corrompu ; tout ce qu'il voit, il le désire pour lui-même ; ce qui reste hors de son atteinte, il le dénature.
> Il envie la sagesse du sage et l'innocence de l'innocent, la richesse du riche ; il envie même le pauvre pour sa misère. Il se nourrit de ce qu'il dérobe à autrui.
> Voilà pourquoi le *rasha* juif a tant d'ennemis ; la haine est son élément naturel. D'abord, il remuera ciel et terre pour conquérir des amis ; dès qu'ils ne lui sont plus utiles ou nécessaires, il les rejette et finit par devenir leur ennemi... Sur ses lèvres, les Maîtres s'occupent de prostitution, les dirigeants de vol, tandis

que des Juifs simples sont des monstres. L'ennemi seul sort indemne de ses griffes.

Puisqu'il s'est séparé de la communauté, celle-ci le tient à l'écart. Le *rasha* juif ne joue aucun rôle important dans les milieux juifs. On l'ignore. On le laisse là où il est, c'est-à-dire au-dehors. On peut discuter avec un athée, pas avec un impie. A quoi bon ? On n'a pas de langage commun avec lui. Il se parle à lui-même et il est seul à s'écouter.

En fait, on devrait le plaindre. Bien qu'impie il reste juif. Combien de temps un homme peut-il vivre avec ses monstres et jouir de leur présence ? Combien de temps peut-il évoluer dans son monde intérieur dominé par l'écœurement et la décadence morale ? Combien de temps peut-il vivre ainsi sans amis, sans chaleur et sans joie ? Parmi les quatre fils assis autour de la table, l'impie est le plus solitaire. Pendant que les autres chantent, lui grince des dents.

Comme tous les isolés, il déteste ceux dont il a besoin. Commerçant, il hait ses clients ; médecin, il en veut à ses patients ; écrivain, il méprise ses personnages ainsi que ses lecteurs. Il hait même celui qui le loue, car on ne le loue jamais assez. En outre, il ne croit pas aux éloges qu'on lui fait. Il considère toujours qu'ils ne sont pas sincères. Pour lui, la société est faite d'hypocrites.

Malheureux *rasha* : il parle constamment de lui-même.

A lui-même.

... Ce jour-là, après la parution de l'article, je suis on ne peut plus populaire dans les milieux culturels yiddish. Un romancier me tape sur l'épaule : bien fait, « il » l'a mérité. Un autre me gratifie d'un clin d'œil : ça « lui » apprendra. Et je peux constater avec un mélange d'amusement et de tristesse à quel point Bashevis n'est pas apprécié dans ce qu'on appelle « la rue juive ». Chaque honneur qu'il reçoit donne le cafard à ses pairs. Le jour où l'on annonça son prix Nobel fut pour certains écrivains yiddish un jour de deuil.

Pourtant ses articles bihebdomadaires remportent un succès retentissant, surtout chez ses lectrices. Avec un talent indéniable, il adore y raconter ses liaisons : un formidable tombeur, Isaac Bashevis Singer.

Ses collègues lui reprochent surtout son manque de solidarité, ses manœuvres pour empêcher que leurs propres écrits soient traduits.

Le monde littéraire yiddish l'accuse également de se poser comme « le dernier écrivain de cette langue morte ». Ce genre de discours met les écrivains yiddish en rage : « Il nous enterre, alors que nous sommes encore en vie... » Certains proclament que, parmi les vivants, Chaïm Grade le surpasse comme romancier (je suis d'accord), d'autres chuchotent que n'importe qui pourrait le surpasser (je ne suis pas d'accord)...

Pourquoi tant d'animosité à son égard ? Pourquoi tant de rumeurs malveillantes ?

Mon ami chercheur aurait-il raison ? Dans le monde yiddish, on accuse Bashevis de déformer, de dénaturer l'image du Juif en Europe de l'Est. Au nom de la liberté d'expression, l'écrivain peut-il dire n'importe quoi de n'importe qui ? Sans nier ou même diminuer le talent de Bashevis, les écrivains yiddish qui se veulent puristes se plaignent de ce que ses héros soient souvent laids, moralement dérangés, charmants mais déréglés, sages mais pervers. Est-il possible que les Juifs polonais aient tous été des maniaques sexuels ? Est-il concevable qu'un rabbin dévoué à Dieu et à sa Loi ne songe qu'à commettre l'adultère le soir du Kippour ?

Plus les Chrétiens et les Juifs déjudaïsés l'admirent, plus les littérateurs yiddish le rejettent. Méfiance à l'égard de l'écrivain à succès ? Manière d'affirmer ou d'insinuer que la gloire se paie toujours, et qu'en recherchant des admirateurs étrangers on se sépare inévitablement de ses proches ? Bashevis en est conscient. Un soir, au cours d'un dîner chez un rabbin connu pour son action en faveur des *refuseniks*, il se confie à moi : « Nos Juifs ne sont jamais satisfaits. Quoi que je leur donne, ils me répondent : ce n'est pas ce que nous attendons de vous. Je n'ai jamais eu affaire à des lecteurs aussi ingrats. » Il en rit, mais ça l'agace. En fait, tout l'agace. Pourtant, ses admirateurs sont nombreux et cultivés, et ils lui restent fidèles.

Moi, j'apprécie sa fantaisie et son goût de l'occulte. Son univers est habité de lutins, de démons ? Et après ! Il y croit, à ses démons. S'il invita un ami rabbin à la cérémonie de remise de son prix Nobel, c'était, disait-il, pour conjurer le mauvais œil : avec tant de diablotins partout, la présence d'un rabbin ne pouvait pas lui nuire.

Je savoure surtout ses nouvelles. Conteur superbe, sa force réside dans le raccourci.

Mais ses romans ? *Le Magicien de Lublin* ? *L'Esclave* ? Même s'ils manquent d'un certain souffle, comment nier leur charme ? On s'y laisse prendre. Certes, Peretz me paraît plus authentique, et sûrement plus chaleureux, Der Nister plus doué et plus profond, mais le romancier Isaac Bashevis Singer n'en est pas moins grand. Tristes, ses obsèques. Peu de monde. La littérature yiddish n'est quasiment pas représentée. Un rabbin prononce l'oraison funèbre en anglais et y mêle une phrase ou deux en yiddish. Où sont ses confrères ? Ses lecteurs, où sont-ils ?

Je n'appartenais pas au vaste cercle de ses admirateurs et n'avais pas à le défendre. Il ne m'aimait pas et, pourquoi ne pas l'avouer, je le lui rendais bien. Mais sa mort — à peine remarquée dans un monde qui avait été le sien, le monde yiddish — m'attriste.

L'auteur yiddish (et hébreu) dont je me sens le plus proche est un ami d'enfance de Bashevis : en Aharon Zeitlin j'aime l'homme autant que j'admire l'écrivain. Son père, Reb Hillel Zeitlin, a laissé une œuvre littéraire et philosophique que je relis avec une émotion et un éblouissement chaque jour renouvelés. On dit que, en 1942, il quitta le ghetto de Varsovie vêtu de son *talit* et le Zohar sous le bras pour se rendre, avec plusieurs milliers de Juifs, à l'Umschlag-platz où les wagons scellés les attendaient pour les emmener à Treblinka.

Une fois par mois, je rends visite à Aharon, le dernier survivant d'une longue lignée de Sages et de savants. Chauve, visage fin, presque transparent, l'œil bleu d'une pureté rare, il a le débit rapide mais la voix cristalline. J'aime l'écouter. Souvenirs de la Varsovie littéraire, paroles de son père, réflexions sur ses contemporains. Isaac Bashevis Singer a reconnu publiquement ce qu'il lui devait. Mais il refusa de l'aider à trouver un éditeur américain. Amer, Zeitlin ? Il ne connaît pas l'amertume.

Rachel (qu'il a épousée en secondes noces) est un personnage en soi. Fébrile, constamment occupée, elle a consacré sa vie à permettre à son mari de vivre la sienne. Elle a passé les années de guerre en Russie, loin de Moscou. Pour chacune de mes visites, elle prépare des *latkes* (sorte de *rösti* juif) que, pour ne pas l'offusquer, je suis obligé de dévorer. Parfois Marion m'accompagne : elle est tombée amoureuse de Zeitlin. Elle aussi en revient la tête pleine d'histoires et l'estomac bourré de *latkes*.

Reb Aharon fut emporté par une crise cardique. J'assiste aux obsèques. Dans mon carnet, je note :

> Aharon Zeitlin croyait que l'Ange de la Mort n'a point d'emprise sur l'homme qui est d'essence immortelle. Deux de ses ouvrages

tentent de le démontrer. Les morts, selon lui, continuent de vivre dans l'autre monde et maintiennent le contact avec le nôtre. Ils nous parlent et nous avertissent. Le malheur c'est que les vivants sont trop occupés avec leurs affaires bêtement terrestres pour comprendre le langage du monde de la vérité. La science de la parapsychologie en serait la preuve, selon Zeitlin. Il croit, lui, que Dieu n'a pas créé l'homme pour le tuer. La mort n'est qu'une transition : un autre monde l'attend de l'autre côté de l'enceinte, un monde où tout est vérité, où tout est sacré, un monde où tout respire l'éternité.

Soit, Reb Aharon. Disons que vous avez raison. Mais alors, je vous en prie, dites-moi : pourquoi mon cœur est-il brisé en assistant à vos obsèques ?

Je me rappelle nos conversations ; en fait, c'étaient des monologues fascinants : en sa présence je me voulais auditeur, rien d'autre. J'écoutais, j'absorbais. J'apprenais.

Au début, je lui demandais surtout d'évoquer pour moi le personnage légendaire qu'était son père : Reb Hillel Zeitlin avait illuminé le judaïsme polonais.

Il me semble avoir lu à son sujet tout ce qui a été publié. Je me sentais attiré sinon lié à cet homme, je tenais à mieux connaître le prophète, le visionnaire, le poète des lamentations, le penseur, l'éveilleur, le consolateur et, à la fin, le martyr qui alla à sa mort entouré de ses lecteurs comme s'il voulait les protéger dans l'enceinte de ses rêves...

Lorsque le célèbre fils parlait de son père célèbre, une flamme étrange s'allumait dans ses yeux bleus : « Oui, mon père c'était, c'était... »

Et maintenant, cher Reb Aharon, on dira : « Le fils de Reb Hillel c'était, c'était... »

Que n'était-il pas ? Un talent aussi riche et varié que le sien, on n'en trouve pas dans la littérature yiddish et hébraïque.

Maîtrisant les cultures étrangères aussi bien que la sienne, il composa des poèmes épiques et des pièces de théâtre historiques, des litanies et des essais littéraires où il citait lois talmudiques et pensées midrashiques, paroles de Rabbi Nahman et réflexions de Socrate. Mais son savoir n'alourdissait jamais son style, au contraire : son écriture était empreinte de cette simplicité qui demeure le sommet de l'art.

Certains écrivains sont impies et d'autres justes ; Reb Aharon appartenait à la seconde catégorie. Il était littéralement incapable de dire quelque chose de péjoratif sur qui que ce soit. La médisance, il la fuyait comme on fuit un spectacle obscène et laid.

Assis pendant des heures dans la cuisine de son appartement sur Riverside Drive, il racontait des événements politiques oubliés, analysait l'actualité, commentait le passage hebdomadaire de la

Bible, rouvrait un portail secret de la mémoire — et tout cela sans une trace de malveillance, d'envie ou de rancune.

Mieux : sans amertume. Même lorsqu'il revivait ses expériences de nouvel immigrant, la solitude, l'angoisse et la détresse des années de guerre, il accompagnait chaque phrase d'un petit rire, comme s'excusant de ne pouvoir juger autrui. J'entends encore sa voix : « Comment pourrais-je condamner l'autre, alors que je n'ai pas encore résolu les problèmes que j'ai avec moi-même ? Je suis encore là à essayer de percer le secret de ma survie... Pourquoi le bourreau m'a-t-il épargné, moi plutôt que mes frères et sœurs ? »

C'est seulement lorsque nous touchions au chapitre de la Destruction que sa sérénité l'abandonnait. Son visage s'enflammait. Et Rachel de plaider avec tendresse et amour : « Arele, calme-toi... Tu ne dois pas... Les médecins t'ont interdit... Ton cœur... » J'entends encore sa réponse : « Les médecins, les médecins — que savent-ils de ce qui se passe dans mon cœur ? »

Des fragments de pensées s'agitent à présent dans mes souvenirs. La synagogue est pleine. Rabbins et écrivains participent aux obsèques. Oraisons funèbres chargées d'émotion, en yiddish, hébreu et anglais. J'entends leurs paroles, mais mon oreille intérieure capte la voix de Reb Aharon lui-même : « Non, dit-elle, les millions de martyrs ne sont pas morts ; de là où ils vivent, ils nous regardent et nous jugent avec mépris... » A un autre moment : « Pourquoi le destin m'a-t-il épargné ? Pour que je puisse publier les écrits de mon père... » Et une autre fois encore : « Un Juif qui n'est pas inspiré par *Ahavat-Israël*, un Juif qui n'aime pas son peuple, n'est pas humain... »

Soit, Reb Aharon. Admettons que vous ayez raison, que la Mort ne soit jamais victorieuse. Mais alors, dites-moi : pourquoi mon cœur est-il brisé en suivant votre cercueil au milieu de cette rue bruyante de Manhattan ? Est-ce parce que vous êtes le dernier Zeitlin ? Et qu'avec vous disparaît plus que l'homme que vous avez été ?

Le regard muet et la tête baissée, vos disciples et amis marchent lentement, comme à contrecœur, derrière le cercueil drapé de noir, et il me semble qu'ils marcheront ainsi longtemps, très longtemps...

Un autre penseur et poète yiddish de Varsovie dont je deviens l'ami : Abraham Yeoshua Heschel. Je fais sa connaissance grâce à Michel Salomon. Venu effectuer une série de reportages à New York, il me présente Wolfe Kelman, le rabbin le plus attachant, le plus modéré et le plus libéral du mouvement conservateur, lequel me fait, à son tour, rencontrer Heschel.

Arrière-petit-fils du Rabbi d'Apt, dont il porte le nom, on lui trouve une vague ressemblance avec Trotski : sourcils broussailleux derrière ses lunettes, chevelure et barbe touffues, taille moyenne, frêle. Mais la ressemblance, si elle existe vraiment, s'arrête là. Contrairement à l'ancien commissaire de l'Armée rouge, Heschel est profondément juif, profondément croyant et sincèrement pacifiste.

Heschel a écrit en yiddish des poèmes lyriques (j'en réciterai un pour ses obsèques) et un magnifique ouvrage sur le Rabbi Reb Mendel de Kotz; deux volumes d'études talmudiques ont été rédigés en hébreu et ses œuvres théologiques en anglais. Il m'aide généreusement dans mes travaux sur les Maîtres hassidiques.

Nous parlons souvent au téléphone et le Shabbat nous assistons à l'office au *shtibel* de Reb Leibel Cywiak et ses amis, adeptes du Rabbi de Guèr. Ensuite, comme nous sommes voisins, il m'emmène déjeuner chez lui. Entre nous, ce sera bientôt une coutume et il n'aura même plus besoin de prévenir Sylvia, sa femme. Après le repas, il me raccompagne chez moi, et moi chez lui ; nous passons ainsi des heures dans la rue à discuter de mille sujets : Dieu et les prières, le hassidisme polonais comparé au hassidisme hongrois, le folklore yiddish lituanien et la littérature juive de Pologne, Varsovie et Francfort — où, dans les années trente, il occupa la chaire de Martin Buber à l'Institut d'études juives.

C'est un plaisir de flâner sur Riverside Drive avec un homme qu'animent l'humanisme et le civisme autant que la ferveur hassidique : Heschel ne vit pas enfermé dans sa quête du savoir ; c'est aussi un opposant à la guerre absurde et injuste du Vietnam. Un Shabbat après-midi, il me confie son souci : des amis israéliens l'ont prié — sur l'initiative des officiels américains ? — d'adopter un profil plus bas dans son combat contre la politique de Lyndon Johnson dans le Sud-Est asiatique. « Que faire ? me demande Heschel. Comment puis-je me taire lorsque, semaine après semaine, des milliers de civils vietnamiens se font tuer sous nos bombes ? Comment puis-je oublier le concept juif de *ra'hmanut*, de pitié, de charité ? Comment puis-je revendiquer ma judéité si je reste insensible à la douleur et au deuil d'hommes, de femmes et d'enfants qui, depuis des années, ont le sommeil démoli par les bombardements nocturnes ? » Puisqu'il me demande mon avis, je le lui donne : continuer, même si cela doit ennuyer l'administration. D'autant que cette guerre atroce, meurtrière, moralement intolérable, Israël n'y est pas mêlé.

Heschel, porte-parole principal de l'œcuménisme juif. Heschel, ami juif de tous les opprimés. Il fut parmi les premiers à se battre pour les Juifs russes. Et, insistons là-dessus, pour les Noirs humiliés. C'est lui qui m'a présenté à Martin Luther King qu'il vénérait. Dans le Mouvement des droits civiques, on l'a surnommé père Abraham. En conséquence de quoi, certains milieux orthodoxes lui manifestaient une réticence qui le peinait et me chagrinait : « Il est trop proche des Chrétiens », disait-on. Et après ? répondais-je. Quel mal y a-t-il pour un Juif à enseigner le judaïsme aux non-Juifs, à défendre devant eux l'honneur et la tradition de son peuple ? Lorsqu'il rencontra le pape Paul VI à Rome, n'était-ce pas pour porter à ses frères un secours dont ils ont toujours besoin ? Débat éternel : un Juif n'aurait-il des obligations qu'envers les siens ? Et devrait-il rester emmuré dans une sorte de ghetto spirituel, séparé à jamais d'une société qui l'enveloppe ou s'oppose à lui ? Est-ce humain, est-ce juif de faire abstraction de tout ce qui n'est pas juif ? L'Écriture nous enseigne la valeur de la vie humaine, de toute vie humaine, juive ou non juive. Nos Sages insistent sur l'obligation de *pikua'h nefesh*, celle de venir porter secours à toute personne en danger, quelle que soit son origine ethnique, son appartenance sociale ou sa foi religieuse. C'est pourquoi le Talmud nous fournit deux versions d'un même précepte : l'une dit que sauver une vie humaine c'est sauver l'humanité ; l'autre affirme que sauver une vie juive c'est sauver l'humanité. Il vise ainsi à tempérer un universalisme et un particularisme qui seraient tous deux exagérés. Autrement dit : on peut être juif et vouloir le bien de ceux qui ne le sont pas. Cela, Heschel l'a exprimé et vécu à sa façon, et moi à la mienne.

J'aime me souvenir d'une anecdote qu'on raconte au sujet de Martin Buber. S'adressant à un public composé de prêtres, il dit à peu près ceci : « La différence entre Juifs et Chrétiens ? Nous attendons tous le Messie, mais pour vous il est déjà venu et reparti, pas pour nous. Je vous propose donc que nous l'attendions ensemble. Et lorsqu'il apparaîtra, nous lui demanderons : Êtes-vous déjà venu ici ? » Et Buber d'ajouter : « J'espère à ce moment-là me trouver près de lui pour lui chuchoter à l'oreille : pour l'amour du ciel, ne répondez pas. » En matière d'œcuménisme,

Heschel était encore plus direct et plus engagé que Martin Buber.

A l'université Stanford, en Californie, quelques professeurs dînent avec le révérend William Sloan Coffin, « théologien de la libération » fort renommé, venu de New York. La conversation tourne autour de Heschel. Chacun a une anecdote drôle ou un épisode émouvant à rapporter. Le théologien offre sa contribution : « Un jour, lors d'une réunion œcuménique où l'on évoque le sujet permanent de l'antisémitisme, Heschel se tourne vers moi et dit : " Pensez-vous vraiment que Dieu désire que Son peuple béni soit honni, persécuté et, à la limite, effacé de la terre ? Pensez-vous qu'un monde sans Juifs serait agréable à Dieu ? " Je lui réponds : " Pensez-vous que c'était le désir de Dieu de voir Son fils pourchassé, humilié et répudié par le peuple même qu'il était venu sauver ? Pensez-vous que le Père était content de voir Son fils repoussé par ses frères ? " Et Heschel de sourire : " Là, je reconnais que vos questions posent problème... " » Autour de la table, les convives ont la mine ébahie, moi non. Au théologien, je dis : « Je ne crois pas que Heschel ait pu dire cela, car cela aurait signifié qu'il voyait en Jésus le Sauveur tant attendu par les Juifs. Pour le Juif fervent et fidèle qu'était Heschel, Jésus ne posait pas problème. »

Comme dans le cas de Buber, plus les Chrétiens admiraient Heschel, plus certains milieux juifs tenaient à se démarquer de sa personne et de son enseignement : il en fit l'amère expérience au Hebrew Union College (réformé) de Cincinnati où il avait été accueilli pendant la guerre, ainsi qu'au Séminaire théologique juif (conservateur) où, jusqu'à sa mort, il fut titulaire d'une chaire de mysticisme et d'éthique. Et des droits de l'homme qu'il enseignait par l'exemple.

Je venais souvent au « séminaire » qui faisait encore partie des grandes institutions d'études juives. Grâce à Louis Finkelstein, David Weiss-Halivny, Gerson Cohen, Seymour Siegel, Wolfe Kelman, Ginzburg, Spiegel, Shmelzer, il m'était permis de me replonger — de manière systématique, méthodique — dans les études juives avec une passion demeurée inépuisable.

Mais, bien sûr, il y avait aussi, il y avait surtout, Saul Lieberman, le seul qu'en moi-même j'étais prêt à appeler mon Maître.

A Paris, je découvre Manès Sperber. Nos chemins devaient un jour se croiser, c'était inévitable, c'était « écrit » ; mais Manès ne croit pas à la fatalité. Libre penseur, il ne jure que par la liberté, et j'aime l'entendre parler de la liberté. En fait, j'aime l'entendre parler de n'importe quoi.

Dialecticien hors pair. Ironie socratique, savoir encyclopédique. Il passe de Pouchkine au Besht et à Adler presque sans transition. *Qu'une larme dans l'océan* est un éblouissant morceau d'anthologie : qui d'autre aurait pu l'écrire ? Même pas J. L. Peretz, son héros et le mien. Je savoure les heures que je passe avec lui : calmes, apaisantes, jamais complaisantes.

Manès compte dans ma vie. Rigueur intellectuelle, talent d'écrivain, vision d'humaniste : j'ai rarement trouvé ces qualités réunies chez un même individu. Pourtant, en apparence, en apparence seulement, un univers nous sépare : il a été communiste, moi jamais ; il reste attiré par la psychologie (adlérienne), moi je penche du côté du mysticisme ; il rejette la religion, moi j'y reviens. Mais ce qui nous attache l'un à l'autre relève d'un domaine plus profond. Je sens en lui un précurseur, un aîné. Combien de fois ai-je sollicité son avis, son conseil ? (Après sa mort, Jenka, son épouse, me dira que j'étais pour lui une sorte de jeune frère.) Toujours critique, jamais sentimental, surtout envers ceux qu'il aime. De chaque rencontre avec lui, j'émerge, comment dire, plus lucide, plus vrai. Aurais-je écrit *Le Testament d'un poète juif assassiné* si je n'avais pas lu et écouté les récits vécus ou romanesques de ses années passées en Yougoslavie au service du Komintern ? Ses conseils, je les suis. Ses avertissements, je les pèse : ne pas rechercher le succès ni me laisser enivrer par les honneurs. Et surtout : éviter le parcours commode des habitudes molles, fuir le prévisible. Jamais un mot de flatterie sur ses lèvres. Jamais une parole qui ne soit pas sincère. Jamais un fléchissement dans son analyse. Jamais une phrase qui puisse être perçue comme sentimentale. Son refus de la popularité facile frôle l'inconscience : la vérité, pour lui, se moque de l'adhésion du plus grand nombre.

C'est chez lui que je lie connaissance avec l'écrivain Jean Blot et le romancier juif allemand Eric Kästen. Paul Celan, toujours silencieux, comme écoutant ses *Fugues de la mort*, s'interrogeant au bord d'un abîme intérieur, c'est Manès qui me l'a présenté.

Ses ouvrages, je les dévore : des chefs-d'œuvre, tous. *La Baie perdue... Et le buisson devient cendre...* Ses essais sur la trahison communiste ou la Destruction (le Khourban)... Ils resteront.

Certes, nous avons des divergences d'opinion. Il ne partage pas ma fidélité inconditionnelle à Israël ; il me souhaiterait non pas plus lucide mais plus critique. Un jour, il me reprocha (en privé, naturellement) d'avoir déclaré publiquement que le destin du peuple juif dépendait de celui de l'État d'Israël ; selon lui, les catastrophes nationales qui s'étaient abattues sur notre peuple avaient fait couler beaucoup de sang et rempli beaucoup de cimetières mais ne mettaient pas vraiment son existence en danger.

Excellent professeur et conférencier éloquent, mon ami Manès. Pas étonnant qu'il ait été l'intime d'André Malraux, d'Ignazio Silone et d'Arthur Koestler (qu'il a publié et fait connaître en France). Sait-on que c'est à lui (aussi) que la France doit d'avoir découvert le *Journal* d'Anne Frank ? Ses conversations sur la littérature contemporaine, je m'en souviendrai jusque dans ma vieillesse. J'aime l'écouter discourir sur la richesse philosophique et morale de l'humour juif du *shtetl*. Il aime les lieux et les êtres de son enfance comme j'aime les miens.

A la demande de Jenka, je préface l'édition américaine des *Porteurs d'eau du bon Dieu*. En voici le texte :

Cette préface, j'aurais aimé l'écrire sous forme de lettre. Lettre à Manès Sperber. Pour lui dire qu'il me manque. Que j'ai besoin de sa présence, de sa sagesse, de sa fermeté de caractère à laquelle se mêlait un soupçon d'émouvante tendresse. J'ai besoin de son œil sévère autant que de son sens de l'humour. Ses conseils, ses remontrances, ses leçons de « Moussar », eh oui, j'en ai besoin, comme j'ai besoin de son amitié : j'ai besoin de le penser, de l'imaginer vivant. Mais je le connais : il se moquerait de moi ; il ferait un petit geste de la main comme pour me mettre en garde : « Toi et tes *narishkeiten* (bêtises) d'éternel hassid... Combien de fois dois-je te répéter qu'il n'y a point de vie après la mort ? » Pourtant, il se trompe. C'est qu'il arrive que même lui se trompe : la mort n'arrête pas la vie d'un homme, sûrement pas d'un homme, d'un écrivain comme lui. Manès, mon ami Manès vit, car son œuvre signifie refus de la mort. Non, Manès ne mourra pas comme ne mourra pas l'admiration que lui portent ses lecteurs qui ont besoin de sa voix, de ses paroles pour ne pas mourir.

... Notre première rencontre fut liée au sort des Juifs soviétiques. Coïncidence ? L'histoire juive nie les coïncidences. Disons plutôt : symbole. C'est la souffrance juive — ou la souffrance des Juifs, au loin — qui nous a réunis.

470

Manès prononce un discours à Bruxelles dans le cadre d'une conférence sur le sort des Juifs soviétiques. Salle comble, attentive. Manès sait intéresser, stimuler. Clair, érudit, il présente les faits et vous laisse le soin d'en tirer la conclusion qui se veut appel à l'action. Par son exigence éthique et sa dimension judaïque, son discours ne peut que m'impressionner. Il m'incite à vouloir mieux connaître l'homme.

Je connaissais son œuvre. Sa trilogie restera comme l'un des témoignages incontournables sur les turbulences idéologiques et politiques de notre siècle. Tout y est : la nostalgie de la justice, la passion pour l'humanité, le profond amour du peuple juif. Rien n'est traité superficiellement. Pas de parole gaspillée, pas de scène transparente. Attiré par la profondeur des êtres au destin ténébreux, il choisit un style pur, dépouillé. Ses personnages, d'une intensité douloureuse, frappent par leur exemplarité. Tous semblent véridiques : les communistes aussi bien que les Juifs pieux. Il ne parle que de ce qu'il connaît, que de ce qu'il a vécu. Ainsi, lors de notre première rencontre — arrangée, si je ne m'abuse, par un ami commun —, nous parlons beaucoup de son *shtetl* de Zablotov qui, curieusement, me rappelle le mien.

J'aime l'entendre raconter les histoires et légendes pittoresques et mystérieuses de Zablotov. On dirait qu'il s'y trouve encore, tant il se promène à l'aise parmi ses chaumières sans lumières et à travers les « maisons d'étude » où matin et soir, et surtout le Shabbat et durant les fêtes, les fidèles chantent en priant ou prient en chantant. D'autres écrivains juifs ont tenté de décrire les mille couleurs du *shtetl*, mais aucun n'en a parlé avec autant d'autorité. Ni avec autant de tendresse.

Certes, Manès n'est pas religieux. Il le dit et le proclame afin que nul malentendu ne subsiste : le futur intellectuel et idéaliste, chantre de l'humain, rejette toutes les religions, la mienne, la nôtre incluse. Combien de fois m'a-t-il reproché ce qu'il appelait mon « judéocentrisme » ? A son avis, j'ai eu tort de tant insister sur le rôle que la religion (j'aurais dû dire : la tradition) juive joue dans la renaissance juive en Union soviétique. D'après lui, il s'agirait simplement d'un phénomène socio-culturel : tout homme mérite la liberté, et l'homme juif soviétique la mérite aussi. Il mérite d'être libre de toute contrainte, qu'elle soit politique ou religieuse ; il peut et doit se défaire des deux.

Dans le premier tome de son autobiographie, Manès raconte sa première rupture. Il est encore enfant ; il fréquente le *héder* et la synagogue, il écoute le kaddish des orphelins, il en est à la fois bouleversé et troublé. Jusqu'à quand, se demande-t-il, Dieu permettra-t-Il à la Mort d'emporter des hommes afin d'entendre le chant de leurs enfants louant Sa gloire, Sa miséricorde ? Bien sûr, lorsque des questions restent sans réponse, il y a la foi. Mais Manès, rationaliste de bout en bout, se méfie d'une foi qui

471

aveugle au lieu d'éclairer. S'il adhère à la Révolution, c'est parce que, au début, elle se substitue à la foi. Dix ans après, il quittera le parti communiste qu'il considère comme une religion nouvelle. C'est l'ère des procès spectaculaires (des aveux spontanés). A Moscou, les anciens compagnons de Lénine s'accusent publiquement de tous les péchés et crimes de la terre. Les intellectuels européens, en général, désapprouvent ces simulacres de procès, mais ils les acceptent. Pas Manès. Manès, lui, refuse toutes les prisons, celles qui sont faites par les hommes et celles qui sont inventées pour leurs pensées. Manès se veut homme libre. Toute son œuvre en témoigne.

Et pourtant, malgré ses protestations et démentis, il reste ancré dans la culture à la fois spécifiquement laïque et religieuse de notre peuple. Il adore la littérature yiddish et son adoration est contagieuse. Il ne parvient point à s'arracher à l'envoûtement sinon à l'influence des contes hassidiques. A New York, dans les années soixante, je l'emmène à une fête chez le Rabbi de Lubavitch. Il est heureux, Manès. On nous pousse des coudes, on nous bouscule dans la foule, mais Manès ne se plaint pas. Il est heureux, vous dis-je. Heureux de se retrouver au milieu des hassidim. Heureux de se revoir enfant à Zablotov. Je le présente au Rabbi qui l'interroge sur ses origines, sur son travail. Manès répond en yiddish. Il rayonne, Manès. Il est dans son élément. Mais l'attachement exagéré des disciples à leur Maître ? Mais la foi en Dieu ? Mais le « judéocentrisme » ? Manès les critiquera. Plus tard. Pour le moment, il est du côté de cette foule vibrante de ferveur et d'espérance. Après tout, qu'est-ce que Lubavitch sinon (aussi) un triomphe éclatant (du judaïsme) sur la dictature communiste ?

Juif, Manès l'est de manière authentique dans cette trilogie. Même quand il se révolte contre la tradition juive (et ses rites), c'est le Juif en lui qui se révolte. Et qui se cherche. Et qui partage.

Enfin traduite en anglais, cette trilogie fera connaître Manès aux nombreux lecteurs américains. Je leur envie la joie de découvrir un grand écrivain, un merveilleux conteur, un penseur redoutable.

Cette trilogie (autobiographique), je vais la relire comme je vais relire ses romans : pour le retrouver sage et amusant, dominateur et généreux comme seuls le sont les grands et vrais créateurs.

Je le revois lors de notre dernière rencontre. Nous parlions des problèmes qui nous avaient préoccupés déjà à Bruxelles une vingtaine d'années plus tôt. Nous nous embrassâmes. Il pleurait. A mon tour, j'eus envie de pleurer. Je le quittai le cœur lourd. Voilà pourquoi je vais rouvrir ses livres. Pour l'entendre rire.

Jenka me racontera ses derniers jours, ses dernières heures. Manès et son fils Dan. Manès et son épouse, son amie, sa complice Jenka. Manès et son corps. Manès et son rapport aux apparences et au temps. Jusqu'à la fin il a nié la mort ; il la traquait pour la récuser. Pour lui, le sens de la vie était dans la vie.

Jenka dit : Fier, souverain de sa raison comme de son corps, Manès ne montra jamais qu'il souffrait. Il refusait de dépendre d'autrui.

Et elle dit aussi : Manès ne se laissait jamais aller ; il ne pleurait jamais. Sauf ce jour-là...

Je me souviens : il était assis dans son fauteuil, une couverture sur les genoux. Il me semblait proche, plus qu'avant, plus que jamais. A un certain moment, Jenka nous laissa seuls. Manès me regarda et je fus surpris et secoué par ce que je lisais dans son regard.

En le quittant, je me suis attardé en bas.

Manès, mon ami. Je voulais tellement ne pas le quitter.

C'est lui qui nous quitta.

1964 : il est temps de revoir ma ville natale. Alice Morgaine me suggère d'en profiter pour écrire dans *L'Express* où elle tient la rubrique féminine. Elle me présente à Françoise Giroud dont la rayonnante intelligence ne manque pas de m'impressionner. Tout est réglé. Sauf... Sauf quoi ? Françoise Giroud s'attend à des reportages politiques, liés à l'actualité ; moi, c'est le passé qui, au cours de mes randonnées en l'Europe de l'Est, ne cesse de m'occuper l'esprit. Le passé existe-t-il dans le présent ? Je n'enverrai rien à *L'Express*.

Je me mets en route : Budapest, Bucarest, Baia-Mare. A Budapest, je visite le quartier juif. J'y cherche les traces des années passées. Qu'est-ce que je vais faire si je bute sur un *vadàszcsendör*, un de ces gendarmes qui, en 1944, ajoutèrent au drame de l'évacuation des Juifs hongrois une brutalité sadique en défoulant sur eux leur antisémitisme ancestral ? Je souhaite consulter les archives officielles. Qui était présent, dans quel bureau, lorsque la décision fut prise de déporter les Juifs de Sighet et des alentours ? La petite secrétaire (naïve ? efficace ?) qui prenait des notes, ah que j'aimerais la connaître ! Pour lui poser quelques questions, rien de plus. Le ghetto. Les maisons protégées par Raoul Wallenberg et le consulat suisse : pourquoi ce secours humanitaire du monde dit libre est-il arrivé si tard ? Sur le Lànczhid, le pont suspendu gardé par des lions à l'expression féroce, je cherche une femme et son petit garçon chétif qu'elle conduit à l'hôpital juif ; un grand spécialiste va l'examiner : pourquoi souffre-t-il de tant de maux de tête ? Le garçon a grandi, les maux de tête aussi. Je vais à la synagogue ; je parle aux fidèles. L'un d'eux veut savoir si je suis marié. Non, je ne le suis pas encore, pourquoi me le demande-t-il ? Il a une fille qu'il souhaite faire partir ; un mariage blanc le lui permettrait. A Bucarest, l'ancien général Zvi Ayalon, devenu ambassadeur d'Israël, me tient des propos stéréotypés. Langue de bois que j'ai tort de condamner et de ridiculiser dans mes reportages : n'ayant pas encore acquis l'expérience des régimes totalitaires, j'ai du mal à comprendre sa prudence et sa méfiance. Je vais au théâtre yiddish. Beaucoup de monde. Tous les comédiens ne sont pas juifs : parmi eux, des Roumains parlent un yiddish parfait. Étonnant ? Non : Maria, notre Maria, le parlait à merveille.

Maria, la cuisine, la cour, le jardin, le Shabbat, le *héder*, le paysage de mon enfance. A force d'en rêver, le rêve devient obsession. Dans mes hallucinations, je me vois revenant à Sighet. Je raconte ce retour dans *La Ville de la chance*. Le chapitre sur l'enfance excepté, c'est un récit romanesque, imaginaire. Mon héros — Michael — rentre chez lui et n'y trouve plus personne. A peine arrivé, il ouvre la porte de l'ancien magasin de son père. Un inconnu lui demande ce qu'il veut acheter. Pris au dépourvu, Michael répond : des bougies. Pourquoi des bougies ? Il n'en sait rien. Arrêté par la police communiste, ces bougies intriguent les inspecteurs qui les coupent en morceaux, sûrs d'y découvrir messages codés et microfilms. Déçus, ils tourmentent le suspect : que comptait-il faire de ces bougies ? Pourquoi les a-t-il achetées ? Michael ne sait que répondre — parce que moi-même je ne le savais pas. Je lui avais fait acheter des bougies comme ça, sans y réfléchir, parce qu'il était dans le magasin et qu'il lui fallait bien expliquer pourquoi. J'aurais pu lui faire dire : « Donnez-moi des boutons ou des ciseaux. » Et pourtant...

Lorsque je finis par retourner à Sighet, c'est au cimetière que je souhaite me rendre en premier lieu pour me recueillir sur les tombes des miens. Conformément à la coutume, je vais devoir y allumer des bougies. Mais où et comment m'en procurer? Je cherche un magasin. J'achète deux bougies. Ainsi, geste après geste, j'ai l'impression de lire un scénario écrit par un autre, par quelqu'un qui n'existe que dans mon imagination. Michael? Mon précurseur, mon éclaireur. Je le suis pas à pas. Je vois à travers ses yeux, je ressens ce qu'il a ressenti en flânant dans les rues parmi des passants qui ne me reconnaissent pas, qui ne me regardent même pas, en pénétrant chez moi, étranger dans ma propre maison.

La petite ville, c'est avec difficulté que je parviens à la situer. Bien qu'elle n'ait pas changé ou parce qu'elle n'a pas changé, je la reconnais à peine. Elle semble n'avoir pas souffert de la guerre. Les rues sont pleines de monde, de gens affairés. Je retrouve le parc ni plus petit ni plus soigné. Les arbres sont à leur place, les bancs aussi. Tout est comme avant. Sauf les Juifs : il n'y a plus de Juifs. Je les cherche. Je cherche les enfants dont le rire joyeux emplissait le jardin, près de chez moi. Je cherche les étudiants talmudistes dont le chantonnement mélodieux me procurait bonheur et nostalgie. Je cherche les portefaix épuisés qui, au crépuscule, s'appuyaient contre le mur pour dire la prière de Minha. Je cherche les mendiants affamés mais rieurs, les princes déguisés en fous, et les fous en sages. Et mes camarades « possédés » par des rêves messianiques, je les cherche aussi. Disparus, tous, engloutis dans la nuit. Dans quelle mémoire vivent-ils encore? Dans celle des survivants, pour un temps. Et ensuite? Primo Levi a raison : dans celle des morts, peut-être.

Je déambule dans les rues. Je m'arrête devant le cinéma, je pousse jusqu'à l'hôpital. Personne ne fait attention au revenant surgi de loin, de si loin. Comme si je n'existais pas. Comme si je n'avais jamais existé. Y avait-il vraiment eu des Juifs, ici, autrefois?

Des amis m'ont confié le numéro de téléphone de Leibi Bruckstein, écrivain yiddish communiste (cousin de la romancière Baba Traub) qui habite dans « ma » rue. Je l'appelle. Il a peur de me voir seul : nous sommes en 1964. Les murs ont des oreilles. Nous nous rencontrons quand même pendant une heure ou deux. Dehors. « Je vais devoir faire mon rapport », me prévient-il. Bon, qu'il fasse son rapport. Je le comprends. Ma visite risque de lui attirer des ennuis du côté de la Securitate. Il va falloir faire attention.

Nous nous promenons. Ici, la maison où habitait mon ami David. Et là, Itzu. Et plus loin, Yiddele. Je revois son grand-père, le *dayan*, le juge rabbinique : toujours élégant, discret, souriant. C'est lui qui, en 1944, avec mon père, falsifiait des états civils pour sauver des Juifs étrangers. En face, une ancienne maison d'étude et de prière. « Je peux entrer ? » Mon accompagnateur hésite puis accepte : « Oui, mais ce sera dans le rapport. » Très bien, qu'il mette tout ce qu'il veut dans son damné rapport. Tout bas, je lui demande : « Comment peux-tu vivre dans cette atmosphère étouffante ? » Il jette des regards apeurés autour de nous ; personne ne nous suit. Il chuchote : « J'aimerais bien partir en Israël. Compliqué. Difficile. Demander un visa de sortie, c'est se rendre suspect. Isolé. Marqué. Et puis, qu'est-ce que je ferai là-bas ? Je suis trop vieux pour recommencer ma vie de zéro. » De loin, un écho me parvient : mon père avait tenu à peu près le même langage. « Ne reste pas ici », dis-je à l'écrivain communiste juif, plus juif que communiste. « Ce régime t'écrasera. » Je lui propose de l'aider à obtenir son visa. Il hoche la tête pour me signaler son accord. J'en parlerai au grand rabbin de Bucarest, le docteur Moshe Rosen. Et à des amis israéliens qui s'occupent des Juifs de l'Est. L'écrivain juif communiste, son épouse et leur fils émigreront en Israël. En 1982, je serai surpris de l'apercevoir devant le Mur de Jérusalem. Quoi, lui, le communiste athée dans la foule en prière, fourrant un bout de papier dans les interstices ? Quelle pourrait être sa requête ? Je comprendrai plus tard : sa femme et lui étaient gravement malades ; il leur restait peu de temps à vivre. Leur fils, Freddy, est aujourd'hui un professeur d'université et un chercheur fort estimé ; il enseigne en Israël et aux États-Unis.

Mais nous en sommes encore à redécouvrir Sighet. La rue des Juifs. Tant de volets clos, de portes clouées. Tous ces appartements vides, ces pièces sombres, petites, mal aérées. Comment mes amis et leurs familles pouvaient-ils vivre dans ces murs ? Brusquement, la réalité resurgit une fois de plus comme portée par un élan déchirant : ils étaient pauvres, les merveilleux Juifs de Sighet ; nous l'étions tous, même si, je ne le répéterai jamais assez, je ne m'étais pas rendu compte à l'époque de la misère qui régnait dans les quartiers juifs. Par bribes, des souvenirs font surface. Des silhouettes se détachent. Une veuve qui, le vendredi, venait au magasin, suppliant qu'on lui fasse encore crédit. Un vieillard qui, un matin du Tisha b'Av (jour de commémoration de la destruction

476

du Temple), m'accosta à l'entrée de la synagogue et me dit : « Tu jeûnes aujourd'hui ? Moi je jeûne tous les jours de l'année. » Et mon père, je revois mon père couvert de sueur. Angoissé. Et ma mère, je la revois aussi, la tendresse personnifiée, épuisée par les longues journées et les soirées de labeur derrière le comptoir. Je les revois un soir d'hiver, très tard. Ils sont soucieux. Il leur manque une somme pour s'acquitter d'une certaine échéance : à qui l'emprunter ? Une vague de pitié m'envahit à présent. Comme pour toutes choses, il est trop tard.

Je tiens à revoir les synagogues. La plupart sont fermées. Dans l'une, je bute sur des centaines d'ouvrages sacrés qui traînent dans la poussière : les autorités les ont ramassés dans les maisons abandonnées et déposés ici. Fiévreusement, je me mets à fouiller et, bien entendu, je découvre quelques livres qui m'appartenaient. Je fouille encore, et encore. Dans un livre de commentaires de la Bible, je tombe sur des pages jaunies, flétries : je les avais écrites à l'âge de treize-quatorze ans. Mon commentaire des commentaires. Écriture maladroite, pensées confuses. Ma tête éclate. Je sors précipitamment et, dans la rue, je crois devenir fou : des mendiants — hommes hirsutes au regard hébété, femmes sans âge aux cheveux ébouriffés, dissimulés sous des fichus noirs, estropiés s'appuyant sur des béquilles — m'attendent la paume ouverte, faisant l'aumône. Étaient-ils les derniers, les tout derniers Juifs de ce qui fut la grande et florissante communauté de Sighet ? Comment ont-ils deviné la présence de celui qui, dans ses récits, leur disait à chaque page qu'ils étaient tous les bienvenus ? Suis-je victime d'une hallucination ? Je leur distribue tout ce que j'ai sur moi : cigarettes, bonbons, argent. Ils murmurent des mots incompréhensibles. Me racontent-ils leurs propres expériences ? Soudain, je me sens à nouveau en danger ; je sens que ma raison vacille. Vite, il faut que je m'en aille, que je prenne la fuite, que je déguerpisse comme un fugitif.

Quelques années plus tard, je reviens à Sighet avec une équipe de la chaîne de télévision américaine NBC. Leibi, l'écrivain yiddish, est toujours là. Libéré de sa terreur ? Pas tout à fait. Les autorités lui ont donné l'ordre de nous servir de guide officiel. Prises de vues dans la cour de ma maison, au cimetière, dans les bureaux de ce qui reste de la communauté (une centaine de membres, la plupart originaires des villages voisins). La séquence centrale sera constituée par mon entretien avec Moshe. Mais ne nous hâtons pas : il faut que je vous parle plus longuement de cet étrange bonhomme.

Peu avant mon arrivée à Sighet, je reçois un télégramme ahurissant du réalisateur, Martin Hoade, qui se trouve déjà sur place avec toute son équipe. « Nous avons eu la chance de retrouver votre Moshe. Il participera à l'émission. » Avec Marion, qui est du voyage, je lis et relis le télégramme, et je me dis : il a perdu la raison, ce bon vieux Martin. Ne sait-il donc pas que « mon » Moshe — celui dont je parle tant dans mes récits : Moshe le bedeau, Moshe le fou, le revenant de « là-bas », l'annonciateur des catastrophes futures — n'est plus, ne peut plus être en vie ? Je l'ai vu s'en aller avec le premier convoi. Est-ce possible qu'il ait survécu ? Qu'il soit revenu à Sighet ? Les tempes qui martèlent, je me précipite sur le téléphone. Naturellement, impossible de joindre Sighet. Pourtant, je donnerais cher pour en savoir plus. Du coup, je ne pense plus qu'à Moshe, mon ami malheureux, celui qui, le premier, avait vu la Mort à l'œuvre à Kolomey et Kamenetz-Podolsk. A peine arrivé à l'aéroport de Baia-Mare, avant même de lancer un bonjour rapide, j'empoigne Martin Hoade : « Et Moshe ? Est-ce vrai qu'il est vivant ? — Je vous le garantis, me répond-il, flegmatique. Je l'ai vu pas plus tard qu'hier. » Pour me moquer de mon impatience, je me dis : qui sait, la télévision américaine est tellement puissante qu'elle peut même ressusciter les morts. Dans la voiture qui roule sur les routes montagneuses, je ne cesse d'interroger Martin : où a-t-il déniché Moshe ? Où vit-il ? De quoi a-t-il l'air ? Dans quelle langue s'exprime-t-il ? Sans doute pour maintenir la tension, Martin reste évasif : il veut que nos « retrouvailles » soient une surprise dramatique, authentique. Elle ne l'est qu'à moitié. Il a le même prénom et le même passé — commun à tous les Juifs de ma région — mais ce n'est pas « mon » Moshe. Tant pis, je l'aime bien quand même, celui-là. Vêtu à la manière des hassidim d'autrefois, il détonne : c'est le dernier hassid de Sighet et des environs. Barbe blanche, yeux admirablement bleus, visage merveilleusement bon, sourire qu'illumine une vraie bonté enfantine. Rembrandt aurait aimé faire son portrait. Nous nous serrons la main : qu'est-ce qu'il vient faire dans ce bourg perdu ? Il m'explique qu'il est le *shokhét* — l'égorgeur rituel — de la région. Martin est-il déçu ? Pas du tout. Il remet le tournage au lendemain ; il nous filmera en situation : deux Juifs du même lieu, deux survivants, échangeant souvenirs et impressions. Entre-temps, je bavarde avec Moshe. Il vit seul, dans un taudis sans air : il doit ramper pour y entrer. « Comme un chien », me souffle-t-il, sans savoir qu'il fait écho à un dénommé Joseph K. Mais il ne se plaint pas, il se sent investi d'une mission. Il me raconte qu'il y a encore à Sighet et aux alentours, dans les Carpates, des Juifs qui mangent kasher et qui ont besoin de ses services. Combien sont-ils ? Quelques-uns à Sighet, deux ou trois dans tel village, trois ou quatre dans tel autre. « Qu'importe leur nombre, dit Moshe. Sans moi, ils ne pourraient pas manger de la viande pendant les repas du Shabbat. » Tard dans la soirée, avant de le quitter pour regagner mon hôtel, je lui demande si je peux faire quelque chose pour lui, de quoi il aurait besoin. Il sourit : « Moi, je n'ai besoin de rien. Mais... la communauté souffre... Vous pourriez peut-être nous aider à réparer le toit de l'unique synagogue encore ouverte ici... Il pleut dedans... » Je lui propose de l'argent, mais il le refuse : il n'a pas le droit d'en recevoir d'un étranger. Une autre idée me vient aussitôt : au cours de notre conversation filmée, je lui demanderai de me confier son vœu le plus cher ; à lui de me répondre : le toit, presque en ruine, il faudrait le réparer... Les autorités se chargeront du reste, je le lui promets. Moshe est d'accord. Nous répétons ma question et sa réponse... D'un air incrédule, Moshe me demande : « Vous pensez vraiment que... » Je lui dis : « Je vous le garantis. Le toit sera bientôt réparé. »

Je dors mal, je sens que mille fantômes vont m'assaillir. Qu'ils vont m'entraîner au cimetière, je les vois réunis autour de la tombe de mon grand-père dont je porte le nom, mais cela c'est une autre histoire.

Le lendemain, Moshe et moi nous retrouvons pour le tournage. Ambiance solennelle et tendue dans les « bureaux » de la communauté. Martin donne les dernières consignes à son équipe : angles des projecteurs, position de caméras, réglage du son. Tout est prêt ? Tout est prêt. Suivent les ordres rituels. Silence dans la salle ! Allumez ! On tourne ! Moshe est d'un naturel incroyable : comme si, à la *yeshiva*, il avait suivi des cours d'art dramatique. Nous évoquons le Rabbi de Wizhnitz dont nous sommes tous deux adeptes ; le ton est simple et chaleureux. Questions et réponses bondissent, s'enchaînent et rebondissent sans à-coups. Je l'interroge sur son enfance dans les montagnes, ses études religieuses, ses

479

années de guerre. La déportation, les camps. Le vide. L'abîme. La foi, avant tout, malgré tout. Comment fait-il ? Moshe sourit : ce n'est pas à lui qu'il faut le demander, mais au Saint, béni soit-il. Il cite une parole talmudique : l'amour de Dieu vient de Dieu, mais non la crainte de Dieu — celle-ci est du domaine de l'homme. Or il aime Dieu, Moshe, et il le craint. Ce n'est pas difficile à comprendre. Bien qu'ils ne saisissent pas un mot de notre conversation en yiddish, le preneur de son, le cadreur et les techniciens ne cachent pas leur émotion. Il y a dans notre échange quelque chose d'irréel, et de bouleversant. A l'aise dans son rôle, Moshe parle et je le laisse faire. Enfin, après un silence lourd de signification, je lui pose *la* question : « Auriez-vous un vœu à formuler ? » A son tour, il attend un long moment avant de répondre d'une voix douce, très douce : « Oui, j'en ai un... » Très bien, Moshe. Très bien. Allez-y, continuez : le toit... Mais, il reste muet. Comment lui rappeler notre plan ? Le toit, Moshe, le toit troué, la pluie qui le traverse, le toit qu'il faut réparer d'urgence... Mais il semble penser à autre chose, Moshe. Le silence se prolonge, s'alourdit. Discrètement, je pointe un doigt vers le plafond. Moshe ne réagit pas. Désarçonné, n'y comprenant plus rien, le brave Martin Hoade est comme pétrifié. Moshe, lui, plonge ses yeux dans les miens et soupire : « Oui, un vœu, j'en ai un... » Lequel, Moshe ? Vite, lequel ? « Que le Messie arrive, qu'Il se manifeste, nous n'en pouvons plus, qu'Il se hâte un peu... Voilà mon souhait le plus cher. » J'ai le souffle coupé. Que s'est-il passé ? Aurait-il oublié notre scénario pourtant bien élaboré ? Serait-il... oui, serait-il la réincarnation d'un autre Moshe, le mien, l'annonciateur ? Je me ressaisis : « Moshe, cher Moshe, vous vous contenterez peut-être d'un peu moins ? » Non, il n'accepte rien de moins. C'est le Messie ou rien. Comme je ne suis pas sûr que la télévision américaine, malgré sa puissance, soit capable d'accomplir ce vœu-là, j'abandonne, et je change de sujet.

J'apprendrai plus tard qu'un micro espion avait enregistré notre premier entretien. Au milieu de la nuit suivante, un officiel juif qui comprenait le yiddish réveilla Moshe et le menaça : ne savait-il pas qu'il était interdit et dangereux de se plaindre ? Ne savait-il pas que se plaindre signifierait diffamer l'État socialiste ? Dire que le toit communiste de la seule synagogue communiste de Sighet était troué, n'était-ce pas de l'agitation anticommuniste, donc du sabotage ? Moshe prit peur, mais il n'eut pas la possibilité de me prévenir avant l'enregistrement.

Quant à notre dialogue, j'eus du mal à le poursuivre : « Vous attendez le Messie, moi aussi. Moi, je l'attends à New York, vous l'attendez ici, on peut l'attendre partout ; l'essentiel c'est de l'attendre. Mais vous êtes vieux, et seul. Pourquoi n'iriez-vous pas attendre le Messie en Israël ? » Poignante, sa réponse : « Israël a besoin de jeunes soldats ; j'y ai envoyé mes trois fils ; ils ont besoin d'une mère, je leur ai envoyé ma femme. Mais moi ? Ils n'ont pas besoin d'un vieillard comme moi ; ici, au moins, je peux être utile à quelques Juifs... » L'entretien dure une heure. A la fin, je dis : « Reb Moshe, ne soyez pas fâché, mais je ne comprends toujours pas pourquoi vous ne vous êtes pas encore rendu en Eretz Israël, ne fût-ce qu'en touriste... Pour voir... Vous auriez pu y aller et puis revenir... Vous n'êtes pas curieux de voir Jérusalem, de vous voir dans ses ruelles, de vous promener dans la vieille ville, de prier devant le Mur ? » Brusquement, il devient triste, Moshe. Éteint, son sourire. Du coup, je songe à « mon » Moshe et mon cœur est inondé de chagrin. Son regard s'éteignait aussi, mais c'était lorsqu'il commençait à parler d'autres villes, Kolomey et Kamenetz-Podolsk. « Curieux ? dit mon interlocuteur faiblement. Vous me demandez si je ne suis pas curieux, moi ? Le mot n'est pas assez fort. Je rêve d'y aller, je brûle d'y être, ne serait-ce qu'un seul instant, le temps d'un seul amen... » J'insiste, j'ai peut-être tort de l'embarrasser, mais j'insiste quand même : « Mais alors, Reb Moshe, qu'est-ce qui vous empêche de vous arracher à ce sol, dites-le-moi ? » Il cherche une réponse, une justification peut-être, sa respiration se fait lente, lourde : « C'est une question qui me fait mal, murmure-t-il, j'y songe tout le temps... Je ne me comprends pas moi-même... Parfois, je me dis que je ne mérite pas de m'y rendre... » Il essaie de poursuivre, de développer sa pensée, mais il s'arrête ; il a tout dit. C'est alors que, comme le preneur du son, comme Marion, comme le cadreur, je sens les larmes qui me montent aux yeux. Lui, le Juste des Carpates (c'est ainsi que, dans mon journal, je l'évoque), ne « mérite » pas de fouler le sol de Jérusalem — et moi oui ? N'est-il pas mille fois meilleur et plus méritant que je ne le serai jamais ? Je me surprends de nouveau à songer à « mon » Moshe, le fou, le bedeau, le mendiant qui, lui, n'est pas revenu.

Et pourtant.

Danny Stern a lu dans une revue le récit de mon « Retour à Sighet » et m'a téléphoné pour me rencontrer. « J'ai déjà publié des romans, mais ils ne comptent pas, pas vraiment », me dit-il en me tendant timidement un manuscrit. « J'ai l'impression que ceci est en fait mon premier véritable effort littéraire. »

J'aime les timides.

De plus, ce grand nerveux est un passionné de littérature. Particulièrement de littérature contemporaine. Kafka et Faulkner, Henry James et Hemingway, Henry Miller et Bernard Malamud : il les connaît par cœur. « Vous êtes dans l'enseignement ? » Non, il travaille dans la publicité. Il joue aussi du violoncelle. Bon, je lirai son manuscrit. D'autant plus volontiers que cela me flatte. C'est la première fois qu'un écrivain américain déjà établi sollicite mon avis.

Le titre de son roman, « Qui vivra, qui mourra », est tiré de la liturgie des Grandes Fêtes. L'action se situe « là-bas » et le personnage principal y occupe un poste assez important pour agir sur le destin des déportés.

En général, je me méfie des fictions qui prennent pour thème Auschwitz dont l'univers est tout sauf romanesque. Là, le talent ne suffit pas. Il faut autre chose. Et Danny le sait : son écriture est, comment dire, hésitante, comme si l'auteur, de phrase en phrase, n'était pas sûr de devoir continuer.

Danny ne reviendra plus jamais sur ce sujet. Profondément, authentiquement juif, il explore la richesse et la détresse de la condition juive à travers des personnages qu'il ancre dans le présent. Doué d'un solide sens de l'humour, il le manifeste mieux dans la vie que dans ses livres. Est-ce parce que la vie est moins drôle ?

Son éditeur me réclame quelques phrases pour la publicité de son roman. Mon avis compterait-il donc aux yeux du public ? Des auteurs israéliens commencent à solliciter mon appui pour obtenir une traduction américaine de leurs livres. Du coup, ne riez pas, je me sens devenir « influent ». Je recommande à droite et à gauche. Beaucoup de refus, quelques acceptations. Hanokh Bartov publiera son roman sur la Brigade juive et Haïm Gouri ses reportages du procès Eichmann. Des revues sollicitent ma collaboration. Je rencontre Philip Roth qui n'a sûrement pas besoin de mes conseils. Il vient de critiquer durement *Exodus* en le comparant à *L'Aube*. Je savoure l'humour philosophique de ses contes, j'admirerai la lucidité de ses romans. On me présente aussi à Hugh

Nissenson, jeune romancier épris de littérature juive ; à Chaïm Zeldis, auteur de plusieurs romans sur Israël et l'expérience juive ; au poète et essayiste David Slavitt qui fera carrière comme romancier. Arnold Foster, le chef de tous les combats contre l'antisémitisme, me parle de son neveu Harold Flender, auteur d'un roman désabusé à la Hemingway, *Paris Blues* ; il écrira un vibrant récit du sauvetage des Juifs danois et, jusqu'à son suicide, ne quittera plus le thème concentrationnaire. On m'envoie textes, articles, études. Je lis, je relis, je commente.

Je n'ai donc pas bâclé ma vie ? Un doute subsiste cependant : et ma survie, l'ai-je réussie ?

Vingt ans après avoir quitté ma ville et les montagnes qui l'entourent, je publie *Les Portes de la forêt*.

Éloge de l'amitié, exaltation de la solitude. Fuite du moi vers le moi. Chant de remerciement pour Maria, notre domestique dévouée qui avait voulu nous cacher, nous sauver malgré nous. Différents thèmes déjà évoqués dans *La Ville de la chance* y sont repris et développés : l'appel de Dieu, son intervention provocante dans l'histoire des hommes, l'interrogation du silence par le silence. Tout le roman s'inscrit dans une problématique de la foi, alors que dans *La Ville de la chance* tout court vers la folie. Les deux romans se suivent mais se ressemblent peu. Gavriel n'est pas Pedro et Grégor n'est pas Michael.

Parfois on me demande : qui donc est Gavriel ? Qui est-il par rapport à Grégor ? Un visionnaire égaré dans le rêve d'un garçon juif pourchassé ? Comment répondre ? C'est comme si l'on me demandait : qui donc est Pedro, qui est-il par rapport à Michael ? Problèmes que les personnages seuls seraient habilités à résoudre. Quant à l'auteur, il ne peut que répéter la parole qu'il a mise en épigraphe, concluant une histoire hassidique : « Dieu créa l'homme parce qu'il aime les histoires. » Là encore, on tient à ce que j'explique : « il » qui ? Dieu ? L'homme ? Je préfère ne pas élucider. Si l'écriture relève du mystère — et l'écriture est par essence mystère — elle renferme sa propre explication. Celle-ci ne peut point surgir du dehors. A la limite, il appartient à Gavriel de s'identifier. S'il choisit de ne rien dire, Grégor pourrait peut-être s'exprimer à sa place.

En imaginant Grégor, je le voyais évoluer dans un village montagneux, hostile, aveuglé par un fanatisme héréditaire. Pour survivre, mon jeune héros se fait passer pour sourd-muet. Retranché du monde, il occupe une place à part, au bas de l'échelle sociale ; il sait que, pour s'intégrer à la communauté, il devra en devenir la victime à la fois plainte et humiliée.

Cependant, je ne cherchais pas à décrire une humanité entièrement coupable et complice. À côté des salauds dominés par la haine, il y a Iléana qui risque sa vie pour sauver un adolescent juif. Et le comte qui, au moment crucial, fait preuve de courage et de noblesse. Ainsi, Grégor ne pourra pas affirmer que le monde entier était contre lui.

Mais Dieu ? Impossible d'envisager le problème de la souffrance sans Lui. Grégor en est conscient. Il le devient davantage en rencontrant un Rabbi hassidique à Brooklyn. Si Dieu se retire de l'équation, comment l'homme pourrait-il se réconcilier avec Sa création ? L'être humain mérite-t-il plus de confiance que Dieu ? Ainsi le roman se veut une série d'interrogations.

Reste à savoir si Dieu aime les questions, les vraies questions, je veux dire : celles auxquelles Lui seul pourrait fournir des réponses qui n'offenseraient pas la dignité de Ses créatures.

1965 : Un voyage imprévu en Union soviétique me permettra d'écrire une nouvelle page dans le livre de ma vie, en traversant une expérience exceptionnelle, stimulante et gratifiante entre toutes. Meir Rosenne et Ephraïm Tari, deux jeunes diplomates israéliens parmi les plus cultivés et dévoués du ministère des Affaires étrangères, m'y ont encouragé et préparé. Intellectuels francophones, ils appartiennent à un département semi-confidentiel qui dépend directement du bureau du Premier ministre. Meir à New York et Ephraïm à Paris dirigent les activités (encore secrètes à cette époque) en faveur des Juifs russes. Tâche ardue, semée d'embûches, mal comprise : les communautés juives les plus influentes refusent de se mobiliser. Elles veulent bien aider Israël, mais pas les Juifs malheureux et désespérés qui vivent derrière le rideau de fer : ils sont loin, invisibles, comment savoir ce qu'ils souhaitent vraiment qu'on fasse pour eux ? Et puis, c'est tellement plus confortable de se montrer solidaire des frères héroïques plutôt que de leurs malheureux cousins. Et aussi, sachant qu'Israël ne peut pas, pour des raisons de politique étrangère, provoquer le courroux du Kremlin, l'opinion publique ne suit pas. D'ailleurs, les Juifs américains ou français ont d'autres priorités. Mais Meir et Ephraïm ne se laissent pas décourager. Inlassablement, ils frappent aux portes des sénateurs, députés, journalistes et membres du clergé ; ils organisent séminaires, colloques et pétitions : il s'agit de sauver d'innombrables vies humaines en proclamant leur droit à la dignité et à l'espérance. Combien sont-elles ? On parle de millions. Chiffre trop élevé, difficile à admettre ? « Il faut que tu y ailles, me disent les deux diplomates. Tu ne peux pas te dérober. Tu revendiques le rôle du témoin, eh bien, témoigne pour les Juifs russes ! » Comment refuser ? Je me laisse convaincre. Gershon Jacobson, journaliste yiddish originaire de Géorgie, m'aide à préparer mon itinéraire. Des « spécialistes » me fournissent conseils et avertissements nécessaires sinon indispensables : éviter les pièges classiques de l'espionnage, ne pas me laisser séduire par les beautés soviétiques qui travaillent sûrement pour le KGB. Il paraît qu'elles seraient capables de m'attendre toutes nues dans ma chambre ou dans ma cabine des wagons-lits. Donc ? Je devrai être fort, résister aux tentations, sauvegarder ma chasteté à tout prix. Discipliné, je me sens prêt à crier « arrière Satan », mais malheureusement, et je suis confus de devoir le dire, ces mises en garde seront sans objet : aucune envoyée spéciale du KGB ne sera chargée de me piéger.

Je pars passer les Grandes Fêtes à Moscou, Leningrad, Kiev et Tbilissi. J'en suis revenu transformé : moi qui avais voulu déposer pour les morts, je me découvrais messager des vivants. C'est que je me suis immédiatement senti proche de ces Juifs oubliés et tenaces. J'admirais leur capacité de résistance à l'oppression ainsi que leur fidélité à leur peuple. Malgré les massacres au temps des nazis, en dépit des persécutions staliniennes, ils revendiquaient leur judaïté même au cœur du goulag, même dans les caves de la NKVD et du KGB. Et je ne parle pas des hassidim de Lubavitch qui, tels les Marranes, leurs ancêtres espagnols, pratiquaient et enseignaient en cachette la Torah et ses Lois au péril de leur liberté sinon de leur vie. Je parle de ceux qui avaient reçu une éducation laïque, qui s'étaient laissé séduire par l'utopie communiste.

Meir, Ephraïm et Izso Rager, les pionniers de ce combat, je les vois souvent depuis lors. Izso et ses anecdotes. Meir et ses inépuisables mots d'esprit ; et son honnêteté intellectuelle : en sa qualité de conseiller juridique du ministère des Affaires étrangères, il a fait passer des nuits blanches à Henry Kissinger. Ephraïm, lui, frappe par la profondeur de sa sagesse. Tous trois ont ensuite fait carrière. Meir et Ephraïm sont devenus ambassadeurs, Izso Rager a été maire de Beersheba. En nous retrouvant à Paris, New York ou Jérusalem, c'est toujours de la grande période romantique dont nous parlons. Eh oui, c'était la période romantique. Nous étions une bande de jeunes enthousiastes et écervelés, prêts à tout, déterminés à apporter la force de la liberté et la richesse de la mémoire à ceux qui, derrière le rideau de fer, en manquaient tant. Quitte à braver le Kremlin et toutes ses polices... L'URSS faisait peur au monde entier, mais nous agissions sans peur. Comment avons-nous fait pour vivre dans nos rêves ? Nous avons écouté l'appel des Juifs russes : ils étaient notre soutien, notre force. La découverte la plus surprenante que nous avons faite en ce temps-là ? A quelques exceptions notoires près, les Juifs communistes eux-mêmes étaient restés juifs.

Un ami journaliste m'a raconté que Zinoviev — compagnon de Lénine, admirateur et adversaire malheureux et maudit de Staline — affronta son bourreau en récitant le Sh'ma Israël. Il s'était pourtant jusqu'alors cramponné à son athéisme : être communiste, pour un Juif, signifiait répudier la foi juive, la tradition juive, l'histoire juive. Beaucoup finirent par s'y résoudre. Intégration, assimilation, mariages mixtes : ils faisaient n'importe quoi pour que leurs enfants ne soient plus liés au peuple juif, au destin juif. Et pourtant.

Un exemple ? Ilia Ehrenbourg. Avec Vassili Grossman (l'auteur génial de *Vie et Destin*), il recueillit de ville en village, pendant les dernières années de la guerre, les chroniques et les témoignages des survivants des ghettos et des camps. De Wilno à Minsk, de Berditchev à Kiev, Kharkov et Odessa, ils réalisèrent une anthologie de la cruauté humaine, de la souffrance juive. Ce « Livre noir » contenait des récits qu'on ne peut pas lire sans basculer dans le désespoir. Pourquoi ne fut-il pas publié ? Parce que Staline, dès 1945, avait modifié sa politique à l'égard de l'Allemagne d'abord, et des Juifs ensuite. Les porte-parole et les propagandistes du Kremlin reçurent l'ordre de ne plus s'attarder sur les atrocités allemandes ni sur le calvaire de leurs victimes juives. Ehrenbourg dut remettre à qui de droit le manuscrit original du « Livre noir ».

On pensait que la police secrète s'était chargée de le détruire. C'était vrai et faux en même temps : une copie avait été conservée et clandestinement transmise aux bureaux de *Yad Vashem* à Jérusalem. Grâce à qui ? Nul ne le savait. Le secret ne fut révélé que vingt ans après la mort d'Ehrenbourg : c'est l'écrivain lui-même qui avait pris soin de protéger ce qui pouvait être sauvé de la mémoire juive. C'est lui qui avait confié la copie du manuscrit à un ami sûr pour que, le moment venu, il le fasse acheminer vers Jérusalem. Romancier, pamphlétaire, propagandiste communiste sinon stalinien, Ilia Ehrenbourg resta néanmoins juif dans son cœur. Une sorte de Marrane ? Possible. En 1965, l'Union soviétique n'en manquait pas.

Dans *Les Juifs du silence*, j'ai tenté de décrire mon expérience là-bas et, à travers leur regard, le langage de ces Juifs chaleureux, courageux, inspirés, dont je partagerai désormais le combat :

> Leurs yeux — il faut en parler dès le commencement, ne serait-ce que pour appeler la parole et peut-être la justifier. Il faut les décrire avant d'aller plus loin, avant de toucher à autre chose, car ils précèdent et contiennent toutes choses. C'est par eux que nous tenterons d'aborder leur silence, le destin de ce silence. Le reste peut attendre et attendra. Le reste ne viendra que confirmer ou illustrer une connaissance déjà acquise.
> Comme tournés vers la source du temps, leurs yeux semblent lui donner son mystère. On dirait qu'une vérité première les brûle mais ne les consume pas. Ne sachant la déchiffrer, l'étranger que vous êtes ne peut que baisser la tête et se soumettre ; il ne verra jamais ce qu'ils reflètent, ce qu'ils voient... Des yeux de tout âge et sans âge, de toutes les couleurs ; des yeux immenses, profonds, pleins de douceur, d'humilité ; des yeux petits, perçants, obstinés ; des yeux qui cherchent et d'autres qui ont déjà trouvé ; des yeux qui implorent et d'autres qui relèvent un défi ; des yeux qui ressemblent à des blessures et d'autres qui font sourire, rougir ou battre le cœur ; des yeux fatigués, usés, et d'autres lancinants, tenaces, lourds de volontés et de survie ; des yeux juifs, éternels, qui expriment l'inexprimable, créent et reflètent une étrange et insaisissable réalité. Ces yeux-là voient loin, très loin ; dans le passé aussi bien que dans l'avenir et bien au-delà. Si seulement ils pouvaient parler... Mais, ils le font... Ces yeux parlent partout le même langage secret, racontent la même histoire qui a la force d'une légende cruelle, mille fois entendue et mille fois vécue.

Et moi je décidai de leur répondre.

En racontant. En décrivant les réunions clandestines — d'habitude au cimetière — où des jeunes néophytes apprenaient l'hébreu et des chansons israéliennes. En évoquant les publications en *samizdat*, ces feuilles usées, malmenées, qu'on lisait avec un respect quasi religieux. La terreur des vieillards à Kiev, la joie hassidique à Leningrad, la célébration de la Torah à Moscou, la foule en liesse près de la synagogue centrale rue Arkhipova. Devant le Tribunal céleste, on me demandera un jour : « Qu'as-tu donc fait de si spécial pour mériter notre bienveillance ? », et je répondrai : « J'ai assisté à la danse de l'Histoire juive à Moscou. »

C'était la fête de Simhat-Torah : comme un somnambule, je me promenais dans la foule immense des jeunes, d'un groupe à l'autre, ouvert à la beauté exaltante de leurs voix mélodieuses, à l'urgence de leurs appels déchirants.

J'écrivis :

> D'où viennent-ils ? Qui les a envoyés, qui leur a indiqué l'heure, le lieu ? Comment ont-ils appris que le grand événement était prévu pour ce soir ?... Qui les a alertés, qui leur a dit que ce soir, devant la synagogue, rue Arkhipova, allaient se réunir des milliers de jeunes qui ne se connaissent pas, qui ne savent rien ou très peu de leur héritage et du judaïsme en général, mais savent seulement que ce soir c'est la fête de la Torah et que, par conséquent, il faut danser et chanter et ouvrir les écluses — mais cela, qui a bien pu le leur révéler ?
>
> Ivre, dévoré de rêve, je m'étais mêlé à leurs rangs, stupéfié, ému, bouleversé par cette exubérance que je captais par tous mes sens. Du coup, j'avais oublié la tristesse que j'avais accumulée ces dernières semaines. Et la sensation de fatalité qui partout me hantait, m'écrasait. J'avais tout oublié : les mouchards et la haine qu'ils suscitaient, les vieillards aux yeux de chiens battus et les lamentations des mendiants. Je me laissais entraîner loin dans le présent, dans l'avenir. Du coup, les portes s'étaient ouvertes toutes sur la réconciliation, sur la promesse.
>
> Cela faisait longtemps que je ne m'étais senti aussi fort, aussi fier. Au diable les belles phrases, je buvais le bonheur à pleines coupes, le cœur battait à se rompre.

Une jeune fille au port altier attira mon attention : elle dirigeait un chœur parlé. « Qui sommes-nous ? » demanda-t-elle. Et tous de hurler : « *Evrei*, Juifs, nous sommes juifs. » Et elle d'enchaîner :

« Qui étions-nous hier ? » Et tous, le visage brûlant, de répondre : « *Evrei*, Juifs, nous l'étions, Juifs nous voulons être. » Dialogue hallucinant, délirant, auquel semblaient participer tous les Juifs de tous les exils, depuis toujours. A la fin, je m'approchai de la jeune fille : « Que savez-vous du judaïsme ? — Pas grand-chose, dit-elle. Seulement ce que mes grands-parents m'ont raconté. — Mais alors, pourquoi tenez-vous tant à être juive ? » Elle haussa les épaules et ne répondit pas. Je la quittai pour un autre groupe, mais elle m'attrapa par la manche de mon imperméable : « Vous m'avez posé une question intéressante, dit-elle. Je vous dois une réponse honnête. Pourquoi je désire tellement être juive ? Tout simplement parce que j'aime chanter. » J'eus envie de l'embrasser, tant sa réponse m'avait ébloui. Un Juif est quelqu'un qui chante. Il chante dans le wagon scellé traversant le paysage nocturne de l'Europe occupée. Il chante à quelques pas de la Loubianka. Il chante quand il est joyeux et quand il ne l'est pas. Il chante parce qu'il est heureux ou parce qu'il cherche le bonheur, ou encore parce qu'il désespère du bonheur. On le persécute et il fait de sa souffrance même un chant. On l'isole et il fait de sa solitude une prière chantée. « Merci, dis-je à la jeune fille ; je n'oublierai pas la leçon que vous venez de me donner. »

Au cours d'un séjour prolongé en Israël, des années plus tard (en 1971-1972), je prends l'habitude réconfortante de me rendre aussi souvent que possible à un endroit secret de l'aéroport de Lod pour voir débarquer les premiers Juifs russes, arrivés d'URSS *via* Vienne. J'aime assister, toujours à l'aube, aux retrouvailles émouvantes d'immigrés vieux et moins vieux, pieux ou mécréants, avec le sol ancestral qu'ils embrassent, à genoux. Des parents se retrouvent, se touchent pour voir s'ils sont vraiment là : leur exubérance est contagieuse. On pleure, on rit. On se tape sur l'épaule, on s'embrasse. En retrait, j'observe et je suis heureux. J'ai envie d'applaudir. Un matin, je vois une belle jeune fille qui descend la passerelle ; je m'approche pour la saluer. Elle ne m'a pas reconnu. Normal. De nous deux, c'est elle qui impressionna l'autre. Sans doute me prend-elle pour un fonctionnaire de l'Agence juive : elle prononce quelques mots en russe. Je me prépare à lui rappeler Moscou 1965, lorsqu'une lueur s'allume dans ses yeux. Un grand et beau sourire auréole son visage ; elle s'écrie : « Ah, qu'est-ce que je vais chanter maintenant ! » Pour la seconde fois, j'ai envie de l'attirer contre moi pour la remercier.

C'est par le chant que l'âme juive s'est exprimée, c'est par la mélodie que, même aux heures ténébreuses, elle s'est maintenue en vie. On me raconta à Moscou que durant les obsèques du grand metteur en scène yiddish Shloïme Mikhoels, en plein hiver, un violoniste apparut sur le toit d'un immeuble proche et se mit à jouer l'air de Kol Nidré.

Pendant mon séjour en Union soviétique, j'allais d'une rencontre à l'autre, d'aventure en aventure et, jour après jour, je sentais que je m'enrichissais intérieurement, que mon être à la fois s'épaississait et s'envolait. A tous mes interlocuteurs de passage, je promettais de ne pas les oublier, de transmettre leurs salutations à leurs oncles et cousins (anonymes !) de Tel-Aviv et de Brooklyn, et surtout de leur servir de porte-parole. Pauvre porte-parole : si, en URSS, j'étais conscient de mon devoir, il me fallut après mon retour reconnaître mes lacunes en Amérique ou en France. Mon témoignage fit quelque bruit, et c'est tout. Malgré les extraits parus en prépublication dans *L'Express* en France et le *Saturday Evening Post* en Amérique, le mouvement en faveur des Juifs russes continua de fonctionner au ralenti.

Je décide donc de retourner en URSS un an plus tard, à la même période. Redoutant des complications policières plus que probables en régime communiste, je demande à Michel Salomon, qui est toujours prêt à s'embarquer dans n'importe quelle aventure, de m'accompagner : il paraît que le KGB se montre plus « prudent » si l'on ne voyage pas seul. Michel s'étonne : « Tu penses vraiment qu'ils vont t'accorder un visa ? Après ce que tu as écrit... » Je lui révèle que j'ai déposé ma demande de visa avant la parution de mon livre : « Alors, tu viens ? » Il vient. Nous prenons l'avion ensemble, bien décidés à ne pas attirer l'attention sur nous. Tout se passe normalement. A peine avons-nous atterri que j'aperçois le chargé d'affaires israélien David Bartov et sa femme Esther qui sont venus nous accueillir. Je l'appelle de loin, il me répond en hébreu. Michel n'en revient pas : « C'est comme ça que tu t'y prends pour ne pas attirer l'attention ? » Au diable la prudence. Dans la voiture diplomatique de David, nous roulons à toute vitesse. Deux chambres confortables et spacieuses nous attendent à l'hôtel National. Avec les Bartov, nous assistons le soir même au spectacle d'une troupe yiddish ambulante. Salle enthousiaste. Beaucoup de jeunes. Tout le monde semble se connaître. On se salue, on s'enquiert de ce qui se passe en Israël. Ovation prolongée pour les acteurs. Je rencontre des vieilles connaissances de l'an dernier : « On vous reverra à la synagogue ? » Bien sûr, bien sûr. Rien ni personne ne réussira à m'en empêcher. « Pas question, m'annonce David le surlendemain, tu n'iras pas à l'office ; tu n'iras nulle part, sauf à l'aéroport. Il est impératif que tu prennes le premier avion pour une capitale occidentale. » Comme je ne comprends pas, il m'explique que, selon une source digne de foi, le KGB vient d'apprendre que l'auteur des *Juifs du silence* se trouvait sur le sol soviétique ; on s'apprête à m'arrêter. Je refuse de prêter foi à des rumeurs. Les rumeurs, je connais : nées aujourd'hui, flétries demain. David insiste. Drapé dans un orgueil puéril, je maintiens mon refus : « Tu es fou, David. Nous sommes à la veille du jour de Kippour, où veux-tu que j'aille écouter la prière de Kol Nidré et observer le jeûne ? Tu penses vraiment que je vais abandonner le Rabbi et les fidèles ? » David essaie de discuter, je refuse de l'écouter : « Être à Moscou et ne pas aller à la manifestation des jeunes, c'est inconcevable. Pour rien au monde je ne manquerais la fête de Simhat-Torah. » Par prudence, sécurité oblige, nous discutons dans la rue. Comme je m'entête, David me dit : « Regarde derrière nous. Tu vois les deux énergumènes qui font semblant de chercher une adresse ? » Je les vois. « Ce sont *eux* ; nous les connaissons ; ils te surveillent. Nos sources sont sûres : l'ordre a été donné de t'arrêter à la première provocation de ta part. Fais-moi plaisir : pars ! » Rien à faire, je m'obstine bêtement, comme le héros qui veut impressionner sa dulcinée. Résigné, mon ami me dit : « Au moins, tu ne pourras pas dire que je ne t'ai pas prévenu. »

Je me rends donc à la synagogue de la rue Arkhipova. Tout le personnel de l'ambassade s'y trouve et Michel m'accompagne. Au début, il ne se sent pas trop à l'aise. Tous ces gens qui prient, toutes ces femmes qui pleurent. Ces mouchards qui épient les étrangers. Après plusieurs heures, cela va mieux. Il est pris par l'ambiance, Michel. Pour un peu, le poète en lui se mettrait à chantonner tout bas les prières du soir. Il célèbre avec nous le Kippour, mais à sa façon. Puis la fête de la Torah. Métamorphosé, Michel. Touché par la grâce juive ? Souriant, il m'observe de biais pendant que, au milieu des fidèles, je danse avec les rouleaux sacrés. Puis, malgré sa réticence, timidement il nous rejoint. Je le regarde : il serre la Torah sur sa poitrine, il la serre fort, il est ému, cela se voit. Lui qui se considère « loin de tout ça », eh bien, il n'en est pas si loin.

491

Cette fête, comme l'année précédente, je ne l'oublierai pas. Michel non plus, je le sais. Les scènes de foule dans la rue, les porteurs de torches, le défi collectif, la bravoure et les danses des jeunes dissidents et *refuseniks* avant la lettre, leur éloquence, leur simplicité l'ont bouleversé : « Maintenant, dit-il, je comprends pourquoi tu les aimes tant. » Poète, il leur consacrera des poèmes au lyrisme fin et âpre.

Nous rentrons à l'hôtel peu avant l'aube. Un « conseiller » de l'ambassade israélienne nous accompagne jusqu'à la porte de nos chambres. Étrange : Michel est citoyen français et moi américain, mais ce sont les officiels israéliens qui se chargent de notre sécurité. Je les taquine, je taquine David. Des paranoïaques, tous. Ils voient le KGB partout : comme s'il n'avait rien de plus urgent à faire. David me répond gravement : « Tu as encore beaucoup à apprendre sur la nature de ce régime. »

Je retourne à l'office du matin — sans Michel : épuisé, il a décidé de faire la grasse matinée.

Même allégresse que la veille, même bonheur excitant de retrouver des visages devenus familiers. Comme avant, on glisse des bouts de papier dans mes poches : « J'ai une tante qui habite Chicago... Un parent est parti pour Rishon Lezion... » On me chuchote à l'oreille : « Ne nous oubliez pas, pour l'amour du ciel, ne nous oubliez pas. » Ou bien : « Prévenez les Juifs américains, alertez les Juifs européens. » Ou encore : « Puissions-nous survivre jusqu'à l'an prochain. » Me sachant constamment épié par les mouchards, je réponds en remuant à peine les lèvres que je ferai tout ce qu'ils me demandent, je leur dis et redis ce qu'ils désirent entendre, je leur promets de leur rester fidèle, de revenir le plus tôt possible, sûrement l'an prochain, pour les Grandes Fêtes. Un vieillard m'embrasse la main, comme si j'étais un Rabbi ; j'ai envie de pleurer. Je pleure.

Je rentre à l'hôtel. Quelque chose me dit qu'on a fouillé ma chambre. Normal. L'année dernière, j'avais surpris l'agent du KGB en flagrant délit, pendant qu'il inspectait calmement mes affaires : sans se gêner, il eut un haussement d'épaules et fit un geste de la main, comme pour dire désolé, pas de chance. J'ouvre l'armoire : tout est à sa place. La valise, les tiroirs. La salle de bains : en ordre. Pourtant, je sens, je sais qu'on a ouvert des cahiers, bougé des chemises. Une pensée me traverse : le livre. Je rouvre l'armoire, plonge la main dans la poche intérieure de mon imperméable et la retire aussitôt comme si je m'étais brûlé : le livre n'y est pas. Disparu, l'unique exemplaire des *Juifs du silence* que, bêtement, par pur enfantillage j'ai emporté pour l'offrir à un intellectuel juif soviétique qui lit le français ; pour qu'il sache, et qu'il dise à ses amis que j'ai tenu mes engagements, que je parle d'eux sinon pour eux. Maintenant, le volume est entre les mains du KGB. Je téléphone à David : je dois le voir tout de suite ; c'est urgent. Il me dit de l'attendre. Je frappe à la porte de Michel. Lui aussi semble inquiet : à voix basse, il m'informe que, pendant qu'il prenait son petit déjeuner au restaurant, on a fouillé sa chambre.

David arrive. Nous descendons dans la rue pour parler. Il murmure : « Attention à nos anges gardiens. Ils sont six aujourd'hui. » Je lui fais un rapport bref et concis. Soucieux, il réfléchit un moment, puis décide : « Michel n'a rien à craindre. Toi oui. Je vais voir ce que nous pouvons faire. » Il sait que nous quittons Moscou le lendemain. Moi le matin sur le vol d'Aeroflot, Michel sur celui d'Air France. « Demain, c'est loin », remarque David. Il s'arrête devant une cabine téléphonique, donne des instructions brèves et remonte avec nous dans ma chambre. Nous bavardons de choses et d'autres : théâtre, musées, météo. Au bout d'un quart d'heure, quelqu'un frappe à la porte : Michel et moi sursautons. David est calme. Il ouvre. Deux de ses hommes entrent. Je les ai déjà vus. Sans doute font-ils partie des services de sécurité israéliens. « Prépare tes affaires, me dit David tout bas. Tu viens passer la nuit chez moi. Demain matin, nous te conduirons à l'aéroport. C'est plus sûr. » Je suis prêt en trois minutes. J'ai horreur du mélodrame, mais je n'ai pas le choix. Je dis au revoir à Michel : « Si quelque chose m'arrive... » Il me dit de ne pas faire l'idiot, mais lui aussi est inquiet, cela se voit à sa manière de tirer nerveusement sur sa pipe. Ma chambre étant payée à l'avance par l'entremise de l'Intourist, nous sortons sans nous arrêter à la réception. Deux voitures du KGB nous suivent jusqu'au quartier diplomatique. « Surveillance renforcée », constate David. Il est 4 ou 5 heures de l'après-midi.

De plus en plus inquiet, je m'en veux d'avoir voulu jouer au héros. Je n'aurais pas dû apporter le livre. Mais il venait à peine de sortir. La tentation était trop forte. Cela risque de me coûter cher ? Sur le conseil de David, je téléphone à plusieurs amis à l'étranger : que ceux qui écoutent sachent que mon arrestation ne passerait pas inaperçue. A Ephraïm : « Si tu ne me vois pas demain, préviens

Le Monde. Et Mauriac. » Il comprend. A Meir : « Il se peut que tu doives contacter demain le *Times*. Et le sénateur Jacob Javitz. » J'appelle Marion mais préfère ne pas l'angoisser : « Il se peut que je doive prolonger mon séjour en URSS. » Nous passons une nuit blanche.

A sept heures, les deux hommes de David sont déjà là. « En bas, ça grouille », nous informent-ils. A toute vitesse j'avale une tasse de café brûlant. On y va ? Instructions de David à ses gens : sécurité rapprochée, ne pas me quitter d'une semelle jusqu'à l'embarquement. Il se corrige : jusqu'au décollage.

Au premier abord, les précautions semblent exagérées sinon superflues. Pas d'agitation suspecte dans la rue hormis les mêmes voitures suiveuses qu'hier. Tout se passera bien, me dis-je. La présence du KGB ? Il se peut que cette semaine la surveillance soit plus stricte autour des étrangers. Le fait est que nous roulons tranquillement jusqu'à l'aéroport international Cheremtevo. Je me présente au guichet de l'Intourist : l'employée me sourit. Au guichet d'Aeroflot où j'enregistre mon bagage : une jeune fille aimable tamponne mon billet, me donne mon numéro de siège et me souhaite bon voyage. Je suis quand même perturbé. Les nerfs tendus, je fais la queue devant le contrôle des passeports. Elle est longue et avance lentement. Derrière moi, un Français. Il lit *L'Humanité*. Pour me détendre, je lui adresse la parole. Il est ingénieur ; communiste ; il arrive de Corée du Nord. Il est embêté parce qu'il a perdu son imperméable presque neuf. Bah, un camarade nord-coréen le trouvera, il faut bien les aider, ces valeureux combattants de la paix en Corée du Nord. Est-il sérieux ? Me voici devant le guichet de la police des frontières. Le sous-officier prend son temps, consulte des documents, m'examine de haut en bas, me scrute, je m'attends à ce qu'il décroche le téléphone, ou appuie sur un bouton pour informer ses supérieurs que je suis là, que l'ennemi du peuple est arrivé, qu'ils peuvent venir me chercher, mais, à ma grande surprise, il referme mon passeport et me le rend. Ouf, je respire. Je retourne auprès des deux Israéliens qui ne m'ont pas quitté des yeux et leur dis : « Vous voyez ? Il n'y a plus de problème. Vous pouvez me laisser. » L'un d'eux téléphone à David et revient en secouant la tête : « Nous restons avec toi. Jusqu'au décollage. » Munis de permis spéciaux, ils passent tous les contrôles. Dans la salle de transit, je leur répète que plus rien ne peut m'arriver : on ne va tout de même pas m'arrêter devant tous ces étrangers. D'ailleurs, nous embarquons. Voici l'appareil d'Aeroflot. Au bas de la passerelle, comme toujours, deux ultimes vérifications : à droite, l'hôtesse de l'Intourist prend ma carte d'embarquement ; à gauche, un officier examine mon passeport. La jeune fille me fait signe de monter mais l'officier crie quelque chose à quelqu'un. Brusquement, les événements se précipitent. En un clin d'œil, mes deux Israéliens surgissent à mes côtés. L'un d'eux s'empare de mon billet d'avion, l'autre arrache mon passeport des mains de l'officier ; je me sens soulevé comme un malade, comme un colis ; ils courent, je cours. Coups de sifflet, ordres rauques, bousculade. Je ne sais comment nous parvenons à franchir toutes les portes, tous les barrages, nous sautons dans la voiture de l'ambassade et déjà nous roulons à tombeau ouvert. Pourquoi la police ne nous barre-t-elle pas la route ? Je n'en sais rien. Je suis trop étourdi pour comprendre, trop abruti pour réfléchir. L'immunité diplomatique a-t-elle joué ? Possible. J'y réfléchirai plus tard. D'ailleurs, nous arrivons dans l'enceinte de l'ambassade. David m'ouvre la porte de la voiture : « Tu me crois maintenant ? » Nous montons dans son bureau et je pense soudain à ma valise : elle doit être dans l'avion en route pour Paris ! Comment vais-je la récupérer ? David secoue la tête : « Que ce soit le dernier de tes soucis. Est-ce que tu te rends compte que tu es dans le pétrin ? Remarque, ici, tu ne risques rien. » Il a appuyé sur « ici ». Une sueur froide me couvre : « Tu crois que ça peut durer longtemps ? » L'image du cardinal hongrois Mindszenty apparaît devant mes yeux : combien d'années est-il resté séquestré dans l'ambassade américaine à Budapest ? David se rend dans une pièce à côté, revient au bout d'un quart d'heure : il a contacté ses « sources » ; les choses se présentent mal pour moi ; « ils » sont déterminés à m'appréhender. Pour l'exemple ? Paniqué, je m'écrie : « Ils sont fous ? » Je me vois déjà dans une cellule de la Loubianka, mais David me sourit : « Tant que tu n'es pas entre " leurs " mains, mon héros, l'espoir est permis. » Il me conseille d'être patient et de lui faire confiance. Je veux bien avoir confiance. Mais, pour ce qui concerne la patience, c'est une autre affaire. Je ne tiens pas en place : le temps écorche ma peau. Toujours la même séquelle de la guerre : la peur de ne pas pouvoir partir, rentrer chez moi. Je me morfonds à l'idée de rester enfermé ici une semaine, un mois, peut-être toute ma vie, qui sait, plus longtemps encore. Et, comble de malchance, un certain Yoram, jeune diplomate obséquieux, pompeux mais de bonne famille, loge à l'ambassade. Bavard, il nous agace avec ses « idées » et ses conseils. Il faut que je rentre à Paris, ne serait-ce que pour lui échapper. Que faire ? Je lance des appels frénétiques à Meir, à Ephraïm. Mauriac est prévenu. Est-il intervenu auprès du général de Gaulle ? On me l'a dit. David, lui, mobilise ses collègues américains et européens et me laisse entendre qu'il fait jouer ses « contacts » à l'intérieur de l'appareil communiste. Mais les heures, maudites soient-elles, collent à moi, engluées, d'une lourdeur écrasante, refusant de bouger.

Je resterai trois jours et trois nuits à l'ambassade avant de recevoir le feu vert. Comment David s'est-il débrouillé ? Il ne me l'a jamais révélé et, à vrai dire, je ne l'ai pas interrogé, même si le journaliste en moi aurait bien aimé savoir. L'important, c'était de quitter Moscou. De retrouver la liberté.

Toujours accompagné de mes deux gardes du corps israéliens, je retourne à l'aéroport. Tout se passe comme si j'étais un touriste ordinaire. Les employés de l'Intourist et d'Aeroflot m'accueillent d'un air (faussement ?) aimable. Voyageur sans bagage, je demande : « Et ma valise ? » Elle m'attend à Paris. Au contrôle des passeports, pas de problème non plus. Tous les passagers ont déjà embarqué. On n'attend plus que moi. Je serre la main de mes anges gardiens. La jeune hôtesse d'Intourist m'invite à monter, l'officier me souhaite un vol agréable. L'avion est à moitié vide. J'ai toute la première rangée à ma disposition. Soudain, j'aperçois l'ingénieur communiste qui revenait de Corée du Nord. Pourquoi n'est-il pas parti trois jours plus tôt ? Je m'approche pour le saluer. « Allez-vous-en », me lance-t-il avec une violence mal contenue. Devant mon air ahuri, il enchaîne : « Ne restez pas ici comme un imbécile, et je vous interdis de me parler ! Filez ! Fichez-moi la paix, vous dis-je, sinon j'appelle le commandant de bord ! » Plus perplexe qu'offensé, je regagne mon siège : qu'ai-je bien pu lui faire ? La réponse, c'est lui-même qui me la fournit à Copenhague où nous faisons escale. Dans la salle de transit, il s'approche de moi et, tout rouge, me dit : « Je ne sais pas qui vous êtes, mais sachez qu'à cause de vous je viens de passer trois jours et trois nuits dans les locaux de la police où j'ai subi des interrogatoires, disons, plutôt pénibles. Je leur ai montré ma carte de membre du parti communiste, mais elle ne m'a pas été d'un grand secours. Ils voulaient savoir d'où et depuis quand je vous connaissais, si j'étais votre complice, et si un certain Michel Salomon était de mes amis… Ce n'est que ce matin qu'ils m'ont relâché. » Je lui présente mes excuses et je l'invite à boire un verre. Il me lance un regard de haine : « Je ne bois pas avec quelqu'un qui salit le nom et le prestige de l'Union soviétique. »

Bien que je me sente un peu coupable, je ne peux pas m'empêcher de répliquer : « Votre séjour en prison ne vous a donc rien appris ? »

J'arrive à Paris juste à temps pour le colloque annuel d'intellectuels juifs français qu'organisent Jean Halpérin et André Neher sous l'égide du Congrès juif mondial. Plutôt que de parler du thème retenu pour cette année (Dieu… et quelque chose), je raconte mes impressions de Moscou. Les rencontres clandestines, les chants et les danses de Simhat-Torah, les appels au secours de ces Juifs admirables dans leur solitude et leur défi. Le micro est cassé, je suis enroué, ce qui fait dire au romancier et essayiste Arnold Mandel : « Ce public est marrant ; il vous écoute mais ne vous entend pas, et réciproquement. »

Le lendemain, je traite du même sujet au cours de l'émission « Lectures pour tous ». Le bon Pierre Dumayet me paraît un peu incrédule. Il ne le dit pas, mais je le sens bien à ses questions, et je le comprends : comment pourrait-il admettre que, cinquante ans après la révolution communiste, il y ait encore en Union soviétique des Juifs conscients et responsables de leur judéité ? Certes, j'essaie d'expliquer, mais la dialectique juive est impuissante contre la logique rationaliste laïque, et française de surcroît.

A peine rentré à mon petit hôtel, je reçois un coup de fil de Yaakov Herzog, directeur de cabinet du Premier ministre Levi Eshkol, en visite officielle à Paris. « Le chef du gouvernement souhaite vous voir », m'annonce-t-il d'une voix solennelle. A quel sujet ? « Il vous le dira lui-même. » Nous prenons rendez-vous pour samedi après-midi, au Bristol. Comme d'habitude, j'arrive en avance. « Il est en réunion, me dit Herzog. Il sera en retard, il vous prie de l'excuser. » Mais il n'est pas en retard, le Premier ministre. A l'heure prévue, il me fait entrer dans la suite qui lui sert de bureau.

Des années plus tard, Emil Najar se souviendra : « Eshkol était trop juif et pas assez israélien. Imagine : en 1966, à Paris, il avait réuni tous ses ambassadeurs en Europe ; nous avions un ordre du jour assez lourd. Or, au milieu de la discussion, le voilà qui se lève et nous demande de l'excuser : il avait rendez-vous avec un Juif quelconque qui venait l'entretenir du sort des Juifs russes... » Il ignorait, le brave Emil, que ce Juif quelconque c'était moi.

Débordant de curiosité, chaleureux, Eshkol commence à me bombarder de questions : « Alors ? La Russie ? Qu'est-ce qui se passe là-bas ? Et les Juifs ? Est-ce qu'ils souffrent ? Vivent-ils toujours dans la peur ? Et l'espoir, ont-ils encore de l'espoir ? Est-ce vrai qu'ils veulent rester juifs ? » Il veut tout savoir. Je lui fais un rapport. Il m'interrompt fréquemment, insistant sur les détails : « Êtes-vous sûr, absolument sûr, qu'ils sont nombreux, les jeunes Juifs qui veulent revenir au judaïsme ? Vous dites que vous les avez vus danser le soir de Simhat-Torah ? Est-ce vraiment vrai ? Il y en avait effectivement des milliers dans la rue ? » Je réponds à chaque question, je raconte, je raconte. De temps en temps, il se lève et se promène dans la pièce, les mains dans le dos, s'écriant : « Incroyable, tout ça ; après cinquante ans d'éducation et d'oppression communistes ; incroyable... » Notre entretien dure depuis deux heures. Un secrétaire entre et lui murmure quelque chose à l'oreille. « Qu'ils attendent », répond le Premier ministre. Et il reprend son interrogatoire qui se prolonge presque jusqu'à l'heure du dîner. Il faut y mettre fin. « Une chose quand même, me dit Eshkol en m'accompagnant à la porte. Aidez-moi. J'ai besoin de conseils. Que pouvons-nous faire pour eux ? Je veux dire : en plus de ce que nous faisons déjà ? » Je m'apprête à parler de combat politique plus ferme, de campagnes de presse plus véhémentes, de discours plus engagés au siège des Nations unies, mais je sais : il est au courant de notre action et de ses limites, ce n'est pas le moment de m'y attarder. Y a-t-il autre chose ? Oui. « En Union soviétique, dis-je, il m'est souvent arrivé d'écouter la radio israélienne à destination des Juifs russes qui suivent religieusement ses émissions ; à mon avis, il faudrait modifier le contenu et la tonalité des programmes. Le tableau qu'ils peignent d'Israël est trop idéalisé, trop parfait, trop utopique : comme s'il n'y avait là-bas aucune difficulté d'adaptation. Comme si tous les habitants y vivaient heureux, toujours, sans chômeurs ni criminels. Imaginons que les portes s'ouvrent un jour et que des Juifs russes émigrent massivement en Israël. Ne craignez-vous pas que le choc entre le rêve et la réalité les déçoive et les abatte ? » Eshkol m'écoute intensément :

« Donc que faut-il faire ? » Je réponds : « Dire la vérité. Même si elle est parfois déprimante. » Il se fait grave, le Premier ministre, mais sa voix devient douce, très douce : « Vous et moi, nous savons que ce que vous redoutez n'arrivera pas de sitôt. Les portes ne s'ouvriront pas dans les années à venir. Les Juifs russes resteront là où ils sont. Alors, pourquoi les attrister ? Au moins, laissons-les rêver. »

Homme merveilleusement généreux et bon, Levi Eshkol mourut trop tôt : les premières vagues de l'immigration juive russe commencèrent à arriver en Israël alors que Golda Meir avait déjà pris sa succession.

De retour aux États-Unis, je me lance corps et âme dans le combat pour les Juifs que j'ai rencontrés et aimés en URSS. Ici, comme en France, mon témoignage (paru au Seuil et chez Holt) suscite des remous, surtout parmi les jeunes. Des remous, mais peu d'action. Avec Abraham Yeoshua Heschel, nous haranguons des auditoires dans les salles et les rues de New York, Chicago et Toronto. Mes discours, je les commence souvent de la même manière. J'interroge les écoliers et lycéens : « Où sont vos parents ? Pourquoi ne sont-ils pas venus avec vous, avec nous ? La prochaine fois, forcez-les à vous accompagner ! » Pauvres gamins, au lieu de les féliciter, j'ai l'air de les réprimander. Comme s'ils étaient responsables de leurs parents. C'est à se cogner la tête contre les murs. Avec Meir Rosenne, Ephraïm Tari et, plus tard, Izso Rager, nous persévérons. Le destin d'une immense communauté est en jeu ; la diaspora juive libre constitue son unique espérance. Mais comment secouer les puissantes communautés juives, les réveiller de leur torpeur ? J'écris article sur article dans le *Forverts*, *Yedioth* et *Hadassah Magazine*, je signe et fais signer appels et pétitions, je cours d'une manifestation à l'autre, d'une convention à l'autre (associations rabbiniques à Toronto, Miami et New Jersey, instituts, conférences devant des groupes philanthropiques), j'accepte toutes les interviews à la télévision, à la radio et dans la presse, mais rien ne bouge et, comme Meir et Ephraïm, je me sens frustré : je devrais faire plus, et mieux, et autre chose.

Le vieux Gershon Swet, d'origine russe, sorte de doyen de notre groupe de correspondants de journaux israéliens, et futur ami de Svetlana Alliluyeva-Staline, me propose de rencontrer chez lui quelques intellectuels juifs influents. Naturellement, j'accepte. Je leur raconte la peur des vieillards, le courage des jeunes. Le silence des premiers, l'allégresse des seconds. J'insiste sur ma surprise d'avoir découvert tant de Juifs qui défient ciel et terre afin de rester juifs. Imaginez, dis-je, un cours de Talmud à Moscou ; eh bien, j'y ai assisté...

On me pose des questions, j'essaie d'y répondre. Un homme en particulier me frappe par l'intelligence éveillée de ses yeux bleus et par la précision de son esprit curieux. Poliment, il me demande des détails sur le cours talmudique de Moscou : le nombre de participants, leur âge, la durée de la séance, quel traité ils ont étudié, avec quels commentaires ? Là encore, je réponds de mon mieux. Ma mémoire me sert. Je me rappelle chaque moment de ma visite à la synagogue de Moscou. Chaque conversation. Chaque remarque.

Au bout d'une heure, Gershon Swet nous offre du thé et j'en profite pour lui demander qui est l'homme qui m'a posé toutes ces questions ? « Tu ne le connais pas ? C'est l'illustre docteur Saul Lieberman. » Je ne peux réprimer un petit cri : « C'est lui ? » Voilà donc l'homme dont je connais l'œuvre gigantesque sur le Talmud de Jérusalem et dont j'admire les révélations sur la Tossefta. Là-dessus, le vieux professeur s'approche, l'œil légèrement ironique, la main tendue et me pose de nouvelles questions, toujours sur le Talmud. « Entre nous, dit-il, puisque personne ne nous entend, dites-moi sincèrement : c'est vrai que vous avez étudié le traité du Sanhédrin dans ce que vous appelez la *yeshiva* de Moscou ? » Je lui réponds que c'est vrai, sauf qu'il ne s'agissait pas vraiment d'une *yeshiva*. « Êtes-vous sûr que c'était vraiment le Talmud ? » Oui, j'en suis sûr. D'ailleurs, j'ai bien précisé que j'avais moi-même assisté au cours. « Le Talmud vous intéresse-t-il donc ? » Oui, il m'intéresse. « Depuis quand ? » Depuis mon enfance. Gershon Swet intervient : « Vous devriez venir à l'une de ses conférences au centre culturel juif, la YMHA... » Lieberman sourit : « Ah bon, vous enseignez ? » Me réfugiant dans mon abri préféré, la timidité, je réponds : « Oui, mais ce n'est pas important. » Lieberman ne me lâche pas : « Qu'est-ce que vous enseignez ? » Un peu de tout, mais, vraiment, ce n'est pas important. « Quand même, de quoi allez-vous parler dans votre prochain cours ? » J'avale ma salive et je dis tout bas que je traiterai d'un sujet... d'un sujet talmudique. « Non ! Vraiment ? Mais alors, ça m'intéresse ! » Il appelle son épouse, Judith, et la prie de noter que jeudi en huit ils viendront à ma conférence. Judith me prend ensuite à part et, de sa voix douce, me dit de ne pas me formaliser : son mari découvrira sans doute que son emploi du temps ne lui permet pas de se déranger ce soir-là...

Seulement, elle se trompe : le couple est dans la salle. J'ai le trac, bien que je me sois préparé du mieux que je pouvais. Mais comment oserai-je parler du Talmud devant le plus grand talmudiste de ma génération ? En fait, je devrais peut-être commencer en citant une parole selon laquelle un disciple qui ose enseigner la Halakha (la Loi) en présence de son Maître est coupable et théoriquement passible de la peine capitale. Par chance, Lieberman n'est pas (pas encore) mon Maître. Et puis, je me propose de traiter non de la Halakha mais de la Aggadah (de l'aspect légendaire du Talmud). Comment ai-je fait pour me concentrer ? Je l'ignore. Je sais seulement qu'après la conférence Lieberman m'attend dehors et me félicite. Des amis qui l'entendent n'en croient pas leurs oreilles : un compliment de Lieberman vaut le plus prestigieux des honneurs ! « Mais, ajoute-t-il, venez me voir demain. »

Anxieux, nerveux, je frappe à la porte de son bureau, au Séminaire théologique juif. Le vieux professeur lui-même ouvre et m'invite à le suivre. C'est ma première visite dans cette pièce qui, semble-t-il, éclatera si l'on y met un volume de plus. J'y reviendrai deux et parfois trois jours par semaine pendant dix-sept ans. Littéralement jusqu'au jour de sa mort.

Lieberman commence par m'interroger sur ma vie passée et actuelle. Tout en lui répondant, je me demande quelle a été sa réaction à ma conférence : n'ai-je pas dit trop de bêtises ? J'aimerais entendre ses commentaires, ses critiques, mais il n'en a pas encore fini avec son tour d'horizon. Il a lu mes articles sur mon voyage en Russie. En yiddish, dans le *Forverts*. Et en hébreu dans *Yedioth Ahronoth*. Le fait que je parle l'hébreu lui plaît. Il évoque Motele, sa ville natale (près de Pinsk) et me fait parler de la mienne, Sighet. Je mentionne mon ami d'enfance David Weiss-Halivni, son élève au séminaire. Finalement, presque en passant, il en vient au sujet qui me tient à cœur. « Dans votre conférence, me dit-il, vers la fin de la première moitié, vous avez expliqué une difficulté apparente concernant un texte de la Mekhilta... L'explication est de vous ? » J'oublie de respirer, tant je suis accablé de honte. « Oui, je crois », dis-je dans un souffle. « Ah bon, dit-il

501

Vous croyez… » Il se lève, saisit un volume poussiéreux tout en haut d'une bibliothèque, le feuillette et s'arrête sur une page : « Regardez, dit-il. Votre trouvaille y est depuis six siècles. » S'il pensait m'embarrasser, il fait erreur : je ne suis pas déçu du tout. Au contraire, je suis content de marcher dans les traces d'un précurseur… Je le lui dis mais son regard espiègle me suggère que, s'il me croit, ce n'est qu'à moitié. Il recommence sa manœuvre : « Peu avant la conclusion, vous avez résolu le problème soulevé par Maïmonide à propos d'Aristote. Cette solution serait-elle aussi votre trouvaille ? » Encore plus bas, je murmure : « Oui, je crois. » « Vous croyez ? Ah bon. Nous allons voir… » De nouveau, il ouvre un volume, encore plus ancien et plus poussiéreux, et pose le doigt sur une page annotée : « C'est là. » Déçu ? Au contraire, je n'éprouve aucun dépit. Je répète ma litanie. J'ajoute que, pour moi, l'étude ne signifie pas découverte mais redécouverte. Mon but n'est pas de répondre aux questions, mais de les connaître, et si possible de les inventer. Comme toute mère juive chez nous, la mienne ne m'a jamais demandé si j'avais bien répondu au *mélamed*, mais si je lui avais posé une bonne question. Les yeux baissés, je parle d'une voix enrouée que j'espère convaincante ou du moins sincère. Lieberman ne répond qu'après un bon moment : « Deux fois par semaine, dit-il. Cela vous va ? » Si cela me va ? La joie qui m'inonde me donne envie de crier, de danser. Heureusement que je ne sais pas danser. Ni crier.

En devenant son élève, je comprends qu'être juif c'est privilégier la connaissance et la fidélité. C'est parce qu'il reconnaît la justice divine que le Juif s'élève contre l'injustice des hommes. C'est parce qu'un Juif reste attaché à Dieu qu'il lui est donné de Le questionner. C'est parce que les prophètes aiment le peuple d'Israël qu'il leur est permis de l'admonester et de réprimander ses rois. Tout dépend du lieu où l'on se situe, me disait mon Maître. En Dieu, on peut tout dire. Hors de Dieu rien n'est entendu. Hors de Dieu, ce qu'on dit n'est pas dit.

1966 : *Le Chant des morts*. En anglais, le recueil s'intitule « Légendes d'aujourd'hui ». D'aujourd'hui ? Pour aujourd'hui serait plus juste. Comment faire pour empêcher le passé de trop s'éloigner ? Comment faire pour garder en vie les morts qui, par-delà le temps et la parole, nous appellent non pour nous tourmenter mais pour nous rassurer, pour nous affirmer qu'ils nous en veulent non pas de nous cramponner à la vie, mais de vivre dans l'oubli ? Comment leur rester attaché sans pour autant tourner le dos au monde et à son poids de réalité ? Comment concilier les exigences de la mémoire et celles du quotidien ?

Tout au long des essais et souvenirs réunis dans ce recueil (dont le dernier chapitre est mon « Plaidoyer pour les morts »), ces questions restent évidemment sans réponse. Je ne sais toujours pas ce qu'un fils doit faire ou dire pour commémorer la mort de son père disparu « là-bas » : je prie, j'allume des bougies, je récite le kaddish, j'essaie de me recueillir pour revoir son visage, mais je sais que cela ne suffit pas. Je sais que cela ne suffira jamais.

Comment évoquer une enfance enfouie sous la cendre ? Comment parler des Maîtres dont l'ombre est voilée d'ombre et dont le regard continue de brûler le nôtre ? Que faire du silence arraché au silence qui, en ce temps-là, recouvrait le ciel et la terre ?

Ne pas oublier, ne rien effacer : voilà la hantise des survivants. Plaider pour les morts, défendre leur mémoire, leur honneur, leur humanité. Que n'a-t-on dit, que ne dit-on pas à leur sujet ? On les soumet à mille analyses, on les dissèque, on les exhibe, on les maquille, on s'en sert à des fins théologiques, scientifiques, politiques, commerciales ou artistiques, on les traite en objets, on ne se gêne plus pour les insulter, les diminuer, les trahir. Comment faire pour résister à la vague ? Les rares survivants — et ils se font de plus en plus rares — ne disposent, pour défendre les morts, que de mots, de mots bien pâles, bien pauvres. Alors, ils en font des récits, des histoires, des plaidoyers.

Ils ne peuvent rien faire d'autre et ne souhaitent que cela : être entendus. Par les vivants ? Par les morts aussi.

JÉRUSALEM

En 1967 eut lieu un événement qui imprima son auréole de gloire sur toute une génération de Juifs : la guerre des Six Jours. Je me la rappelle, dans toutes ses phases, dans tous ses aspects, comme si elle avait éclaté hier, comme si j'y avais participé. Je me rappelle les trois semaines sombres et lourdes de tension qui l'ont précédée. Je me rappelle les propos outrageants, les menaces brutales et franches de nos ennemis ; je me rappelle aussi le silence complaisant de nos amis et alliés. La solitude d'Israël, je me la rappelle nettement, je la revis. Ainsi qu'on le disait chez nous : l'Histoire est une roue ; et elle tourne. Ce qui a été sera. Et Dieu là-dedans ? Contrairement à Ses créatures, Dieu est patient. Mieux : Dieu est patience.

Tout commence un jour de printemps 1967. Israël fête le dix-neuvième anniversaire de son indépendance. Pendant le défilé militaire à Jérusalem, le Premier ministre Levi Eshkol reçoit une brève information : les Égyptiens bougent dans le Sud. Le lendemain, on parle de mouvements de troupes. La gravité de la situation n'échappe à personne. Les événements vont se précipiter. Le destin bascule vers le conflit. Le Caire annonce le début de sa politique d'agression : blocus du détroit de Tiran, abolition de la démilitarisation du Sinaï. Pour y masser ses armées, le colonel Gamal Abdel Nasser exige l'évacuation des unités des Nations unies. La soumission hâtive du secrétaire général U Thant surprend la communauté internationale. Les visées offensives de l'Égypte ne font plus de doute. De jour en jour, la situation se détériore. C'est pour quand, la guerre ? En fait, elle a déjà commencé avec le blocus qualifié par la loi internationale de *casus belli.*

Aux Nations unies, les correspondants israéliens et leurs amis juifs assistent avec une inquiétude croissante aux débats du Conseil

507

de sécurité. Ahmed Choukeiry, le prédécesseur de Yasser Arafat à la tête de l'OLP, ne cache pas son rêve de voir la fin de l'État d'Israël : « D'ici peu, déclare-t-il, il n'y aura plus de problème juif en Palestine. Les Juifs seront jetés à la mer. » Nul ne le fait taire. Personne ne proteste. Seul ou presque, le représentant permanent d'Israël, Gidéon Rafaël, diplomate expérimenté et infatigable, dévoile les vrais objectifs des pays arabes. A une exception près, ses propos tombent dans des oreilles indifférentes : la plupart des délégués vaquent à leurs affaires ; peut-être sont-ils contents qu'une fois de plus le Moyen-Orient les distraie de leur ennui. L'exception : Arthur Goldberg, l'ancien juge à la cour suprême nommé ambassadeur par le président Lyndon Johnson. Jour et nuit, il se battra pour la sécurité et la survie d'Israël.

Le gouvernement Eshkol déploie une activité diplomatique intense dans les capitales occidentales, épuisant toutes ses ressources pour éviter la guerre. La guerre, Eshkol l'abhorre. Que les grandes puissances fassent leur devoir, et elle n'aura pas lieu. Il dépêche son ministre des Affaires étrangères, Abba Eban, à Washington, Londres et Paris. Certains entretiens au sommet sont moins décourageants, ou même chaleureux, mais aucune puissance n'est prête à s'engager. Les grands se font tout petits. En Israël, des officiers supérieurs de l'état-major poussent Eshkol à une guerre préventive immédiate : chaque jour risque de coûter un nombre plus élevé de vies humaines. Un jeune général fait irruption dans son bureau, arrache ses épaulettes et les jette sur la table ; il se permet de sermonner le chef du gouvernement qui est aussi ministre de la Défense : s'il ne donne pas l'ordre d'attaquer immédiatement, cela entraînera la destruction du Troisième Temple ; et ce sera la fin de l'État juif. Prudent, Eshkol temporise. D'autant que l'option de la guerre ne fait pas l'unanimité. Le général Yitzhak Rabin, chef de l'état-major, s'habille en civil et va solliciter l'avis du père de l'armée sinon de la nation, David Ben Gourion, dans son kibboutz du Néguev. Ben Gourion conseille la patience : surtout pas de guerre, répète-t-il. Son conseil ? Une politique et une stratégie de retranchement. Il emploie le terme « *Titkhapru*, creusez des tranchées défensives. » Une guerre, selon lui, risque de s'achever en désastre national. « Notre chef adoré et adulé de jadis avait perdu confiance en l'armée », m'expliquera plus tard Rabin. Sa déception fut telle qu'il sombra dans une dépression qui, heureusement, ne dura que vingt-quatre heures.

Mon Maître Saul Lieberman est plus confiant. Son argument n'a rien à voir avec la science militaire, mais avec la théologie... et les finances. « Le Seigneur, dit-il, est aussi banquier. Il a tant investi dans l'histoire de notre peuple qu'Il ne peut plus s'en désintéresser sans y perdre Sa mise. »

Dimanche 4 juin 1967, je le retrouve anxieux mais souriant à la cérémonie de fin d'études du Séminaire théologique juif dont il est le recteur. Le chancelier Louis Finkelstein m'a fait l'honneur de m'inviter à y prononcer ce qu'on appelle en Amérique le « Commencement address », le discours d'adieu aux étudiants qui, une heure plus tard, auront cessé de l'être. En un certain sens, j'en fais partie, puisque mon premier doctorat *honoris causa* va m'y être décerné. L'ambassadeur Gidéon Rafaël figure parmi les invités.

Mon discours, je l'ai publié plus tard sous le titre « A un jeune Juif d'aujourd'hui » (dans *Entre deux soleils*). J'y parle de ses engagements et obligations à l'égard de notre communauté tout d'abord, et de la grande communauté humaine ensuite, de nos souvenirs communs et de nos espérances. Je n'ai pas inclus dans le texte imprimé une parenthèse ouverte et vite refermée, une sorte d'appel aux étudiants afin qu'ils restent solidaires d'Israël si menacé par tant d'ennemis. « Si la guerre survient demain, leur disais-je, portez-vous à son secours. » Ai-je vraiment précisé demain ? Des amis m'assurent que oui ; moi, je ne le crois pas. Il me semble avoir seulement évoqué un « demain » hypothétique.

Le lendemain, je suis réveillé très tôt par Gidéon Rafaël. Il veut savoir comment je savais. « Je savais quoi ? » dis-je d'une voix endormie. « Qu'il y aurait la guerre aujourd'hui », me répond l'ambassadeur. En d'autres occasions, j'aurais éclaté de rire. Mais ce jour-là, l'un des jours les plus dramatiques depuis 1945, je n'ai plus envie de rire. C'est que les nouvelles sont plutôt déprimantes, et lugubre le mutisme de Jérusalem. Nous ignorons que, pour des raisons tactiques, Moshe Dayan, le nouveau ministre de la Défense, a imposé le silence absolu sur la situation du front. Les seules informations, le monde les reçoit du côté arabe. Or Radio-Le Caire, Radio-Damas et Radio-Amman jubilent : le front israélien serait enfoncé, Beersheba sur le point de tomber, l'armée se débanderait, Tel-Aviv brûlerait. En réalité, l'aviation égyptienne a été anéantie au bout des trois premières heures ; l'Égypte a déjà perdu la guerre, mais les Arabes l'ignorent encore, et le public américain aussi.

Que faire ? A Brooklyn (sauf dans les cercles hassidiques de Satmàr et du Neturei Karta où l'on se félicite de la défaite israélienne), on se réunit dans les maisons d'étude pour réciter les psaumes. A Manhattan, la Bourse du diamant est quasiment paralysée : des groupes se forment pour échanger commentaires et impressions. Partout on collecte des fonds. Riches et pauvres participent à la campagne. Des vieillards vident leurs bourses, des fiancées vendent leurs alliances. Des étudiants assiègent sénateurs et députés. Des médecins se portent volontaires pour aller aider leurs confrères israéliens débordés.

Le peuple juif dans son ensemble offrait maintenant son appui inconditionnel à Israël dont il devenait l'allié le plus sûr, le plus fidèle. Une lame de fond d'une force surprenante soulevait les communautés de la diaspora qui donnait toute sa mesure. Des intellectuels qui, jusqu'alors, subissaient leur condition juive comme une contradiction gênante la revendiquaient désormais ouvertement. Des assimilés de longue date oubliaient leurs complexes, des sectaires leur fanatisme. Chacun se découvrait responsable de la survie collective de tout un peuple. On appelait Tel-Aviv, Haïfa et Netanya, on suppliait parents et amis : « Envoyez-nous vos enfants, nous les garderons le temps qu'il faudra... » Un violoniste célèbre annula récitals et concerts et s'envola vers Lod en déclarant : « Nos ennemis clament qu'ils extermineront deux millions et demi de Juifs, eh bien, qu'ils en ajoutent un de plus. »

Je me dis que le moment est venu : il faut que je parte en Israël. Cette décision, je l'avais envisagée dès les premiers jours de la crise. Me ranger aux côtés d'Israël. Témoigner pour Israël, en Israël. Projet peut-être prétentieux, dépourvu de sens et surtout d'efficacité : Israël n'a pas besoin d'hommes comme moi ; je ne suis pas un héros, je n'ai aucune expérience des armes et, maladroit comme je suis, je risque même de devenir un fardeau. Tant pis, il faut que j'y aille, et je resterai jusqu'au bout, jusqu'au moment où l'ennemi triomphera. C'est que, au fond de moi-même, sans oser me l'avouer, je suis persuadé que cette guerre marquera la fin de l'État juif, la mort d'un rêve. Aujourd'hui je m'en veux : j'aurais dû faire davantage confiance à l'armée israélienne. A l'époque, j'étais plus peureux, plus timoré. En écoutant les discours arabes, en observant la passivité des gouvernements

510

occidentaux, je m'étais dit : c'est comme jadis ; plus de doute là-dessus ; comme au ghetto de Varsovie, les Juifs se battront courageusement, mais plus nombreux, mieux soutenus, mieux armés, les Arabes finiront par écraser Israël. Alors le monde dit civilisé versera des larmes hypocrites et prononcera des oraisons funèbres grandiloquentes sur notre mort. Je dis « notre », car j'associais la mienne à celle d'Israël. Cela paraît mélodramatique ? Tant pis. C'est ce que j'ai ressenti, comme tant d'autres Juifs. Comme Raymond Aron, pourtant guère sioniste, je ne tenais pas à survivre dans un monde où il n'y aurait pas de place pour un État juif souverain et relativement heureux.

Pessimisme mal fondé, inopportun : à peine commencée, la guerre tourne en faveur de Tsahal. A mes amis proches, j'annonce que je pars quand même. Mais qui couvrira les frais de voyage ? Pas *Yedioth* en tout cas. Au *Forverts*, Simon Weber se déclare heureux d'avoir enfin un vrai correspondant de guerre... bénévole. Tant pis pour mes économies. Seulement, partir n'est pas simple. La plupart des compagnies aériennes ont interrompu leurs vols pour Lod et rares sont les places sur El Al. Or c'est la seule compagnie où je peux faire jouer mes relations. En fin d'après-midi, lundi 6 juin, coup de chance : j'obtiens une place payante sur le vol Paris-Lod. Je saute dans un taxi. Vite à l'aéroport Kennedy. J'attrape un TWA pour Paris. Je change d'avion à Orly. Je suis le dernier passager. Décollage immédiat. Éreinté, brisé, je ferme les yeux. Un peu de repos me ferait du bien. Tout le monde sait déjà qu'Israël est sauvé, mais mon angoisse ne s'est pas entièrement dissipée, elle a seulement changé de nature. Je n'ai plus peur de mourir avec Israël. La peur que j'éprouve est celle qui nous envahit à l'approche d'un événement singulier, d'une rencontre avec l'inconnu ; c'est l'angoisse qui accompagne la certitude d'arriver à un tournant obscur, quand on sent que la vie bascule et change de rythme ou d'intensité. A ce moment, je sais que je vais vivre un nouveau chapitre de l'Histoire juive.

Une belle hôtesse de l'air me remonte le moral. Brune, svelte, gracieuse, elle m'apporte du café et me dit tout bas, en confidence, qu'elle sait qui je suis. Normalement, ce genre de propos m'irrite autant qu'il me flatte. J'ai envie de répondre : je travaille depuis des années pour découvrir qui je suis et, vous, vous le savez déjà ? Mais l'ambiance dans l'avion est telle — tout le monde semble recueilli anticipant l'arrivée en Israël encore en guerre — que je me contente de la remercier. Un peu plus tard, elle m'avoue qu'elle a lu mon livre et qu'elle l'aime. « Mon » livre, au singulier ? Normalement, pour l'embarrasser, je devrais lui demander : lequel ? Mais, pour les raisons citées plus haut, je la remercie encore : « Merci beaucoup, mademoiselle. Vous êtes bien aimable, et fort charmante. » D'ailleurs, les compliments (rares) de belles femmes (plus rares encore) ne me déplaisent nullement.

Malgré la tension, j'essaie de somnoler. Mais la jeune et belle hôtesse a d'autres idées en tête. Comme elle ne peut dormir — le règlement le lui interdit — elle souhaite que je lui tienne compagnie. Cultivée, elle a beaucoup lu, « surtout entre Paris et New York quand les passagers dorment et que la cabine est calme ». Elle lit vite, « mais votre roman, je l'ai tellement aimé que je me suis forcée à le lire lentement. D'ailleurs, dans le quatrième chapitre, il y a quelque chose que je ne comprends pas, monsieur Schwarz-Bart... » Du coup, je retrouve la modestie que je mérite. « Chère demoiselle, vous faites erreur. Je ne suis pas André Schwarz-Bart. » Son petit geste de la main m'en dit long sur le poids de mon démenti : « Vraiment, vraiment Je sais que vous voyagez incognito, mais, moi, vous pouvez me faire confiance. Je vous le promets : personne ne l'apprendra. » Je répète : « Mademoiselle, croyez-moi : je ne suis pas André Schwarz-Bart. » Avec un petit sourire de complicité, elle se lève et va me chercher une autre tasse de café, des friandises et des fruits. Refusant d'usurper l'identité et la renommée d'un grand écrivain, je n'abandonne pas : « Écoutez. Je comprends votre méprise. Elle peut s'expliquer André et moi, nous avons beaucoup de points communs. Tout d'abord, nous sommes écrivains. Voyez-vous, moi aussi, j'écris. Ensuite, certains de mes ouvrages traitent du même sujet que le sien. Et nous avons les mêmes éditeurs. Mieux : nous sommes amis. Il paraît aussi que nous nous ressemblons un peu. On m a raconté que l'imprimeur — le mien ou le sien — a été récemment victime de cette ressemblance : il a utilisé ma photo pour son roman ou la sienne pour l'un des miens. Alors, il est bien normal que vous vous trompiez vous aussi. » Peine perdue. Elle n'en croit pas un mot et son admiration se mue en tendresse : « Je pensais tout savoir sur vous et votre œuvre, monsieur Schwarz-Bart, mais j'ignorais vraiment que vous aviez tant d'humour. » Heureusement, un passager l'appelle à l'avant de la cabine, mettant fin à la discussion. Tant mieux. Rien ne la fera changer d'avis. Elle doit être folle. Il est temps de penser à autre chose. De me calmer. De me préparer : nous arriverons dans deux heures.

Vingt minutes avant l'atterrissage, l'hôtesse, toujours belle mais moins affable, est de retour. Tout à l'heure, elle se penchait vers moi et me parlait doucement. Maintenant elle reste debout et élève la voix pour que toute la cabine l'entende m'accuser de lui avoir menti : « Je ne sais pas qui vous êtes, monsieur... » Je réponds : « Enfin, il était temps. » Elle ne se laisse pas démonter : « ... mais je sais que vous n'êtes pas André Schwarz-Bart », dit-elle d'un air triomphateur. Et moi, bêtement, je juge bon de rétorquer : « Prouvez-le ! » Savourant sa vengeance, elle attend un moment avant de m'assener le dernier coup : « Vous n'êtes pas André Schwarz-Bart, parce qu'André Schwarz-Bart est assis là ! » Du regard, je suis la direction de sa main : eh oui ! mon ami André est dans l'avion ; il occupe un siège trois rangées plus loin. Je détache ma ceinture, écarte l'hôtesse et me précipite vers lui. Nous tombons dans les bras l'un de l'autre : « André, qu'est-ce que tu fais ici ? — Et toi ? » L'avion entreprend les dernières manœuvres d'approche de Lod, mais nous sommes toujours en train de nous regarder. L'hôtesse, interloquée, ne nous demande même pas de nous asseoir. Qu'est-ce que nous faisons ici ? Comment répondre ? Dire que la place d'un Juif est avec son peuple ? En vérité, nous sommes venus pour la même raison et dans le même but : témoigner. C'est ainsi : écrivain juif, je me sens solidaire de mon peuple. Sa quête est ma quête et sa mémoire est mon pays. Tout ce qui lui arrive m'affecte. J'ai vécu ses angoisses et senti la brûlure de ses songes. J'ai appartenu à la communauté nocturne dans le royaume des morts et, désormais, j'appartiendrai à la communauté émerveillée et exaltante de la cité éternelle de David. Tout ce qui hante le peuple d'Israël depuis ses origines, il incombe à l'écrivain juif d'en être témoin. C'est son rôle. Non pas de juger, mais de témoigner. Or, dans notre tradition, les responsabilités du témoin sont plus lourdes que celles du juge. Si le témoignage est vrai, le jugement sera juste.

Dans la vieille ville, le lendemain, devant le Mur reconquis, je commence à écrire *Le Mendiant de Jérusalem* Ce sont mes lèvres qui me le dictent : je le récite comme une prière.

Jour inoubliable. La guerre continuait dans le Sinaï et n'avait pas encore commencé sur le Golan, mais la libération de Jérusalem captiva et enflamma les esprits. « Le mont du Temple est à nous », cria le commandant des parachutistes, le colonel Motta Gur. On l'entendit dans toutes les radios de tous les blindés, de tous les véhicules. Soldats et officiers se mirent à pleurer. On pleurait partout en Terre sainte. Du coup, la guerre sembla suspendue. Des Jordaniens isolés sur les toits tiraient encore, mais les Juifs, par milliers, couraient vers la vieille ville, et nulle force ne pouvait les arrêter.

Rabbins et marchands, étudiants talmudistes et agriculteurs, officiers et écoliers, artistes et savants, tous abandonnèrent leur travail et se mirent à courir ; chacun voulait se retrouver devant le Mur, embrasser ses pierres, lui hurler prières et requêtes oubliées ou vivantes ; chacun se rendait compte que ce jour-là il fallait courir.

Alors j'ai couru moi aussi. Je n'ai jamais couru avec autant de vigueur. Je n'ai jamais dit « amen » avec autant de *kavanah* que lorsque j'entendis les parachutistes réciter la prière de Minha. Ce jour-là, plus que jamais, j'ai pu saisir le vrai sens d'*Ahavat-Israël*.

Un vieillard, comme émergeant d'un roman que j'allais écrire, se murmura à lui-même : « Sais-tu comment nous avons réussi à vaincre l'ennemi ? Six millions d'âmes juives ont prié pour nous. » Je lui touchai le bras : « Qui êtes-vous ? » Il posa sur moi un regard apaisant : « Je suis celui qui prie. »

Quelques notes puisées dans mon journal (en yiddish) :

> C'est comme le poème qu'on chante le jour de Shavouot, avant la lecture de la Torah :
> *Akdamot milin*, avant de raconter l'histoire, il nous incombe de rappeler sa genèse : le premier miracle, la première prière, la première étincelle du feu qui a illuminé son chemin. Il faut tout raconter. Je ne sais par où commencer. La Bible elle-même commence par un *beth* et non un *aleph* ? Qu'à cela ne tienne. Je sais ceci : plus que jamais, cette fois il faut commencer par Jérusalem, la cité où mille générations de rêveurs de délivrance ont ouvert la voie pour les héros d'aujourd'hui, la cité ancienne et renouvelée qui sert de pont entre le commencement des commencements et la fin des temps.
>
> Certes, les jeunes guerriers ont sanctifié le Nom sur d'autres fronts en versant leur sang pour leur peuple. Ceux qui, hier encore, passaient leurs nuits à festoyer dans les cabarets de Tel-Aviv se sont tout d'un coup élevés au rang de Justes : ils ont

porté l'Histoire juive sur leurs épaules, et certains se sont écroulés sous son poids.

Mais Jérusalem vient d'abord. Jérusalem, c'est la priorité des priorités : tous les chemins y conduisent. A Jérusalem, notre peuple a connu ce que nos mystiques appellent une *aliya neshama*, une ascension de l'âme collective : nos ancêtres et précurseurs l'ont aidée à s'élever plus haut, toujours plus haut. D'où la question : par où, par qui commencer ? Par le roi David qui, avec sa force et ses Psaumes, a construit la ville consacrée à la paix et à l'éternité ? Par les Zélotes qui se sont battus pour elle ? Par Rabbi Akiba et ses compagnons martyrs qui, en allant à la mort, sanctifièrent la foi du peuple juif en sa propre mission ? Quand ai-je aimé Jérusalem pour la première fois ? Je ne sais pas. Existe-t-il un Juif au monde qui ne se consume pas d'amour pour cette ville ? Dans son chant, le poète que fut Rabbi Yehuda Halévy exprime cette nostalgie partagée : le cœur juif reste toujours en Orient, bien que nous nous trouvions ici et là, sur tel ou tel continent, au loin.

J'ai beaucoup erré dans ma vie, j'ai traversé de nombreuses cités ; j'ai respiré le charme de Paris, admiré la lumière de Provence, le dynamisme de New York et les couleurs changeantes de Bombay. Mais admirer ne veut pas nécessairement dire aimer. Le Juif en moi aime Jérusalem d'un amour différent, singulier.

Avant même de savoir parler, j'écoutais la berceuse que me chantait ma mère et rêvais déjà de cette veuve Sion qui, seule dans l'enceinte du Temple de Jérusalem, attend son bien-aimé. Comme elle, avec elle, j'attendais la petite chèvre légendaire et ses offrandes, je l'attendais surtout pour qu'elle me conduise vers cette cité où respire la vie juive, où les pierres elles-mêmes racontent des histoires juives sur les rois et les princes juifs de notre passé parfois glorieux, souvent triste, mais toujours exaltant.

Je me souviens : au *héder*, mes amis et moi tissions les fils de l'imagination juive qui, à travers des tunnels secrets enfouis dans les Carpates, nous montreraient la voie vers la terre d'Israël. Il suffirait de prononcer un « nom » pour que des portes invisibles s'ouvrent devant nous. Alors, en un clin d'œil, ce serait la fin des persécutions, de la haine, de la peur. Ô Maître de l'univers, demandions-nous, qui nous révélera ce « nom » sacré et tout-puissant ? Mais aucun émissaire n'était apparu pour nous éclairer.

Et me voici dans Jérusalem. Dans les profondeurs vraies et insondables de Jérusalem. Il m'a fallu du temps pour y arriver, mais j'ai réussi. Je rêve que je rêve. Je rêve que des mots se bousculent sur mes lèvres ; ils me brûlent la langue.

Eh oui, c'est à la fois un privilège et un devoir de tout raconter. Le cœur est plein, si plein qu'il déborde. S'il ne s'ouvre pas, il éclatera. Combien de fois, en flânant dans les ruelles de la vieille ville, ai-je éprouvé le désir de chanter comme un fou, de sangloter comme un enfant ivre de bonheur ou de malheur, sans même me demander pourquoi ? Pour paraphraser Rabbi Nahman de Bratzlav, il va falloir de mes larmes faire des paroles.

De ces événements de juin 1967, rien ne doit être omis. Il faut tout retenir. Tout transmettre, tout partager. Du commencement à la fin, bien que l'histoire ait commencé avant le commencement, et bien que la fin soit loin d'être la fin. Car il s'agit d'une histoire qui dépasse l'individu et transcende l'instant, de même que Jérusalem c'est autre chose que les maisons et les ombres qui la peuplent...

(Des années plus tard, je demande au président François Mitterrand ce qu'il compte faire après l'expiration de son second mandat : « Aller vivre quelque temps à Jérusalem », me répond-il. Lui, il a envie de s'y rendre pour méditer ; moi, c'est pour rêver.)

Mi-juin 1967 à Sharm-el-Sheikh. Une tempête de sable souffle sur cette île qui fut le prétexte technique et légal des hostilités récentes. Accueillis par le commandant de la base, nous attendons l'accalmie. Les officiers ne cachent pas leur frustration : ils ont occupé la place sans combat, les Égyptiens n'ayant pas tiré un seul coup de canon. L'offensive ? Une promenade pour les soldats de Tsahal.

Nous assistons aux préparatifs d'un mariage : le fiancé est en poste sur l'île, la fiancée dans le Sinaï. Un aumônier militaire viendra présider la cérémonie. Une tente sert déjà de synagogue. J'ai envie de rire : le monde entier était en danger à cause de cette île et, ici, on ne pense qu'aux noces prochaines...

Que dire sinon *mazal tov*, que la joie dure pour vous, jeunes mariés, *mazal tov*, peuple d'Israël, que l'allégresse vous porte comme vous portez nos souvenirs...

Partout en Israël, on chante l'éloge des vaillants combattants qui ont sauvé le pays : « *Kol hakavod le-Tsahal* » (honneur à Tsahal) est le slogan qu'on lit sur tous les murs, dans tous les journaux, et qu'on entend sur toutes les lèvres. Mais les observateurs avertis parlent aussi de la mélancolie des vainqueurs.

Relisant le discours que le général Yitzhak Rabin prononça fin juin sur le mont Scopus, j'y découvre les mêmes accents émus et émouvants que dans une autre déclaration, vingt-six ans plus tard, à Washington, en présence du président Bill Clinton et de Yasser Arafat :

> ... Il est étrange de constater à quel point les combattants d'Israël manquent d'allégresse. On les dirait fermés à la joie. Certains essaient de s'abandonner à la gaieté, mais le cœur n'y est pas. D'autres n'ont même pas envie d'essayer. C'est qu'ils ont vu non seulement la gloire, mais aussi la souffrance qui l'accompagne. Ils ont vu leurs meilleurs camarades tomber ensanglantés, déchiquetés... Ce n'est pas tout. Le prix payé par l'ennemi pèse aussi sur nos soldats. Conditionné par son passé, le peuple juif n'a jamais pu ressentir l'orgueil du conquérant et l'exaltation du vainqueur...

A Levi Eshkol, le plus « juif » des Premiers ministres, je propose d'organiser un colloque d'intellectuels du monde entier qui aurait pour but d'analyser la situation et d'en tirer les leçons. Les séances se dérouleraient à huis clos, loin des médias, dans un camp militaire. Qui sait, un grand document en résulterait peut-être. Un message ? Un poème ? Eshkol m'envoie chez Yitzhak Rabin. Qui est d'accord. Et chez Yaakov Herzog ; il l'est aussi. Nous dressons des listes. Les noms les plus prestigieux y figurent.

Pour des raisons que je n'ai jamais comprises, le projet se transformera en une « conférence internationale de millionnaires juifs ». Qui connut un échec lamentable.

Dans *Le Mendiant de Jérusalem*, je fais écho aux réflexions de Rabin et je parle de la tristesse qu'éprouve le vainqueur juif face aux vaincus. Et plus encore face aux enfants arabes qui voient en lui un vainqueur, donc un être capable de leur faire mal.

Ces enfants, je les ai vus dans la vieille ville. Je les ai croisés à Hébron. Je les ai rencontrés à Ramallah et à Naplouse. Je leur faisais peur. Pour la première fois de ma vie, je faisais peur à des enfants.

Leurs regards traversaient la mémoire de David, mon héros, et y déposaient le signe d'une faute qu'il n'osait pas assumer.

Dans le roman, un personnage dit :

« Vainqueur, lui ? Un rôle d'emprunt, une vie d'emprunt. Il rougit chaque fois qu'un Mohammed, un Jamil le tire par le bras. Leur rôle à eux n'est pas emprunté. Si les vainqueurs ne se ressemblent pas, les vaincus, eux, ont partout le même regard sombre, traqué, le même sourire suppliant. Les enfants vaincus sont les mêmes partout : dans un monde en ruine, ils ne peuvent que vendre des ruines. »

Et, plus loin :

« Vainqueur, lui ? La victoire n'empêche pas la souffrance d'avoir existé, ni la mort d'avoir sévi. Comment œuvrer pour les vivants sans, par cela même, trahir les absents ? »

Extraits de mon carnet de voyage :

La guerre est finie et, dans le tumulte, je cherche la joie sans la trouver. Je ne rencontre que des êtres au visage grave, au regard blessé. Ébranlés par l'expérience qu'ils viennent de vivre, on dirait qu'ils n'arrivent pas à en saisir les implications. Elle semble se situer au niveau de la légende autant que de l'Histoire. L'accumulation d'angoisse et de colère avant le déchaînement, le renversement des rôles : tout s'est passé trop vite, trop brusquement. Vainqueurs et vaincus auront besoin de temps pour reprendre haleine et aussi pour cerner le sens et la portée de l'événement. David a vaincu Goliath et se demande maintenant comment il a fait : nul ne le sait, et lui-même moins que les autres. Son étonnement, plus que sa victoire, devrait susciter l'admiration autant que l'espoir...

... Les vainqueurs auraient d'ailleurs préféré s'en passer. Tristes, sans haine et sans orgueil, ils ont regagné leurs demeures, déconcertés, repliés sur eux-mêmes, comme s'interrogeant sur les racines de leur secret. Ces vainqueurs-là, le monde n'en a pas connu de pareils.

... Cet événement a eu une dimension morale et peut-être mystique. Je l'ai compris le jour où, me trouvant dans la vieille ville de Jérusalem, j'ai vu des milliers d'hommes et de femmes défiler devant le Mur, seul vestige du Temple. Je fus frappé par l'étrange recueillement qui les pénétrait. Soudain je crus les reconnaître, les vivants mêlés aux morts, venus des quatre coins de l'exil, libérés de tous les cimetières, de toutes les mémoires. Certains semblaient sortir de mon enfance, d'autres de mon imagination. Les fous muets et les mendiants rêveurs, les Maîtres et leurs disciples, les chantres et leurs alliés, les justes et leurs ennemis, les ivrognes et les conteurs, les enfants morts et immortels, tous les personnages de tous mes livres, eh oui, ils m'avaient suivi ici pour faire acte de présence et témoigner comme moi, à travers moi ! Puis ils se quittèrent et je dus les appeler pour les réunir à nouveau.

La guerre est finie : je repasse par Paris pour participer, avec Shaike Ben Porat, Saul Friedländer et David Catarivas, aux « Dossiers de l'écran ». L'émission est consacrée à la guerre des Six Jours. Armand Jammot a bien fait les choses : quatre Arabes (on ne parle pas encore de Palestiniens) et quatre Juifs (dont trois Israéliens) sont censés dialoguer. Surprise : les Arabes refusent de s'asseoir à la même table que nous. Ils insistent pour parler depuis un studio voisin. Conseil de guerre : protester en annulant notre participation, laisser l'adversaire disposer seul du micro ? Avec Shaike, nous élaborons une stratégie qui connaîtra un retentissement inespéré : David ouvrira le programme, pour nous, en déclarant qu'il ne prendra pas part à un « débat » à travers un mur ; l'ayant dit, il se lèvera et sortira. Shaike enchaînera avec un historique de la guerre, se lèvera et sortira lui aussi. Avant de les rejoindre à mon tour, je dirai à peu près ceci :

> « Je suis venu à cette émission sans haine ni illusion, mais avec l'espoir d'établir un contact. Or voici que l'on fait de moi un objet. Ce comportement, Dieu Lui-même se l'interdirait. Dieu voit en l'homme un être humain, non pas un objet.
> « Or, ce soir, on nie mon existence d'homme. On refuse de me parler et de m'écouter. Je trouve cela humiliant et inadmissible.
> « Juif et écrivain, je crois encore en la force de la parole.
> « Ce soir, je croyais qu'au-delà des tensions, de l'amertume, des injustices et des souffrances il y aurait ici, des deux côtés, des êtres humains capables de se regarder dans les yeux, et de s'insurger ensemble contre ce qui les sépare. Je me suis trompé. Et cela me désole.
> « Cela me désole, car cela me rappelle un temps où l'ennemi a fait de nous, dans ses statistiques, des objets. Même morts, nous n'étions pas considérés comme humains par l'ennemi.
> « Je suis prêt à ce que l'on discute mes opinions, que l'on m'accuse, que l'on me maudisse, que l'on me frappe ; mais je m'oppose à ce que l'on me considère comme si je n'existais pas, comme si j'étais un mur.
> « Je n'éprouve pas de haine envers les Arabes. Je n'en éprouve même pas envers les Allemands. La guerre au Moyen-Orient ? Il

est temps d'y mettre fin. Mais, auparavant, il est nécessaire que des hommes, se trouvant loin de leurs terres, mettent fin à la guerre qui les habite.

« Ce soir, je suis venu avec l'espoir qu'ici nous commencerions notre combat commun contre la guerre ; qu'ici nous ferions nos premiers pas ensemble. Ici, je serrerais la main d'un homme qui, comme moi, dirait désespérément « non » à la mort, au mal. Je regarderais dans ses yeux avec douleur et malaise, et ensemble nous dénoncerions les forces qui étouffent l'espérance. Je pleurerais avec lui, pourquoi pas, sur tous les maux et tous les châtiments que nous nous sommes infligés les uns aux autres.

« Je suis un homme seul, seul comme l'est mon peuple. Comme mon peuple l'était il y a un mois, face aux menaces d'anéantissement, alors qu'aucun État ne venait à son secours. Cette solitude, jamais plus je ne l'admettrai. Si les Arabes acceptent de voir en moi un homme, sinon un interlocuteur, je resterai. Sinon, je ne jouerai pas ce jeu selon leurs règles. »

Il fallait voir l'expression du présentateur, lorsque, l'un après l'autre, nous nous sommes levés...

Tout à l'heure, j'ai dit que la guerre était finie en Israël. Elle ne l'a pas été. Elle a simplement revêtu d'autres formes. Infiltration de saboteurs et de terroristes venus de Syrie et du Liban, coups de canon égyptiens contre la « ligne Bar-Lev » tout au long du canal de Suez, détournements d'avions. Puis, c'est la guerre du Kippour. Ensuite, c'est l'arrivée d'Anouar el-Sadate à Jérusalem. Son discours à la Knesset. Menahem Begin et Sadate à la Maison-Blanche : je leur serre la main pour me convaincre que je ne rêve pas. Plus tard, beaucoup plus tard, Yitzhak Rabin et Yasser Arafat, devant trois mille invités et des milliards de téléspectateurs, échangent poignées de main et sourires. « Assez de guerres, déclare le vainqueur de la guerre des Six Jours. Assez de larmes, assez d'enterrements ! »

Un nouveau rêve ? Que Dieu me prête vie, et j'en parlerai plus longuement, comme je parlerai d'autres aventures, d'autres combats et d'autres défis. Dans le prochain volume.

Un souvenir : en 1968, Paul Flamand me fait venir à Paris parce que, dit-il, « vous aurez peut-être le Médicis » (pour *Le Mendiant de Jérusalem*, le premier de mes romans dédiés à Marion). Je dis : « Peut-être ? » Il répond : « Peut-être. » Installés dans son bureau élégant et bien éclairé, nous attendons la décision du jury qui délibère je ne sais où. Dans un restaurant sans doute ; à Paris, tout se règle dans les restaurants. Nous parlons de politique, de littérature, d'Israël, de l'Amérique. Pas du prix. Nous nous abreuvons de café. Paul est impatient ; je ne l'ai jamais vu aussi énervé ; il se lève, se rassied, téléphone à droite et à gauche : toujours rien ? Rien. Moi, je suis fatigué (par le décalage horaire) et calme. N'y tenant plus, il s'écrie : « Seriez-vous à ce point flegmatique ? Ce prix si prestigieux ne signifierait donc rien pour vous ? » Je lui réponds : « Si. Le Médicis me ferait plaisir. Mais... quand quelque chose d'agréable m'arrive, je ferme les yeux et me revois vingt-cinq ans en arrière. Du coup, ce qui me semble si bon ne l'est pas vraiment. Et inversement. Quand quelque chose de mauvais m'arrive, je ferme les yeux et me revois vingt-cinq ans auparavant ; alors, ce qui m'a semblé pénible ne l'est pas. » Eh oui, tout dépend des repères.

Cela ne signifie pas que la méchanceté des uns ne me fait pas mal ou que le respect des autres ne me procure pas de plaisir. Au contraire : le survivant en moi est en même temps vulnérable et fort. La moindre offense m'écorche et le moindre geste généreux me bouleverse. Mais il me suffit de revoir ma vie dans sa totalité pour tenir et rester moi-même.

Le Médicis m'a valu deux rencontres dont j'aime me souvenir . avec Marguerite Yourcenar qui venait d'obtenir le prix Femina pour son *Œuvre au noir* et avec Albert Cohen dont *Belle du Seigneur* remporta le Grand Prix du roman de l'Académie française.

Marguerite Yourcenar et moi nous retrouvions aux séances rituelles de signature. Assis côte à côte, nous échangions souvenirs et observations tout en rédigeant nos « meilleurs vœux » aux acheteurs sûrs et aux lecteurs possibles. Peu loquace, elle contemplait le monde autour d'elle d'un œil plein de compassion sceptique.

Elle nous invitera plusieurs fois, Marion et moi, à venir passer quelques jours dans sa maison dans l'État du Maine. Par respect pour sa solitude, je remis sans cesse le voyage à plus tard. Puis il fut trop tard.

Albert Cohen, je le rencontrais chez lui, dans son appartement de Genève. Frêle, gracieux, emmitouflé dans une robe de chambre en soie, il accueillait ses visiteurs et les transportait sur des îles ensoleillées pour y rencontrer ses personnages valeureux. J'aimais l'écouter décrire sa vision du prophète Ézéchiel, alors que je préfère Jérémie. Il s'intéressait à mes Maîtres hassidiques et savait en parler. Je me souviens de ses yeux, de la lumière mystérieuse qui en émanait. Était-ce lui, Solal, l'un de mes héros en littérature ?

Mes rapports avec le professeur Saul Lieberman se resserrent, s'intensifient de semaine en semaine. Avec lui, j'étudie, j'apprends, jamais je n'ai tant appris. Entre nous, l'unique sujet de débat concerne le hassidisme. En bon Lituanien issu de l'école du Gaon de Wilno, Lieberman est resté « Mitnaguéd », c'est-à-dire opposé au mouvement beshtien que, d'ailleurs, il ne connaît pas. Il n'en sait que ce qu'en disaient les premiers adversaires : que, fondé par des ignorants et en premier lieu par le Besht, le hassidisme glorifie l'ignorance. Il me faudra de nombreux mois pour faire naître en lui le doute. Tout d'abord, je lui fais lire les ouvrages savants des compagnons du Besht : tous étaient de grands Maîtres. Auraient-ils suivi le Rabbi Israël Baal Shem Tov, alors totalement inconnu, s'il n'avait pas été, lui aussi, versé dans les études? Mieux : tous venaient du monde antihassidique. Autrement dit : c'étaient des « Mitnaguédim » convertis, si j'ose dire, au hassidisme — alors qu'on trouve peu d'exemples de hassid qui se soit « converti » au mouvement des opposants.

Peu à peu, mon Maître — dont je suis devenu le confident et l'ami — accepte l'idée que hassidisme et étude ne sont pas incompatibles. Que les contes hassidiques possèdent non seulement un certain charme, mais aussi une vraie profondeur.

Avec le temps, il viendra au centre culturel juif YMHA assister à mes cours où j'explore l'enseignement hassidique à travers ses personnages fondateurs. Le Rabbi Menahem-Mendel de Kotzk l'intrigue, le Rabbi Nahman de Bratzlav lui plaît ; il admire sa connaissance et ses découvertes intuitives. Précurseur de Franz Kafka, ce grand Maître et descendant de Maîtres (il est l'arrière-petit-fils du Besht) est à mon avis le plus grand conteur de la littérature hassidique. « C'est aussi un savant, un érudit, un *Talmid-'hakham*, dit Lieberman. Un vrai. » Sur ses lèvres c'est un compliment rare.

Dans la salle, les gens s'entre-regardent comme ceux qui voient la neige tomber en pleine canicule : « Quoi ? Lieberman ici ? A une soirée de réflexion consacrée au hassidisme ? ! C'est signe que le Messie ne tardera plus à arriver ! »

Le lendemain, dans son bureau, avant d'ouvrir le Talmud, Lieberman me fait un cours sur le mien : il comprend mieux que moi la pensée bratzlavienne.

Nous nous rencontrons au moins deux fois par semaine. Presque sans préliminaires, nous nous asseyons de chaque côté de sa table de travail, les volumes des deux Talmud (le Palestinien et le Babylonien) ouverts devant nous, entourés des livres de commentaires. Chaque séance dure trois heures. Certains sujets me semblent familiers : je les ai déjà étudiés. Pardon, je me reprends : je les ai mal étudiés, de façon hâtive. Je suis resté à la surface. Même avec Shoushani ? Même avec lui. Shoushani était un *ilui*, une sorte de génie au savoir immense, diffus, mais peu méthodique. Ce n'est qu'à la fin de son discours qu'une vue d'ensemble se dégageait pour l'auditeur. Son esprit vagabondait très haut et très bas, et surtout très loin, puisant à toutes les sources, mais le mien avait du mal à le suivre. Lieberman est à la fois un *ilui*, un *harif* et un *baki*, c'est-à-dire un cerveau qui embrasse le tout et le dissèque sous vos yeux. Il vous entraîne, et vous enflamme ; à chaque pas, vous savez où il vous conduit, à chaque détour vous comprenez sa démarche. Si l'enseignement de Shoushani était spasmodique, celui de Lieberman est structuré. Chez Shoushani, c'est l'érudition qui vous fascine, chez Lieberman aussi, mais bien plus : c'est la logique de son raisonnement. Il montre comment tout se tient. Les cultures grecque et latine font partie intégrante du Talmud. On ne peut savourer les Sages de Tsiporis, si l'on ignore les Anciens d'Athènes. Dois-je préciser qu'il possède à fond le grec et le latin ? Dois-je ajouter qu'il maîtrise le français ? Après la révolution russe, il s'était inscrit à l'université de Kiev. Puis, débarquant à Nice, il s'inscrit à la faculté de Médecine. Mes écrits, c'est dans le texte original qu'il les lit. Depuis notre première rencontre, je les lui soumets. Souvent, il me les rend annotés et corrigés. Tout ce que j'écris sur la Bible et le Talmud, et même sur le hassidisme, porte sa marque. Les romans aussi ? Les romans aussi.

Un hebdomadaire hébreu souhaitant lui rendre hommage, il me fit comprendre qu'il aimerait être présenté par moi. Naturellement, je l'ai fait. Je me suis longuement arrêté sur l'impact de son œuvre dans le vaste champ des études juives contemporaines et j'ai conclu par ces mots : « Je ne sais pas comment le professeur Lieberman aimerait qu'on le présente, mais je sais comment j'aimerais qu'on me présente, moi : comme son disciple. »

Son influence sur moi, je la reconnais et la revendique tous les jours. Pour la sentir, il me suffit d'ouvrir un traité du Talmud, n'importe lequel. Et je vois son sourire. Et j'entends son message, inspiré par une expression talmudique, que je trouvais parfois sur mon répondeur : « Reb Eliézer, Reb Eliézer, *ve-Torah ma tehé aléha*? Et qu'adviendra-t-il de la Torah? » Autrement dit : qu'adviendra-t-il de la Torah si nous oublions de l'étudier?

Un jeudi soir, en sortant de la YMHA où je viens de donner une conférence sur un sujet biblique, il m'aperçoit avec Marion. Le lendemain, il m'annonce : « Ton mariage, c'est moi qui vais le célébrer. » A l'époque, je ne sais pas encore que nous allons nous marier. Lui, il l'a déjà compris.

D'ailleurs, il commence à m'entretenir de choses pratiques. De quoi vivrai-je? Il me propose de me conférer la *smiha*, de me couronner rabbin : « Ainsi, si tes livres ne se vendent pas, tu auras un poste et une source de revenus. » Stupidement, je refuse, et c'est la seule fois que je lui dis non : je ne suis pas fait pour une carrière rabbinique. « Moi non plus », me répond-il avec son petit rire espiègle que je connais si bien. Et pourtant.

C'est grâce à lui, souvent chez lui, que j'ai pu approcher les grands talmudistes et chercheurs israéliens et américains : intimidé, je participais rarement aux discussions, je préférais écouter.

Gershom Scholem, le père fondateur des études mystiques modernes, comptait parmi ses proches. Des rapports complexes les liaient. On dit que Scholem craignait Lieberman, lui dont le monde académique redoutait le jugement. Est-ce vrai? Disons qu'il lui manifestait un respect spécial. Il a tenu à assister à mon mariage. Pas à cause de moi, mais de son vieil ami.

Scholem : grand, maigre, tendu, toujours à l'affût. Oreilles immenses, yeux mobiles, narines palpitantes : on dirait un guerrier constamment en état d'alerte. Pour repousser qui? Satan? Un faux messie un faux prophète? Il semble poursuivre sans relâche l'éternel combat entre les forces du Bien et du Mal, entre les Fils de la lumière et ceux des ténèbres. Dans sa bibliothèque privée, la section sur les démons et les sciences occultes me paraît particulièrement riche. J'admire l'étendue de son savoir autant que sa curiosité vigoureuse, infinie : elle donne le vertige. Il veut tout apprendre, tout comprendre. Tout intégrer dans un système dont le mysticisme juif serait la clé sinon le centre. Son œuvre va bien au-delà du commentaire ; elle découvre et innove : impossible aujourd'hui d'aborder l'univers mystérieux et envoûtant de la Kabbale sans lire et faire lire ses livres. Son maître ouvrage sur Sabbataï Tsevi se lit comme un roman à suspense. Sa monographie sur Jacob Frank aussi. Ses essais sur les origines du mysticisme lurianique ou l'école de Geronda, en dépit de leur complexité baignent dans une lumière qui en rend la lecture non pas facile, mais réconfortante, absorbante.

Lors de notre toute première rencontre, chez Norman Podhoretz, le rédacteur en chef de *Commentary Magazine*, il me parle de ma ville natale comme s'il y était né. Il connaît chaque ruelle, chaque maison. Me voyant ébahi, il dit : « Non, je n'ai jamais mis pied dans votre Sighet. Mais j'en connais des choses que vous même ignorez sans doute. Saviez-vous qu'il y avait chez vous une forte secte frankiste ? » Non, je ne le savais pas. Des frankistes chez nous ? Des adeptes du faux messie qui transgressaient les lois fondamentales du judaïsme afin de hâter la délivrance ultime ? Des hommes, des femmes qui secrètement menaient une vie de débauche ? Qui pratiquaient l'adultère et même l'inceste ? Chez nous ? Scholem savoure mon désarroi, mais ne le montre pas. Il explique : « Dans les murs d'un immeuble effondré, on a récupéré des écrits frankistes, des confessions collectives, des litanies. » J'ignorais que les frankistes avaient leur propre *genizah*.

Le premier jour de Pessah, le lendemain de notre mariage, Marion et moi lui rendons visite dans son appartement de Jérusalem. Pour l'écouter. J'aime l'interroger encore et encore sur les souvenirs interdits de ma ville. Fania, son ancienne élève devenue épouse exemplaire, prend part à la conversation. J'aime l'entente qui règne entre eux. Je mentionne le nom de Martin Buber. Je lui demande pourquoi il a attendu que le philosophe soit vieux pour démolir sa pensée dans un essai retentissant. « Aurais-je dû le publier après sa mort ? » me répond-il d'un air choqué. Il n'a pas compris ou n'a pas voulu comprendre le sens de ma question : pourquoi n'a-t-il pas fait paraître sa critique de Buber quand celui-ci était encore jeune et capable de la réfuter ? Pour vite changer de sujet, je fais une remarque sur Lieberman. Scholem l'esquive : il se lance dans un monologue fascinant sur la conception du démon dans le mysticisme juif.

Lieberman, lui, n'hésite pas à m'entretenir de ses rapports compliqués avec Scholem. Comment un rationaliste et un spécialiste en mysticisme pouvaient-ils s'entendre ? On raconte une anecdote (dont Lieberman m'a confirmé la véracité) : invité à faire une conférence au Séminaire théologique juif, Scholem est bien entendu présenté à l'élite intellectuelle new-yorkaise par son prestigieux recteur, le professeur Lieberman. Voici comment : « Mesdames et messieurs, vous connaissez sûrement le professeur Gershom Scholem. C'est lui qui occupe à l'université hébraïque de Jérusalem la chaire de mysticisme. Qu'est-ce donc que le mysticisme ? » Il s'interrompt avant d'ajouter d'un air sérieux : « Le mysticisme, c'est... le non-sens. » On imagine la stupéfaction dans la salle. Les gens s'entre-regardent. Lierberman attend que le choc s'atténue et enchaîne : « Mesdames et messieurs, le non-sens est non-sens, mais l'histoire du non-sens, c'est l'érudition et la connaissance. » En anglais, la sentence est plus percutante : « *Non-sense is non-sense, but the history of non-sense is scholarship.* »

Plus tard, j'apprendrai que des tensions conflictuelles existaient entre Scholem et certains de ses disciples. J'ai rencontré l'un de ceux-ci à Londres : Joseph Weiss, le plus grand spécialiste de Rabbi Nahman de Bratzlav, connaîtra une fin tragique. Pourquoi s'est-il donné la mort ? Mystère.

Les rapports que Lieberman entretenait avec ses élèves étaient de nature différente. Il les attirait en même temps qu'il leur imposait distance et respect : dès son apparition, tous devaient se lever. On a dit que ses élèves le craignaient, et c'est vrai. Pendant une année, il tient à ce que j'assiste à son cours. Je le vois donc trois fois par semaine. En classe, il est exigeant, farouche. Malgré sa volonté de détendre l'atmosphère en faisant rire les futurs rabbins, ils tremblent devant lui. Interrogés, sauront-ils « lire » le passage du jour ? Les examens, c'est tard dans la nuit qu'il les organise. Les élèves sauront-ils répondre à ses questions ? Avec lui, impossible de tricher. Pourtant, il n'élève jamais la voix. Il ne se fâche jamais. Il sait charmer, parfois il apaise. Mais il peut aussi se montrer intraitable. Un élève le retrouve un soir dans l'ascenseur : ils ont rendez-vous pour l'examen de fin d'études. Conversation banale. L'ascenseur s'arrête et, devant la porte de son bureau, Lieberman dit : « Bonsoir ! » L'étudiant bégaie : « Mais... et l'examen ? » « Le savoir peut être long à mesurer, répond le professeur. L'ignorance non. » D'habitude, il est plus clément. Mais comment expliquer qu'il ne se rende pas compte de la terreur qu'il inspire ?

Nous en parlons dans l'avion qui nous emmène en Israël. Lieberman vient de perdre sa femme : Judith était dans le coma depuis une dizaine de jours. Je donnais alors des cours dans une université de Floride et téléphonais tous les matins à mon Maître. Ce jour-là, c'est lui qui m'appelle : « *Hishlima*, dit-il, employant une formule talmudique... C'est fini... » Je comprends qu'elle a trouvé la paix. Je réponds par la phrase rituelle : « Béni soit le Juge de vérité. » Il souhaite que je prenne la parole aux obsèques. Bien sûr, j'accepte. Je demande : « Et ensuite ? » Je voulais dire : où observera-t-il la *shiva*, la semaine de deuil ? Il me dit qu'il emmène le cercueil à Jérusalem où Judith sera inhumée. Persuadé qu'un membre du séminaire l'accompagnera, je lui demande : « Avec qui partez-vous ? » Il me répond : « Avec personne. » Je dis : « Dans ce cas, j'irai avec vous. » Au lieu de répondre, il éclate en sanglots. Pendant de longues minutes, il ne raccroche pas, moi non plus. En ce moment tragique, nos rapports s'éclaircissent : il n'est pas seulement mon Maître, je suis aussi son proche compagnon.

Je n'oublierai jamais cette traversée, côte à côte, qui dura quatorze heures. Il me raconta son enfance à Motele, son adolescence à la *yeshiva* de Slobodke où il reçut l'enseignement du mouvement du Moussar, ses expériences en Palestine, ses rencontres avec les Maîtres modernes, dont les grands rabbins, le Rabbi Abraham Itzhak Hacohen Rook et le Rabbi Itzhak Halévy Herzog. Pendant tout le voyage, il mêla anecdotes, trouvailles talmudiques et pensées intimes.

Par délicatesse, je passe sous silence mon amitié avec son collègue du séminaire, le docteur Abraham Yeoshua Heschel. Je l'ai dit : ce prestigieux descendant du Rabbi d'Apt m'est proche. Alliés et complices, nous nous battons pour les mêmes causes sociales. Le problème ? Heschel et Lieberman ne s'entendent guère. Pis : ils ne se parlent pas. Est-ce parce qu'ils incarnent les vieilles querelles entre le mouvement hassidique et ses adversaires lituaniens? Y a-t-il une autre explication? Au début, m'a-t-on dit, ils étaient inséparables. Ils ne le sont plus. Pourquoi? Que s'est-il passé entre eux? J'ai souvent essayé de les rapprocher l'un de l'autre et y suis presque parvenu une fois : Heschel venait d'avoir une crise cardiaque et je dis à Lieberman : « Faites donc un geste, allez lui rendre visite à l'hôpital, cela lui fera du bien. » Mais, si la réconciliation eut lieu, elle fut de courte durée.

Une histoire drôle : elle date d'avant mon mariage.

Après la fête de Simhat-Torah (en octobre), Lieberman me demande : « Où comptes-tu célébrer le repas de Pourim (en mars)? » Je réponds : « Je n'en ai aucune idée, c'est un peu tôt pour faire des projets. » « Bon, dit-il. Tu viens chez nous. » L'hiver passe et voilà que Heschel me téléphone pour m'inviter au repas de Pourim. Je bégaie : « Je le regrette, mais c'est impossible... » Je ne vais tout de même pas lui dire que... Heschel insiste, je répète que... « Dommage, conclut-il. Dans ce cas, j'irai chez mon cousin, le Rabbi de Kappitsine, à Brooklyn. » Je me dis : tant mieux. C'est que Lieberman et Heschel habitent le même immeuble... Si Heschel passe la soirée à Brooklyn, je ne risque pas de le rencontrer à l'improviste. Le soir de Pourim, muni d'une bouteille de vodka, j'appelle l'ascenseur. La porte s'ouvre et je me trouve face à face avec Heschel, suivi de sa femme, Sylvia. « Que faites-vous ici? » me demande-t-il, sincèrement étonné. Pour une fois, j'ai la présence d'esprit de répondre sans hésiter : « Je suis venu vous apporter un cadeau de Pourim. » La trouvaille est impeccable : c'est la coutume. Je lui tends la bouteille. Mais comment savais-je qu'il était chez lui? « Je ne le savais pas. Je pensais laisser la bouteille devant votre porte. » Pourquoi ne l'ai-je pas confiée au concierge? « Je ne lui faisais pas confiance : la qualité de la vodka aurait pu trop le tenter. » « Eh bien, dit Heschel, remontons et buvons un verre, comme il se doit. » Refuser? Je ne peux tout de même pas lui avouer que je suis attendu chez Lieberman... Pour m'en sortir, j'invente, je mens. Le soir de Pourim, c'est sans doute permis. « Je suis désolé, mais je dois rentrer... Puis ressortir... on m'attend... » Heschel insiste. Puisque je suis là, levons un verre en l'honneur de la fête. Célébrer la défaite de l'ennemi, cela n'arrive pas tous les jours. Raisonnement logique. Pour gagner du temps, je me laisse convaincre. Nous montons chez lui. Il ouvre la bouteille, nous buvons. Je suis sur des charbons ardents. Heschel, lui, prend son temps, et le mien, assis confortablement dans son fauteuil. Il évoque des souvenirs de Pourim en Pologne, se rappelle un air hassidique apparemment oublié. Moi, je ne cesse de regarder furtivement ma montre : je vais être en retard, je le suis déjà. Finalement, nous nous levons. En bas, Heschel propose de me reconduire en voiture. Comment lui dire que c'est ici qu'on m'attend ? Je lui dis que je préfère marcher. « Pas question », décide Heschel. Soit, c'est plus pratique de dire oui. Et surtout plus rapide. Il me dépose chez moi. J'attends trois longues minutes et ressors à la recherche d'un magasin ouvert. J'achète une seconde bouteille de vodka. Un taxi, vite. Je me retrouve devant le même immeuble, et le même ascenseur. Lieberman m'ouvre la porte. Discret, il ne me pose aucune question sur mon retard. Je prends place à table. Parmi les convives : les grands noms de la communauté talmudique et culturelle de la ville, dont Shalom Spiegel (l'auteur d'un ouvrage célèbre sur l'Akéda), Alexandre Bickerman (philosophe et historien dont les ouvrages sur Jonas, Daniel et Esther font autorité) et H. L. Ginzburg (illustre professeur d'études talmudiques). Conversation brillante, scintillante, discussion animée : silencieux, j'écoute, j'apprécie, j'apprends. Le repas se termine vers 4 heures du matin. Devant la porte de l'ascenseur, j'hésite : prendre l'escalier ? Non, l'ascenseur est là. La porte va s'ouvrir : vite, je prie Dieu de m'éviter un nouvel embarras. Ma prière est exaucée. Merci Dieu. L'ascenseur est vide. Encore une prière : fais qu'il n'y ait personne en bas. Il n'y a personne. Et dans la rue non plus ? Personne dans la rue. Que tu es grand, Dieu. Et charitable. Maintenant, il s'agit d'arrêter un taxi. En voilà un. Il s'arrête devant moi. Et c'est un Heschel souriant qui en sort : « Vous voyez ? me dit-il. Je savais que vous attendiez un taxi. »

Vint le jour fatidique... une semaine avant Pâque 1983.

Le Rabbin Wolfe Kelman, un ami de longue date, m'appelle. Au ton de sa voix, je sais qu'il est porteur de mauvaises nouvelles. Je suis choqué, effondré, mais pas surpris. En moi une corde vient de se casser. Je murmure : « Béni soit le Juge de vérité. » « C'est arrivé dans l'avion », me dit Wolfe. Je pleure sans pleurer. L'instant d'après, c'est l'historien Yossi Yerushalmi qui m'appelle : « J'ai une triste... » Je l'interromps « Je sais. » « Il est

mort dans son sommeil », précise Yerushalmi. Je lui demande :
« Quand auront lieu les funérailles ? » « Dans quelques heures,
répond-il. Impossible que tu arrives à temps. »

J'ai dit que je ne suis pas surpris. Tout me revient. Ce jour-là,
Lieberman a un comportement inhabituel. Ayant achevé notre
cours, nous nous levons et nous nous embrassons : lui doit
s'envoler l'après-midi même pour Jérusalem où il veut célébrer
Pessah avec son frère aîné, et moi je me dépêche pour aller donner
mon cours à l'université de Yale. Il m'accompagne à la porte.
Soudain, il s'écrie : « Retournons, veux-tu, Reb Eliézer ? » Nous
reprenons nos places et nous replongeons dans l'étude. Je me
souviens du passage : il s'agit du cadavre anonyme qu'on vient de
découvrir dans un lieu public. La loi oblige les Anciens de la
communauté à apporter un sacrifice expiatoire. Commentaire de
mon Maître : En quoi est-ce leur faute ? En ce qu'ils ont laissé un
visiteur solitaire s'en aller sans protection. Lieberman n'a jamais
été plus brillant dans ses raccourcis inspirés par des Sages
palestiniens, son Radak adoré, le Gaon de Wilno... Une heure
s'écoule. De nouveau, nous nous levons. Il m'accompagne dans le
couloir, nous nous embrassons, j'entre dans l'ascenseur, mais mon
ami et Maître me tire par le bras et dit : « Nous avons encore le
temps, Reb Eliézer, n'est-ce pas que nous avons encore le
temps ? » Nous revenons dans son bureau, reprenons nos places,
rouvrons le Talmud. Pour une heure de plus. Il est déjà 13 heures.
Cette fois-ci, aucun délai n'est possible. Nous nous séparons. J'ai le
cœur lourd. C'est que, pendant l'étude, je me suis aperçu
brusquement d'un détail tout à fait insolite : sa table, d'habitude
encombrée de livres, de revues et de papiers, était entièrement
vide. Une image m'est alors revenue à l'esprit : des années
auparavant, un jeudi matin, Heschel m'appelle ; il a besoin de moi
d'urgence ; est-ce que je peux venir ? Je saute dans un taxi et cours
au séminaire. Je frappe à la porte de Heschel, il l'ouvre. Sans
m'inviter à entrer, sans prononcer un mot, il appuie sa tête contre
mon épaule et se met à sangloter comme un enfant au cœur brisé :
j'ai rarement vu un adulte sangloter ainsi. Soudain, depuis le seuil,
je remarque sa table qui d'ordinaire était en désordre ; maintenant
elle est bien rangée. Nous nous sommes quittés sans échanger une
parole. Heschel mourut le lendemain. Et voilà qu'à son tour la
table de Lieberman est débarrassée... Dans mon subconscient, je
sens l'approche d'une menace, je l'écarte.

La mort les a-t-elle réconciliés ? Le Talmud dit que les Justes sont prévenus de leur mort prochaine. Pour qu'ils puissent s'y préparer. Et mettre de l'ordre dans leurs affaires. Chacun à sa manière, Heschel et Lieberman étaient des Justes.

Lieberman me manque. Je n'ai jamais si bien compris la loi talmudique selon laquelle un homme doit porter le deuil de son Maître, de même qu'il porte le deuil de ses parents.

Lorsqu'un Maître s'en va, ses disciples sont orphelins.

Étrange : avec Lieberman, nous ne discutions jamais de la foi. Il ne me faisait jamais la morale, n'exigeait pas de moi une observance plus rigide ou plus rigoureuse de la Halakha : il comprenait mes difficultés intérieures dans ce domaine. Ces questions, c'est avec le Rabbi Menahem-Mendel Schneerson de Lubavitch que je les discutais.

J'en parle un peu dans *Les Portes de la forêt*. J'y décris une célébration hassidique à Brooklyn : c'est la sienne. Les chants, les vœux, la ferveur des adeptes : je me croyais chez mon Rabbi, dans ma ville natale.

Le Rabbi Menahem-Mendel Schneerson de Lubavitch impressionne par la puissance spirituelle qui se dégage de sa personne. On dirait un souverain grâce à qui l'on peut vivre et œuvrer en paix. Quand il parle, la foule retient son souffle. Quand il chante, elle vibre de toute son âme. Ce qu'il exige, il l'obtient. Peu de Maîtres hassidiques contemporains détiennent une telle autorité. Ses émissaires, on les rencontre sur les cinq continents. Il arrive qu'il convoque un jeune étudiant et lui dise : « Tu partiras ici ou là, et tu aideras les Juifs à s'accomplir en tant que Juifs. » Et l'étudiant, sans discuter, sans poser la moindre question d'ordre pratique, prend sa famille, ses affaires, et se met en route.

Les fidèles du Rabbi ne cessent de rendre hommage à son érudition, ses connaissances, sa sainteté, ses pouvoirs, son sens de l'organisation, surtout au niveau pédagogique. Selon eux, il aurait fait des études de sciences à la Sorbonne et de philosophie à Heidelberg. Ils prétendent qu'il parle six langues couramment. Certains vont jusqu'à croire en ses dons surnaturels.

Ma première visite à sa cour avait duré presque toute une nuit. D'autres suivirent. Comme entrée en matière, je lui confiai — pour détendre l'atmosphère ? — que j'étais un hassid de Wizhnitz, et non de Lubavitch. Et que je n'avais aucune intention de changer d'allégeance. « L'important, répondit-il, c'est que l'on soit hassid, peu importe de qui. » Et nous changeâmes de sujet. Le Rabbi avait lu certains de mes ouvrages en français et voulait que je lui explique pourquoi j'étais en colère contre Dieu. Je lui répondis : « Parce que je L'ai trop aimé. » « Et maintenant ? » voulut-il savoir. « Maintenant aussi, je L'aime trop. Et parce que je L'aime, je Lui en veux. » Le Rabbi n'était pas d'accord : « Aimer Dieu, c'est accepter de ne pas Le comprendre. » Je lui demandai : « Peut-on aimer Dieu sans avoir la foi ? » Il me dit que c'est la foi qui doit précéder tout le reste. « Rabbi, lui dis-je, comment pouvez-vous croire en Dieu après Auschwitz ? » Les mains posées sur la table, il me contempla longuement en silence. Puis, d'une voix douce, à peine perceptible, il répliqua : « Et comment, après Auschwitz, pouvez-vous ne pas croire en Dieu ? » Je réfléchis à ce qu'il venait de dire : en qui d'autre peut-on croire ? L'homme n'a-t-il pas abdiqué ses privilèges et ses devoirs à Auschwitz ? Auschwitz ne signifie-t-il pas la défaite de l'œuvre humaine, l'échec de la société ? En dehors de Dieu, qu'est-ce qui nous reste dans un monde dominé par les ténèbres d'Auschwitz ? Le Rabbi me contempla, attendant ma réponse. Et moi je le regardai le temps de l'articuler : « Rabbi, lui dis-je finalement. Si ce que vous dites constitue une réponse à ma question, je la récuse. Mais si c'est une question, disons une question de plus, je l'accepte. » Je m'efforçai de sourire, je n'y arrivai pas.

Nous continuerons nos échanges durant des années. Après la parution de chacun de mes volumes, il m'écrira ses commentaires. Il tenait à ce que je consacre un ouvrage à la vie et à l'enseignement du premier Rabbi de Lubavitch, Rabbi Schneur-Zalman de Ladi, l'auteur du Tanya, et j'y travaille encore

Un souvenir : c'est la fête de Simhat-Torah. Lubavitch est en liesse. Le Rabbi, à sa place coutumière. au milieu de la table en T, préside la célébration dans la ferveur et l'extase. Les dignitaires l'entourent, mais, en signe de respect, à sa droite et à sa gauche, deux fauteuils restent inoccupés. Vêtu de mon imperméable et portant un béret basque (je n'aime pas les chapeaux), souffrant d'une atroce migraine, je me tiens à l'entrée, n'osant pas me mêler à la foule. On me prend sûrement pour un observateur étranger — un espion ? — qui ne comprendra jamais de quoi est faite la joie et l'expérience hassidiques. Par chance, tous les regards sont concentrés sur le Rabbi ; nul ne se soucie de l'intrus. Soudain, le Rabbi m'aperçoit. Il me fait signe d'approcher. Je fais semblant de ne pas l'avoir vu. Je me rétrécis, espérant me réveiller dans mon lit. Le Rabbi renouvelle son geste. Je ne bouge pas. Là-dessus, le Rabbi m'appelle par mon nom. Comme je ne bronche toujours pas, je sens que des bras puissants me soulèvent et me portent, par-dessus les têtes, jusqu'à la table centrale ; ils m'y déposent comme un colis devant le Rabbi. Si seulement je pouvais mourir à cet instant-là, sans déranger la fête... Pourquoi le Rabbi sourit-il ? Se moquerait-il de moi au lieu de m'aider ?

« Soyez le bienvenu, me dit-il. C'est aimable de la part d'un hassid de Wizhnitz de venir nous saluer à Lubavitch. Mais est-ce ainsi qu'on célèbre Simhat-Torah à Wizhnitz ?

— Rabbi, dis-je faiblement, nous ne sommes pas à Wizhnitz, mais à Lubavitch.

— Alors, faites comme on fait à Lubavitch.

— Et que fait-on à Lubavitch, Rabbi ?

— A Lubavitch, on boit et on dit *lehaïm*, à la vie.

— A Wizhnitz aussi.

— Très bien. Alors, dites *lehaïm*. »

Il me tend un verre de vodka rempli à ras bord.

« Rabbi, dis-je. A Wizhnitz, le hassid ne boit pas seul.

— A Lubavitch non plus », répond le Rabbi. D'un mouvement, il vide son verre, et moi aussi.

« A Wizhnitz, est-ce suffisant ? demande le Rabbi.

— A Wizhnitz, dis-je bravement, ce n'est qu'une goutte dans la mer.

— A Lubavitch aussi. »

Il me tend un deuxième verre et remplit le sien. Il me dit *lehaïm*, je réponds *lehaïm*, et nous vidons nos verres : après tout, il faut bien que je défende les couleurs de Wizhnitz, non ? Naturellement, n'étant pas habitué à boire, ma tête se met à tourner. Je ne sais plus où je suis, ni ce que je suis venu chercher sur cette scène où l'on me fait participer à un spectacle bizarre. Mon cerveau est en flammes, mon corps s'en détache.

« A Lubavitch, on ne s'arrête pas en chemin ; on continue, dit le Rabbi. Et à Wizhnitz ?

— A Wizhnitz aussi, dis-je. A Wizhnitz on va jusqu'au bout. »

Le Rabbi prend un air grave ; il me tend un troisième verre et remplit le sien. Le mien tremble, le sien non. « Vous méritez une bénédiction, remarque-t-il, le visage rayonnant de bonheur. A vous de la nommer. »

Que répondre ? Comment répondre ? Je suis dans le cirage.

« Voulez-vous que je vous bénisse de pouvoir recommencer ? »

Malgré mon ivresse, j'apprécie sa sagesse. Recommencer pourrait signifier pas mal de choses : recommencer à boire, à vivre, à prier, à croire. Et puis Simhat-Torah est mon anniversaire.

« Oui, Rabbi, dis-je. Donnez-moi votre bénédiction. »

Il me bénit, avale sa vodka et moi la mienne ; et je perds connaissance.

Je me réveille dehors, étendu sur l'herbe où des bras (les mêmes ?) m'ont porté, par-dessus les têtes. A quelques pas de moi, j'entends un jeune hassid expliquer avec éloquence à une dizaine d'hommes l'aspect « profond », la signification mystique de mon échange avec le Rabbi.

Un jour, il m'envoie une longue lettre dans laquelle il réagit à mon attitude envers Dieu. Pour finir, il dit : « Et maintenant, quittons la théologie et parlons d'un problème personnel : pourquoi ne vous êtes-vous pas encore marié ? »

Le jour de notre mariage, Marion et moi recevons un superbe bouquet portant sa signature et ses bénédictions. Et il nous enverra un bouquet plus beau encore pour la cérémonie de circoncision de notre fils.

Depuis mon voyage en URSS, je lui rends régulièrement visite pour lui parler de la situation des Juifs là-bas. Je lui fais part des frustrations de mes amis : la communauté juive reste passive, silencieuse. A ma surprise, il la justifie. Il préfère, lui, la diplomatie silencieuse.

Dommage.

Dommage aussi l'admiration et l'amour excessifs que ses adeptes lui manifestent. Ils croient sincèrement qu'il est capable de modifier les lois de la nature ; il aurait guéri le cancer d'untel et sauvé tel autre de la ruine. Bon, on disait cela avant, on le dira après, de certains de ses pairs. Beaucoup de Maîtres hassidiques étaient autrefois célèbres pour leurs miracles : si leurs adeptes avaient besoin de croire en leurs dons, c'était leur affaire. Mais, parmi les fidèles du Rabbi de Lubavitch, il y a ceux qui voient en lui le Messie. En février 1993, ils voulurent même le couronner « Roi et Sauveur ». Leur attitude me paraît grave et dangereuse.

Auraient-ils oublié Sabbataï Tsevi, le faux messie du XVIIe siècle ? Chaque fois qu'une communauté élève un homme au rang de messie, elle se condamne au désespoir, car l'élu finit toujours par se révéler tel qu'il est : un menteur. A des adeptes influents du mouvement, je dis : « Pourquoi n'arrêtez-vous pas cette campagne ? Ne mesurez-vous pas le tort que vous infligez à votre Maître bien-aimé ? D'autant que, malade, il n'est pas capable de se défendre. » Mes efforts restent vains.

Le 12 juin 1994, par un après-midi pluvieux, je suis dans la foule en deuil qui accompagne son cercueil sur Eastern Parkway à Brooklyn. Des dizaines de milliers d'hommes et de femmes, accourus de France et d'Israël, marchent en récitant des psaumes. Longeant l'avenue, des enfants, des adolescents pleurent en criant : « Rabbi, rabbi... » Aujourd'hui, le peuple juif tout entier est orphelin. Je me rappelle mes rencontres avec le Rabbi. Son sourire grave, ses yeux bleus et pénétrants, sa façon de chanter et de faire chanter. La dernière fois que je l'ai vu, il m'a demandé pourquoi je n'avais pas encore écrit un livre sur le fondateur de son mouvement, le Rabbi Shnéour-Zalmen de Ladi. Et il m'a donné une bénédiction pour Marion et notre Elisha. Dans les ruelles avoisinantes, j'aperçois sur les murs des maisons de vieilles pancartes à présent désuètes : « Soyez le bienvenu, le Roi Messie. »

Toujours préoccupé par le drame et le courage des Juifs russes (nous sommes en 1968), j'aimerais les aider de façon plus efficace. J'en parle à un ami metteur en scène, Hy Kalus. Israélien d'origine américaine, ce rouquin comme on n'en voit plus irradie l'énergie créatrice dont j'ai besoin. Nous discutons souvent de la situation au Moyen-Orient, de la politique américaine, des émeutes dans les campus. Puis, à ma question — que pourrais-je faire d'autre, puisque j'ai tout essayé ? —, il répond sans hésiter : « Le théâtre. » J'ai dû mal entendre : « Que dis-tu ? » « Oui, le théâtre. Écris quelque chose pour la scène. » Je proteste : « Je n'ai jamais écrit de pièce, j'ignore comment on s'y prend, mon père et mon grand-père n'ont jamais fréquenté le théâtre, en fait, je me demande si mon grand-père savait ce que c'était, le théâtre... » Imperturbable, Hy répond : « Essaie. Qu'est-ce que ça te coûte ? »

En secret, je m'y mets. Tout d'abord, il me faut un sujet. Je le tiens : la solitude des Juifs russes. De même pour le personnage principal : je prends pour modèle le grand rabbin Reb Yehuda-

Leib Lévine de Moscou. D'ailleurs, je lui dois bien cet hommage.

Grand, robuste, barbe et moustache grisâtres, ce sont ses yeux qui m'ont d'abord frappé : ils reflétaient une lassitude infinie proche de la résignation.

Lors de notre première rencontre — le soir du Kippour 1965 —, j'étais assis à sa gauche sur l'estrade (la *bima*), avec les diplomates israéliens et étrangers. Je n'osai pas lui adresser la parole : vingt ans avant les débuts hésitants de la *perestroïka*, c'était trop dangereux pour lui ; il y avait trop de mouchards dans l'assemblée. Mais je ne pus détacher mon regard du plus malheureux des chefs spirituels juifs de la planète. L'année suivante, je le revis, cette fois encore sur la *bima*, pour la cérémonie solennelle de Kol Nidré. Il me reconnut et me sourit en me serrant la main. Était-ce sa manière de me remercier de ne pas l'avoir oublié, d'être revenu ?

Brusquement, pendant que je l'étudiais, j'eus une idée fulgurante : il faut qu'il brise le silence qui, depuis des décennies, étouffe sa communauté ; il faut que sa volonté se libère, que sa colère éclate ; il faut que, en présence de ces milliers de Juifs, il révèle ce qui secrètement lui fait mal, ce que l'oppresseur exige de notre peuple meurtri. Je le regardai intensément, l'implorant en silence, de toutes mes forces : « Soyez courageux, Rabbi ! Cessez de courber la tête ! Redressez-vous, quitte à devenir martyr ! De votre poing, frappez le pupitre, interrompez l'office et criez, hurlez que la foi juive est ici menacée, bafouée, emprisonnée. Faites-le, Rabbi, et vous entrerez vivant dans la légende des héros d'Israël. » Malheureusement, il était épuisé, le grand rabbin de Moscou. Ayant vécu — pardon : survécu — trop longtemps sous le régime communiste, il ne trouva plus en lui le ressort nécessaire pour élever la voix souveraine de la révolte. Sur le moment, et pendant les semaines qui suivirent, je le regrettai. Pour lui et pour sa communauté. Je le plaignais de n'avoir pas eu la force d'accomplir la mission que personne mieux que lui n'aurait pu entreprendre : vaincre la soumission et la peur.

C'est en songeant à la pièce que je me proposais d'écrire que le visage tourmenté et résigné du grand rabbin réapparut dans mon esprit. Si Malraux a raison, il serait donné à la littérature de corriger, de réparer l'injustice : eh bien, sur la scène, je tenterais de corriger l'injustice faite au rabbin Lévine ; il accomplirait au théâtre ce qu'il n'avait pas osé entreprendre dans la synagogue de Moscou. Tel serait le thème de la pièce.

Comme il me faut toujours un fou pour colorer mon paysage romanesque, je mets le rabbin face à un fou que, sans savoir pourquoi, je nomme Zalmen. (Plus tard, je découvrirai, dans la chronique des Sonderkommandos, deux hommes étonnants de sincérité et de compassion ; tous deux s'appelaient Zalmen.) Le rôle de celui-ci ? Agir sur le rabbin, le pousser, l'inciter à devenir fou le soir du Kippour, c'est-à-dire à lancer la vérité de sa souffrance muette à la face d'un monde complice et indifférent.

Il manque une présence féminine, et je donne au rabbin une fille, Nina. Son âge ? La trentaine ou la quarantaine. Il lui faut un mari, Alexei, que j'imagine communiste juif (plus communiste que juif) afin de l'opposer au rabbin. Le couple a un fils : Misha, douze ans. Ainsi, quand son grand-père lui dira : « Alors, mon petit, tu te prépares pour ta Bar-mitzvah ? », Misha répondra : « C'est quoi, la Bar-mitzvah ? » Ce sera pour Zalmen le moment de triomphe « Tu vois, Rabbi ? criera-t-il. Ta lignée est en train de s'éteindre. Deviens fou, te dis-je. Fais de ta vérité un hurlement ! C'est ta seule chance, et la mienne, et celle de ton petit-fils aussi ! Ton avenir et celui de notre peuple dépendent de toi, de toi seul ! »

D'autres thèmes se dégagent : le mystère de la survie juive, le rôle de la mémoire, la dimension métaphysique du rire, les limites de la coexistence ou de la collaboration, le poids d'un acte solitaire. A quel prix la résistance ? Jusqu'à quand l'acceptation ? Finalement, le Rabbi deviendra fou ; il criera la vérité ; et ce sera pour rien.

Pris au jeu, je travaille sur la pièce à plein temps. Le concours d'Hy Kalus m'est précieux sinon indispensable : à peine écrites, je lui lis les scènes, l'une après l'autre. J'ajoute, je gomme, j'étoffe, j'élague, je corrige, je réécris telle réplique trop lourde, je retravaille telle autre trop courte, je revois tel personnage qui bouge trop, et tel autre qui ne bouge pas assez. Je reçois la même aide de Marion qui a fait des études d'art dramatique. Elle « sent » quand une réplique fait mouche. Une fois achevé, le manuscrit est expédié au Seuil. Marin Karmitz, que je connais depuis 1968 (et qui ne produit pas encore de films), le confie à Madeleine Renaud qui le passe à Jean-Louis Barrault qui... L'ont-ils seulement lu ? J'en doute. Dans la loge de la comédienne, tous deux me disent des mots fort aimables et très vagues, mais la pièce « malgré ses qualités superbes n'est pas pour le théâtre de France. Vous comprenez... » Je comprends... Vraiment, un rabbin sur une scène française ? Comment l'imaginer ! Heureusement, René Jentet, un très grand réalisateur, homme cultivé, débordant de talent, d'imagination et d'intégrité, accepte la pièce pour France-Culture. A New York, une lecture privée est organisée chez Lily et Nathan Edelman dans leur appartement de l'université Columbia. Parmi les invités : Dina Recanati, sculpteur dont l'univers est fait de portes et de livres ; son mari, Raphaël, est banquier et philanthrope. (Originaire de Salonique, cet ancien émissaire de la Hagannah au Caire a fait plus que quiconque pour les institutions culturelles, sociales et médicales en Israël. Et pourtant...) Le célèbre comédien Joseph Wiseman (vedette du film *Viva Zapata* et de la pièce sur Robert Oppenheimer) montre *Zalmen* à des amis producteurs et metteurs en scène américains. Coup de chance, Alan Schneider — le metteur en scène de Beckett et d'Albee — trouve le texte à son goût et le retient. Il en parle aux patrons du Washington Stage Arena qui l'acceptent. Assisté de Marion — que j'ai épousée entre-temps —, Alan présente une production raffinée et émouvante : l'accueil est tout ce que nous pouvions souhaiter de mieux ; les critiques ne tarissent pas d'éloges. Mel Gussov, dans son compte rendu pour le *New York Times*, rappelle que j'avais déclaré ne plus vouloir écrire pour la scène et ajoute : « Espérons que M. Wiesel reviendra sur sa décision. » Si bien que la Public Broadcasting Corporation — la chaîne de télévision publique culturelle — décide de filmer la pièce pour la diffuser un soir de grande écoute. Irving Bernstein, le directeur inlassable et inégalable de l'équivalent américain du Fonds social juif unifié, souhaite présenter *Zalmen* en avant-première pour la conférence annuelle de son organisation. Le lieu : Carnegie Hall. La date : un vendredi après-midi de décembre.

Bernstein insiste pour que je présente moi-même le programme. Mon bref exposé, je l'intitule « Cantique des cantiques pour le judaïsme russe ». On projette le film et je me dépêche de rentrer à la maison avant l'arrivée du Shabbat. Sur mon bureau, une lettre. Une femme m'écrit de Brooklyn : « Je m'appelle Rivka, je suis la fille du grand rabbin de Moscou. » Elle aimerait me rencontrer. Je sursaute : « Quoi ? ! Le Rabbin Lévine avait une fille ? » Je relis la lettre. Rivka y indique son numéro de téléphone. Je m'empare de l'appareil. Trop tard : le Shabbat tombe apparemment sur Brooklyn plus tôt que sur Manhattan ; les Juifs pieux ne répondront plus avant samedi soir. Long, le septième jour : l'un des plus longs de ma vie. Jour de repos ? Pas celui-là. En esprit, je fais des choses qu'un Juif pratiquant n'a pas le droit de faire le septième jour : j'appelle, je rappelle, j'insiste, je voyage jusqu'à Moscou sinon plus loin encore, jusqu'à Brooklyn. Comme tout a une fin, je vois le jour tomber, les trois étoiles requises scintiller dans un ciel gris-blanc et gelé. Vite, Brooklyn. Ça sonne, ça sonne. Pas de réponse. Je recommence. Même résultat. Infatigable, je refais le numéro cinq fois de suite. Je le referai mille fois, s'il le faut. Finalement, la chance se décide à me sourire : une voix humaine répond. Un homme. « Oui ? ? ? » A bout de patience, j'éclate : « Puis-je parler à Rivka ? » Naturellement, je donne son nom de famille. « Qui la demande ? » Je me présente. La voix hésite, mais pas longtemps : « Êtes-vous sûr qu'elle souhaite vous parler ? » Il se moque de moi, ma parole ! « J'ai sa lettre sous les yeux... » Le bonhomme daigne enfin abandonner son scepticisme : « Bon, bon, ne vous fâchez pas ! » Je l'entends qui crie : « Rivkaaa ! » Enfin, je l'ai au bout du fil, la fille du grand rabbin. Elle confirme son désir de me rencontrer, je lui dis le mien de faire sa connaissance. Je propose . « Ce soir ? » Impossible. Demain matin ? Impossible. Demain après-midi ? D'accord. Demain après-midi. Énervé, je ne dors pas de la nuit. Je ne mange pas le lendemain. Bon, j'exagère un peu, un peu seulement : j'ai rarement connu pareille excitation à cause d'une femme, fille de rabbin de surcroît J'essaie de l'imaginer : jeune, brune, intelligente ?

La quarantaine. Comme ma Nina. Brune. Triste, le visage triste, l'âme triste. Comme ma Nina. Sans doute romantique, à la manière russe ou juive, ou les deux. Rivka est accompagnée par un parent : une femme juive pieuse ne doit pas rester seule avec un homme dans une chambre. Marion se joint à nous, offre à boire, apporte des fruits. Je m'efforce de ne pas brusquer les choses, mais mon impatience prend le dessus : « Alors, dites-moi, vous avez vu ma pièce ? » Elle me donne alors une leçon d'humilité dont tous les dramaturges auraient besoin de temps en temps pour ne pas trop se prendre au sérieux : « La pièce ? dit Rivka en ouvrant de grands yeux Laquelle ? Je ne sais pas de quoi vous parlez. » Ahuri, je m'écrie : « Vous ne savez pas que j'ai écrit une pièce sur vous ? Qu'on l'a jouée à Washington ? Qu'on va la montrer à la télévision ? » Légèrement irritée, elle secoue la tête, comme pour me réprimander : « Vendredi dernier, vous ne saviez même pas que j'existais, et maintenant vous prétendez avoir écrit une pièce de théâtre sur moi ? » Plutôt que de me lancer dans un exposé sur la théorie et les exigences de l'art dramatique, je lui demande : « Mais, alors, pourquoi teniez-vous à me voir ? » Sans hésiter, elle répond : « C'est bien simple, monsieur. J'ai lu en *samizdat* certains de vos ouvrages, y compris celui sur les Juifs russes. Vous y mentionnez mon père. Vous souvenez-vous de mon père ? Vieux et malade, il m'appelle un jour à Odessa où j'exerce ma profession de dentiste ; il me prie de venir ; il a besoin de moi, d'urgence. Je laisse mon mari et mes enfants et j'accours. Pâle, mourant, mon pauvre père me communique ses dernières volontés : " Rivka, promets-moi de tout faire pour que tes enfants grandissent en tant que Juifs ; puisque tu ne peux pas le faire ici, va en Israël. Et si tu ne peux pas aller en Israël, va à New York, à Brooklyn. " Naturellement, je le lui promets. Il insiste : " Jure-le-moi. " Ce furent ses dernières paroles. Bien sûr, je veux tenir ma promesse. Seulement, ça n'est pas simple. Vous comprenez, mon mari, il est juif, naturellement, mais ça l'agace, ça l'embête d'être juif... »

J'ai envie, moi, de l'interrompre, de lui dire : « Comme mon Alexei, exactement comme Alexei dans la pièce ! » Je ne le fais pas, j'écoute, Marion aussi écoute, fascinée :

« ... Et il refuse d'élever nos enfants dans la tradition juive, continue Rivka. Impossible de le convaincre, impossible de l'amadouer. Nos enfants, selon lui, seront communistes comme lui, des mécréants, des impies, des athées... Je discute, je pleure, j'évoque mon serment : rien à faire. Alors, c'est l'éloignement. Ce sont des querelles matin et soir, des disputes sans fin. De guerre lasse, je décide de divorcer. Et de quitter l'URSS. Avec mes enfants. Seulement, mon mari me laisse emmener mes deux filles mais pas mon fils. Eh bien, mes filles sont parties avec moi : l'une s'est mariée en Israël, l'autre va épouser un hassid de Lubavitch à Brooklyn. »

Prévoyant la suite, je sens ma gorge se nouer : « Et votre fils ? Où est-il ? » Elle baisse la voix : « Mon fils, lui, est resté avec mon mari. »

Et moi, troublé et peiné par la ressemblance entre le sort de ce garçon et la situation du jeune Misha, dans *Zalmen*, je me souviens : en composant le personnage, je ne savais pas comment dessiner son avenir. Le rendre à son père communiste ? Je n'avais pas le cœur de l'enlever à notre peuple Le confier à son grand-père, le grand rabbin ? Je n'aime pas les happy ends doucereuses.

Dans mon incertitude, j'ai laissé le dénouement dans une sorte de brume. Au public de décider, de déterminer l'avenir de Misha. Et voilà que je l'apprends de la bouche même de sa mère ! Il ne sera donc pas juif, Misha. A voix basse, je demande à Rivka : « Et votre fils, quel âge a-t-il ? » Elle est surprise par l'intensité de ma voix : « Aujourd'hui ? Treize ans, un peu plus. » Peut-être a-t-elle deviné la question suivante, car elle me devance : « A mon vif chagrin, il n'a pas fait sa Bar-mitzvah. Son père, voyez-vous, s'y est violemment opposé. »

Un lien spécial s'est établi entre nous. Comme si j'étais devenu un membre invisible et mystérieux de sa famille déchirée. Nous avons en commun une nostalgie pour un passé englouti et un amour pour tout ce qui incarne l'avenir. Peut-être m'est-elle reconnaissante d'avoir deviné ses secrets. En janvier, après avoir vu *Zalmen* à la télévision, elle m'enverra un mot chaleureux : « Pendant toute la durée de l'émission, je n'ai pas arrêté de pleurer et de murmurer : c'est exactement comme ça, exactement comme ça que les choses se sont passées. » Puis elle retourna en Israël.

Des mois et des mois plus tard, je reçois un appel d'un rabbin américain de la région new-yorkaise : « Je sais que vous aimez les histoires, spécialement celles qui concernent les Juifs russes ; j'en ai une pour vous, je suis sûr qu'elle vous plaira. » Je le reçois le jour même. « Vous ne me croirez pas, dit-il, vous ne croirez pas ce qui vient de m'arriver. » Je le rassure : je le croirai, mais qu'il veuille bien me dire de quoi il s'agit. « La semaine dernière, reprend-il tout enflammé, j'étais en Israël. D'abord à Tel-Aviv, ensuite à Jérusalem où j'ai de la famille... » Devant mon air impatient, il en vient au fait. Un ami fonctionnaire l'a emmené à Massada, la forteresse où, selon Flavius Josèphe, les derniers insurgés de Bar-Kochba avaient décidé de se suicider debout plutôt que de se rendre aux Romains à genoux. Depuis quelques années, le corps des Blindés y tient ses cérémonies d'investiture. « Ce jour-là, dit le rabbin, j'ai eu le privilège d'assister à une cérémonie singulière : sous la direction d'un aumônier militaire, une trentaine d'orphelins de guerre y faisaient leur Bar-mitzvah. On me présenta à l'aumônier auquel je fis part de mon étonnement douloureux qu'il y ait eu tant d'enfants dont les parents étaient tombés au combat. Il hocha la tête : en effet, les conséquences cruelles de la folie des hommes faisaient mal. Mais soudain son visage s'éclaira. Il m'indiqua un garçon au premier rang : " Celui-là, dit-il, regardez-le bien ; il n'est pas orphelin de guerre ;

c'est le petit-fils de feu le grand rabbin de Moscou. " J'ai pensé que je devais vous en faire part... », conclut le rabbin new-yorkais. Comment lui dire ma joie ? Elle me donne le vertige, je n'arrive plus à respirer. « Vous vous sentez mal ? » me demande le rabbin. Je le contemple et j'ai envie de le combler de cadeaux, et en même temps de l'engueuler : il vient de me prouver, une fois de plus, qu'un écrivain juif est handicapé : il ne peut rien inventer.

J'ai déjà évoqué Lily et Nathan Edelman. Ils méritent que je revienne à eux. Tous deux étaient mes amis, nos amis. Lorsque je les ai rencontrés, dans les années soixante, leur fille unique, Jeanie, venait de terminer ses études secondaires. La vieille mère de Lily habitait Miami. Lily travaillait pour une grande organisa-tion juive, Bnai Brith, où elle dirigeait le département de l'éducation des adultes. Nathan était titulaire d'une chaire de langue et littérature romanes à l'université John-Hopkins. Peu de temps après, la tragédie frappa la famille : admise au prestigieux collège de Swarthmore, Jeanie s'écroula en classe. Mort instanta-née. Ensuite ce fut le tour de Nathan. Crise cardiaque. Puis de la vieille mère de Lily. Et de Lily elle-même. De retour de ses obsèques, il n'y avait plus personne pour observer le deuil.

Nos deux familles étaient proches. Contacts fréquents, parfois quotidiens. Lily était la marraine de mon fils et Nathan l'ami qui me fit découvrir la vraie grandeur du scepticisme de Montaigne : toute une génération de chercheurs lui doit succès et carrières.

Peu nombreux sont les écrivains israéliens qui ne doivent à Lily ne serait-ce qu'une part ou le début de leur succès en Amérique. Amos Oz, Yehuda Amihaï, Dan Almagor, A. B. Yeoshoua, Zvi Ankori et tant d'autres : c'est elle qui s'occupait de leurs séjours ici, organisait pour eux réceptions, interviews et confé-rences ; elle n'hésitait jamais à les héberger dans son appartement de l'université Columbia où Nathan avait été muté, vers la fin de sa vie.

Tout ce qui a trait à la culture, la civilisation et l'éducation juives intéressait le couple. Avec le concours discret de son mari, Lily organisait des séminaires, élaborait des programmes, éditait des revues, commanditait traductions et recherches sur Maïmonide et Rachi, la Mishna et les poètes médiévaux.

C'est elle qui créa le Lecture Bureau (bureau de conférenciers) du Bnai Brith dont l'influence sur la communauté juive américaine ne cesse de croître grâce à Ruth Wheat qui lui a succédé. Et, paradoxalement, c'est cette activité qui, au moins indirectement, hâta sa mort.

Ses collaborateurs et amis le savent : un romancier israélien malheureusement surestimé par une partie des critiques en France en porte la responsabilité. Voyageant à travers les États-Unis sous l'égide du Bnai Brith, il buvait et flirtait un peu trop, si bien que, de partout, des plaintes affluèrent sur le bureau de Lily. Au point qu'elle se crut obligée d'interrompre sa tournée et de le renvoyer en Europe ou en Israël. Pour se venger, il la fit figurer dans un roman sous des traits d'une laideur, d'une bassesse impardonnables. Je dis bien : impardonnables. Je n'ai jamais serré la main de ce voyou, ce poltron, ce salaud d'écrivain, je n'ai aucune envie de le rencontrer.

Quelqu'un en Israël se chargea d'envoyer à Lily une traduction anglaise des pages diffamatoires en question. Sauf Almagor, aucun de ses protégés ne se donna la peine de protester. Elle se trouvait déjà à l'hôpital où l'on venait de l'opérer d'un cancer. Du matin au soir, elle ne cessait de sangloter. Elle ne pleurait pas sur son mal, mais sur l'injustice dont elle était victime : « Je ne mérite pas cela, pas cela, répétait-elle sans cesse. Je ne mérite pas d'être traînée ainsi dans la boue. » Elle mourut non pas du cancer mais de chagrin. Elle mourut le cœur brisé. Brisé, cassé par un homme méchant, mauvais, vil et dévoré de haine.

Dieu le punira.

Pour ma famille, la mort de Lily et de Nathan reste une perte irréparable. En me rappelant *Zalmen*, c'est à eux que va ma pensée.

Zalmen sera joué sur de nombreuses scènes en Europe et aux États-Unis. La pièce contient deux monologues durs, très durs. Dans le premier, le vieux rabbin devenu « fou » plaide pour que le judaïsme occidental n'oublie pas les Juifs russes :

« Je dis et je proclame que nous n'en pouvons plus... Écoutez les derniers cris d'une détresse sans nom ni avenir... Sachez que les étincelles s'éteignent dans les ténèbres envahissantes... Notre patrimoine, notre destin lui-même se recouvrent de poussière : brisées sont les ailes de l'aigle, le lion est malade... Sachez que mon cœur éclate, que l'espoir l'a déserté... Sachez que je n'en peux plus, je n'en peux plus... »

Dans le second, c'est le délégué (le commissaire du KGB) qui déclare au vieillard abattu que sa révolte audacieuse et folle était vaine, que son sacrifice avait été repoussé :

« Pauvre héros, pauvre fou. Vous avez perdu, je vous plains... Vous avez aspiré au sacrifice, mais votre offrande n'a pas été acceptée. Elle n'a même pas été remarquée. Vous avez écrit sur le sable ; le vent a tout effacé... Comment avez-vous pu être si naïf, si aveugle ? Vous pensiez vraiment que votre acte aurait une portée ? Que la terre en serait secouée ?... Dans votre imagination, vous voyiez les Juifs défilant dans les rues de Paris, Londres, New York et Jérusalem, pleins d'amour et d'indignation, poussés par le besoin de vous prouver que vous n'êtes pas seuls ?... Votre sort les émeut mais ne les touche pas... Votre solitude ne les affecte nullement... »

Dur, le discours du délégué. Cruel. Il rappelle au rabbin que, même durant la guerre, alors que

« ... jour après jour, nuit après nuit, les cadavres disparaissaient dans les fosses communes, se calcinaient dans les flammes... on célébrait des mariages dans la joie, les fêtes se déroulaient selon les coutumes, on organisait des bals... des soirées dansantes... Tout se passait comme si de rien n'était ; comme si Auschwitz n'existait pas. Et aujourd'hui ? La vie continue et les gens qui ne souffrent pas n'aiment pas qu'on leur parle de souffrance. Et encore moins de souffrance juive. »

J'y songe souvent en participant à des manifestations en faveur des Juifs persécutés n'importe où. Je me dis que le délégué avait tort. Dans la pièce même, le cri du vieux rabbin est entendu. Au second acte, tous les personnages subissent une métamorphose. Ses adversaires eux-mêmes se rallient à lui et viennent à son secours. Eh oui, le cri désespéré d'un homme n'est jamais perdu. Et le sacrifice des Juifs russes n'a pas été futile. A l'heure où ces lignes sont écrites, des milliers de Juifs soviétiques atterrissent à l'aéroport de Lod. Si on les laisse sortir de Moscou et de Kiev, de

Tachkent et de Tbilissi, c'est aussi grâce au père de Rivka qui, avant de rendre le dernier soupir, partagea avec sa fille sa conviction que l'honneur du Juif résidait dans sa judéité.

On joua la pièce dans un petit théâtre à Paris. Avouerai-je ma déception ? Les acteurs étaient admirables, et je le leur ai dit. Malheureusement, je ne peux pas en dire autant de la mise en scène : trop stylisée, lente, plutôt simpliste. Daniel Emilfork refusa de tenir compte des leçons que nous avions apprises lors des représentations à Washington et New York. (Par exemple, nous écartant du texte original, nous avons combiné pour Washington les rôles de Berl le bedeau avec celui de Zalmen.) Pourtant, à une exception près, à ma grande surprise, la presse ne fut pas trop mauvaise. L'exception ? Les propos insultants d'un critique de droite qui détesta « mes » Juifs — ou peut-être était-ce simplement le Juif que je suis qu'il détestait ?

Cela dit, de toutes les productions de *Zalmen*, celle de Tel-Aviv fut pour moi la plus décevante. Elle faillit provoquer une rupture entre Dov et moi. Elle marqua aussi un tournant dans mes rapports non pas avec Israël, mais avec certains Israéliens.

Jusqu'alors, je bénéficiais là-bas d'un courant généralement bienveillant. Je comptais des amis dans l'establishment et dans l'opposition. On appréciait mon objectivité. Je m'efforçais de ne pas prendre parti dans les querelles politiques qui, depuis toujours, traversent la nation israélienne et le peuple juif. On semblait apprécier mes reportages, mes commentaires, mes entretiens. Mes papiers destinés aux pages culturelles suscitaient des échos positifs. Quant à mes livres, ils étaient favorablement analysés dans la presse. Au journal, où l'on savait tout, on ne comprenait pas : je n'avais donc pas d'ennemis ? Cela changera avec le temps, et le premier signal de ce changement me fut envoyé par *Zalmen*.

Tout commence par une proposition alléchante du directeur de Habimah, le Théâtre national, un dénommé Gabriel, qui s'approche de notre table au restaurant du King David, à Jérusalem. Sans se donner la peine de s'asseoir, il me fait part de son indignation : « Je rentre d'Allemagne. J'ai assisté là-bas à une représentation de *Zalmen*. C'est scandaleux. » Je lui demande poliment ce qui est scandaleux : qu'il soit allé en Allemagne ? « C'est ici que votre pièce aurait dû être présentée en première mondiale, pas ailleurs ! » Il me paraît sincère. Et malheureux. Tout en parlant, il approche une chaise. Assis, il semble encore plus malheureux. Marion et moi l'écoutons sans l'interrompre. Lui dire que nous ne savions même pas que la pièce était jouée sur une scène allemande ? J'attends qu'il reprenne son souffle, et je lui dis combien cela me chagrine de le voir malheureux à cause de moi. « J'aimerais acheter les droits de votre pièce, me dit-il. Comment faire ? » Je lui réponds que les droits appartiennent au Seuil. Qu'il s'adresse à Paul Flamand. Il prend note. Adresse, numéro de téléphone. « Il est temps, annonce-t-il solennellement, que *Zalmen* rentre chez lui pour vivre avec les siens. » Nous échangeons une poignée de main, et il s'en va.

De retour à New York, nous n'y pensons plus. Nous savons que dans le monde du théâtre, si plein de promesses et d'illusions, ce genre d'engagement, il ne faut pas le prendre au sérieux. Première erreur : au bout de six mois ou huit mois, Le Seuil m'informe que Habimah, le Théâtre national d'Israël, s'intéresse aux droits de *Zalmen*. D'ailleurs, me dit la lettre, il paraît que j'ai déjà donné mon accord. Je rectifie sur-le-champ : je n'ai rien accordé. Coup de fil de Tel-Aviv. Le directeur du théâtre fait appel à mes sentiments juifs, à mon amour d'Israël : « Il faut absolument que *Zalmen* ouvre la saison. Après tout, il s'agit de Juifs russes, et y a-t-il pour vous cause plus sacrée que le combat pour leur liberté ? » En outre, remarque le directeur, les répétitions vont bientôt commencer. Je proteste, je déclare qu'il n'a pas le droit de monter la pièce avant la signature des contrats, Le Seuil pourrait lui intenter un procès. Il me rassure : les contrats, dit-il, c'est pour les agents et les avocats. Le but de son appel — qui dure plus d'une heure — est simplement de me jurer qu'il compte utiliser les meilleurs talents — pour la mise en scène et les rôles principaux — et que l'intégrité de la pièce sera scrupuleusement respectée : pas un mot n'y sera ajouté, pas un mot n'en sera retranché. Sa passion autant que son énergie me font fléchir. D'autant qu'il me promet de m'inviter à Tel-Aviv d'ici à quelques semaines pour assister aux premières répétitions et corriger des erreurs évidemment possibles mais sûrement improbables. Une semaine s'écoule, un mois, puis deux sans nouvelles du directeur. Je dis à Marion : « Tu vois ? Cette fois encore, rien ne sortira de cette affaire. En Israël aussi, les gens de théâtre promettent pour oublier. » Deuxième erreur : coup de fil du directeur ; il m'invite à la première. Là, je me fâche : « De quelle première parlez-vous ?

— De votre pièce, naturellement. ·

— Elle est prévue pour quand ?

— Dans une semaine.

— Autrement dit, vous avez répété, vous allez jouer sans contrat ? »

Il reste calme : le contrat est dûment signé ; son agent a convaincu Le Seuil que j'étais d'accord. « Vous avez tort de réagir comme ça, me dit-il. La pièce sera un succès énorme. » Que je vienne et je me rendrai compte que je n'ai pas été trahi. Oh, quelques modifications ont été faites. Mineures, il me le jure. Pressentant la catastrophe, je demande : « Quelles modifications ? » Il répète : mineures, toutes. Je m'énerve : « Par exemple ? » Joseph Milo, le grand metteur en scène, n'était pas libre ; il a dû en engager un autre. Quoi encore ? Le rôle principal ne sera pas joué par Aharon Meskin, le plus grand acteur d'Israël, mais par un autre, moins connu. « C'est tout ? » Non, ce n'est pas tout, mais le reste ne mérite vraiment pas qu'on en parle. Je hausse le ton : « Le reste ? C'est quoi, le reste ? » Oh, rien du tout. « Par exemple ? » Par exemple, me dit-il d'une voix neutre, le nom de la pièce a été changé. « Vous l'appelez comment ? » Il préfère « Les Juifs du silence ». Là, j'explose carrément : « Mais c'est le titre d'un autre livre ! Un témoignage ! Vous confondez deux genres, deux ouvrages, jamais je ne vous aurais permis de... » Maintenant, j'ai l'intuition de ne pas en avoir fini avec les surprises : quand elle n'est pas entravée, l'arrogance ne connaît pas de limites. S'il a osé faire ça, je peux craindre le pire. Et, en effet, le metteur en scène a jugé utile de couper quelques passages ici et d'en ajouter quelques-uns là. C'est tout, il le jure sur sa tête, là c'est vraiment tout. « Comme je vous l'ai dit : ces petits détails exceptés, nous n'avons introduit aucune modification dans votre pièce. » Je prends ma voix la plus solennelle pour l'avertir : « Je vous interdis formellement de monter ma pièce ; si vous le faites, vous serez traîné devant les tribunaux. » Et je raccroche.

Furieux, j'alerte Le Seuil. Le responsable des droits étrangers partage ma colère : « Un contrat signé ? Signé où, par qui ? Nous n'avons signé aucun contrat ! » Je ne maîtrise pas mon indignation : « Il faut arrêter la pièce *avant* la première ! » Un télégramme comminatoire est aussitôt expédié. La réaction ne se fait pas attendre Le directeur est au bout du fil : il paraît que je ne peux pas faire ça à Israël, que diront les gens, que diront les Soviétiques, et les antisémites, hein, est-ce que j'ai pensé aux antisémites ? Ma réponse est brève : il m'a menti, je n'aime pas avoir affaire à des menteurs. Maintenant, il prend sa voix pleurnicharde. La première est programmée pour cette semaine. Tout le monde doit y assister. Le Premier ministre Golda Meir lui a déjà accordé son patronage. Diplomates, académiciens, hommes politiques, journalistes, toute l'élite culturelle : a-t-on le droit de les décevoir ? Ce sera une honte pour l'État d'Israël, un scandale impliquant le peuple d'Israël. Endurci, je réponds : « Vous n'aviez qu'à ne pas mentir. » Nouvel appel. De Jérusalem, un écrivain célèbre plaide la cause de Habimah. Je réponds : « Il n'avait qu'à ne pas mentir. » Au suivant. Le poète Haïm Gouri. Même réponse. Un député travailliste intervient, puis un confrère. Je réponds qu'il n'avait qu'à... etc. D'autres tentent leur chance. On dirait que l'État d'Israël n'a pas d'autre souci, que parlementaires et fonctionnaires n'ont rien de mieux à faire. Finalement, c'est au nom de Golda Meir elle-même que quelqu'un appelle. Et je cède : ils m'ont eu à l'usure. Et puis, l'argument principal, je ne peux pas ne pas le prendre en considération : un procès contre le Théâtre national d'Israël ferait mauvais effet.

Le critique du plus important quotidien du matin *Haaretz* (le docteur Haïm Gamzu) excepté, presque tous les autres éreintèrent le spectacle. Ils eurent raison. Et j'eus tort de me brouiller avec Dov à qui je reprochais d'avoir publié le compte rendu du critique de *Yedioth* sans mentionner mon désaccord avec le directeur et le metteur en scène. Cependant, à ma grande surprise, sur le plan commercial, tout allait magnifiquement bien : on jouait la pièce à guichets fermés. Lorsque, un mois plus tard, je décidai d'aller voir le spectacle incognito, mon ami Eliahu Amiqam dut remuer ciel et terre pour m'obtenir un billet (payant) au deuxième balcon. Ce soir-là, la représentation se déroula sous le haut patronage du ministre des Affaires étrangères, Abba Eban, qui l'aima beaucoup.

Quant à moi, ce que je vis sur scène dépassa toutes mes appréhensions. De ma pièce, ils avaient fait un pot-pourri senti-mental, mélodramatique, incohérent, avec le son du *shofar*, des danses et le kaddish. C'était bête, puéril, indécent. Bref, c'était mauvais. Du kitch.

Pourtant, le public s'enthousiasmait, applaudissait, pleurait. Je trouvai cela insupportable. Qu'est-ce qui me restait à faire ? Je rendis visite à Golda Meir qui ne comprit pas mon indignation : puisque la pièce marchait bien, de quoi est-ce que je me plaignais ?

Et puis, sur le plan des « relations publiques », je devais me féliciter : on parlait partout des Juifs russes. « *Sit back and enjoy it* », me conseilla-t-elle : détends-toi et sois heureux. Déterminé au moins à m'expliquer, je fis une déclaration télévisée dans laquelle je posai une question dérangeante : la direction de Habimah aurait-elle agi de la même façon si je n'avais pas été juif et défenseur inconditionnel d'Israël ? J'ajoutai que je voyais dans le spectacle une trahison et demandai au public de le boycotter.

La pièce fut retirée de l'affiche quelques semaines plus tard.

Évidemment, cette histoire m'a laissé avec un mauvais goût dans la bouche. D'autant qu'elle eut une suite pas moins désagréable, bien que sur un plan différent. Pendant qu'on jouait *Zalmen* à Tel-Aviv, un représentant du Premier ministre Eshkol, un dénommé Myron, vint solliciter mon soutien en faveur d'un comité pour les intellectuels juifs russes en Israël. Son souhait : que je le présente à des gens riches pour qu'il leur explique que... Je lui répondis, avec beaucoup de courtoisie, que la collecte de fonds, même pour les Juifs russes et Israël, ne relevait pas de ma compétence, car... Il insista tant qu'à la fin, je lui fis une proposition : de même que tout ce que me rapportait la production américaine était reversé à la Conférence new-yorkaise pour les Juifs soviétiques, tous mes revenus de la production israélienne seraient virés au compte de son comité. Je lui dis que Le Seuil serait informé le jour même de ma décision. Pendant des mois, deux ou trois fois par semaine, Myron m'appela de Jérusalem : « Le virement du Seuil n'est pas encore arrivé ! C'est scandaleux ! » Bien que la procédure traînât un peu, Myron finit par recevoir un chèque assez considérable. Je m'attendais à un dernier appel, à un mot de remerciement. Rien ne vint.

Revenons en arrière : je constate que, me remémorant les années soixante, je n'ai pas encore parlé de certains événements qui les ont marquées. La guerre du Vietnam, les débuts de l'œcuménisme, le printemps de Prague, les émeutes de 68... Il en résulta, en Amérique aussi bien qu'en Europe, une sorte de mutation (c'était le mot à la mode) dans notre sensibilité, notre façon de considérer le monde et la responsabilité des hommes.

Les « sept de Chicago » avec Abbie Hoffman et Jerry Rubin,

Daniel Cohn-Bendit et les cris « Nous sommes tous des Juifs allemands », le mouvement contre tout ce qui est pour, l'occupation de la Sorbonne et de l'université Columbia, les affrontements avec la police : partout les étudiants exigent le changement. Social en Europe, politique aux États-Unis. Mais non, proteste leur prophète et guide enthousiaste, le sympathique Maurice Clavel ; il s'agit de beaucoup plus, il s'agit d'autre chose : d'une métamorphose métaphysique, d'une tentative théologique. Donc d'un retour à la religion ? Sûrement à la religiosité. Clavel n'est pas le seul à voir dans la révolte des jeunes une soif de vérité et de justice transcendantales. Me trouvant en France à cette époque, j'aime l'écouter, le lire. J'aime sa combativité, sa générosité, sa naïveté : elles expriment les rêves d'une jeunesse dont les accents poétiques me semblent légers mais beaux, donc touchants. L'imagination au pouvoir, interdiction d'interdire, changer la vie : bravo, j'applaudis. J'apprécie moins les slogans qui ont trait au passé récent de la France. CRS=SS ? Analogie malsaine. Certes, dans les affrontements au Quartier latin entre forces de l'ordre et étudiants, je suis du côté des étudiants, mais comparer les policiers aux SS d'autrefois me semble historiquement faux, politiquement outrageant et humainement de mauvais goût. Ce n'est pas entièrement de leur faute. Toute la philosophie de 68 se rattache à l'Occupation et à la Résistance, comme si ces jeunes intellectuels et étudiants étaient jaloux de leurs aînés, de leurs expériences héroïques. A les entendre, à les lire, on se croirait revenu en 1944 quand vivre signifiait se battre contre idées reçues et lois oppressantes, se battre pour la liberté, se battre pour avoir le droit et la possibilité de tout écrire, de tout dire. Or, depuis la Libération, jamais on n'a tant parlé ni tant écrit. On prononce des discours à n'en plus finir, on fonde journaux et revues ; tous les moyens sont bons pour renverser les anciens cultes et les vieilles idoles afin que règne l'homme en situation d'écoute dans une atmosphère de fraternité.

J'en parle dans *Le Cinquième Fils* :

> L'Amérique, l'Europe, l'Asie subissaient des convulsions profondes, saisissantes, à l'échelle de la planète, secouant les jeunes de ma génération.
> Paris, Francfort, Tokyo, Chicago, Delhi : troubles et émeutes sur tous les continents. Un mal mystérieux sévissait dans toutes les sphères de la société. On eût dit qu'un même écœurement, d'une violence insondable, innommable, poussait mille garçons

et filles à cracher sur les dieux et idoles et les prêtres vivant de leur mort. Oui, écœurement est le mot qui définit le mieux le sentiment qui animait la jeune génération de cette période-là. Idées et idéaux, slogans et principes, théories et systèmes anciens et rigides : tout ce qui avait un rapport avec le jadis et l'autrefois du paradis terrestre, on le reniait avec rage et dérision. Du coup, les enfants faisaient peur aux parents, les écoliers aux instituteurs. Au cinéma, c'était le malfaiteur et non le policier qui emportait notre adhésion ; c'était le criminel et non le justicier qui avait le beau rôle. En philosophie, c'était la fuite de la simplicité ; en littérature, la négation du style. En morale, l'humanisme faisait rire. Il suffisait que l'on prononçât le mot âme pour que les gens s'esclaffent... Anarchie, nihilisme, promiscuité : on buvait, on se déshabillait, on faisait l'amour tout en récitant la Bhagavad Gîta, on mélangeait prières et injures, générosité et cruauté, ascèse et promiscuité, et tout cela au nom de la contestation et de la mutation dite révolutionnaire. C'était le chaos au sens absolu. Les jeunes aspiraient à paraître vieux, les vieux à demeurer jeunes ; les filles s'habillaient en garçon, les garçons en sauvage, quant aux sauvages ils tenaient salon et terrorisaient les amateurs du snobisme... En politique, tout était chamboulé. Manifestations grandioses et grandiloquentes, démonstrations en tout genre avec participation de tous les opprimés sociaux, tous les spoliés, tous les misérables, toutes les minorités ethniques ou autres : on se battait au Vietnam, mais le front passait par les campus ; on défigurait le présent, mais c'est le passé qu'on récusait, c'est la politique qu'on démasquait, c'est le pouvoir qu'on dénonçait. A la faculté, on n'enseignait plus les lettres ni la sociologie mais la révolution ou la contre-révolution, ou encore la contre-contre-révolution de droite ou de gauche, d'en face, ou d'ailleurs. Les étudiants ne savaient plus rédiger une phrase, formuler une pensée cohérente, et ils en étaient fiers. S'il arrivait qu'un professeur manifestât son mécontentement, on le boycottait, on le malmenait, on le traitait de réactionnaire, on le renvoyait à ses titres universitaires, à ses ouvrages savants, à ses concepts archaïques. La prochaine fois, qu'il veille à naître dans une autre société, à une autre époque.

Qu'ont-ils gagné, ces insurgés aux rêves bruyants et combien attachants ? Le départ du général de Gaulle. Le meurtre du père. Son successeur, Georges Pompidou, était-il plus proche des étudiants français ? Le débat reste ouvert.

Les insurgés et combattants tchèques connaissent un sort plus tragique. Leur printemps s'éteint. Le vrombissement des chars soviétiques étouffe la ferveur de ceux qui soutenaient Alexandre Dubcek.

Et le monde ne bouge pas. Oh, je sais bien : les grandes âmes poussent des cris, les bonnes consciences étalent leurs blessures, mais Moscou s'en moque. Ses blindés écrasent le printemps de Prague. L'appel des jeunes Tchèques reste vain : Lénine ne se réveillera pas pour dire à ses disciples qu'ils sont devenus fous.

Aux États-Unis, le parti démocrate est victime des émeutes estudiantines. Hubert Humphrey perd les élections, Richard Nixon voit son rêve s'accomplir : il habitera la Maison-Blanche. Une étoile apparaît pour briller longtemps sur le firmament politique international : Henry Kissinger, ancien réfugié d'Allemagne et politologue respecté de l'université Harvard. Jamais je n'aurais imaginé alors qu'un jour, pas trop lointain, lui et moi serions amis.

La génération de 68 est aussi celle des amphétamines. Dans les parcs de San Francisco et de New York, on voit des jeunes, garçons et filles, survoltés, pénétrés des effets fulgurants du LSD. Un ami rabbin, sorte de gourou mi-poète mi-kabbaliste, essaie de m'y intéresser. Il me promet inspiration fiévreuse et visions célestes qui nourriront mon écriture. Je lui réponds que je n'ai pas besoin de LSD pour faire vivre mes personnages. Il insiste tant que je lui propose un marché : qu'il vienne chez moi quand il sera « en état de voyage », sous l'influence du LSD ; je l'observerai, et peut-être serai-je tenté. Il arrive un soir d'été et reste toute la nuit. En le contemplant des heures durant, je prends des notes qui me furent utiles pour décrire, dans *Le Cinquième Fils*, une expérience hallucinogène :

> Brusquement, poussé par une force irrésistible, je me revis au loin, tout petit, aux côtés de mon père. En pleine misère. Face à des foules affamées, apeurées. Et, inexplicablement, je suis deux personnes à la fois : je regarde un enfant qui tremble et je suis cet enfant. Je me blottis contre mon grand-père mais en même temps je me réfugie sous l'aisselle de mon père. J'ai envie de pleurer et de ne pas pleurer, de hurler et de me taire, de fuir et de rester immobile, j'ai envie d'être et de cesser d'être, je me vois dédoublé et nulle part, tout petit et fort vieux, et j'ai mal, j'ai mal, je sens mon cœur qui éclate de peur et de bonheur, oui, de bonheur de ressentir tant de douleur, je sens mon corps qui s'unit au corps de la Création, et ma pensée qui s'unit à celle du Créateur, je sens chaque parcelle de la terre, chaque fibre de mon corps, chaque cellule de mon être, et tous m'oppressent tant ils sont lourds, tant ils sont légers, et tous m'attirent vers le ciel

tout en me poussant vers le bas, est-ce pour cela que je leur parle, que je les appelle, que je les attire vers moi pour entrer en moi, comme une flamme entre dans la nuit pour la déchirer et l'éclairer ? Ça fait mal, puissamment mal, et ça ne me dérange pas d'avoir mal puisque je sais que c'est par mon père et pour lui, que c'est à cause de lui que, tout d'un coup, j'éprouve le besoin de me cacher, de m'accroupir là-bas dans le coin de la chambre, dans l'encoignure de la planète, que c'est à cause de lui toujours que je me rétrécis de plus en plus jusqu'à redevenir petit, plus petit, faire revivre l'enfant en moi-même, mourir même à sa place dans le vide, dans le néant noir et béant...

Revenu à lui, à l'aube, mon ami gourou-rabbin me raconta d'un air sérieux pourquoi, une heure auparavant, il avait éclaté de rire à plusieurs reprises : « Je me disais : j'ai plus de chance que Moïse, Rabbi Shimon bar Yohaï et le Besht... Eux devaient travailler dur — par la concentration, le jeûne, la prière — pour monter au ciel et y savourer la splendeur ; moi, un petit morceau de sucre suffit... »

Plus tard, il sut renoncer à ce genre de raccourcis et s'installa dans l'existence stable d'un professeur d'études religieuses dans une université prestigieuse.

L'écrivain Yehiel di-Nur, mieux connu sous le nom de Katzet-nik, eut plus de courage et de curiosité en faisant l'expérience du LSD.

Yehiel est un homme à part, un témoin à part, un écrivain hors catégorie. Je l'ai rencontré à Manhattan dans les années soixante. Je venais de faire paraître dans le *Forverts* une critique enthousiaste de son récit *Une horloge sur le mur*. Je tenais à le rencontrer dès son arrivée d'Israël où il habitait.

J'avais lu sa *Maison de poupées* et son *Pipl* ; on y sombre comme dans un fossé ténébreux, démoralisant et étouffant, pour en ressortir blessé, angoissé à jamais. Il y présente Auschwitz sans aucun fard littéraire. L'horreur dans sa nudité. Dans sa vérité. Femmes forcées à se prostituer. Enfants humiliés dans leur chair. Hommes affamés acculés au cannibalisme. Comment pouvait-il raconter ces souvenirs sans perdre le goût de vivre ? Je n'osai pas lui poser la question.

Yehiel : écrivain secret, le plus secret qui soit. D'où sa décision d'écrire sous un pseudonyme qui signifie « homme concentration-naire ». Timide, respectueux, il ne se livrait que dans ses écrits.

Témoin au procès Eichmann, il évoqua « l'autre planète », avant de s'effondrer en pleine séance, victime d'une crise cardiaque. Femme forte et résolue, c'est Nina, son épouse, qui le sauva.

Gidéon Hausner me raconta que Yehiel, pour écrire, avait pour habitude de mettre son costume rayé des camps. Hanté par le passé, il se fit soigner par un psychiatre hollandais de réputation internationale. Sous l'effet du LSD, il put revivre ses expériences de « là-bas » et les raconta dans un ouvrage fascinant, *Shiviti*, que je recommande vivement à celui qui n'a pas peur de regarder dans l'abîme.

A sa façon, Yehiel était un révolutionnaire.

2 avril 1969 : dans la vieille ville de Jérusalem, on a ouvert une synagogue ancienne portant le nom du Ramban pour y célébrer un mariage. L'officiant : Saul Lieberman, qui a insisté pour qu'un rabbin local soit présent et qu'on lui paie son dû ; après tout, c'est son gagne-pain. Il faut faire vite : c'est la veille de Pessah. Les invités doivent rentrer chez eux pour se préparer à la fête.

Béa et Hilda sont là avec leurs familles. Présents aussi, des cousins et des cousines. En pensée, le marié va plus loin et cherche des absents.

C'est que ce jour, il l'a redouté. Maintenant, il craint de ne pas pouvoir contenir son émotion, de s'effondrer sous son poids.

La mariée est rayonnante de beauté et de grâce. Toutes les vertus, toutes les qualités féminines sont en elle réunies. Le fiancé devrait être heureux de penser que ses parents auraient approuvé son choix. Mais il n'est pas heureux.

Pendant que Harav Reb Saul Lieberman récite les sept prières d'usage, bénissant le couple afin qu'il connaisse vraie joie et sérénité durable, le fiancé, envahi de tristesse, ne voit pas ses deux sœurs aînées, ni les neveux, ni les cousins ; il ne voit pas les bougies dans leurs mains ; ni les ombres sur les murs ; il se revoit enfant puis adolescent chez lui, au loin. Il cherche les invités invisibles. Il revoit son père, la tête penchée, et sa mère, se mordillant les lèvres : tous deux rêvaient de le conduire un jour sous la *houpa*.

La veille, il a pensé qu'il devrait aller les inviter au mariage, comme le veut la coutume. Avant les noces, l'orphelin se rend au cimetière, se recueille un moment, une heure, une vie sur les tombes de sa mère et de son père et, respectueusement, leur demande de l'honorer de leur présence. Mais ses parents, comme des millions d'autres, n'ont pas été portés en terre. Leur cimetière ? Le ciel. Ou la Création entière. Leurs tombes, c'est dans son cœur qu'il les a creusées.

De tous côtés, on crie : *Mazal tov !* On souhaite aux mariés joie, bonheur, paix, on leur adresse tous les vœux du dictionnaire des vivants. De connaître ensemble joie et sérénité. De bâtir un foyer juif en Israël. Puisse leur bonheur faire sourire et rêver. On me serre la main, on m'embrasse. Le cousin Éli Hollander propose d'entonner un chant de circonstance, mais le marié le lui déconseille : le temps presse et ce n'est pas le moment de chanter. C'est qu'en vérité il a peur, le marié. Peur que l'allégresse offusque les absents.

Voilà pourquoi on n'a pas chanté à son mariage.

Le Shabbat précédent, appelé le « Shabbat hagadol », le grand Shabbat, on avait improvisé un *aufruf* en son honneur dans la petite synagogue hassidique qu'il fréquentait avec son ami Heschel. Parmi les habitués, je l'ai dit, on trouve un grand nombre de rescapés des ghettos de Varsovie et de Lodz ainsi que de Treblinka.

Heschel a tout organisé avec Reb Leibel Cywiak. Celui-ci s'absenta quelques instants durant l'office pour prévenir son épouse : il tenait à ce que la coutume soit observée. Je ne sais comment elle fit pour dénicher, en plein Shabbat, à la toute dernière minute, raisins secs et amandes que son mari distribua aux fidèles sans que le fiancé s'en aperçoive. Et, lorsqu'on l'appela à la Torah pour réciter les bénédictions appropriées, amandes, raisins secs et bonbons se mirent à pleuvoir sur sa tête.

Après l'office, il y eut un kiddoush. Vins, liqueurs, gâteaux . rien ne manquait. Assis autour de la table, Reb Leibel et Heschel respectèrent la tradition et firent l'éloge du fiancé. Puis on entonna des airs joyeux pour célébrer son droit au bonheur. Et on se mit à danser. Danses hassidiques frénétiques, suscitant en chacun un oubli de soi, un saut vers le Très-Haut.

Et le fiancé, les yeux fermés, ne parvint plus à retenir ses larmes. Lui qui, depuis sa libération, arrivait toujours à se maîtriser, voilà qu'il se laissait aller.

Et plus ses amis l'encourageaient à chanter, à danser, à joindre son allégresse à la leur, plus il sanglotait. Est-ce d'une dette qu'il s'agissait ? Versait-il maintenant les larmes qu'il avait empêchées de couler autrefois, là-bas, et pendant toutes les années depuis ?

Pudiques, les hassidim firent semblant de ne pas s'en apercevoir.

Conformément à la loi rabbinique, deux témoins accompagnent les mariés de la synagogue jusqu'à la porte de leur chambre, au sixième étage de l'hôtel King David. La fenêtre est ouverte ; elle donne sur la vieille ville. Toutes les couleurs du ciel se battent pour rendre la cité plus belle et plus secrète.

Côte à côte, main dans la main, le marié et son élue, comme on dit, se tiennent devant la fenêtre. Ils ne se parlent pas. Nul besoin de prononcer des mots qui, de toute façon, ne diraient pas ce qu'il faudrait dire en cette circonstance.

La sagesse populaire n'a pas toujours raison. Ce n'est pas seulement au moment de la mort qu'un être revoit le film de son existence. Cela arrive aussi le jour du mariage.

A quoi songe-t-on quand on a quarante ans et qu'on prend la décision, consacrée par la loi de Moïse, de créer un foyer avec la femme qu'on aime ?

On se revoit enfant, accroché à sa mère. Elle murmure quelque chose. Parle-t-elle du Messie ? On a envie de lui dire : « Tu es morte et Il n'est pas venu. Il viendra peut-être, mais ce sera trop tard. » On marche avec son père à l'office du Shabbat. Puis dans les rangs d'un cortège de morts. On souhaite le rassurer, le consoler : « N'aie pas de crainte, ton fils tâchera de grandir en bon Juif. » Mais on ne dit rien. On appelle en silence une petite fille belle et souriante, grave et recueillie, on lui caresse les cheveux qui sont comme des rayons de soleil. Dresser le bilan, cette fois encore ? Contenir l'émotion ou la libérer ? On laisse sa pensée escalader des montagnes, dévaler des chemins escarpés, s'égarer dans des cimetières invisibles, rechercher et fuir la solitude et les gens, les histoires déjà racontées et celles qu'on racontera plus tard.

« Viens, dis-je à Marion. Descendons. On nous attend. »

Il se peut aussi que je n'aie rien dit.

Glossaire

Aggadah	Commentaires, aphorismes, légendes du Talmud.
Ahavat-Israël	L'amour, l'attachement pour Israël.
Aliya	La « montée » vers Jérusalem. Par extension, mouvement encourageant l'immigration en Israël.
Amidah	La principale prière quotidienne.
Bar-mitzvah	Cérémonie par laquelle se terminent les études religieuses des enfants à 13 ans.

Béit-Hamidrash (ou Béit-Midrash) : Maison d'étude et de prière.

Bétar	Organisation de la jeunesse juive sioniste.
Bund	Mouvement juif socialiste prônant le développement des communautés juives dans leurs pays d'exil.
Dhimmi	Juif en pays musulman.
Eretz Israël	La terre d'Israël.
Genizah	Pièce où sont placés manuscrits, livres saints et objets de culte inutilisables.
Hagannah	Organisation paramilitaire d'autodéfense.
Halakha	La Loi rabbinique.

Hassid (plur. hassidim) : Homme fervent. Disciple du mouvement fondé par le Baal Shem Tov et influencé par la Kabbale.

Havdalah	Cérémonie de séparation marquant la fin du Shabbat.
Héder	École religieuse élémentaire.
Houpa	Dais nuptial.
Irgoun	Mouvement nationaliste juif en lutte contre l'occupation anglaise en Israël.

Kaballat-Shabbat : Office introduisant à la prière du soir de Shabbat.

Kabbale	Étude (ou pratique) des sciences mystiques.
Kaddish	Le chant des morts.

Kasher	Nourriture rituellement pure.
Kavanah	Concentration de l'esprit sur la prière ou l'acte religieux.
Kiddoush	Prière du soir précédant le repas du Shabbat ou des fêtes.
Kippa	Calotte.
Kippour	Jour du Grand Pardon.
Kol Nidré	Prière ouvrant l'office du soir de Yom Kippour.
Lehi	Organisation clandestine opposée à la présence anglaise en Israël.
Maariv	L'office du soir.
Maggid	Prêcheur.
Makhzor	Livre de prières pour les fêtes juives.
Mapaï	Parti des ouvriers en Israël.
Mélamed	Instituteur.
Mellah	Quartier juif dans les pays arabes.
Midrash	Commentaire et exégèse de l'écriture.
Minha	Office de l'après-midi.
Minyan (plur. minyanim) :	Quorum de dix hommes nécessaire pour l'office.
Mishna	Recueil de lois et de décisions rabbiniques.
Mitzvah	Commandement divin.
Moussaf	Cérémonie succédant à l'office principal.
Moussar	Mouvement fondé en Lituanie pour développer l'enseignement des valeurs traditionnelles et de l'éthique du judaïsme.
Nigoun	Chant, mélodie.
Nyilas	Parti antisémite fasciste hongrois.
Palmach	Troupe d'élite de la Hagannah recrutée dans les kibboutzim.
Parashah	Passage de la Torah lu pendant l'office du Shabbat.
Pessah	La Pâque juive.
Péyot	Papillotes.
Phylactères	*Voir* téphilines.

Pourim	Fête donnant lieu à jeux, échanges de cadeaux et saynètes comiques, commémorant la victoire des Juifs perses sur leur ennemi, Haman.
Reb	Titre accordé à tout homme versé dans l'étude.
Rebbe	Titre donné à un Maître hassidique.
Rosh-Hashana	Nouvel An juif.
Rosh-yeshiva	Directeur d'une académie rabbinique.
Shavouot	La Pentecôte juive.
Shekhinah	Présence de Dieu au milieu de son peuple.

Sh'ma (ou Shema) : Prière fondamentale (« *Shema Israël*, Écoute Israël, le Seigneur est notre Dieu, le Seigneur est Un »).

Shofar	Corne utilisée lors de Rosh-Hashana et Yom Kippour.
Shtetl	Bourgade juive.
Shtibel	Lieu de prière des hassidim.
Shtreimel	Chapeau de fourrure à large bord.
Sidra	Passage de la Bible lu le Shabbat à la synagogue.
Siddur	Livre de prières.
Talit	Châle rituel pour la prière.
Talmud	Recueil des enseignements et commentaires rabbiniques.
Téphilines	Étuis en cuir contenant quatre extraits de la Bible portés sur l'avant-bras gauche et le front pendant l'office du matin.
Tisha b'Av	Jour de jeûne en mémoire de la destruction du Temple.
Torah	Ensemble des lois mosaïques figurant dans le Pentateuque et, par extension, dans la Bible.
Tsahal	L'armée israélienne.
Tzaddik	Un Juste, qui recherche la perfection sociale, morale et religieuse.
Yeshiva	École talmudique.
Yishouv	La communauté juive en Palestine.
Yizkor	Office célébré à la mémoire des disparus.
Zémirot	Cantiques chantés lors des repas de Shabbat.
Zohar	Le Livre de la Splendeur, ouvrage majeur de la Kabbale, commentaire ésotérique du Pentateuque.

Table

Enfance, 9

Ténèbres, 71

La souffrance de Dieu, 129

Formation, 135

Journaliste, 197

Partir, 279

Paris, 309

New York, 353

Écrire, 407

Jérusalem, 505

Glossaire, 557

DU MÊME AUTEUR

Paroles d'étranger
textes, contes, dialogues, 1982
coll. « Points », n° 159

Silences et Mémoire d'homme
essais, histoires, dialogues, 1989

L'Oublié
roman, 1989
coll. « Points Roman », n° 428

Célébration talmudique
portraits et légendes, 1991

Célébrations
portraits et légendes, 1994

CHEZ D'AUTRES ÉDITEURS

La Nuit
témoignage
Éditions de Minuit, 1958

Ani Maamin
un chant perdu et retrouvé
cantate
édition bilingue
Random House, 1973

Le Cinquième Fils
roman
Éditions Grasset, 1983

Signes d'exode
essais, histoires, dialogues
Éditions Grasset, 1985

Job ou Dieu dans la tempête
en collaboration avec Josy Eisenberg
Éditions Fayard-Verdier, 1986

Discours d'Oslo
Éditions Grasset, 1987

Le Crépuscule au loin
roman
Éditions Grasset, 1987

IMPRIMERIE S.E.P.C. À SAINT-AMAND (12-94)
DÉPÔT LÉGAL : SEPTEMBRE 1994. N° 21598-6 (3055)